Настоящая предлагаемая вниманию читателя книга — одна из самых интеллектуальных. Не странно ли, однако, так говорить о книге, которая на первый взгляд являет собой лишь собрание пестрых материалов. И в этом смысле только продолжает традицию жанра, по сути уже внедренного в свое время Вересаевым и недавно заново опробованного нашими авторами — О. Карпухиным и Е. Гусляровым, теперь применительно к Лермонтову.

Жизнь больших художников почти всегда драматична. А уж художников русских — в особенности. Но даже и в России трудно найти подобного Сергею Есенину поэта, судьба которого явила бы такой клубок странных противоречий, череду таких неожиданных бросков, вереницу таких высоких взлетов и глубочайших падений. Да и самая смерть Есенина — загадка, над решением которой бьются биографы: поэты и медики, литературоведы и обществоведы, журналисты и криминалисты. И все они в уяснении дела пытаются — что естественно — повести нас, читателей, своим, лишь им ведомым путем.

Авторы книги "Есенин в жизни", собрав и упорядочив — в смысле удачного расположения — богатейший и разнообразнейший материал, никуда нас не ведут. А предлагают нам идти самим: и растеряться, и сосредоточиться, и помаяться, и возмутиться, и примириться.

Но, может быть, этот-то наш отдельный, собственный, личный путь и есть сейчас единственно возможный путь к общему уяснению ярчайшего и трагичного явления, каким была не только поэзия, но вся жизнь Сергея Есенина.

Н. Н. СКАТОВ,
директор Института русской литературы
(Пушкинский Дом) РАН,
член-корреспондент РАН.

Е. ГУСЛЯРОВ
О. КАРПУХИН

ЕСЕНИН В ЖИЗНИ

Систематизированный свод воспоминаний современников

1 том

Янтарный сказ
Калининград

4

83.3(2Рос=Рус)6
882
Г 96

Гусляров Е. Н., Карпухин О. И.

Г 96   Есенин в жизни: Систематизир. свод воспоминаний современников — Калининград: "Янтарный сказ", 2000.
        Т. 1. — 360 с.
ISBN 5-7406-0300-5 : Б. ц., 5000 экз.

УДК 882
ББК 83.3(2Рос=Рус)6

Документальный роман-хроника "Есенин в жизни", так же как и предыдущая книга этих авторов — "Лермонтов в жизни", представляет собой систематизированный свод наиболее ярких деталей из воспоминаний современников поэта, дает полную картину его жизни, развития его характера и таланта, а также расширяет наше представление о людях, окружавших Есенина.

Двухтомник рассчитан на массового читателя.

Т
1002727750

Он не такой, как мы.
Он Бог его знает кто.

Александр Есенин о сыне Сергее

ПРЕДИСЛОВИЕ

Работать над этой книгой было очень непросто. Трудность нашей работы определяли два по-своему жестких обстоятельства. Первое — то, что о живом Есенине написаны многие тома воспоминаний. Выбрать из них только самые яркие детали, которые легли бы в мозаику романа-хроники, как он был задуман, оказалось делом невероятно сложным, потребовавшим долгой и тщательной подготовки. Когда этот этап был все же одолен, и мы два года складывали детали необычайной жизни в то стройное полотно, каким оно нам представлялось, возникло иное препятствие.

Об этом стоит сказать подробней.

Бывает иногда невыносимо ощущать чужую непомерную ношу. Так с нами происходило два эти года. Нам иногда казалось даже, что он, этот человек, близко от нас, совсем рядом. Пусть то, что мы видели, только тень или отражение, но и тут можно было уже угадать ту жестокую муку, которая ему выпала. Мы не ожидали, что книга представит эту жизнь в таких страшных подробностях. И тогда у нас возникла даже мысль остановиться. Так ли уж понятна будет теперь эта мука? Нужно ли сейчас напоминать о непрошедшей русской боли в таких обнажающих деталях? И что, в конце концов, пытался доказать этой своей неимоверной жизнью поэт Есенин? Чего ему не хватало? И что докажем мы?

Природа была по отношению к нему необыкновенно щедра. Она как бы продемонстрировала тот совершенный образец, на который способна. Есенин, прежде всего, был невероятно красив. Это бросалось в глаза не только женщинам. А размеры его громадного таланта не умещаются даже в рамки того, что привыкли мы подразумевать под гениальностью. Так природа одаривает тех, кого хочет сделать счастливым.

Но вот счастья-то как раз и не было.

Впрочем, счастье — это состояние души, которое невозможно измерить. Приборов таких нет.

Само по себе внутреннее состояние сверх меры талантливого человека должно быть мучительно. Таланту не даны чувства слабых — лень и покой.

Неверно то, что талант может не состояться. Он не может не состояться именно по той причине, что человек, награжденный талантом, не имеет возможности поступать обычным порядком. Ему нет остановки. Божий дар, должно быть, настолько жгуч, что остановившегося может спалить на месте. Не потому ли влекло Есенина в Москву и Питер, опять в Москву и потом — по всему свету?

На удивление смело вошел он в мир поэзии, который уже населен был необычайно громкими именами, — и этот мир немедленно покорился ему. Но это не остановило его метаний по земле, а только усилило их. Несомненно, в этих метаниях — энергия его дарования, след души.

После Есенина можно, наверное, говорить, что нет в жизни столь незначительного мгновения, которое инстинктом поэта не воспринималось бы со всем напряжением трагедии. Трагична сама повседневность. Каждое мгновение и любое житейское обстоятельство полны очарования и боли. Особенно трагично то, что эти мгновения неудержимы. В жизни нет случайностей и мусора. Невыносимая острота ощущать это и есть вечная прекрасная каторга таланта. Ему не дано спасительного инстинкта заурядного большинства привыкать к неповторимому, ощущать вечное как банальность. Об это вечное, к которому он не может выработать спасительной привычки, постоянно ушиблена его душа. И потому кровоточит и мается.

Разве не банальна и не привычна до того, что перестает ощущаться, та простая суть, из которой вышла вся больная поэзия Есенина: я не буду больше молодым? Можно лгать себе, что такое ощущение жизни не в силе являться единственным и значит главным. Но ведь когда ты остаешься один на один с собой, именно эти простые вещи смущают душу грехом отчаяния, которому нет замены и нет исхода. Человек, чья душа постоянно ушиблена этим великим отчаянием, осуждена золотым проклятием таланта ощущать в привычном изначальное и сокровенное, конечно, не может не чувствовать своего одиночества в толпе смирившихся и забывших воспринимать жизнь с трагической остротой, — и это добавляет ему боли. Мы потому так и воспринимаем каждую строчку Есенина, что они дают еще раз почувствовать нам силу и власть простых, не стертых временем и бытом чувств. Поэзия — дело божеское. Потому что она позволяет нам ощутить вечную жизнь души так, как ощущать ее дано было лишь тому начальному человеку, которому Бог только-только вдохнул ее. В этом смысле Есенин и был тем первым, изначальным человеком, еще полным вечных ощущений, но которого безжалостное время поместило в мир уже оступившийся, заблудившийся в самодельных истинах.

Было еще одно, мало объяснимое для неподготовленного сознания обстоятельство, также державшее Есенина в постоянном трагическом напряжении. Оно может показаться странным. Есенин не испытывал удовлетворения от собственного великого дара. Он как бы не ощущал его. Не понимал его последствий. Когда ему говорили, что он должен быть счастливейшим человеком, потому что ему дано писать такие необычайные стихи, он недоверчиво задумывался. Потом объяснял, что ему-то от стихов ничего не остается. Они ушли к другим. А ему-то что с того? Он был, может быть, счастливее, когда они еще только зарождались, обкатывались в мозгу. Это напоминает печальный миф о Сизифе. Камень опять упал к подножию горы, и надо все начинать сначала. Впрочем, этот миф охватывает всю историю человеческих усилий. У Есенина не было, конечно, очень уж обостренной неудовлетворенности собой, творчеством, но постоянно возникавшее угрожающее ощущение пустоты сознания слишком ясно тяготило его.

Теперь поэзию оставим. Книга не о ней, а о жизни Есенина.

Трагический исход этой жизни объясняли по-разному. Но, в основном, не понимая его. Даже крупные и проницательные умы не могли постичь этой трагедии, поскольку судили поспешно и лишь по самым ярким внешним проявлениям. Внешнее в Есенине всегда затмевало то, что скрыто было от глаз в тайниках души.

Эти поспешные суждения исказили на долгие годы и посмертную историю русского гения, принизив и опошлив драму его жизни. Пил, скандалил, заскучал, повесился. Такова схема, которой по свежим следам объяснила эту драму Зинаида Гиппиус. Трагическую суть есенинской жизни не захотел понять даже Максим Горький. "Драма Есенина, — напишет он, — это драма глиняного горшка, столкнувшегося с чугунным, драма человека деревни, который насмерть разбился о город". В другом месте он продолжит: "Друзья поили его вином, женщины пили кровь его. Он очень рано почувствовал, что город должен погубить его..." Это, конечно, только самая незначительная и поверхностная часть трагедии.

Болезнь Есенина обрела все признаки смертельной после его возвращения из заграничной поездки. Даже самые близкие люди не узнавали его. Не внешности это касалось.

Вот сидит он в каком-то кабаке. Вокруг пьяные и беззаботные прихлебатели. Есенин старается и не может опьянеть. В этом чаду он повторяет теперь единственное:

— Россия... Ты понимаешь, Россия...

И задыхается от сознания, что объяснять тяжело и бесполезно.

В другой и сотый раз прорывается у него одно и то же. "...Россия! — произнес он протяжно и грустно. — Россия! Какое хорошее слово... И "роса", и "сила", и "синее" что-то. Эх! — ударил он вдруг кулаком по столу. — Неужели для меня это все уже поздно?".

У Есенина не было великой любви к женщине. Прежде, до поездки по свету, им руководили три любви: к России, поэзии и славе. Теперь осталась только любовь к России. И не любовь это была уже, а болезнь — безысходная и неизлечимая. И все, что касалось России, теперь входило в его сознание и душу отравой и новой мукой. Он видел, что с Россией происходит не то. Первоначальные восторги исчезли, и он увидел, что Россию в нечистой игре выиграли шулера и проходимцы. Стала она на веки вечные страной негодяев. И ничего уже не поправить. Оставалось только кричать, пока свинцовый кляп не прервал этого крика. То, что кричал он, было чудовищным, не всегда осмысленным и подготовленным. Это был крик и гнев внезапно ударенного по лицу. Цена такому крику по тем временам — пуля. Почему его не тронули — самая большая загадка. Миллионы пошли в распыл за гораздо меньшую вину.

И пил, и скандалил, и плакал он только об одном. Он чуял уже гибель России. И вел себя так, как должен бы вести себя последний в этом мире русский. Метаться и кричать, чтобы упасть потом кровавым комком на землю и затихнуть. Возможно, и был он этим последним, поскольку один ясно ощущал те великие, непоправимые утраты, о которых мы стали подозревать только теперь. Нам, у которых нет такого отточенного талантом звериного чутья на собственную погибель, может быть, и в самом деле надо пропустить столетия, чтобы осознать, наконец, что русских, после того, что с ними произошло, и в самом деле уже нет. Как нужны были столетия, чтобы итальянцам догадаться, что они уже не римляне, грекам — что они не эллины. Слеза Есенина, пополам с хмелем и кровью, — не она ли была предвестием и пророчеством нашего нынешнего окончательного разора и падения, преодолеть которые, пожалуй, нет надежды.

Именно поэтому мы решили все же завершить эту книгу. Продолжающаяся трагедия Отечества не дает нам права забывать о трагичнейшей судьбе величайшего из ее печальников и певцов. Об этом хорошо сказал Вячеслав Иванов: "...Пока родине, которую он так любил, суждено страдать, ему обеспечено не пресловутое "бессмертие", а *временная, как русская мука, и такая же долгая, как она, — жизнь*".

И о том, что сегодня нам нельзя без Есенина, он же сказал исчерпывающе: "Значение Есенина именно в том, что он оказался как раз на уровне сознания народа "страшных лет России", совпал с ним до конца, стал синонимом ее падения и ее стремления возродиться. В этом "пушкинская" незаменимость Есенина, превращающая и его грешную жизнь и несовершенные стихи в источник света и добра. И поэтому о Есенине, не преувеличивая, можно сказать, что он наследник Пушкина наших дней".

В остальном эта книга построена по тому же принципу, как и наша предыдущая — "Лермонтов в жизни". Читатель, конечно же, легко заметит, что замысел этих наших книг далеко не оригинален. Жанр подобных романов-хроник прочно утвержден в литературе В. В. Вересаевым. В наших книгах будет заметно подчеркнутое следование всем принципам, разработанным в хрониках "Пушкин в жизни" и "Гоголь в жизни", которые сам Вересаев определил так: "Многие сведения, приводимые в книге, конечно, недостоверны и носят все признаки слухов и сплетен, легенды. Но ведь живой человек характерен не только подлинными событиями своей жизни, — он не менеее характерен и теми легендами, которые вокруг него создаются, теми слухами и сплетнями, к которым он подает повод. Нет дыма без огня, и у каждого огня свой дым... О Диккенсе будут рассказывать не то, что о Бодлере, и пушкинская легенда будет сильно разниться от толстовской".

Из этих соображений, в хронике использованы в качестве легенды многие эпизоды воспоминаний, навеянные разговорами современников с Есениным, который и сам не прочь был подсунуть легенду о себе. В этом-то, может, и весь интерес данного материала.

Кое-где у нас смещены временные рамки. Там, например, где нам приходилось рассказывать о людях, без которых невозможно представить Есенина в жизни. Нам нужно было рассказать о них подробнее, и мы не хотели часто прерывать свой рассказ. Цепь эпизодов поэтому включала и происшествия из другого времени, на пользу цельности натур и характеров.

В течение жизни Есенин часто возвращался в родное Константиново. Все эти эпизоды мы также сосредоточили в одном месте. Собранные там, они дают исчерпывающую картину его отношения к родному краю, к тому, как посещения эти влияли на его настроение и творчество.

Будет также заметно, что мы избегали пространных замечаний и комментариев. Делается это вполне сознательно. Любое толкование есть навязывание собственных ощущений. А ведь каждый имеет право на свое понимание текста и события. И он может сделать это вернее и безошибочнее. В этом мы видим способ подчеркнуть уважение к читателю...

И все-таки совсем без примечаний не обойтись.

К заметным недостаткам жанра относится то, что нет здесь, по ходу жизнеописания, хотя бы краткой характеристики тех, кто говорит о Есенине, дает свои "показания". А она, вне всякого сомнения, дополнила бы наше представление об окружении поэта, сделала бы более определенным взгляд окружающих поэта людей. Одно дело, если мы знаем, что это говорит тайный враг его или слишком восторженный почитатель, и совсем другое — когда свидетельствует близкий ему человек, и в силу этой близости беспристрастно воспринимающий его недостатки и достоинства.

Восполним этот пробел кратким справочным указателем.

Адамович Георгий Викторович (1890—1972) — поэт, критик. С 1923 года в Париже. Знаком с Есениным с 1915 года, относился к нему весьма холодно. Написал краткие воспоминания в парижском журнале "Звено" (1926), которые Марина Цветаева назвала "хамскими".

Александрова Нина Осиповна — поэтесса. Воспоминания ее под именем Н. Грацианской были впервые напечатаны в сб. "Литературный Ростов — памяти Сергея Есенина", 1926.

Алексеев Глеб Васильевич (1892—1938) — прозаик. Встречался с Есениным в Москве и Берлине. В берлинском журнале "Сполохи" появились в 1922 году его воспоминания по живым впечатлениям от встреч с поэтом 11 и 12 мая в Берлине.

Анненков Юрий Павлович (1889—1974) — художник, мемуарист. Цитаты по двухтомнику "Дневник моих встреч", впервые изданному в Нью-Йорке в 1966 году.

Асеев Николай Николаевич (1889—1963) — поэт, один из активных участников литературной группы "Леф", возглавляемой В. В. Маяковским. Воспоминания о непростых отношениях с Есениным и встречах с ним он впервые опубликовал в сборнике "Воспоминания о Есенине" в 1926 году.

Бабенчиков Михаил Васильевич (1890—1957) — искусствовед, мемуарист. Воспоминания — сб. "Встречи с прошлым". М., Советская Россия, 1982.

Бениславская Галина Артуровна (1897—1926) — журналистка, сотрудник газеты "Беднота". Некоторое время работала в ЧК у Крыленко. В конце 20-х годов в кафе "Стойло Пегаса" она познакомилась с Есениным. Была близка ему. После возвращения из-за границы и разрыва с Дункан Есенин жил у нее. Женитьба Есенина на С. А. Толстой прервала их отношения. Бениславская это обстоятельство переживала очень тяжело, заболела нервным расстройством. В декабре 1926 года она покончила с собой на могиле Есенина, положив тем самым начало целой серии подобных самоубийств. Цитируемые воспоминания полностью не печатались. Рукопись в ЦГАЛИ.

Березов (Акульшин) Родион Михайлович (1894—1988) — поэт, прозаик. Познакомился с Есениным осенью 1923 года, после возвращения того из заграничного турне. Очерк Р. Березова "С. Есенин. Д. Бедный. В. Маяковский" — в "Новом русском слове", 1949 год.

Берман Лазарь Васильевич — петербургский исследователь жизни Есенина. Виктор Кузнецов, напечатавший его воспоминания в книге "Тайна гибели Есенина", считает его сексотом ЧК — ГПУ — НКВД. Имел какое-то отношение к выпуску журнала "Голос жизни", где встречался с Есениным. Есенин писал ему.

Блок Александр Александрович. Встреча с ним 9 марта 1915 года — один из важнейших рубежей в жизни Есенина. Цитируются записные книжки Блока.

Бурлюк Давид Давидович (1882—1976) — поэт, художник. Собирался написать подробные воспоминания о Есенине и его пребывании в Америке, но составил только конспект. Публикация — в газете "Новое русское слово". Нью-Йорк, 7 октября 1922 года.

Вержбицкий Николай Константинович (1889—1973) — писатель и журналист. С апреля 1924 года — сотрудник газеты "Заря Востока" (Тифлис). Познакомился с Есениным в 1921 году, дружеские отношения между ними установились, когда поэт приехал в Тифлис в сентябре 1924 года. Выпустил книгу "Встречи с Есениным". Тбилиси, 1961.

Ветлугин А. (Рындзюк Владимир Ильич) (1897 — после 1946) — писатель, журналист. Сопровождал Есенина и Дункан в зарубежном турне в качестве переводчика. "Воспоминание о Есенине" опубликовано в газете "Русский голос". Нью-Йорк, 1926.

Виноградская Софья Семеновна (1901—1964) — журналист и прозаик, принадлежала к среднему поколению современников Есенина. Виноградская жила в одной коммунальной квартире с Бениславской в известном Доме "Правды", тут она и познакомилась с поэтом, имела возможность наблюдать его жизнь. В 1926 году написала свои воспоминания о нем. Брошюра вышла в популярной серии "Библиотека "Огонька" под номером 201, с названием "Как жил Есенин".

Вольпин Валентин Иванович (1891—1956) — издательский и книготорговый работник, выступал в печати как поэт и переводчик. Встречался с Есениным во время его приезда в Ташкент в мае 1921 года. Публикация — в сб. "Воспоминания о Есенине", 1926 г.

Вольпин Надежда Давыдовна (р. 1900) — поэт и переводчик, близкая Есенину женщина, имевшая от него ребенка. Мемуары "Свидание с другом" закончены в 1984 году. Они добавляют к образу Есенина много нетрадиционных черт.

Воронский Александр Константинович (1884—1943) — литературный критик и публицист. В годы встреч с Есениным был редактором журналов "Красная новь" и "Прожектор", возглавлял издательство "Круг". В журнале "Красная новь" опубликовано более сорока произведений Есенина. Воспоминания Воронского о нем были опубликованы впервые в этом же журнале в 1926 году.

Воронцов Клавдий Петрович (1898—1962) — односельчанин Есенина, один из ближайших друзей детства. Воспоминания К. П. Воронцова — самые ранние из воспоминаний земляков Есенина и его школьных товарищей. Написаны в первые дни после смерти поэта. Полностью не публиковались.

Гарина Нина — актриса, содержала кружок-салон для литераторов. Здесь собирались многие из тех, на которых потом легла "тень причастности к сокрытию действительных обстоятельств (В. Кузнецов)" смерти Есенина. Рукопись хранится в Пушкинском Доме.

Гиппиус Зинаида Николаевна (1869—1945) — поэт, прозаик, переводчик. Одной из первых отмечала достоинства поэзии Есенина. Отношения их, однако, всегда оставались напряженными. Цитируемый очерк "Судьба Есениных" опубликован впервые в парижской газете "Последние новости" в 1926 году.

Городецкий Сергей Митрофанович (1884—1967) — поэт, беллетрист и переводчик. Есенин высоко ценил помощь Городецкого в своем становлении. Воспоминания впервые напечатаны в журнале "Новый мир" в 1926 году.

Горький Алексей Максимович (1868—1936) — печатается по полному собранию сочинений. Т. 20, М., Наука, 1974.

Гребенщиков Георгий Дмитриевич (1883—1964) — писатель. Жил в эмиграции в разных странах. С Есениным встречался в Петербурге и Берлине. Мемуары Г. Гребенщикова впервые опубликованы в журнале "Зарница". Нью-Йорк, 1926.

Грузинов Иван Васильевич (1893—1942) — поэт. Познакомился с Есениным в 1918 году, входил в группу имажинистов. О Есенине писал дважды — в сб. "Воспоминания о Есенине" в 1926 году и в книге "С. Есенин разговаривает о литературе и искусстве", М., 1926.

Гуль Роман Борисович (1896—1986) — прозаик, критик, мемуарист. С 1919 по 1933 годы жил в Германии. Тут и встречался с Есениным. Его воспоминания об этом — в "Новом журнале", № 136. Нью-Йорк, 1979.

Деев-Хомяковский Григорий Дмитриевич (1888—1946) — поэт, один из руководителей Суриковского литературно-музыкального кружка — первого литературного объединения, членом которого стал Есенин в самом начале своего творческого пути. Воспоминания впервые напечатаны в журнале "На литературном посту", М., 1926.

Дункан Ирма — приемная дочь Айседоры Дункан.

Макдугалл Аллан Росс — секретарь Айседоры Дункан в течение 1916—1917 гг. Они написали книгу "Русские дни Айседоры Дункан и ее последние дни во Франции", изданную на русском языке в 1995 году.

Евдокимов Иван Васильевич (1887—1941) — писатель. В годы встреч с Есениным работал в литературно-художественном отделе Госиздата. Воспоминания — впервые в сборнике "Воспоминания о Есенине", 1926.

Есенина Александра Александровна (1911—1981) — младшая сестра поэта. Воспоминания о брате впервые напечатаны под заглавием "Это все мне родное и близкое..." в журнале "Молодая гвардия". Наиболее полное издание — в книге "Родное и близкое". М., Советская Россия, 1979.

Есенина Екатерина Александровна (1905—1977) — сестра поэта. Ее воспоминания впервые опубликованы в альманахе "Литературная Рязань" в 1957 году. Несколько раз после того перерабатывались.

Есенина Татьяна Федоровна (1875—1955) — мать поэта. Ее воспоминания не записывались. Сохранилась лишь фонограмма с записью ее небольшого рассказа. В книге воспроизводятся отрывки.

Есенина Татьяна Сергеевна — дочь Есенина и З. Н. Райх. Воспоминания — впервые в сб. "Есенин и современность", М., 1975.

Есенин Константин Сергеевич — сын Есенина и З. Н. Райх. Воспоминания впервые напечатаны в сб. "Есенин и русская поэзия", Л., 1967.

Забежинский Григорий Борисович (?—1967) — поэт, переводчик. Жил в эмиграции в разных странах. Встречался с Есениным. Его воспоминания о поэте опубликованы в альманахе "Мосты". Мюнхен, 1960 г.

Иванов Всеволод Вячеславович (1895—1963) — писатель. Есенин видел в нем близкого себе человека. Неоконченный очерк Иванова о Есенине опубликован в книге "Переписка с А. М. Горьким. Из дневников и записных книжек". М., Советский писатель, 1969.

Иванов Георгий Владимирович (1894—1958) — поэт, с 1923 г. в эмиграции, жил в Париже. Познакомился с Есениным в Петрограде в 1915 г., встречался с ним в России и Берлине. Цитируется его предисловие к книге: Есенин С. Стихотворения. Париж, 1951.

Ивнев Рюрик (псевдоним Михаила Александровича Ковалева; 1891—

1981) — поэт, прозаик и переводчик. Входил в поэтическую группу имажинистов. Впервые цитируемые воспоминания были опубликованы в сб. "Воспоминания" в 1926 году. Цитируется также документально-художественная проза Рюрика Ивнева.

Изряднова Анна Романовна (1891—1946) — в годы знакомства с Есениным работала корректором в сытинской типографии, в 1914 году вступила в гражданский брак с Есениным. В сб. "Воспоминания о Есенине", 1965.

Карпов Пимен Иванович (1884—?) — поэт и прозаик, автор не печатавшейся полностью книги мемуаров "Из глубины". В них есть несколько ярких штрихов начального периода творческой жизни Есенина. Отрывки из воспоминаний П. Карпова впервые опубликованы в 1991 году издательством "Художественная литература" в серии "Забытая книга".

Качалов Василий Иванович (1875—1948) — актер. Известен исполнением стихов Есенина. Личное их знакомство состоялось в марте 1925 года. Воспоминания впервые напечатаны в журнале "Красная новь", 1928.

Кириллов Владимир Тимофеевич (1890—1943) — поэт. Впервые в сб. "Воспоминания о Есенине", 1926.

Клейнборт Лев Наумович (1876—1950) — литературный критик, публицист. Писал о жизни многих известных русских писателей. Рукопись его воспоминаний хранится в Пушкинском Доме.

Конёнков Сергей Тимофеевич (1874—1971) — скульптор. Дружил с Есениным. Воспоминания — в книге "Мой век". М., 1971.

Кострова Варвара Андреевна (1892—1977) — актриса, играла в театрах: рабочей молодежи, музыкальной драмы. Эмигрировала. Написала о Есенине несколько наивных заметок. Опубликованы в книге В. Кузнецова "Тайна гибели Есенина". М., "Современник", 1998.

Крандиевская-Толстая Наталья Васильевна (1888—1963) — поэтесса, жена А. Н. Толстого в 1917 — 1938 годах. Воспоминания впервые опубликованы в альманахе "Прибой". Л., 1959.

Кузько Петр Авдеевич (1884—1968) — журналист и литературный критик. Познакомился с Есениным в январе 1918 года и поддерживал дружеские отношения до конца жизни поэта. Впервые — в сб. "Воспоминания о Есенине", 1965.

Кусиков Александр Борисович (1906—1977) — поэт, участник группы имажинистов. С 1922 года проживал за границей. Знаком с Есениным с 1917 года, неоднократно встречался с ним в Берлине и Париже. В последние годы Есенин резко отошел от Кусикова. Воспоминания напечатаны в "Парижском вестнике" 10 января 1926 года.

Левин Вениамин Михайлович (1892—1953) — поэт, критик. Воспоминания В. Левина "Есенин в Америке" опубликованы в газете "Новое русское слово". Нью-Йорк, 1953.

Леонидзе Георгий Николаевич (1899—1966) — грузинский поэт и общественный деятель. Воспоминания в журнале "Литературная Грузия". Тбилиси, 1967.

Либединский Юрий Николаевич (1898—1959) — писатель. Один из руководителей РАППа, литературной организации, резко враждебной Есенину. Воспоминания о Есенине в книге "Современники". М., Советский писатель, 1958.

Ливкин Николай Николаевич (1894—1974) — поэт. Знакомство с Есениным было непродолжительным. В сб. "Воспоминания о Есенине", 1965.

Лундберг Евгений Германович (1887—1965) — писатель, критик. В 1920—1924 годах жил в Берлине. Его воспоминания о выступлении Есенина и Дункан в берлинском "Доме искусств" опубликованы в газете "Накануне" 14 мая 1922 года.

Мануйлов Виктор Андроникович (1903—1987) — литературовед, известный исследователь творчества М. Ю. Лермонтова. Знал Есенина лично.

Мариенгоф Анатолий Борисович (1897—1962) — известный в двадцатые годы поэт. В 1919 году был одним из организаторов знаменитого литературного кафе "Стойло Пегаса", о котором Есенин сказал: "В нем — молодость моей души". Есенин долгое время был в самых близких дружеских отношениях с Мариенгофом. К воспоминаниям, которые цитируются здесь, следует относиться осторожно. Горький писал о них: "...фигура Есенина изображена им злостно, драма — не понята". И, тем не менее, без воспоминаний Анатолия Мариенгофа ни своеобразия богемного быта, окружавшего Есенина, ни влияния этого быта на жизнь и душу поэта мы бы не знали. Цитируем здесь только то, что косвенно подтверждается воспоминаниями других близких Есенину людей.

Маяковский Владимир Владимирович (1893—1930) познакомился с Есениным в конце 1915 года. Отношения их всегда оставались сложными и неоднозначными. Это отражено в статье Маяковского "Как делать стихи".

Мендельсон Морис Осипович (1904—1982) — критик и литературовед, специалист по американской литературе. В 1922—1931 годах жил в Америке, где в 1922-м встречался с Есениным и Айседорой Дункан. Воспоминания впервые напечатаны в "Вопросах литературы", 1984.

Миклашевская Августа Леонидовна (1891—1977) — актриса Московского Камерного театра. Есенин посвятил ей цикл стихотворений "Любовь хулигана". Эти стихи сами по себе достаточно говорят о чувствах поэта к ней. Рукопись ее воспоминаний о Есенине хранится в Пушкинском Доме.

Морфесси Юрий Спиридонович (1882—1957) — актер, исполнитель русских и цыганских романсов. С Есениным Ю. Морфесси познакомился в Царском Селе. Встречался с ним в Берлине. Об этом написано в книге его воспоминаний "Жизнь, любовь, сцена. Воспоминания русского бояна". Париж, 1931.

Мурашев Михаил Павлович (1884—1957) — журналист и издательский работник. Знакомство с Есениным быстро переросло в дружбу. Публикация — в сб. "Воспоминания о Есенине", 1965.

Наседкин Василий Федорович (1895—1940) — поэт, журналист. В декабре 1925 года женился на сестре Есенина Екатерине. Его воспоминания "Последний год Есенина" опубликованы в 1927 году.

Никитин Николай Николаевич (1895—1963) — писатель. Есенин высоко оценивал его произведения. Воспоминания впервые были напечатаны в журнале "Красная новь". М., 1926.

Никулин Лев Вениаминович (1891—1967) — писатель. Воспоминания о Есенине в книге "Люди и странствия. Воспоминания и встречи". М., 1962.

Одоевцева Ирина Владимировна (1895—1990) — поэтесса, прозаик. Воспоминания опубликованы в книге "На берегах Сены". Париж, 1983.

Оксенов Иннокентий Александрович (1897—1942) — врач-рентгенолог, поэт, литературный критик. Автор ряда статей, посвященных жизни и творчеству Есенина, наиболее смелый и последовательный его защитник. Одну из своих книг Есенин подарил ему с надписью: "Милому Оксенову..."

Орешин Петр Васильевич (1887—1938) — поэт и прозаик. Друг и единомышленник Есенина. Воспоминания впервые напечатаны в журнале "Красная нива". М., 1926.

Оцуп Николай Авдиевич (1894—1958) — поэт, прозаик. С 1922 года в эмиграции. Он познакомился с Есениным еще в 1915 году, не раз встречался с ним в Москве и Берлине. Очерк "Сергей Есенин" впервые напечатан в книге воспоминаний "Современники", вышедшей в Париже в 1961 году.

Павлович Надежда Александровна (1895—1980) — поэтесса. Впервые ее воспоминания опубликованы в альманахе "Литературная Рязань", 1957.

Пастухов Всеволод Леонидович (1896—1967) — пианист, поэт. Эмигрант. Его воспоминания о Есенине опираются на рассказы Рюрика Ивнева. Впервые опубликованы в журнале "Опыты". Нью-Йорк, 1955.

Повицкий Лев Иосифович (1885—1974) — журналист. Познакомился с Есениным в 1918 году и поддерживал с ним дружеские отношения до конца жизни поэта. Особенно сблизились они в 1924—1925 годы, во время пребывания Есенина в Батуме. Воспоминания о Есенине в отрывках опубликованы в журнале "Нева", 1969.

Познер Владимир Соломонович (1905—1992) — писатель. Очерк его, выдержанный в подчеркнуто сатирическом духе, опубликован в парижской газете "Дни" 24 января 1926 года.

Полетаев Николай Гаврилович (1889—1935) — поэт и прозаик. Познакомился с Есениным в 1918 году на занятиях Литературной студии московского Пролеткульта. Впервые — в сб. "Воспоминания о Есенине", 1926.

Пяст Вл. (1886—1940) — поэт и переводчик. Отрывок из его воспоминаний о выступлении Есенина многократно печатался в разных изданиях.

Рождественский Всеволод Александрович (1895—1977). Познакомился с Есениным в 1915 году и всегда оставался близким ему. Воспоминания впервые напечатаны в журнале "Звезда". Л., 1946.

Розанов Иван Николаевич (1874—1959) — литературовед, историк русской поэзии. Воспоминания И. Н. Розанова написаны в 1926 году и напечатаны в разных изданиях тех лет.

Ройзман Матвей Давыдович (1896—1973) — писатель. Участник имажинистской группы поэтов. Написал книгу "Все, что помню о Есенине". М., Советская Россия, 1973.

Сардановский Николай Алексеевич (1893—1961) — товарищ Есенина по Константинову и первым московским годам. Воспоминания цитируются по машинописи, хранящейся в ГМЛ.

Сахаров Александр Михайлович (1894—1952?) — издательский работник, знакомый Есенина.

Семеновский Дмитрий Николаевич (1894—1960) — поэт и прозаик. В 1913—1915 годах учился в Народном университете им. А. Л. Шанявского, где встретился и подружился с Есениным. Воспоминания напечатаны в сб. "Теплый ветер". Иваново, 1958.

Свирская Мина Львовна (1901—1978) — член партии социал-революционеров. Есенин, как известно, разделял взгляды эсеров на крестьянский вопрос и некоторое время сотрудничал в левоэсеровских изданиях. Воспоминания М. Свирской — в альманахе "Минувшее". Париж, 1988. Вып. 7.

Скиталец (Петров Степан Гаврилович; 1869—1941) — поэт, прозаик. В первые послереволюционные годы встречался с Есениным. Опубликовал о нем воспоминания в харбинской газете "Русское слово", 2 апреля 1926 года.

Соколов Сергей Николаевич (1872—1932) — преподаватель русского языка. Напечатано в сб. "Воспоминания о Есенине", 1965.

Старцев Иван Иванович (1896—1967) — журналист, издательский работник. Воспоминания — в сб. "Воспоминания о Есенине", 1926.

Табидзе Тициан Юстинович (1895—1937) — грузинский поэт. Познакомился с Есениным в сентябре 1924 года и стал одним из наиболее близких ему друзей по Тифлису. Воспоминания впервые опубликованы в газете "Заря Востока". Тифлис, 1927.

Табидзе Нина Александровна (1900—1965) — жена Т. Ю. Табидзе, врач. Воспоминания о Есенине впервые напечатаны в журнале "Литературная Грузия". Тбилиси, 1965.

Толстая-Есенина Софья Андреевна (1900—1957) познакомилась с Есениным в марте 1925 года и вскоре стала его женой. Воспоминания и комментарии к произведениям Есенина печатались в различных изданиях.

Трубецкой Юрий Павлович (р. 1902) — поэт. Очерк "Сергей Есенин (Из литературного дневника)" опубликован в газете "Новое русское слово". Нью-Йорк, 1951 г.

Чагин Петр Иванович (1898—1967) — партийный работник, журналист. Он был одним из ближайших друзей Есенина в 1924—1925 годах. Воспоминания П. И. Чагина впервые опубликованы в газете "Приокская правда". Рязань, 1958.

Чернявский Владимир Степанович (1889—1948) — актер. Один из ближайших друзей Есенина петроградского периода его жизни. Напечатано в "Новом мире", 1965.

Цветаева Марина Ивановна (1892—1941) — поэтесса. Цитируется отрывок из очерка "Нездешний вечер" в сб. "Русская эмиграция о Есенине". М., Инккон, 1993.

Шаров Ефим Ефимович (1891—1972) — поэт, журналист. Знал Есенина по Суриковскому литературно-музыкальному кружку. Встречался в Петрограде, Москве, Твери, куда Есенин приезжал на вечер памяти Ширяевца. Воспоминания опубликованы в газете "Смена". Калинин, 1969.

Шершеневич Вадим Габриэлевич (1893—1942) — поэт, драматург, переводчик, теоретик стиха. Шершеневич познакомился с Есениным в 1918 году и с этого времени имел возможность подробно видеть его жизнь, наблюдать творческий рост. Заметки его иногда крайне субъективны. В цитатах этим крайностям мы старались не следовать. Рукопись мемуаров В. Шершеневича "Великолепный очевидец" написана в 1932 году, хранится в ЦГАЛИ.

Шнейдер Илья Ильич (1891—1980), театральный работник. Был администратором Студии Айседоры Дункан. Воспоминания о Есенине и Дункан впервые опубликованы в 1960 году.

Устинова Елизавета Алексеевна — жена писателя и журналиста Г. Ф. Устинова, с которым Есенин познакомился и подружился в конце 1918 года. С середины 1925 года Устиновы жили в Ленинграде, и поэт бывал у них в свои приезды в этот город в ноябре и декабре. Воспоминания впервые опубликованы в сб. "Воспоминания о Есенине", 1926.

Фурманов Дмитрий Андреевич (1891—1926) — писатель. В период встреч с Есениным работал в Госиздате. Воспоминания — в четвертом томе собрания сочинений 1961 года.

Хитров Евгений Михайлович (1872—1932) — преподаватель русского языка и литературы в Спас-Клепиковской второклассной учительской школе, в которой Есенин занимался в 1909—1912 годах. Текст — в "Воспоминаниях о Есенине" 1965 года.

Ходасевич Владислав Фелицианович (1886—1939) — поэт, критик, переводчик. С 1922 года в эмиграции, с 1925-го жил в Париже. Цитируется по книге "Некрополь", впервые изданной в Париже в 1976 году.

Элленс Франц (1881—1972) — бельгийский писатель. Познакомился с Есениным в 1922 году в Париже и тогда же вместе со своей женой, М. М. Милославской, занялся переводами на французский язык его стихотворений и поэм, которые составили потом целый сборник.

Эрлих Вольф Иосифович (1902—1937) — поэт и прозаик 20—30-х годов. Был близок с Есениным. Книга мемуаров Вольфа Эрлиха "Право на песню" вышла в 1930 году небольшим тиражом в "Издательстве писателей в Ленинграде". Вольф Эрлих служил в органах НКВД, где дослужился до капитанского звания. Его роль в трагической судьбе Есенина исследователям последних лет представляется темной.

Ярмолинский Абрам Цаллевич (1890—1975) — издатель. Встречался с Есениным в 1922 году в Нью-Йорке. Пытался издать его в переводах. Очерк А. Ярмолинского "Есенин в Нью-Йорке" опубликован в "Новом журнале" № 51. Нью-Йорк, 1957.

Ясинская Зоя Иеронимовна (1896—1980) — историк литературы, преподаватель. В доме ее отца, известного литератора И. И. Ясинского, бывал Есенин. Воспоминания впервые напечатаны в журнале "Литературная Армения", 1959.

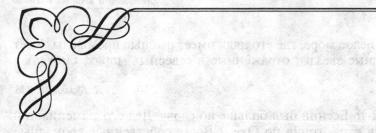

Не знаю, не помню,
В одном селе,
Может, в Калуге,
А может, в Рязани,
Жил мальчик
В простой крестьянской семье,
Желтоволосый,
С голубыми глазами...

ДЕТСТВО И ЮНОСТЬ ЕСЕНИНА

Константиново и школа в Спас-Клепиках (1896—1912)

С. А. Есенин родился 21 сентября 1895 года. Он был сыном крестьянина и до 9 лет жил в рязанской деревне. Надо напомнить читателю, что Малявин своих знаменитых красных баб нашел на родине Есенина. Это там заливные луга, где:

> Очи Оки
> Плещут вдали,

где столько плачет зеленых ив и грудами плывет Рязанский Кремль.

Д. Бурлюк. Поэт С. А. Есенин и А. Дункан.
В сб. "Русское зарубежье о Есенине", с. 235.

Он происходил из крестьян села Константиново Кузьминской волости Рязанского уезда и губернии.

К. Воронцов, с. 126.

С. А. Есенин учится в рязанской старообрядческой школе, которую и оканчивает в 1912 году.

Д. Бурлюк, с. 236.

До начала ученья в сельской школе он жил с матерью у деда, отца матери.

К. Воронцов, с. 126.

Поэт уезжает на Белое море, где его дядя имеет рыбные промыслы. 5 лет туманов, 5 лет бледные звезды, отраженные в северных морях, смотрят в поэтовы зрачки.

Д. Бурлюк, с. 236.

Кстати, мужичок-то Есенин был больше по слову. Дед его, заменивший Сереже в попечении отца, гонял по Оке и Волге собственные громадные баржи, груженные хлебным товаром.

А. Мариенгоф.
Мой век..., с. 374.

Но Есенин был и остался просто русским, одаренным человеком. Во время его "кокетничанья" с советской властью, у последней вообще на повестке дня была ставка на крестьянина бедняка. И Есенина сделали выходцем из этой прослойки. Никогда же на самом деле Есенин таковым не был. Коров не пас, босиком по осенним лужам не ходил, в избе "аржаной" не жил. Был из зажиточных и знал рязанских крестьян. Научился читать-писать не на медяки и не по часослову, а окончил учительскую семинарию.

Ю. Трубецкой, с. 155.

На другом конце села, носящего название Матово, жил наш дедушка по матери Федор Андреевич Титов. Он был умный, общительный и довольно зажиточный человек. В молодости он каждое лето уезжал на заработки в Питер, где нанимался на баржи возить дрова. Проработав несколько лет на чужих баржах, он приобрел в конце концов свои и стал получать от них приличный доход.

А. Есенина, с. 70.

Дедушка со своими баржами был очень счастлив. Удача ходила за ним следом. Дом его стал полной чашей. Семья его состояла из трех сыновей и одной дочери (нашей матери). В доме был работник и работница, хлеба своего хватало всегда до нови. Лошади и сбруя были лучшие в селе.

Е. Есенина, с. 32.

Наша мать была единственной девочкой в доме Титовых и поэтому была любимицей. Она была стройна, красива, лучшая песенница на селе, играла на гармони, умела организовать веселую игру. Вообще в доме Титовых молодежь жила весело, и сам дедушка поощрял это веселье. Мать рассказывала, что одних гармоний у них стояло несколько корзин (гармони тогда были маленькие — "черепашки").

А. Есенина, с. 71.

Я хочу вас уведомить еще кои чем. Гражданин Насеткин пишет в журнале, что якобы я воспитал только 6 лет, на самом деле не шесть, 12 лет, чем могут подтвердить ближние соседи.

Василию Левоничу, когда вы приедете, то я вам расскажу, сколько Сергеевых книг оставши.

Ф. А. Титов (дед поэта).
В комитет по увековечению памяти Сергея Есенина.
Константиново, 16 июля 1926 г.

Дедушка наш был человеком с большим размахом, любил повеселиться и погулять. Возвращаясь из Питера, он устраивал гулянье на несколько дней. Ведрами выставлялось вино — пей сколько хочешь и кто хочет. И пьет и гуляет чуть не все село. Игра на гармониях, песни, пляски, смех не смолкали иной раз по неделе. Но потом, когда отгуляет, дедушка начинал подсчитывать каждую копейку и, по словам нашей матери, ворчать, что "много соли съели, много спичек сожгли".

А. Есенина, с. 70 — 71.

В начале весны дедушка уезжал в Питер и плавал на баржах до глубокой осени.

По обычаю мужиков, возвращающихся домой с доходом, полагалось благодарить Бога, и церковь наша получала от мужиков различную утварь: подсвечники, ковры, богатые иконы — все эти вещи мужики покупали в складчину. Дедушка был очень щедрым на пожертвования и за это был почитаем духовенством. В благодарность Богу за удачное плавание дедушка поставил перед своим домом часовню. У иконы Николая Чудотворца под праздники в часовне всегда горела лампада.

После расчета с Богом у дедушки полагалось веселиться. Бочки браги и вино ставились около дома.

— Пейте! Ешьте! Веселитесь, православные! — говорил дедушка. — Нечего деньгу копить, умрем — все останется. Медная посуда. Ангельский голосок! Золотое пение. Давай споем!

Пел дедушка хорошо и любил слушать, когда хорошо поют. Веселье продолжалось неделю, а то и больше. Потом становилось реже, в базарные дни по вторникам, а к концу зимы и вовсе прекращалось за неимением денег. Тогда наступали черные дни в Титовом доме. То и дело слышались окрики дедушки:

— Эй, бездомовники! Кто это там огонь вывернул?

И начиналась брань за соль, спички, керосин.

Все затихало в доме Титовых, когда дедушка был сердит. Своего младшего сына он навсегда сделал несчастным. Сын его (дядя Петя) был еще в детстве напуган коровой. Ему было лет восемь, когда он провинился и, боясь гнева дедушки, не пошел кланяться ему в ноги, а спрятался на чердаке. Дедушка от такой дерзости рассвирепел. Он сам влез на чердак и, найдя сына, притаившегося в темном углу, взял его за шиворот и сбросил вниз.

Е. Есенина, с. 32 — 33.

Рос озорным и непослушным. Дрался на улице. Дед подзадоривал: дерись, дерись, Серега, крепче будешь!

И Есенин непроизвольно сжал кулаки, готовый, кажется, хоть сейчас выйти на стенку.

И. Рахилло, с. 515.

Рядом с необузданностью у дедушки уживалась большая доброта и нежность по отношению к детям. Уложить спать, рассказать сказку, спеть песню ребенку для него было необходимостью. Сергей часто вспоминал свои разговоры с ним. Вот один из них.

Дедушка с Сергеем спали на печке. Из окна на печку светила луна.

— Дедушка, а кто это месяц на небе повесил?

Дедушка все знал и, не задумываясь, отвечал:

— Месяц? Его туда Федосий Иванович повесил.

— А кто такой Федосий Иванович?

— Федосий Иванович — сапожник, вот поедем с тобой во вторник на базар, я тебе покажу его — толстый такой.

Е. Есенина, с. 33.

Часто Сергей напевал припев одной из детских песенок, которую пел ему дедушка:

> Нейдет коза с орехами,
> Нейдет коза с калеными.

А. Есенина, с. 133.

...Другой же наш дедушка (по отцу), Никита Осипович Есенин, был человеком набожным и в молодости готовился уйти в монастырь, за что и получил прозвище "Монах". Это прозвище перешло на все его потомство да так и осталось за нашей семьей. До самой смерти Сергея нас почти не называли по фамилии, мы все были Монашкины. Да и теперь, когда в нашем селе стало много Есениных, объясняя, из каких мы Есениных, говорят: "Это тетки Тани Монашкиной".

Е. Есенина, с. 69.

Наш дедушка, Никита Осипович Есенин, женился очень поздно, в 28 лет, за что получил на селе прозвище "Монах". Женился он на 16-летней девушке Аграфене Панкратьевне Артюшиной, которая потом, по дедушке, прозывалась Монашка.

Екатерина Есенина. В Константинове.
В сб. "С. А. Есенин в восп. современников".
М., "Худ. лит.", 1986, с. 28*.

...Тихий был мальчик, застенчивый, кличка ему была — Серега-монах.

Н. Сардановский, с. 120.

---

* Далее воспоминания сестры поэта цитируются по этому изданию.

И до школы даже не слышала, что мы Есенины. Сергей прозывался Монах, я и Шура — Монашки.

Е. Есенина, с. 28.

"Лучше "монашки" никто не покричит", — говорили мужики о нашей бабушке. Рассказывали, как пьяные мужики приходили к бабушке и платили ей деньги за то, чтобы она "покричала" о них:

— Эх, тетка Груня! Покричи обо мне несчастном. Вот тебе деньги за труд, ты бери, а то ведь все равно пропью!

Бабушка причитала, а мужики плакали сами о себе.

Е. Есенина, с. 21.

И отец, и дед его (по отцу) были хранители древнерусской церковности, которую он впитал с молоком матери.

Л. Клейнборт, с. 255.

Покупая усадьбу, дедушка наш одновременно составил завещание: "В случае моей, Есенина, смерти, то все устроенное на оной усадьбе строение с находящимся в оном имуществом должно поступить в вечное и потомственное владение жены моей Аграфены Панкратьевой и наследникам моим по конец..."

Последним наследником усадьбы дедушки Никиты стал Сергей. С открытием в нашем доме мемориального музея за ним "по конец" и осталась эта усадьба, расположенная на одном из красивейших мест села.

А. Есенина, с. 69.

Дедушка Никита Осипович много лет был сельским старостой, умел писать всякие прошения, пользовался в селе большим уважением как трезвый и умный человек... Он был недурен собой, имел хороший рост, серые задумчивые глаза, русый волос и сохранил до глубокой старости опрятность одежды.

Е. Есенина, с. 28.

Дедушка Никита умер рано, когда нашему отцу было двенадцать лет, и о нем мы, дети, знали только по рассказам отца. Дедушка Федор, отец нашей матери, умер в 1927 году, пережив Сергея почти на два года.

А. Есенина, с. 68.

С Питером у дедушки (Федора Титова) в то время все было кончено. Две баржи уничтожил пожар, а остальные утонули во время половодья. Дедушка был разорен, так как баржи не были застрахованы...

Е. Есенина, с. 33.

Жили они, нельзя сказать чтобы особенно бедно, но и не богато, а, вернее, ниже среднего.

К. Воронцов, с. 126.

Не замечая брата, Шура рассказывает о том, как отец в детстве пел в церкви, на клиросе. У него был небольшой, но приятный тенор, и ей нравилось, когда он пел песню "Прощай, жизнь, радость моя".

— Эту песню в семье любили все — и мать, и сестра Катя, и я, — бесхитростно делилась Шура.

И. Рахилло, с. 526.

Отец наш, Александр Никитич Есенин, мальчиком пел в церковном хоре. У него был прекрасный дискант. По всей округе возили его к богатым на свадьбы и похороны. Когда ему исполнилось двенадцать лет, бабушке предложили отдать его в рязанский собор певчим, но он не согласился, и вместо собора его отправили в Москву в мясную лавку "мальчиком".

Е. Есенина, с. 29.

К стихам расположили песни, которые я слышал кругом себя, а отец мой даже слагал их...

Есенин.
Из автобиографии.

...У него был хороший слух, и мальчиком лет двенадцати-тринадцати он пел дискантом в церковном хоре на клиросе. Теперь у него был слабый, но очень приятный тенор. Больше всего я любила слушать, когда он пел песню "Паша, ангел непорочный, не ропщи на жребий свой...". Слова этой песни, мотив, отцовское исполнение — все мне нравилось. Эту песню пела у нас и мать, пели ее и мы с сестрой, но отец эту песню пел лучше всех. Слова этой песни Сергей использовал в "Поэме о 36". В песне поется:

> Может статься и случиться,
> Что достану я киркой,
> Дочь носить будет сережки,
> На ручке перстень золотой...

У Сергея эти слова вылились в следующие строки:

> Может случиться
> С тобой
> То, что достанешь
> Киркой,
> Дочь твоя там,
> Вдалеке,
> Будет на левой руке
> Перстень носить
> Золотой...

А. Есенина, с. 88—90.

Ему (отцу Есениных) было восемнадцать лет, когда он приехал в село жениться. Матери нашей — Татьяне Федоровне — не было еще и семнадцати лет, когда она вышла замуж.

Е. Есенина, с. 30.

Татьяна Федоровна рассказывала мне: отец ее кнутом, а она не шла за Есенина. "Я, — говорит, — сроду его не любила". А отец ее плетью: "Пойдешь, и все". — "Я, — говорит, — реву: "Не пойду!" А он: "Нет, пойдешь!"

А. Разгуляева, с. 23.

Через шесть лет отец наш стал мясником.

Е. Есенина, с. 30.

Сыграв свадьбу, отец вернулся в Москву, а мать осталась в доме свекрови. С первых же дней они невзлюбили друг друга, и сразу же начались неприятности. Полной хозяйкой была бабушка. В доме ее по-прежнему жили постояльцы, их было много, и для них нужно было готовить, стирать, носить воду, за всеми убирать. Много работы легло на плечи матери, а в награду она получала ворчание и косые взгляды свекрови. По-прежнему наш отец высылал свое жалованье бабушке.

Вскоре положение еще более осложнилось: женился второй сын бабушки, Иван. Его жена Софья сумела поладить со свекровью и была ее любимицей.

Вспоминая свою жизнь в эти годы в доме Есениных, мать рассказывала о том, как бабушка иногда даже молока не давала ее детям, и мать, чтобы купить молоко, продавала вещи из своего приданого.

А. Есенина, с. 70.

Вскоре после свадьбы отец уехал работать в Москву, жена его осталась в деревне со свекровью. Через два года женился дядя Ваня. В доме стало две снохи. Начались неприятности. Дядя Ваня ничего не присылал домой. Отец же присылал все, что заработает, Аграфене Панкратьевне. Из-за этого между ней и нашей матерью были ссоры. Отец очень любил свою мать и не хотел даже слышать о разделе с нею. Тогда наша мать ушла из дома Есениных и не жила с отцом пять лет.

Е. Есенина, с. 30.

Позже его мать перешла жить в дом матери мужа, потому и он перешел туда.

К. Воронцов, с. 126.

Когда Сергей вернулся с матерью в наш строгий и угрюмый дом, где хозяйствовала другая бабушка и другая сноха (жена нашего дяди по отцу), он до смерти бабушки Аграфены не мог привыкнуть к нашему дому и часто из школы уходил к Титовым.

Е. Есенина, с. 30.

Его рассказы о детстве всегда были ярки и фантастически прекрасны. Детали этих рассказов были крупными, как бы увеличенными через бинокулярное стекло...

В. Чернявский, с. 123.

...Он мне рассказывал, как однажды его дядя, вместе с которым он жил, сел верхом на лошадь, посадил и его тоже верхом на кобылу и пустил ее вскачь. Свою первую верховую прогулку поэт совершил галопом. Вцепившись в гриву лошади, он с честью выдержал испытание.

Франц Элленс, с. 20.

Этот дядя Петя, между тем, был первым другом Сергея, он учил его плести корзины, вырезать красивые палки, делать свистки. Жена дяди Вани и дедушка рассказывали ему сказки. Дядя Саша посылал за лошадью и брал его с собою в лес и в поле.

Е. Есенина, с. 33—34.

Его отец в это время находился на заработках в Москве.

К. Воронцов, с. 126.

Отец был худощавый, невысокого роста. Глаза голубые, чистые, всегда по ним угадаешь его настроение. Такие же глаза и у нашего Сергея.

И. Рахилло.
Запись рассказа А. Есениной, с. 526.

Тяжелая жизнь наложила на эти глаза глубокий отпечаток, и в них иногда было столько грусти и тоски, что хотелось приласкать его и сделать для него что-либо приятное. Но он не был ласков, редко уделял нам внимание, разговаривал с нами как со взрослыми и не допускал никаких непослушаний. Но зато когда у отца было хорошее настроение и он улыбался, то глаза его становились какими-то теплыми, лучистыми, и в углах глаз собирались лучеобразные морщинки. Его улыбка была заражающей. Посмотришь на него улыбающегося — и невольно становится весело и тебе.
Такие же глаза были у Сергея.

А. Есенина, с. 89.

Когда мать ушла от Есениных, дедушка взял Сергея к себе, но послал в город добывать хлеб себе и сыну, за которого он приказал ей высылать три рубля в месяц.

Е. Есенина, с. 33.

Мать свою в детстве он принимал за чужую женщину, и, когда она приходила к деду, где жил Есенин, и плакалась на неудачи в семье, он утешал ее:
— Ты чего плачешь? Тебя женихи не берут? Не плачь, мы тебе найдем жениха, выдадим тебя замуж...

С. Виноградская, с. 13.

Неграмотная, беспаспортная, не имея специальности, мать устраивалась то прислугой в Рязани, то работницей на кондитерской фабрике в Москве. Но несмотря на трудную жизнь, на маленький заработок, из которого она

выплачивала по три рубля в месяц дедушке за Сергея, она все время просила у его отца развод. Любя нашу мать и считая развод позором, отец развода
ей не дал, и, промучившись пять лет, мать вынуждена была вернуться к
нему. Через год у матери народилась моя сестра Катя.

А. Есенина, с. 71.

Мать судилась с отцом, просила развод. Отец отказал в разводе. Она просила разрешения на получение паспорта, отец, пользуясь правами мужа,
отказал и в паспорте. Это обстоятельство заставило ее вернуться к нашему
отцу.

Е. Есенина, с. 34.

В 1904 году мать вернулась в дом к Есениным, но мира не наступило, и
так было до 1907 года, пока братья не разделились.

А. Есенина, с. 30.

Он не такой, как мы. Он Бог его знает кто.

*Есенин
о сыне Сергее.*

Первые мои воспоминания относятся к тому времени, когда мне было
три-четыре года. Помню лес, большая канавистая дорога. Бабушка идет в
Радовецкий монастырь, который от нас верстах в 40. Я, ухватившись за ее
палку, еле волочу от усталости ноги, а бабушка все приговаривает: “Иди,
иди, ягодка. Бог счастье даст”...

*Есенин.
Автобиография, 1924 г.*

...Есенин заговорил о бабушке, которая растила его с двух лет, заступив
малышу родную мать, Татьяну Федоровну Есенину, разлученную с мужем
и сыном нелегкой судьбой. О ней, бабушке, поэт рассказывал с глубоким
чувством. Объяснил, что в “Письме...” внутренне и внешне обрисована
не мать, а бабушка. Это она выходила на дорогу в старомодном ветхом
шушуне — для внука, прибегавшего за десятки верст из школы. (И будет
выходить десятки лет вперед — для почитателей поэта.) Запомним же это
имя: Наталья Евтеевна Титова, женщина, согревшая материнской лаской
сиротливое детство маленького Сережи...

Н. Вольпин, с. 343.

Мать пять лет не жила с нашим отцом, и Сергей все это время был на
воспитании у дедушки и бабушки Натальи Евтеевны. Сергей, не видя матери и отца, привык считать себя сиротою, а подчас ему было обидней и
больней, чем настоящему сироте. Бабушка Наталья Евтеевна часто кормила его потихоньку от снох, на всякий случай, чтобы не вызвать неприятности.

Е. Есенина, с. 26.

Бабушка учила молиться богу и старалась покормить послаще.

А. Есенина, с. 34.

Мать нравственно для меня умерла уже давно.

Есенин — М. П. Бальзамовой.
Константиново, 1912 г.

Двадцатый год. Жаркий летний вечер. Мы сидим рядом на оттоманке у меня в Хлебном.

— Случалось вам прямо смотреть в глаза смерти? — спросил Есенин... И рассказал, как юношей лежал он в тифу, бредил в жару... А мать открыла сундук, достала толстенный кусок холста, скроила... пристроилась к окну.

— Сидит, слезы ручьем... А сама живенько так пальцами снует!.. Шьет мне саван!

Помолчав, добавил:

— Смерти моей ждала! Десять лет прошло, а у меня и сейчас, как вспомню, сердце зайдется обидой, кажется, ввек ей этого не забуду! До конца не прощу.

Почему сказал "ждала"? Мать ведь не ждала смерти сына, а... готовилась к ней. "Слезы ручьем!"...

Н. Вольпин, с. 257.

Когда мы учились, она следила за тем, чтобы мы делали уроки, а если читали художественную литературу, она ворчала: "Опять пустоту листаешь. Читала бы нужную книжку, а то ерундой занимаешься". И сама же она бессознательно прививала нам любовь к литературе. С раннего детства мы слышали от нее прекрасные сказки, рассказывать которые она была большая мастерица, а когда мы подрастали, то выясняли, что часто пела она переложенные на музыку стихи Пушкина, Лермонтова, Никитина и других поэтов. Она обладала хорошей памятью, и, слушая, как разучивают стихи ее дети, она запоминала их и иногда читала вслух.

А. Есенина, с. 94.

...Сергей уехал учиться в Спас-Клепики, и зимой мы жили вдвоем с матерью. Мать много рассказывала мне сказок, но сказки все были страшные и скучные. Скучными они мне казались потому, что в каждой сказке мать обязательно пела. Например, сказка об Аленушке. Аленушка так жалобно звала своего братца, что мне становилось невмочь, и я со слезами просила мать не петь этого места, а просто рассказывать. Мать много рассказывала о святых, и святые у нее тоже пели.

Е. Есенина, с. 35.

В годы гражданской войны в селе свирепствовали тиф и холера. В редком доме не было больных. Люди не ходили туда, где кто-нибудь болел, умерших в церковь не вносили, а отпевали в часовне, при закрытых гробах.

Мать наша не думала в то время о себе, она навещала больных и помогала, чем могла. Для больного у нее всегда находилось что-нибудь сладкое или кисленькое. Кому даст варенья, кому клюквы, кому сдобный сухарь. Все это она всегда берегла "про всякий случай". Сама не съест, а отдаст больным. Для них она ничего не жалела. И удивительно, как будто за ее доброту, нас минула беда: в нашей семье никто не заболел в те годы.

Очень жалела мать сирот и часто кормила и обмывала их.

А. Есенина, с. 93.

К отцу и матери он относился всегда с большим уважением. Мать он называл коротко — ма, отца же называл папашей. И мне было как-то странно слышать от Сергея это "папаша", так как обычно так называли отцов деревенские жители и даже мы с Катей звали отца папой.

Е. Есенина, с. 84.

Много девушек заглядывалось на наш небольшой уютный дом.

— Если ты женишься в Москве и без нашего благословения, не показывайся со своей женой в наш дом, я ее ни за что не приму, — наставляла мать. — Задумаешь жениться, с отцом посоветуйся, он тебе зла не пожелает и зря перечить не будет...

А. Есенина, с. 36.

Однажды в разговоре с Сергеем он задал ему вопрос: "Кому нужны твои стихи? Кто их понимает?" Улыбнувшись, Сергей ответил: "Э, папаша, меня поймут через сто лет".

Т. Ф. Есенина (мать поэта), с. 89.

...Во время революции лавка купца Крылова перешла в государственную собственность, и отец остался в ней работать продавцом. Но наступила гражданская война. Начался голод, мяса не было, и лавку закрыли. В городе отцу больше делать было нечего, и он вернулся в деревню.

А. Есенина, с. 88.

Слабосильный, с молодых лет страдающий астмой, с детских лет переносивший житейские невзгоды, он вернулся домой больным человеком.

Нелегка жизнь для него была и в деревне. Прожив всю жизнь в городе, приезжая домой только в отпуск, он не знал крестьянской работы, а привыкать к ней в этом возрасте было уже нелегко. Он не умел ни косить, ни пахать, ни молотить. Даже лошадь запрячь не умел. Да и сил у него не было. Все сильнее и сильнее его мучила астма, он тяжело дышал, и его бил отчаянный кашель. Дважды он покупал лошадей и пытался работать на них, но, не умея выбирать их, одну он купил еле передвигающую ноги, а вторую чересчур бойкую, которая вылезала из оглобель и везла телегу задом. Да и работать отцу на лошади было трудно. Он мог лишь ухаживать за скотиной. Давал коровам и овцам корм, менял подстилку, зимой водил коров на

речку поить. Животные так привыкли к нему, что больше признавать никого не хотели и без него их загнать из стада во двор было трудно.

Сознавая свою неприспособленность и слабосилие, отец чувствовал себя
не на своем месте и ходил всегда грустный. Целыми часами сидел он у
окна, опершись на руку, и смотрел вдаль.

Мать наша, прожившая почти всю жизнь в деревне, всегда занятая до-
машними делами, не могла понять, как можно сидеть вот так без дела и о
чем-то думать. Заметив его, сидящего у окна, она часто потихоньку ворчала: "Опять утюпился в окно". Ее раздражала задумчивость и молчаливость
отца, а он, часто отойдя от окна, вдруг запоет: "Помяни мя, господи, егда
приидеши во царствии твоем..." Он не был особенно верующим и в церковь
ходил очень редко. Шутя он как-то сказал: "Что такое: как ни приду в церковь, все "Христос воскресе" поют..."

E. Есенина, с. 88—89.

За самоваром бабушка рассказывала: "Отец Сергея (Александр Никитич) совсем не годился для крестьянского дела. Лошадь как следует запрячь
не мог. Любил помечтать, посидеть. В город уехал именно потому, что не
ладилось у него крестьянское дело. А что мясником был, так это он только
с мертвым мясом дело имел. Никого не губил". Вот эта мечтательность,
какое-то поэтическое восприятие мира, видимо, и легли как большая и
важная составная часть в тот человеческий сплав, который потом был осе-
нен талантом.

К. Есенин (сын поэта), с. 280.

Отец во всем любил порядок и был очень чистоплотен. Ему не нравилось,
когда трогали его вещи, вплоть до мелочей, вроде чернил или карандаша.
Для каждой вещи он отводил свое место, и, если кто-нибудь перекладывал
что-либо, отец очень сердился. У него был отдельный сундук, который он
всегда запирал, и ключ носил в кармане. Прожив много лет среди чужих
людей, он приобрел эту привычку.

А. Есенина, с. 89.

...Ну, а Татьяна Федоровна дала отцу настойчивость, уверенность, смет-
ку, определенную твердость, без которых была бы немыслима и сила таланта Сергея Александровича, и его "поход" в Петербург за признанием.

К. Есенин (сын поэта), с. 280.

Она не была строга, хотя никогда и не ласкала нас, как другие матери:
не погладит по голове, не поцелует, так как считала это баловством. И
когда у меня были уже свои дети, она часто говорила мне: "Не целуй ребенка, не балуй его. Если хочешь поцеловать, так поцелуй, когда он спит".
Нищему она не подаст больше гривенника, но если к человеку пришла
беда, то она одна из первых придет к нему на помощь.

А. Есенина, с. 93.

Бабушка Татьяна Федоровна была умудренной жизнью старухой. Четверть века, что прошла с 1925 года, была освящена почитанием и уважением многочисленных поклонников поэзии Есенина, навещавших ее в Константинове, да и в Москве. Все это, по-видимому, не прошло бесследно. В ней были степенность и какая-то особая мудрость. Ко мне она относилась хорошо. Любила иногда на чем-то испытать. Помнится, однажды, еще в тридцать восьмом году, подвела меня к очень толстому чурбаку — в два с половиной обхвата — "Наколи дров". Колуна не было, был только топор, и я намучился с этим чурбаком. Зашел в избу, прилег отдохнуть, покурить. Выхожу... чурбан расколот. А бабушка с улыбкой говорит мне: "А я его клинышком".

К. Есенин (сын поэта), с. 280.

Татьяна Федоровна была неграмотной. Но многие стихи сына знала наизусть. Она никогда не читала их вслух, а только пела, и каждое стихотворение на свой лад. С поразительно тонкой музыкальной чуткостью подбирала она мотивы напевов к есенинским текстам, и мы только диву давались ее творческой изобретательности...

И. Шухов, с. 31.

Родина наша — село Константиново Рыбновского района Рязанской области.

А. Есенина, с. 55.

Родина С. А. Есенина — Рязанская губерния. Вы помните эту строчку:

Цветочек скромный, как
Рязань!

Рязань, где столько белых одуванчиков смотрят в северное разумное небо.

Д. Бурлюк, с. 235.

Широкой прямой улицей пролегло наше село, насчитывающее около шестисот дворов, вдоль крутого, холмистого правого берега Оки. Не прерывая этой улицы, подошла вплотную к Константинову деревня Волхона, а дальше — большое село Кузьминское. Проезжему человеку, не живущему в этих местах, не понять, где кончается одно село и где начинается другое. Эта улица тянется на несколько километров.

А. А. Есенина. Родное и близкое.
В сб. "С. А. Есенин в восп. современников".
М., "Худ. лит.", 1986, с. 55.*

Но из окон нашей избы есть на что посмотреть. Прямо перед глазами заливные луга, без конца и края, до самого леса. По лугу широкой лентой раскинулась Ока. Синее небо чашей опрокинулось над нами. Тишина, простор.

Е. Есенина, с 31.

_____

* Далее воспоминания сестры поэта цитируются по этому изданию.

Наше Константиново было тихое, чистое, утопающее в зелени село. Основным украшением являлась церковь, стоящая в центре. Белая прямоугольная колокольня, заканчивающаяся пятью крестами — четыре по углам и пятый, более высокий, в середине, купол, выкрашенный зеленой краской, придавали ей вид какой-то удивительной легкости и стройности.

А. Есенина, с. 56.

Сочинение стихов... было в Константинове каким-то поветрием.

Л. Берман, с. 250.

С 9 лет мальчик пишет стихи, и в школе преподаватель Клеменов — по образному выражению С. А. Есенина — "произвел установку души".

Клеменов первый давал наставления юному поэту идти колеями здорового влечения к бодрым темам: любить деревню, избы, коров. Писать об эпосе земли и вечной поэме весеннего труда на полях. Талант Есенина развивается. Наставления попадают на добрую почву...

Д. Бурлюк, с. 236.

В садике за двором была слегка покосившаяся баня, которую любил поэт: в ней было написано много стихотворений.

Р. Березин, с. 251.

Пожалуй, в нашей округе он выделялся своей наружностью и у девушек пользовался успехом. Конечно, были ребята и красивее его. Например, послушник Солотчинского монастыря Васятка Землянский — тот был действительно чудо красоты. Но Есенину наличие художественного таланта придавало еще большую очаровательность и делало его облик невыразимо обаятельным.

Н. А. Сардановский — К. Л. Зелинскому.
5 февраля 1958 г.

С церковью, с колокольным звоном была тесно связана вся жизнь села. Зимой, в сильную метель, когда невозможно было выйти из дома, когда "как будто тысяча гнусавейших дьячков, поет она плакидой — сволочь-вьюга", раздавались редкие удары большого колокола. Сильные порывы ветра разрывали и разбрасывали его мощные звуки. Они становились дрожащими и тревожными, от них на душе было тяжело и грустно. И невольно думалось о путниках, застигнутых этой непогодой в поле или в лугах и сбившихся с дороги. Это им, оказавшимся в беде, посылал свою помощь этот мощный колокол.

А. Есенина, с. 56—57.

Жили мы по-гоголевски — с чертями, колдуньями, с приметами, поверьями. Говорили, если бросишь нож в вихревой столб пыли, то, когда пронесется вихрь — нож найдешь весь в крови. Вихрь — это игра нечистой силы.

Если к тебе в дом идет колдунья, — воткни нож под крышку стола, и она ни за что не войдет.

Е. Есенина, с. 90.

Но колдуньи наши были не злые, а скорее веселые озорницы. Мать говорила: "Не приведи бог в полночь оказаться на перекрестке дорог, в это время они все с распущенными волосами, в длинных белых рубашках собираются и пляшут на перекрестках и, если попадешься им, защекочут насмерть. Ночью, подходя к перекрестку, читай молитву: "Да воскреснет Бог и расточатся врази его". Тогда ни одна колдунья тебя не тронет. Боятся они этой молитвы".

Сергей этим сказкам, конечно, не верил, и мама рассказывала, как однажды, будучи еще совсем молодым, он захотел доказать ей, что никаких колдунов нет. Летним вечером он надел ее поддевку и отправился ночевать к соседскому амбару. У этого амбара скрещивались дороги: одна, идущая вдоль села, и другая — от церкви к Алексеевке (Алексеевка — это поселок за селом, через который проходила дорога к кладбищу). Мама уговаривала его не ходить на такое страшное дело, но никакие уговоры не помогли. А утром, на заре, когда бабы шли к коровам, он, прозябший, улыбающийся и невредимый, вернулся домой.

А. Есенина, с. 92.

Однажды у нас шел разговор о колдунах. Разговор зашел потому, что бабы стали бояться ходить рано утром доить коров, так как около большой часовни каждое утро бегает колдун во всем белом.

— Это интересно, — сказал Сергей, — сегодня же всю ночь просижу у часовни, ну и намну бока, если кого поймаю.

— Что ты, в уме! — перепугалась мать. — Ты еще не пуганый, рази можно связываться с нечистой силой. Избавь Боже. Мне довелось видеть раз и спаси Господи еще встретить.

— Расскажи, где ты видела колдунов, — попросил Сергей.

— Видела, — начала мать. — Я видела вместе с бабами, тоже к коровам шли. Только спустились с горы, а она тут и есть, во всем белом скачет на нас. Мы оторопели, стоим, ни взад, ни вперед; глядим, с Мочалиной горы тоже бабы идут. Мы кричать, они к нам бегут, ну, мы осмелели, бросили ведры да за ней. Она от нас, а мы с шестами за ней, догнали ее до реки, а она там и скрылась в утреннем тумане...

Вечером Сергей пошел к часовне. Мать упросила его взять с собой большой колбасный нож, на всякий случай. На рассвете Сергей вернулся домой, бабы-коровницы разбудили его у часовни, так он и проспал всех колдунов.

Е. Есенина, с. 39—40.

Раздольны и изумительно красивы наши заливные луга. Вокруг такая ширь, "такой простор, что не окинешь оком". На горе, как на ладони, видны протянувшиеся по одной линии на многие километры села и деревни. Вдали, как в дымке, синеют леса; воздух чист и прозрачен. В траве, в кустарниках, в синем небе на разные голоса поют, заливаются птицы. Вот торопливо пролетела, часто махая крылышками и беспокойно крякая, испуганная кем-то стая уток; вот выпорхнула из-под ног перепелка и, совсем близко спрятавшись в густой траве, уговаривает нас, что нам "спать пора"; вот любопытные чибисы, издалека завидев нас, допытываются: "Чьи вы?" И хоть мы и кричим им насколько хватает голоса, что мы константиновские, они все равно не отстают от нас и задают один и тот же вопрос: "Чьи вы?"

А. Есенина, с. 61.

...У нас была простая деревенская изба, размером в 9 кв. аршин. Ее внутреннее расположение было удобно, а с улицы она выглядела очень красивой. Наличники, карниз и светелка на крыше были причудливо вырезаны и выкрашены белой краской; железная крыша, водосточные трубы и обитые тесом углы дома, срубленного в лапу, выкрашенные зеленой краской, делали ее нарядной. Три передние окна выходили в сторону церкви, и в пролет между церковной оградой и поповским домом из наших окон был виден синеющий вдали лес, излучина Оки и заливные луга.

В доме у нас было чисто и уютно. Двери, перегородки, оконные рамы и наличники выкрашены белой краской, на окнах белые, с кружевными прошивками шторы.

В передней комнате, так называемом "зале", стоял посудный разборный шкаф, с деревянными дверками внизу и стеклянными наверху, стол с откидными крышками и шесть венских стульев. На стенах висели семейные портреты, похвальный лист Сергея, зеркало, часы с боем фирмы Габю, на полу веером расстелены полосатые домотканые половики.

В переднем "красном" углу висели иконы и перед ними лампада. В предпраздничные вечера ее зажигали, и, когда все вымыто и вычищено, тусклый свет от нее придавал особенный покой.

В правой стороне этой комнаты стояла голландка, или, как ее у нас называют, "лежанка". Она и рядом с ней посудный шкаф отделяли зал от спальни. В спальне стояла лишь одна большая кровать, больше ничего, пожалуй, не уставилось бы. Войти в эту комнату можно было через "зал" и через кухню. Слева от входной двери была прихожая. Здесь вполне можно было отгородить еще одну комнату, но почему-то это не было сделано. Иногда зимой в ней помещали новорожденных телят и поросят.

Е. Есенина, с. 86—87.

10 мая 1922 года Сергей уехал за границу, а в августе этого же года сгорел наш дом.

А. Есенина, с. 84.

От своей тетки Аграфены Васильевны Зиминой я узнала, что Есенин сочинял стихи, когда ему было всего восемь или девять лет. Придут к Есениным в дом девушки — Сережа на печке. Попросят его: "Придумай нам частушку". Он почти сразу сочинял и говорил: "Слушайте и запоминайте". Потом эти частушки распевали на селе по вечерам.

А. Зимина, с. 31.

Читал он очень много всего. Жалко мне его было, что он много читал, утомлялся. Я подойду погасить ему огонь, чтобы он лег, уснул, но он на это не обращал внимания. Он опять зажигал и читал. Дочитается до такой степени, что рассветет и не спавши он поедет учиться опять.

Т. Ф. Есенина (мать поэта), с. 27.

Если он у кого-нибудь увидит еще не читанную им книгу, то никогда не отступится. Обманет — так обманет, за конфеты — так за конфеты, но все же выманит.

К. Воронцов, с. 126—127.

...Книг у меня мало есть, они все прочитаны и больше нет. У Митьки я которые взял, осталось читать только книг восемь. Я недавно ходил удить и поймал 33 штуки.

Есенин — Г. А. Панфилову.
Константиново, июнь 1911 г.

На высокой горе — церковь. Березы с грачиными гнездами. Старое кладбище. Неподалеку имение помещицы Кашиной. В юности Сергей был влюблен в нее.

И. Рахилло, с. 523

За церковью, внизу у склона горы, на которой расположено старое кладбище, стоял высокий бревенчатый забор, вдоль которого росли ветлы. Этот забор, тянувшийся почти до самой реки, огораживающий чуть ли не одну треть всего константиновского подгорья, отделял участок, принадлежавший помещице Л. И. Кашиной. Имение ее вплотную подходило к церкви и тянулось по линии села.

Л. И. Кашина была молодая, интересная и образованная женщина, владеющая несколькими иностранными языками. Она явилась прототипом Анны Снегиной, ей же было посвящено Сергеем стихотворение "Зеленая прическа...", а слова в поэме "Анна Снегина"

Приехали.
Дом с мезонином
Немного присел на фасад.
Волнующе пахнет жасмином
Плетневый его палисад —

относятся к имению Кашиной.

А. Есенина, с. 58.

Каждое лето Кашина с детьми приезжала в Константиново. Мужа с ней не было. Говорили, что муж ее очень важный генерал, но она ни за что не хочет с ним жить. Молодая красивая барыня развлекалась чем только можно...

Е. Есенина, с. 44.

Приезжая летом в деревню, Сергей бывал в барском доме: он дружил с Л. И. Кашиной. Из барского сада он приносил домой букеты жасмина...

А. Есенина, с. 59.

Матери нашей очень не нравилось, что Сергей повадился ходить к барыне. Она была довольна, когда он бывал у Поповых. Ей нравилось, когда он гулял с учительницами. Но барыня? Какая она ему пара? Она замужняя, у нее дети.
— Ты нынче опять у барыни был? — спрашивала она.
— Да, — отвечал Сергей.
— Чего ж вы там делаете?
— Читаем, играем, — отвечал Сергей и вдруг заканчивал сердито: — Какое тебе дело, где я бываю!
— Мне, конечно, нет дела, а я вот что тебе скажу: брось ты эту барыню, не пара она тебе, нечего и ходить к ней. Ишь ты, — продолжала мать, — нашла с кем играть.
Сергей молчал и каждый вечер ходил в барский дом...

Е. Есенина, с. 45.

На опушке леса, на крутом песчаном берегу Старицы, отделяющей луг от леса, стоял еще небольшой хутор... Этот хутор назывался Яр. Он послужил названием повести Сергея.

А. Есенина, с. 57.

Однажды за завтраком он сказал матери:
— Я еду сегодня на Яр с барыней.
Мать ничего не сказала. День был до обеда чудесный. После обеда поползли тучи, и к вечеру поднялась страшная гроза. Буря ломала деревья, в избе стало совсем темно. Дождь широкой струей хлестал по стеклам. Мать забеспокоилась. "Господи, — вырвалось у нее, — спаси его, батюшка Николай Угодник".
И как нарочно в этот момент послышалось за окнами: "Тонут! Помогите! Тонут!" Мать бросилась из избы. Мы остались вдвоем с Шурой. На душе было тревожно и страшно. Чтобы отвлечься, я стала сочинять стихи о Сергее и барыне.

> Не к добру ветер свистал.
> Он, наверно, вас искал,
> Он, наверно, вас искал
> Около свешнековских скал.

Этой строфой начиналось и заканчивалось мое стихотворение. Две средние строфы говорили о том, что бог послал нарочно бурю, чтобы разогнать Сергея и Кашину в разные стороны.

Мать вернулась сердитая. Оказалось, оборвался канат и паром понесло к шлюзам, где он мог разбиться о щиты. Паром спасли, Сергея на нем не было. Желая развеселить мать, я прочитала свое стихотворение. Оно ей понравилось.

Настала ночь. Мать несколько раз ходила на барский двор, но Кашина еще не возвращалась. Мало того, кучер Иван, оказалось, вернулся с дороги, и Сергей с барыней поехали вдвоем.

— Если бы Иван с ними был, мужик он опытный, все бы спокойней было, — ворчала мать.

Поздно ночью вернулся Сергей.

Утром мать рассказала ему о моем стихотворении. Сергей смеялся, хвалил меня, а через несколько дней написал стихотворение, в котором он как бы отвечал на мои стихи:

> Не напрасно дули ветры,
> Не напрасно шла гроза.
> Кто-то тайный тихим светом
> Напоил мои глаза.

Мать больше не пробовала говорить о Кашиной с Сергеем. И когда маленькие дети Кашиной, мальчик и девочка, приносили Сергею букеты из роз, только качала головой. В память об этой весне Сергей написал стихотворение Л. И. Кашиной "Зеленая прическа...".

Е. Есенина, с. 44—46.

> Зеленая прическа,
> Девическая грудь,
> О тонкая березка,
> Что загляделась в пруд?
> ....
> И мне в ответ березка:
> "О любопытный друг,
> Сегодня ночью звездной
> Здесь слезы лил пастух.
>
> Луна стелила тени,
> Сияли зеленя,
> За голые колени
> Он обнимал меня..."

Есенин.
Посвящение Лидии Кашиной. 1918 г.

Хотел провести зиму восемнадцатого года в деревне, работать, читать, следить за жизнью и литературой, но переждать в деревне. Кашину выгнали из дома, пришли сведения, что отбирают ее дом в Москве. Она поехала в Москву, он поехал ее провожать. Первое время жил у нее. Очень отрицательно (отзывался о происходящем) в разговорах с ней.

Отношение к Кашиной и ее кругу — другой мир, в который он уходил из своего и ни за что не хотел их соединять. Не любил, когда она ходила к ним. Рвался к другому (миру). Крестьянской классовости в его отношении к деревне и революции она не чувствовала.

Конспективная запись рассказа Л. И. Кашиной,
сделанная С. А. Толстой-Есениной.

В 1918 году Сергей часто приезжал в деревню. Настроение у него было такое же, как и у всех, — приподнятое. Он ходил на все собрания, подолгу беседовал с мужиками.

Однажды вечером Сергей и мать ушли на собрание, а меня оставили дома. Вернулись они вместе поздно, и мать говорила Сергею:

— Она тебя просила, что ль, заступиться?

— Никто меня не просил, но ты же видишь, что делают? Растащат, разломают все, и никакой пользы, а сохранится целиком, хоть школа будет или амбулатория. Ведь ничего нет у нас! — говорил Сергей.

— А я вот что скажу — в драке волос не жалеют. И добро это не наше, и нечего и горевать о нем.

Наутро пришла ко мне Нюшка.

— Эх ты, чего вчера на собрание не пошла? Интересно было. — И Нюшка, волнуясь, с удовольствием продолжала: — Знаешь, Мочалин говорит: надо буржуйское гнездо разорить так, чтобы духу его не было, а ваш Сергей взял слово и давай его крыть. Это, говорит, неправильно, у нас нет школы, нет больницы, к врачу за восемь верст ездим. Нельзя нам громить это помещение. Оно нам самим нужно! Ну и пошло у них.

Через год в доме Кашиной была открыта амбулатория, а барскую конюшню переделали в клуб.

Е. Есенина.
Воспоминания, с. 383.

У нас в квартире хранилось много вещей из дома Лидии Ивановны Кашиной, предназначенных для кружка культпросвета, проводившего свою работу в школе. Есенин нежно касался вещей рукой и пояснял, где что находилось в доме Кашиной: кожаный диван, кресло, рояль, круглый стол, высокое трюмо...

А. Соколова, с. 256.

Мы пришли на бывшую усадьбу Кашиной, где к нам присоединилась Анна Брежнева. Есенин, гуляя по саду, вспоминал, как все было здесь раньше. Он рассказывал, где и какие росли цветы: сирень, жасмин, татарская жимолость... Говорил, что в парке было множество птиц, зимой — особенно снегирей. Галки жили в дуплах огромных деревьев. Весной пели скворцы и соловьи, стаи голубей гнездились на соседней церкви...

А. Соколова, с. 527.

Лидия Кашина в отличие от героини поэмы "Анна Снегина" никуда не эмигрировала. После того, как новая власть отобрала у нее усадьбу на Белом Яру, она переехала в Москву. Работала переводчицей, машинисткой, стенографисткой. Об ее отношениях с Есениным в это время можно судить по есенинскому письму осени 1918 года, адресованному Андрею Белому (Борису Бугаеву)...

Ст. и С. Куняевы.
"Сергей Есенин", с. 35—36.

Дорогой Борис Николаевич, какая превратность: хотел Вас очень сегодня видеть и не могу. Лежу совсем расслабленный в постели.

Черкните мне (если не повезло мне в сей раз), когда Вы будете свободны еще.

Любящий Вас С. Есенин.

Адрес: Скатертный пер., д. 20.

Лидии Ивановне Кашиной

для С. Е.

Есенин — А. Белому.
сентябрь — октябрь 1918 г.

Умерла Кашина в 1937 году и похоронена на том же Ваганьковском кладбище, где покоится и ее поэт...

Ст. и С. Куняевы, с. 36.

...по внешнему виду Есенин тогда мало чем отличался от прочих константиновских ребят. Ходил он обычно в белой длинной рубахе с открытым воротом. Кепку носить не любил. В руках или под рубахой у него почти всегда была какая-нибудь книга. Это последнее обстоятельство выделяло его среди сверстников.

С. Соколов, с. 135.

В то время общественное мнение деревни ставило стихи Есенина не выше стихов его товарищей.

Л. Берман, с. 250.

...Я был в Москве одну неделю, потом уехал. Мне в Москве хотелось и побыть больше, да домашние обстоятельства не позволили. Купил себе книг штук 25.

Есенин — Г. А. Панфилову.
Константиново, июль 1911 г.

В летнее время дома у себя он и не бывал. Как только поест или попьет, так и утекает. Спали мы с ним в одном доме, который никем не был занят. Там бывала и игра в карты.

К. Воронцов, с. 127.

Помню, как однажды он ездил с рыбаками ловить рыбу и так загорел, что через несколько дней, расположившись на лужайке перед домом, Катя снимала у него со спины лоскуты кожи величиною с ладонь.

А. Есенина, с. 83.

Помню, как однажды он зашел с ребятами в тину и начал приплясывать, приговаривая: "Тина-мясина, тина-мясина". Чуть не потонули в ней.

К. Воронцов, с. 126.

Когда он в летнее время приезжал на каникулы, то увлекался ловлей руками из нор в Оке раков и линей. В этом он отличался смелостью, ловил преимущественно в глубине, где никто не ловил, и всегда налавливал больше всех. В жаркое летнее время он просиживал в воде целыми днями.

К. Воронцов, с. 36.

Трава в воде высокая росла, сунешь в нее руку и уж непременно рака схватишь. Большие, черные они висели на траве, как яблоки на дереве. Набросаем их вон какую кучу, распалим костер, наварим ведерко и попируем...

И. Копытин, с. 30.

Не меньше чем этим он увлекался ловлей утят руками. За это ему один раз чуть было не попало от помещика Кулакова. Однажды пошли мы с ним ловить утят, как вдруг появились сын помещика и управляющий. Они бросились за ним, а Сергей в это время только поймал утенка и не хотел отдавать его им. Пришлось нам с ним голыми бежать по лугу, чтобы скрыться. Бывали и такие случаи, когда ребята ловят утят и никак не поймают, а он разденется, кинется в воду, и утенок его. За это ему от ребят попадало. Помню, как его товарищ Цыбин К. В. за это побил его.

К. Воронцов, с. 37.

...Весной и летом Сергей пропадал целыми днями в лугах или на Оке. Он приносил домой рыбу, утиные яйца, а один раз принес целое ведро раков. Раки были черные, страшные и ползали во все стороны. Рассказывал, где и с кем он их ловил, смеялся, и мать становилась веселей.

Е. Есенина, с. 34.

...Не был Сергей и против ловли рыбы бреднем. В этом ему тоже везло. Как ни пойдет ловить, так несет, в то время как прочие — ничего. Иногда днем приметит, кто где расставил верши (это снасти, которыми ловится рыба), а вечером оттуда повытаскает все, что там есть. Одним словом, без проделок ни на шаг.

К. Воронцов, с. 37.

Как-то легко, исподволь мы привыкали к работе. В одиннадцать-двенадцать лет и сестра Катя, и я были уже помощницами матери. Мы умели жать, доить коров, носили воду, полоскали белье на речке, словом, всюду нас можно было послать в эти годы.

У Сергея все обстояло иначе. В своей автобиографии он пишет, что ездил с мальчишками в ночное поить лошадей на Оку. Но его помощь в работе нужна была, пока он жил у дедушки Титова. Вернувшись домой, он оказался без дела. У нас не было лошади. Единственно, где он мог помогать, — это в лугах на сенокосе. И эту работу Сергей очень любил. Каждый год, приезжая на лето домой, в сенокосное время он целые дни проводил в лугах, помогая косить сначала деду, а когда отец стал заниматься сельским хозяйством, то отцу. Иногда он не приходил домой по неделе, живя вместе с мужиками в шалашах.

А. Есенина, с. 61.

Всем селом выезжали в луга, по ту сторону Оки; там строили шалаши и жили до окончания сенокоса. Сенокосные участки делились на отдельные крупные участки, которые передавались группам крестьян. Каждая такая группа носила название "выть" (Сергей утверждал, что это от слова "свыкаться").

Н. Сардановский.
На заре туманной юности.
В сб. "С. А. Есенин в восп. современиков".
*М., "Худ. лит."**

...На сенокос у нас одеваются по-праздничному, особенно молодежь. Раскрасневшиеся, слегка растрепанные, ловко орудуя граблями, складывают они одну копну за другою. Работая у всех на виду, нужно показать себя в работе ухватистой, особенно девкам на выданье. К ним пристально присматриваются будущие свекор или свекровь.

А. Есенина, с. 63.

Ни на какой другой работе не проводится короткий отдых так весело, как на сенокосе, и усталь нигде не проходит так быстро. Вспоминая покосное время, люди забывают о том, как ломило от тяжелого труда поясницу, как прилипали к спине рубахи, покрывшиеся от пота солью.

И у Сергея, испытавшего этот труд, остаются в памяти картины яркие и дорогие:

> Я люблю над покосной стоянкою
> Слушать вечером гул комаров.
> А как гаркнут ребята тальянкою,
> Выйдут девки плясать у костров.
> Загорятся, как черна смородина,
> Угли-очи в подковах бровей,
> Ой ты, Русь моя, милая родина,
> Сладкий отдых в шелку купырей.

Е. Есенина, с. 63.

---

* Далее его воспоминания — по этому изданию.

Вот здесь, на этих просторах, протекало детство Сергея. На этих лугах, в зарослях озер босоногим мальчиком он вылавливал утиные выводки, здесь "рвал цветы, валялся на траве". Эти места имел он в виду, когда писал строки: "Как бы ни был красив Шираз, он не лучше рязанских раздолий".

А. Есенина, с. 65.

Учился в своей школе, в сельской. Кончил четыре класса, получил похвальный лист. После отправили мы его в семилетку. Не всякий мог туда попасть, в семилетку, в то время. Было только доступно господским детям и поповым, а крестьянским нельзя было. Но он учился хорошо, мы согласились и отправили. Он там проучился три года. Стихи писал уже. Почитает и скажет:
— Послушай, мама, как я написал.
Ну, написал и кладет, собирал все в папку.

Т. Ф. Есенина (мать поэта).
В сб. "С. А. Есенин в восп. современников".
М., "Худ. лит.", 1986, с. 27.

После окончания сельской школы и учитель, и другие настаивали, чтобы Сергея отдали в среднее учебное заведение. Отца с матерью уговорили, и они решили отдать его учиться во второклассную школу в село Спас-Клепики.

К. Воронцов, с. 127.

...К нашей избе подъехала лошадь, вошел чужой мужик, молились Богу, и мать с Сергеем уехали, оставив меня с соседкой. Сергей уехал учиться во второклассную учительскую школу в Спас-Клепики.

Е. Есенина, с. 34—35.

Мне лично известен тот период его жизни, когда он учился в Спас-Клепиковской второклассной школе, где я как учитель русского языка следил за его работой и руководил его литературными занятиями. Учился он в нашей школе с 1909 по 1912 год — всего три года.

Е. Хитров, с. 139.

Встречались мы в те годы с Есениным и во время наших поездок из Константинова на учебу. На лошадях вместе ехали до Дивова, затем поездом до Рязани. Я тогда учился в Рязанской духовной семинарии. В Рязани мы расставались. Сергею надо было ехать дальше по узкоколейке в Спас-Клепики, где он занимался в церковно-учительской школе.

С. Соколов, с. 135.

Село Спас-Клепики — торговое. Здесь еженедельно собирались большие базары.

Е. Хитров, с. 141.

...Появился он в школе с кем-то из родных с деревянным сундучком и постельными принадлежностями (казенное белье не выдавалось).

П. Хобочев, с. 35.

В Спас-Клепиках у Сергея был большой друг Гриша Панфилов, и он рассказывал матери о семье Панфилова, о своих школьных товарищах.

Е. Есенина, с. 36.

Был у него друг, Гриша Панфилов (умер в 1914 году), писал ему хорошие письма, ободрял его, просил не бросать писать.

А. Изряднова, с. 53.

Я хорошо знал Гришу Панфилова, высокого ростом, крепкого телосложением, и меня позже удивило, что он слишком рано умер. У меня в памяти он остался как хороший товарищ. Есенин был особенно близок к нему и ходил в дом, где Гриша жил с родителями.

П. Хобочев, с. 36.

За школьной усадьбой протекала маленькая речка Совка, и наши ученики зимой устраивали на ней каток. Есенин любил кататься. Как только кончались уроки, он направлялся на каток и там оставался до ночи, пропускал обед, чай — все забывал.

Е. Хитров, с. 141.

Среди учеников он всегда отличался способностями и был в числе первых учеников.

К. Воронцов, с. 126.

...был случай, когда он на оборотной стороне классной доски написал мелом печатными буквами четверостишие-эпиграмму на учителя географии Николая Михайловича, фамилию которого я, к сожалению, забыл. В тот день я был дежурным по классу. Не успел прочитать стихотворение, как подошел учитель Хитров и спросил, кто это написал. Я не знал и ничего не мог объяснить. Но, вероятно, ничего обидного в эпиграмме не было, и взыскание я не получил. В тот же день вечером Есенин признался мне, что это он написал четыре стихотворные строчки на "птичку божию", как мы звали Николая Михайловича. Этот случай не показался необычным, потому что стихи писали многие ученики.

П. Хобочев, с. 35—36.

Надо сказать, что к Есенину тянулись многие: был он аккуратным, опрятным и скромным пареньком, но в то же время веселым, жизнерадостным. Он учился весело, как бы шутя. Даже старшего учителя Евгения Михайловича Хитрова расположил к себе так, что тот ему во многом потворствовал, например, чаще других отпускал из общежития в город.

П. Хобочев, с. 35.

Особенно он любил слушать мое классное чтение. Помню, я читал "Евгения Онегина", "Бориса Годунова" и другие произведения в течение нескольких часов, но обязательно все целиком. Ребята очень любили эти чтения. Но, пожалуй, не было у меня такого жадного слушателя, как Есенин.

Е. Хитров, с. 142.

В зимнее время по воскресеньям в общежитии раздавался его веселый звонкий голос: "Кто на каток? Пошли!" И он первый бежал на речку Совку. Видно было, что он больше других любил кататься на коньках, и хотя я был сильнее его, но Сергей на льду почти всех перегонял. Он отставал лишь от одного нашего товарища — Ивана Лапочкина, очень рослого и сильного.

П. Хобочев, с. 36.

Религиозность мало или почти совсем к нам не прививалась. Нам вменялось в обязанность читать шестипсалмие в церкви во время всенощной по очереди. Сергей Есенин обычно сам не читал, а нанимал за 2 копейки своего товарища Тиранова. Один раз Тиранов почему-то отказался читать шестипсалмие, и Есенину пришлось самому читать. Между прочим, мы надевали стихарь и выходили читать перед царскими вратами на амвон. Сергей Есенин долго не выходил. Священник стал волноваться и хотел уже поручить читать другому. Оказывается, Сергей Есенин в это время никак не мог надеть стихарь, и, когда его поторопили, он надел его задом наперед и в таком виде вышел к верующим читать шестипсалмие. Конечно, не все заметили это, но священник-то заметил и впредь запретил ему читать шестипсалмие. Есенин этим был мало огорчен.

А. Чернов, с. 37.

Когда кто-нибудь не выучит урока, учитель оставлял его без обеда готовить уроки, а проверку проводить поручал Есенину.

К. Воронцов, с. 126.

Обладая хорошими способностями, Есенин порой к занятиям готовился на ходу, прочитывая задания в перемену. За хорошими ответами не гонялся. Большинство же его товарищей были более усидчивы и исполнительны. Вот над теми, кто был особенно усерден и прилежен, он часто прямо-таки издевался. Иногда дело доходило до драки. В драке себя не щадил и часто бывал пострадавшим.

Е. Хитров, с. 142.

Он верховодил среди ребятишек и в неучебное время. Без него ни одна драка не обойдется, хотя и ему попадало, но и от него вдвое. Его слова в стихах: "средь мальчишек всегда герой", "И навстречу испуганной маме я цедил сквозь кровавый рот", "забияки и сорванца" — это быль, которую отрицать никто не может...

К. Воронцов, с. 126.

Большое значение имела графа "поведение". С четверкой в поведении кому-либо мы ни разу не составляли журнала: все равно журнал не получил бы утверждения со стороны епархиального учительского совета. В ведомости выпускного класса 1912 года в графе "поведение" все ученики имеют круглые пятерки за исключением одного Сергея Есенина, у которого стоит пять с двумя минусами.

Е. Хитров, с. 141.

— Как быть, кума? — советовалась мать. — Очень дерутся там в школе-то, ведь изуродуют, чем попало дерутся.

— Пусть кума потерпит, а тут что? Сама съездий, — говорила кума Марфуша.

Матери становилось легче.

Вскоре после (очередных) каникул Сергей приехал с нашими мужиками обратно. Сначала он сказал, что распустили всю школу, а на другой день заявил матери, что больше учиться не будет...

Е. Есенина, с. 35.

Просматривая сейчас списки выпускного класса Спас-Клепиковской второклассной школы за 1912 год, не могу удержаться, чтобы не сообщить, как наша школа официально аттестовала Есенина. Аттестация у него была самая элементарная, без всяких характеристик, лишь при помощи цифр пятибалльной системы. И вот мы видим, что в 1912 году вместе с Есениным окончили курс нашей школы шестнадцать человек. У четверых почти все пятерки, у двоих почти все четверки, и у остальных десяти четверки чередуются с тройками. Есенин принадлежит ко второй группе. У него все четверки, кроме пения и церковнославянского языка.

Е. Хитров.
В сб. "С. А. Есенин в восп. современников".
*М., "Худ. лит.", с. 141—141.**

Наконец через три года школа закончена.

Е. Есенина, с. 36

Я узнала, что он недавно окончил Спас-Клепиковскую учительскую школу, и спросила его:

— Значит, как и я, будете детей учить?

— Родители этого хотят, но я не хочу. Им бы еще учительский институт окончить — вот была бы радость. А не по мне все это...

— Какой же теперь перед вами путь?

— Путь мой широкий, но весь в бурьяне, — уклончиво ответил он.

П. Гнилосырова, с. 43—44.

---

* Далее — по этому изданию.

В 1912 году, по окончании школы в Спас-Клепиках, Есенин уехал в Москву...

С. Соколов, с. 135.

Он стал говорить, что жизнь его скоро круто изменится: отец зовет к себе в Москву, где он с тринадцати лет работает мясником у купца.

— И меня хочет в купеческую контору определить, по счетной части, что ли... Незавидный жребий! — произнес он, волнуясь.

Я принялась успокаивать его, но неожиданно услыхала:

— Прокатимся под уклон, Полина Сергеевна, чтобы в ушах звенело, а? — И погнал лошадь, крича: — И какой же русский не любит быстрой езды!

Я схватила его за руку:

— Сережа, потише, книги растеряем!

Он замедлил бег лошади, усмехнулся:

— Нашлась русская, которая не любит быстрой езды!

Возвратились мы в Волхону в сумерках, а через несколько дней Есенин уехал в Москву.

П. Гнилосырова, с. 46.

Спустя немного времени после окончания школы Сергей уехал в Москву. Поступил на службу в издательство Сытина корректором.

К. Воронцов, с. 127.

Курить я уже бросил.

Есенин — Г. А. Панфилову. 1912 г.

...я встречался с Есениным почти каждое лето, когда он приезжал в село навестить отца и мать и отдохнуть в родных местах (не был он в Константинове только в 1922—1923 годах, когда выезжал за границу).

С. Соколов, с. 135.

Помню, в одно из воскресений Есенин и я пришли к моим подругам. Сергей всем понравился своей находчивостью во время игры в "почту". Один из играющих выполнял роль почтальона и раздавал остальным номера. Получивший определенный номер мог предложить любому играющему что-нибудь выполнить: спеть, продекламировать стихотворение, сыграть на каком-нибудь инструменте и т. д. Есенин отвечал на вопросы в стихотворной форме, остроумно и с юмором.

П. Гнилосырова, с. 44—45.

После пожара отец Есенина купил небольшую избушку и поставил ее в огороде. Все в ней было бедно и убого. Половину избы занимала русская печь, небольшой стол, три стула, деревянная кровать — вот и все убранство.

— Но распахнешь маленькое оконце, и перед глазами — настоящая сказка! Цветут яблони и вишни...

И. Рахилло, с. 523.

Приезжал тогда ко мне Каннегисер. Я с ним пешком ходил в Рязань, и
в монастыре были, который далеко от Рязани. Ему у нас очень понравилось.
Все время ходили по лугам, на буграх костры жгли и тальянку слушали.
Водил я его и на улицу. Девки ему очень по душе. Полюбилось так, что еще
хотел приехать. Мне он понравился еще больше, чем в Питере.

Есенин — В. С. Чернявскому.
Константиново, июнь 1915 г.

Помню приезд Сергея в мае — июне 1917 года. Была тихая теплая лунная
ночь. Дома на селе, освещенные полной луной, казались какими-то обнов-
ленными, а на белой церковной колокольне четко отпечатались густые узор-
ные тени от ветвей берез. Все спали. Не было видно ни одного освещенного
окна, а мы еще сидели за самоваром. Напившись чаю, Сергей вышел погулять и остановился у раскрытого окна. Он был в белой рубашке и серых
брюках. С одной стороны его освещала наша керосиновая лампа, стоявшая
на подоконнике, а с другой — луна. В барском саду громко пел соловей. В
ночной тишине казалось, он совсем рядом. Захваченный чудесной песней,
Сергей стал ему подсвистывать. Эта картина мне хорошо запомнилась.

Е. Есенина, с. 74 .

Помню, как к его приезду (если он предупреждал) в доме у нас все
чистилось и мылось, всюду наводили порядок. Он был у нас дорогим гостем.
В нашей тихой, однообразной жизни с его приездом сразу все менялось.
Даже сам приезд его был необычным, и не только для нас, а для всех
односельчан. Сергей любил подъехать к дому не на едва трусцой семенящей
лошаденке, а на лихом извозчике, которые так и назывались "лихачи", а то
и на паре, которая, изогнув головы, мчится как вихрь, едва касаясь земли
и оставляя позади себя тучу поднявшейся дорожной пыли. С его приездом в
доме сразу нарушался обычный порядок: на полу раскрытые чемоданы, на
окнах появлялись книги, со стола долго не убирался самовар. Даже воздух в
избе становился другим — насыщенным папиросным дымом, смешанным
с одеколоном.

На следующий день происходило переселение. "Зал" (большая передняя
комната) отводился Сергею для работы, а в амбаре он спал. В комнате матери, из которой выносили кровать, или в прихожей устраивали столовую. В
"зале" Сергей переставлял все по-своему, и, хотя особенно переставлять
было нечего, комната все же как-то сразу преображалась. Снимали и выносили стеклянный верх посудного шкафа. Накрыв нижнюю часть шкафа пестрым шелковым покрывалом, Сергей устраивал что-то вроде комода. По-
своему переставлял стол. На его столе, за которым он работал, лежали кни-

ги, бумаги, карандаши (Сергей редко писал чернилами), стояла настольная лампа с зеленым абажуром, пепельница, появлялись букеты цветов. В его комнате всегда был идеальный порядок.

А. Есенина, с. 83.

Через семь недель после пасхи — троица. Это, пожалуй, самый красивый праздник — праздник весны. К троице перед каждым домом подметались улицы, и молодая зеленая трава становилась как будто еще зеленее. Оконные наличники и двери домов украшались березовыми ветвями, в церковь ходили с букетами цветов, на которые во время какой-то молитвы полагалось плакать, девушки одевали белые или светлые платья. И хотя многие из нас, молящихся, не знали происхождения и значения этого праздника, все равно готовились к нему. Накануне ватагами отправлялись за ландышами на "пасеку" (большой, заросший кустарником овраг, отделяющий территорию подгорья нашего села от федякинского), нарубали березовые ветви. Село в этот день, особенно утром, когда еще не поникли и не засохли березовые ветви, казалось умытым и нарядным. Под впечатлением этого праздника Сергей написал стихотворение "Троицыно утро, утренний канон...".

Е. Есенина, с. 80.

...о том, как писал свои стихи:
— "Уйдешь рыбу удить, да так и не вернешься домой два месяца: только на бумагу денег хватало!"

В. Чернявский, с. 200.

Черновиков у меня, видно, никогда не сохранится. Потому что интересней ловить рыбу и стрелять, чем переписывать.

Есенин — В. С. Чернявскому.
Июнь 1915 г.

Я не могу сказать, что Сергей уделял в эти приезды много времени нам, домашним, он всегда был занят работой или уходил в луга, к Поповым, но одно сознание, что он дома, доставляло нам удовольствие.

Е. Есенина, с. 84.

Влево от церкви, напротив церковных ворот, в глубине села стоял один из двух домов нашего священника. Обитый тесом, крытый железом, выкрашенный красной краской, с белыми ставнями, он мало был виден со стороны села, так как был окружен яблонями и высокими вишнями. Зимой в доме никого не было, но летом здесь весело и шумно проводила свой отдых учащаяся молодежь, которую любил и охотно принимал у себя священник Иван Яковлевич Смирнов, или, как его многие звали, отец Иван Попов.

А. Есенина, с. 57.

В один из вечеров мне случилось побывать в доме священника Ивана Яковлевича Смирнова и его дочери Капитолины Ивановны, необыкновенно гостеприимных хозяев. Там я узнала друзей Есенина: Тимошу Данилина, Клавдия Воронцова, Сергея Соколова и Владимира Орлова. В доме отца Ивана видела я сестер Сардановских — Анну и Серафиму. Тогда же молодежь затеяла разыграть сцену в корчме из "Бориса Годунова". Мне была поручена роль хозяйки, а Есенину — роль пристава. К игре на импровизированной сцене он отнесся добросовестно. Ему где-то достали подходящий для спектакля костюм, Есенин немного загримировался. Собралось на наше представление человек пятнадцать зрителей — родные и знакомые священника.

П. Гнилосырова, с. 44.

Просторный дом отца Ивана всегда был полон гостей, особенно в летнюю пору.

Каждое лето приезжала к нему одна из его родственниц — учительница, вдова Вера Васильевна Сардановская. У Веры Васильевны было трое детей — сын и две дочери, и они по целому лету жили у Поповых. Сергей был в близких отношениях с этой семьей, и часто, бывало, в саду у Поповых можно было видеть его с Анютой Сардановской (младшей дочерью Веры Васильевны).

Мать наша через Марфушу знала о каждом шаге Сергея у Поповых.

— Ох, кума, — говорила Марфуша, — у нашей Анюты с Сережей роман. Уж она такая проказница, ведь скрывать ничего не любит. "Пойду, — говорит, — замуж за Сережку", — и все это у нее так хорошо выходит.

Потом, спустя несколько лет, Марфуша говорила матери:

— Потеха, кума! Увиделись они, Сережа говорит ей: "Ты что же замуж вышла. А говорила, что не пойдешь, пока я не женюсь". Умора, целый вечер они трунили друг над другом.

Е. Есенина, с. 38.

Я была лишь на два года старше Есенина, и мы скоро подружились. Этот совсем еще юный красивый паренек привлекал меня своей начитанностью и воспитанностью. Даже меня он неизменно называл по имени и отчеству.

П. Гнилосырова, с. 44.

А я все-таки встречал тургеневских типов.

Слушай!

(Я сейчас в Москве.) Перед моим отъездом недели за две — за три у нас был праздник престольный, к священнику съехалось много гостей на вечер. Был приглашен и я. Там я встретился с Сардановской Анной (которой я посвятил стихотворение "Зачем зовешь т. р. м." Она познакомила меня с своей подругой (Марией Бальзамовой). Встреча эта на меня также подействовала, потому что после трех дней она уехала и в последний вечер в саду просила меня быть ее другом. Я согласился. Эта девушка тургеневская Лиза ("Дворянское гнездо") по своей душе. И по всем качествам, за исключением религиозных воззрений. Я простился с ней, знаю, что навсегда. Но она не изгладится из моей памяти при встрече с другой такой же женщиной.

Есенин — Г. А. Панфилову.
Москва, август 1912 г.

Тяжелая, безнадежная грусть!

Я не знаю, что делать с собой. Подавить все чувства? Убить тоску в распутном веселии? Что-либо сделать с собой такое неприятное? Или — жить, или — не жить? И я в отчаянии ломаю руки, — что делать? Как жить? Не фальшивы ли во мне чувства, можно ли их огонь погасить? И так становится больно-больно, что даже можно рискнуть на существование на земле.

Есенин — М. П. Бальзамовой.
Константиново, июль 1912 г.

Ох, Маня! Тяжело мне жить на свете, не к кому и голову склонить, а если и есть, то такие лица от меня всегда далеко и их очень-очень мало, или, можно сказать, одно или два. Так, Маня, я живу.

Есенин — М. П. Бальзамовой.
Константиново, 1912 г.

Живу я в конторе Книготоргового т-ва "Культура", но живется плохо. Я не могу примириться с конторой и с ее пустыми людьми. Очень много барышень, и очень наивных.

В первое время они совершенно меня замучили. Одна из них, черт ее бы взял, — приставала, сволочь, поцеловать ее и только отвязалась тогда, когда я назвал ее дурой и послал к дьяволу.

Есенин — М. П. Бальзамовой.
Москва, 14 октября 1912 г.

Я знаю, ты любишь меня; но подвернись к тебе сейчас красивый, здоровый и румяный с вьющимися волосами, другой, — крепкий по сложению и обаятельный по нежности, — и ты забудешь весь мир от одного его прикосновения, а меня и подавно, отдашь ему все свои чистые, девственные заветы. И что же, не прав ли мой вывод?

Есенин — М. П. Бальзамовой.
Москва, 1912—1913 гг.

...Желаешь если, я познакомлю вас письмами с М. Бальзамовой, она очень желает с тобой познакомиться, а при крайней нужде хотя в письмах.

Есенин — Г. А. Панфилову.
Москва, октябрь 1912 г.

Э? Ты не жди от синьорины Бальзамовой ответа. Я уже с ней прикончил чепуху. Право слово, впоследствии это для нее будет вредно, если она будет возжаться за мной. Письмами ее я славно истопил бы печку, но черт меня намекнул бросить их в клозет. И что же... Бумага, весом около пуда, все засорила, и, конечно, пришлось звать водопроводчика. И с ними-то беда, а с ней бы еще хуже.

Хорошо, все так кончилось. При встрече — слезы, при расставании — смех и гордость.

Славно! Конец неначинающегося романа!

Есенин — Г. А. Панфилову.
Москва, ноябрь 1912 г.

Прости меня, если тебе обидно слышать мои упреки, — ведь это я любя. Ты могла ответить Панфилову, и то тогда ничего бы не было. Долго не получая письма, я написал ему, что между тобой и мной все кончено. (Я так думал.)

Есенин — М. П. Бальзамовой.
Москва, 26 января 1913 г.

...Я боюсь только одного: как бы тебя не выдали замуж. Приглянешься кому-нибудь и сама... не прочь — и согласишься. Но я только предполагаю, а еще хорошо-то не знаю. Ведь, Маня, милая Маня, слишком мало мы видели друг друга. Почему ты не открылась мне тогда, когда плакала? Ведь я был такой чистый тогда, что и не подозревал в тебе этого чувства.

Есенин — М. П. Бальзамовой.
Москва, июнь 1913 г.

Если тебе нравится эта игра, но я говорю, что так делать постыдно; если ты не чувствуешь боли, то, по крайней мере, я говорю, что мне больно.

Я и так не видал просвета от своих страданий. Неужели ты намерена так подло меня мучить. Я пошел к тебе с открытою душой, а ты мне подставила спину, — но я не хочу, я и так без тебя истомился.

Довольно! Довольно!

Есенин — М. П. Бальзамовой.
Москва, июнь (?) 1913 г.

Моя просьба осталась тщетною.

Вероятно я не стою Вашего внимания.

Конечно, Вам низко или, быть может, трудно написать было 2 строчки; ну, так прошу извинения, в следующий раз беспокоить не стану.

Успокойтесь, прощайте!

Есенин — М. П. Бальзамовой.
Москва, июнь 1913 г.

...Ты называешь меня ребенком, но — увы — я уже не такой ребенок, как ты думаешь, меня жизнь достаточно пощелкала, особенно за этот год,

Есенин — М. П. Бальзамовой.
Москва, октябрь (?) 1913 г.

Любить безумно я никого еще не любил, хотя влюбился бы уже давно, но ты все-таки стоишь у дверей моего сердца. Но, откровенно говоря, эта вся наша переписка — игра, в которой лежат догадки, — да стоит ли она свеч?

Есенин — М. П. Бальзамовой.
Москва, октябрь (?) 1913 г.

...Я смело решил отпарировывать удары судьбы. И даже если ты со мной прикончишь неначинающийся роман, вынесу без боли и сожаления.

Есенин — М. П. Бальзамовой.
Москва, октябрь (?) 1913 г.

...Если ты уже любишь другого, я не буду тебе мешать. Но я глубоко счастлив за тебя. Дозволь тогда мне быть хоть твоим другом. Я всегда могу дать тебе радушные советы.

Есенин — М. Бальзамовой.
Москва, 10 декабря 1913 г.

Теперь иронически скажу, что я уже не мальчик, и условия, — любовные и будничные, — у меня другие. В силу этого я прошу Вас или даже требую (так как я логически прав) прислать мне мои письма обратно. Если Вы заглядываете часто в свое будущее, то понимаете, что это необходимо.

Вы знаете, что между нами ничего нет и не было, то глупо и хранить глупые письма.

Есенин — М. П. Бальзамовой.
Москва, осень 1914 г.

...Мне несколько непонятно, почему ты вспоминаешь меня за пивом, не знаю, какая связь. Может быть, без пива ты и не вспомнил бы?

А. А. Сардановская — Есенину.
Константиново, 14 июля 1916 г.

Впервые я увидел Сергея Есенина в селе Константинове. Это было летом 1918 года на крестьянской сходке. Разговор шел о мужиках, арестованных якобы за участие в ограблении баржи с продовольствием бандой Михаила Рогожкина. На сходке выступил Есенин. Он обещал мужикам помочь в освобождении из тюрьмы крестьян, непричастных к грабежу, что вызвало шумное одобрение собравшихся.

А. Силкин, с. 210.

(1920, лето). Перед отъездом, Сергей сказал мне, а скорее самому себе:
— Толя (Мариенгоф) говорил, что я ничего не напишу здесь, а я написал стихотворение.

В этот приезд Сергей написал стихотворение "Я последний поэт деревни...".

Е. Есенина, с. 54.

Твердого распорядка дня Сергей Александрович не придерживался. Любил он и один побродить по лугам, и вместе с артелью порыбачить на Оке. А то пропадет: день, другой его нет. Укроется в своем любимом амбарчике (он и сейчас сохранился за домом Есениных) и пишет. Работал тогда, когда приезжал в Константиново, с увлечением. Здесь им были написаны многие замечательные стихи. Часто напишет новое стихотворение, просит послушать. Хорошо помню, как он читал отрывки из "Поэмы о 36".

С. Соколов.
В сб. "С. А. Есенин в восп. современников".
*М., "Худ. лит.", 1986, с. 135.** *

Летний зной, городская суталока, напряженная работа — от всего этого Сергей устал, и его снова потянуло в Константиново. 26 июля он пишет Гале Бениславской в Москву: "Дней через 6 — 7 я приезжаю в Москву. Еду в Рязань (имелось в виду Константиново) с Никитиным. Уж очень, дьявольски захотелось поудить рыбу..."

И в начале августа Сергей снова в Константинове.

По неизвестным причинам Н. Н. Никитин (ленинградский писатель) с Сергеем не приехал, а нашим гостем на этот раз был молодой, лет двадцати, коренастый, широкоплечий, с черными глазами и густыми черными волосами поэт Иван Приблудный.

Он был бесшабашный, озорной, находчивый весельчак, умеющий и посмеяться, и пошутить, и спеть. Но всего лучше он читал стихи. Особенно хорошо у него получались "Гайдамаки" Шевченко и "Петух" собственного сочинения. Читал он как-то удивительно просто, жестикулируя правой рукой или изредка поправляя черную шапку волос, но в его хрипловатом голосе было столько выразительности, что трудно забыть такое чтение. Был он, как говорится, без роду, без племени, но в его внешности и поведении было много цыганского. Его безобидное озорство иногда удивляло. Идем с ним по улице, спокойно разговариваем. Вдруг он становится на руки и идет на руках или, увидев впереди двух молоденьких девушек, идущих навстречу, поравнявшись с ними, резко бросается в сторону, и те от неожиданности шарахаются в другую. Пройдя несколько шагов, он оглянется, улыбнется им и продолжает путь как ни в чем не бывало.

А. Есенина, с. 97.

В этот свой приезд Сергей спал в амбаре. Ему снова нужно было работать, а в риге нельзя было курить, опасно зажигать лампу. Работал Сергей очень много. Я помню, как часами, почти не разгибаясь, сидел он за столом у раскрытого окна нашей маленькой хибарки. Условия для работы были очень плохие. По существу, их не было совсем. Мы старались не мешать Сергею, но так как дом наш был слишком мал, а амбар служил кладовой, где хранили и платье, и продукты, то поневоле нам приходилось его беспокоить.

---

* Далее — по этому изданию.

И несмотря на трудности, он упорно работал над "Поэмой о 36".
Здесь же им было написано стихотворение "Отговорила роща золотая...".
В работе над этим стихотворением у него была замечательная помощница — наша рязанская природа, с пролетающими в поля косяками журавлей, с костром рябины красной, стоящей перед нашим боковым окном.

Е. Есенина, с. 242.

...Как это ни покажется сейчас странным, но так получалось, что Есенин, стихи которого уже тогда переводились на иностранные языки, в своем родном селе был как поэт мало известен. Все здесь смотрели на него как на односельчанина, наезжающего летом погостить из города. Нам, местным учителям, даже не пришло в голову шире познакомить константиновцев с поэзией Есенина. Ни разу не устроили мы и литературного вечера, когда он бывал в селе. Говорить об этом теперь приходится с болью, сожалением и грустью. Кто знает, может быть, видя такое "внимание" к своему творчеству со стороны нас, односельчан, Есенин временами с грустью думал о том, что

> Моя поэзия здесь больше не нужна,
> Да и, пожалуй, сам я здесь не нужен.

С. Соколов, с. 138.

Помню, как Сергей ходил легкой, слегка покачивающейся походкой, немного наклонив свою кудрявую голову. Красивый, скромный, тихий, но вместе с тем жизнерадостный человек, он одним своим присутствием вносил в дом праздничное настроение.

А. Есенина, с. 83—84.

Было немного странно смотреть на этого до глубины души русского человека, шагающего в модном заграничном костюме по пыльной деревенской дороге.

С. Соколов, с. 138.

В Константинове собрались все вместе. У родителей Есенина незадолго до этого был отстроен новый деревянный дом против старинной церкви...

Р. Березин, с. 251.

...Дом у нас теперь новый и хороший, в избе будет 4 комнаты, но тебе ни одной из них не достанется. Мы тебе определили старую избу. Отремонтируем ее, и ты будешь в ней жить, сделаем ее не по-городскому, а как у всех просто. Икона как там висит, так и оставим и лампадку тоже. Одним словом, все будет по-старинному, а в новой избе все будет на новый лад. Мне думается, что ты на следующую зиму обязательно поедешь домой, т. е. стариной тряхнешь, послушаешь песен, поиграешь в карты и поработаешь. Сказки-то тебе, пожалуй, будут не интересны, потому что мне кажется, что ты сказок знаешь больше всех на свете...

Знаешь, мы слушали, как поет мать и отец, вот хорошо-то, и я кой-где подпевала, да у меня все что-то не как у них выходит, а они хорошо поют. Помнишь, ты надо мной смеялся, что я с тоскливой физикой пою, как будто все в прошедшем. Оказывается, мать тоже так поет.

Мы все вместе, мать, отец, Галя, Шурка и я, пели "Вечер черные брови насопил", больно уж нашим это стихотворение нравится, а матери больше всего понравилось "Русь советская". Она говорит, что ты уж больно складно писать умеешь.

E. Есенина — Есенину.
Москва, 30 декабря 1924 г.

Летом 1924 года Есенин уехал в деревню. Вернувшись, он пришел к нашему общему знакомому. Там в то время как раз собралось много гостей, было весело и шумно.

Сергей мигнул мне, и мы вышли в соседнюю комнату. Это была спальня, с большим шкафом, зеркальная дверца которого была полуоткрыта и качалась. Разговор этот особенно запомнился мне потому, что я видел нас обоих, отраженных в этом движущемся стекле.

— Знаешь, я сейчас из деревни, — понижая голос, зашептал он. — Вот раньше, когда, бывало, я приезжал в деревню, то орал отцу, что я большевик, случалось, обзывал его кулаком — так, больше из задора... А теперь приехал, что-то ворчу насчет политики: то неладно, это не так... А отец мне вдруг отвечает: "Нет, сынок, эта власть нам очень подходящая, вполне даже подходящая..." Ты знаешь, чтобы из него такие слова вывернуть, большое дело надо было сделать. А все Ленин! Знал, какое слово надо сказать деревне, чтобы она сдвинулась. Что за сила в нем, а? А я что-то не то орал, пустяки.

Ю. Либединский, с. 193—194.

...Обычно он приезжал в Константиново летом и непременно навещал моего мужа. Однажды к нам вместе с Есениным пришел его друг Сергей Брежнев с сестрой Анной. Пили чай, потом стали петь "Выхожу один я на дорогу", "Вечерний звон" и другие песни. Руководил пением мой муж, а когда запели "Вечерний звон", Есенин подошел к роялю и пытался изобразить колокольный звон. Помню, Сергей Брежнев пел песню "У врат обители святой". Есенин внимательно слушал и был грустным.

А. Соколова, с. 526.

В этот свой приезд Сергей прожил дома всего лишь несколько дней. Вместе с Сахаровым он уехал в Москву, а оттуда — в Ленинград. Июнь и июль Сергей жил в Ленинграде и за это время написал там поэму "Песнь о великом походе".

А. Есенина, с. 97.

С каждым днем
я становлюсь чужим...

ПЕРЕЕЗД В МОСКВУ

Суриковский кружок. Работа в типографии И. Сытина.
Первая женитьба на А. Р. Изрядновой.
Первые выступления в печати — в журналах
"Доброе утро", "Мирок" (1912—1915).

Нужно оставить вздорный вымысел, утверждающий, что Есенин пришел в Питер прямо из рязанских сел.

Поэт, прежде чем попасть в цепкие лапы питерских барынь, испытал горькую долю крестьянского самородка-писателя.

Г. Деев-Хомяковский, с. 147.

В моем представлении решающим рубежом в жизни Сергея был переезд его в Москву.

Н. Сардановский, с. 132.

Появился он в Москве весной 1912 года.

Г. Деев-Хомяковский, с. 147.

Это произошло в 1913 году — на восемнадцатом году его жизни.

Н. Сардановский, с. 132.

...К осени отец вызвал Сергея к себе в Москву и устроил его работать в конторе у своего хозяина.

А. Есенина, с. 36.

...у отца в сундуке лежало несколько книг Сергея. Это были Библия, Пушкин и Гоголь с хорошими иллюстрациями.

Е. Есенина, с. 47.

Гриша, в настоящее время я читаю Евангелие и нахожу очень много для меня нового... Христос для меня совершенство. Но я не так верую в него, как другие. Те веруют из страха: что будет после смерти? А я чисто и свято, как в человека, одаренного светлым умом и благородною душою, как в образец в последовании любви к ближнему.

Жизнь... Я не могу понять ее назначения, и ведь Христос тоже не открыл цель жизни. Он указал только, как жить, но чего этим можно достигнуть, никому не известно...

Есенин — Г. А. Панфилову.
Москва, апрель 1913 г.

С символистами и акмеистами у него были старые счеты. В молодости Есенин, несомненно, прошел через увлечение символизмом, и как ни отрицал этого впоследствии, стихи первых лет революции выдавали его с головой, но сам он предпочитал отказываться от этого родства.

— Ну к чему они мне? Я этот "символизм" еще в школе мальчишкой постиг. И знаешь откуда? Из Библии. Школу я кончал церковноприходскую, и нас там этой Библией как кашей кормили. И какая прекрасная книжища, если ее глазами поэта прочесть! Мне понравилось, что там все так громадно и ни на что другое в жизни не похоже. Было мне лет двенадцать — и я все думал: вот бы стать пророком и говорить такие слова, чтобы было и страшно и непонятно, и за душу брало. И я из Исайи целые страницы наизусть знал. Вот откуда мой "символизм". Он у меня своим горбом нажит.

Вс. Рождественский, с. 317—319.

...Был очень заносчив, самолюбив, его невзлюбили за это. Настроение было у него угнетенное: он поэт, а никто не хочет этого понять, редакции не принимают в печать. Отец журит, что занимается не делом, надо работать, а он стишки пишет.

А. Изряднова, с. 53.

...Я сам не могу придумать, почему это сложилась такая жизнь, именно такая, чтобы жить и не чувствовать себя, то есть своей души и силы, как животное. Я употреблю все меры, чтобы проснуться.

Есенин — Г. А. Панфилову.
Москва, август 1912 г.

... Я насмехаюсь открыто надо всеми, и никто не понимает, лишь они. Получаю я немного, только 25 р. Скоро прибавят, верно.

Есенин — М. П. Бальзамовой.
Москва, 14 октября 1912 г.

Хотя он происходил из зажиточной крестьянской семьи, помощи от родных видимо у него не было.

Л. Клейнборт, с. 253

...Я не вынес того, что про меня болтали пустые языки, и... и теперь оттого болит моя грудь. Я выпил, хотя не очень много, эссенции. У меня схватило дух и почему-то пошла пена; я был в сознании, но передо мной немного все застилалось какою-то мутною дымкой. Потом, — я сам не знаю, почему, — вдруг начал пить молоко и все прошло, хотя не без боли. Во рту у меня обожгло сильно, кожа отстала, но потом опять все прошло, и никто ничего-ничего не узнал. Конечно, виноват я и сам, что поддался лживому ничтожеству, и виноваты и они со своею ложью.

Есенин — М. П. Бальзамовой.
Москва, 14 октября 1912 г.

Черт знает, что такое: в конторе жизнь становится невыносимая. Что делать?

Есенин — Г. А. Панфилову.
Москва, апрель 1913 г.

...Отец все у меня отнял, так как я до сих пор еще с ним не примирился. Я, конечно, не стал с ним скандалить, отдал ему все, но сам остался в безвыходном положении. Особенно душило меня безденежье, но я все-таки твердо вынес удар роковой судьбы, ни к кому не обращался и ни перед кем не заискивал.

Есенин — Г. А. Панфилову.
Москва, 16 июня 1913 г.

Решено было его устроить куда-либо на службу.
После ряда хлопот его устроили через социал-демократическую группу в типографию бывшую Сытина на Пятницкой улице.

Г. Деев-Хомяковский. Правда о Есенине.
В сб. "С. А. Есенин в восп. современников".
М., "Худ. лит.", 1986, с. 148.*

Сергей работал корректором в типографии И. Д. Сытина на Пятницкой улице и жил в маленькой комнатке в одном из домов купца Крылова — Б. Строченовский пер., д. 24.

Н. Сардановский, с. 132.

Его привел в типографию один наш рабочий, тоже баловавшийся стихами. Он ходил в какой-то там кружок поэтов и там познакомился с Есениным. По виду Есенину было лет шестнадцать-семнадцать. Невысокий, белокурый. Нам он очень понравился, живой такой, любознательный, хорошо читал наизусть Пушкина и Лермонтова.
Первое время ему негде было жить, и он ночевал в комнатке при типографии. Его устроили в корректорскую. Не раз читывал он нам свои стихи, и даже где-то их печатал. В каких-то небольших журнальчиках.

---

* Далее — по этому изданию.

Страсть как любил типографское дело, изучал шрифты, печатные машины, охоч был до хорошей бумаги — все мечтал, когда ему книжку напечатают...

И. Рахилло, с. 512—513.

Фабрика с ее гигантскими размахами и бурливой живой жизнью произвела на Есенина громадное впечатление. Он был весь захвачен работой на ней и даже бросил было писать. И только настойчивое товарищеское воздействие заставляло его время от времени приходить в кружок с новыми стихами.

Г. Деев-Хомяковский, с. 148.

...много раз навещал меня в типографии и всегда говорил, что запах типографской краски напоминает ему юность и какие-то очень приятные и интересные события.

Н. Вержбицкий, с. 213.

Заработок дал ему возможность окрепнуть и обосноваться в Москве.

Г. Деев-Хомяковский, с. 148.

Сборники писателей из народа с портретами и биографиями авторов были тогда в ходу. Издавали их сами авторы в складчину. Наиболее крупным объединением писателей из народа был литературно-музыкальный кружок имени Сурикова. Выяснилось, что Есенин хорошо знаком с суриковцами.

Д. Семеновский, с. 156—166.

В течение первых двух лет Есенин вел непрерывную работу в кружке.

Г. Деев-Хомяковский, с. 148.

Втроем мы ходили фотографироваться. По дороге Есенин оживленно говорил:

— Нам надо издать коллективный сборник стихов. Выпустим его с нашими портретами и биографиями. Я берусь это устроить. Снялись мы пока на общей карточке, отложив фотографирование для задуманного сборника на будущее.

Дм. Семеновский, с. 331.

До конца 1912 года во главе суриковцев стоял Максим Леонович Леонов, отец известного советского писателя Леонида Леонова. После же отъезда М. Л. Леонова в Архангельск, где он стал редактировать прогрессивную газету "Северное утро", председателем кружка на 1912 год был избран поэт Сергей Николаевич Кошкаров (Сергей Заревой), присяжный поверенный, выходец из народа.

Е. Шаров, с. 49.

Он приехал из деревни, без гроша денег и пришел к поэту С. Н. Кошкарову-Заревому... Сергей Николаевич тогда был председателем Суриковского кружка писателей.

Г. Деев-Хомяковский, с. 147.

Собственного помещения суриковцы не имели, и собрания членов происходили то на квартире Кошкарова, то в литературно-художественном кружке, а то просто в каком-нибудь трактире.

Е. Шаров, с. 49.

Не имея лишних средств, кружок все же решил в это время заняться издательством... Издательская работа подвигалась трудно. Есенина волновало последнее обстоятельство. После ряда совещаний мы написали теплые письма известному критику, тогда социал-демократу Л. М. Клейнборту, приложив рукописи Есенина, Ширяевца и ряда других товарищей.

Л. М. Клейнборт откликнулся. Обещал активное содействие молодым писателям и поместил обстоятельную статью в "Современном мире"...

Г. Деев-Хомяковский, с. 149.

Иные из присутствующих старых суриковцев — Филипп Шкулев, Михаил Савин, Егор Нечаев, Иван Морозов, Василий Миляев — тоже в своих стихах воспевали и крестьянский быт, и красоту деревенских раздолий, правда, в обычной манере поэтов "из народа". Они, искушенные поэты, просто пожимали плечами в крайнем недоумении и смущении.

Под конец Есенин так ошарашил присутствующих, что многие сидели буквально с разинутыми ртами, глядя с недоумением на худенького мальчика-поэта, как на пришельца из другого, неведомого мира. А когда он кончил читать, то все смотрели друг на друга, не зная, что сказать, как реагировать на совсем непохожее, что приходилось слышать до сих пор.

Есенин же, вытирая вспотевшее лицо платочком, смирненько сидел и, казалось, с какой-то хитрецой наблюдал за смущенными лицами слушателей. Думаю, что он и тогда, правда, может быть, инстинктивно, сознавал свое значение, ощущал значительность своего дарования. Мне показалось, хотя я был только на четыре года старше его, что Есенин пришел к нам именно затем, чтобы удивить, поразить, а вовсе не затем, чтобы выслушать наше мнение о своем творчестве и просить какого-то содействия в напечатании стихов. (Тогда Суриковский кружок издавал небольшие сборники стихов своих членов.)

Е. Шаров, с. 50—51.

Театральные жесты Есенина не вязались с его рязанским деревенским говорком и производили комическое впечатление. Следя за жестами и мимикой чтеца, я чувствовал, что ни одно слово не доходит до моего сознания. А стихи, наверно, были хорошие.

Дм. Семеновский, с. 339.

...Колоколов и я вспомнили Владимир, семинарию, товарищей. Есенин сказал:

— А знаете, ведь и я — семинарист.

До приезда в Москву из Рязанской губернии он тоже учился в семинарии, только не в духовной, в учительской. И говорил он по-рязански мягко, певуче.

Дм. Семеновский, с. 328.

...Никто почти меня не понимает, всего только-только двое слушают охотно; для остальных мои странные речи. Один — академик, другой — очень серьезный и милый юноша, как и я, чуждый всем.

Есенин — М. П. Бальзамовой.
Москва, 14 октября 1912 г.

В это время в кружок вошел и другой талантливый поэт Ширяевец. Он писал нам из далекой Южной Азии, где он работал в почтовой конторе одной из станций железной дороги в качестве телеграфного монтера, и стремился в Москву.

Г. Деев-Хомяковский, с. 149.

Перелистывая книжку "Журнала для всех", Есенин встретил в ней несколько стихотворений Александра Ширяевца, — стихи были яркие, удалые. В них говорилось о катанье на коньках, на санках, о румяных щеках и сахарных сугробах. Есенин загорелся восхищением.

— Какие стихи! — горячо заговорил он. — Люблю я Ширяевца! Такой он русский, деревенский!

Д. Семеновский, с. 153.

Недавно я устраивал агитацию среди рабочих, письмом. Я распространял среди них ежемесячный журнал "Огни" с демократическим направлением.

Есенин — Г. А. Панфилову.
Москва, март 1913 г.

Ты просишь рассказать тебе, что со мной произошло, изволь. Во-первых, я зарегистрирован в числе всех профессионалистов, во-вторых, у меня был обыск, но все пока кончилось благополучно. Вот и все.

Есенин — Г. А. Панфилову.
Москва, ноябрь 1913 г.

...я бросил есть мясо и рыбу, прихотливые вещи, как-то вроде шоколада, какао, кофе не употребляю и табак не курю. Этому всему будет скоро 4 месяца.

Есенин — Г. А. Панфилову.
Москва, март 1913 г.

Итак, я бросил есть мясо, рыбы тоже не кушаю, сахар не употребляю, хочу скидавать с себя все кожаное, но не хочу носить названия "вегетарианец". К чему это? Зачем? Я человек, познавший Истину, я не хочу более носить клички христианина. И крестьянина, к чему я буду унижать свое достоинство?

Есенин — Г. А. Панфилову.
Москва, 23 апреля 1913 г.

Я не могу придумать, что со мной, но если так продолжится еще, — я убью себя, брошусь из своего окна и разобьюсь вдребезги об эту мертвую, пеструю и холодную мостовую.

Есенин — М. П. Бальзамовой.
Москва, 1912 — 1913 гг.

Сейчас я не знаю, куда приклонить головы: Панфилов, светоч моей жизни, умирает от чахотки.

Есенин — М. П. Бальзамовой.
Москва, 10 декабря 1913 г.

...Последнее время я тоже свалился с ног. У меня сильно кровь шла носом. Ничто не помогало остановить. Не ходил долго на службу, и результат — острое малокровие.

Есенин — Г. А. Панфилову.
Москва, декабрь 1914 г.

Лечись, как не можно лечись. Напиши мне, какое тебе нужно лекарство, я пришлю.

Есенин — Г. А. Панфилову.
Москва, январь 1914 г.

Есенина тяготило безденежье кружка. Он стал выказывать некоторую нервозность. Сданная в печать его поэма "Галки" была конфискована еще в наборе.

Из Ленинграда ему слали хвалебные письма. Но все же первый номер "Друг народа" был выпущен.

Г. Деев-Хомяковский, с. 149.

Иногда мы коротали вечера в разговорах. Колоколов часто вспоминал Есенина. Делился своими мыслями о нем:

— Есенин рано начал думать о том, что нужно поэту для успеха, — говорил Колоколов. — Еще в ту зиму, когда мы с ним познакомились, был такой случай. Попались Есенину на глаза стихи А. Липецкого:

Потух закат на меди храмов.
Луна незримою рукой
Как череп выткала Адамов
На плащанице мировой.

Прочитал Есенин эти строчки и говорит: "Вот хороший поэт Липецкий и хорошие образы дает в своих стихах, а известным поэтом он все же не будет. Теперь, чтобы прославиться, надо писать как-то по-другому!.." Вот он какой был уж в то время. С юности понял, что поэту нужна особая хватка!..

Дм. Семеновский, с. 346.

В сентябре поступает в типографию Чернышева-Кобелькова, уже корректором. Живем вместе около Серпуховской заставы, он стал спокойнее. Работа отнимает очень много времени: с восьми утра до семи часов вечера, некогда стихи писать. В декабре он бросает работу и отдается весь стихам, пишет целыми днями. В январе печатаются его стихи в газете "Новь", журналах "Парус", "Заря" и других.

А. Изряднова, с. 145.

Первые его литературные опыты поместили в детских журналах "Мирок" и "Доброе утро".

Г. Деев-Хомяковский, с. 148.

Мне помнится, что первое его стихотворение было напечатано в петербургском детском журнале "Проталинка". Полученный гонорар он целиком истратил на подарок своему отцу. Вообще в этот период я наблюдал, что отношения Сергея с отцом были вполне хорошими.

Н. Сардановский, с. 133.

Посылаю тебе на этой неделе детский журнал, там мои стихи. Что-то грустно, Гриша. Тяжело. Один я, один, кругом один, и некому мне открыть свою душу, а люди так мелки и дики.

Есенин — Г. А. Панфилову.
Москва, январь 1914 г.

В начале своей деятельности поэта Сергей обдумывал, какое наименование ему лучше присвоить. Вначале он хотел подписываться "Ористон" (в то время были механические музыкальные ящики "Аристон"). Потом он хотел называться "Ясенин", считая, что по-настоящему правильная его фамилия от слова "ясный".

Н. Сардановский, с. 133.

...Распечатался я во всю ивановскую. Редактора принимают без просмотра и псевдоним мой "Аристон" сняли. Пиши, говорят, под своей фамилией. Получаю, 15 к. за строчку. Посылаю одно из детских стихотворений.

Есенин — Г. А. Панфилову.
Москва, февраль 1914 г.

Если мы больше с тобой не сойдемся, то я тебе открою: я печатаюсь под псевдонимом "Метеор", хотя в журнале "Мирок" стоит "Есенин".

Есенин — М. П. Бальзамовой.
Москва, февраль 1914 г.

Первые стихи его напечатаны в журнале для юношества "Мирок" за 1913—1914 годы.

В типографии Сытина работал до середины мая 1914 года. "Москва неприветливая — поедем в Крым". В июне он едет в Ялту, недели через две должна была ехать и я, но так и не смогла поехать. Ему не на что было там жить. Шлет мне одно другого грознее письма, что делать, я не знала. Пошла к его отцу просить, чтобы выручил его, отец не замедлил послать ему денег, и Есенин через несколько дней в Москве. Опять безденежье, без работы, живет у товарищей.

А. Изряднова, с. 144.

К этому же времени относится учеба Сергея в университете Шанявского (этот университет назывался, кажется, народным). Мне Сергей говорил, что он посещал там исключительно лекции по литературе. Этот предмет читали наиболее видные профессора того времени: Айхенвальд, автор книги "Силуэты русских писателей", и Сакулин. Однажды взволнованный Есенин сообщил мне, что он добился того, что профессор Сакулин обещает беседовать с ним по поводу его стихов. Вскоре Сергей с восторгом рассказывал мне свои впечатления о разговоре с профессором. ...Особенно одобрил он стихотворение "Выткался на озере алый свет зари...".

Н. Сардановский, с. 133.

Университет Шанявского был для того времени едва ли не самым передовым учебным заведением страны. Широкая программа преподавания, лучшие профессорские силы, свободный доступ — все это привлекало сюда жаждущих знания со всех концов России.

Д. Семеновский.
В сб. "С. А. Есенин в восп. современников".
М., "Худ. лит.", с. 151.*

Посещали мы с ним университет Шанявского.

А. Изряднова, с. 144.

Из шанявцев-литераторов Есенин, по его словам никого не знал.
— Познакомился здесь только с поэтом Николаем Колоколовым, — говорил он — бываю у него на квартире. Сейчас он — мой лучший друг.

Дм. Семеновский, с. 326.

Дела мои не особенно веселят. Поступил в университет Шанявского на историко-философский отдел, но со средствами приходится скандалить. Не знаю, как буду держаться, а силы так мало...

Есенин — Г. А. Панфилову.
Москва, сентябрь (?) 1913 г.

---

* Далее — по этому изданию.

И кого только не было в пестрой толпе, наполнявшей университетские аудитории и коридоры: нарядная дама, поклонница модного Юрия Айхенвальда, читавшего историю русской литературы XIX века, и деревенский парень в поддевке, скромно одетые курсистки, стройные горцы, латыши, украинцы, сибиряки. Бывали тут два бурята с кирпичным румянцем узкоглазых плоских лиц. Появлялся длинноволосый человек в белом балахоне, с босыми ногами, красными от ходьбы по снегу.

Дм. Семеновский, с. 326.

Слушаем лекцию профессора Айхенвальда, он почти полностью цитирует высказывание Белинского о Боратынском. Склонив голову, Есенин записывает отдельные места лекции. Я сижу рядом с ним и вижу, как его рука с карандашом бежит по листу тетради "Изо всех поэтов, появившихся вместе с Пушкиным, первое место, бесспорно, принадлежит Боратынскому". Он кладет карандаш и, сжав губы, внимательно слушает. После лекции идем на первый этаж. Остановившись на лестнице, Есенин говорит: "Надо еще раз почитать Боратынского".

Б. Сорокин, с. 53—54.

Ходили мы на творческие собрания сотрудников журнала "Млечный путь". Этот маленький литературно-художественный журнал, издававшийся поэтом-приказчиком А. М. Чернышевым, стал для многих начинающих авторов путем в большую литературу. Алексей Михайлович Чернышев был замечательным человеком. Весь свой заработок он тратил на журнал. Сам тоже писал стихи. Его брат, художник Николай Михайлович, украшал журнал рисунками и был одним из виднейших знатоков фрески.

Дм. Семеновский, с. 333.

В начале 1915 года в "Млечном Пути" появляется стихотворение Есенина "Кручина", а затем — "Выткался на озере алый свет зари".

Н. Ливкин, с. 163.

К этому времени Есенин знал, кажется, всех литераторов-шанявцев. То были люди разных возрастов, вкусов, взглядов.

Самым авторитетным среди них считался автор социальных поэм Иван Филипченко, человек в пенсне, с тихим голосом и веским словом. Молодой брюнет с живыми улыбчивыми глазами на матовом тонком лице, Юрий Якубовский был художником и поэтом. Писал стихи сибиряк Янчевский и приехавший из Баку Федор Николаев, сын крестьянина с Урала Василий Наседкин и дитя богемы, голубоглазая, с желтыми локонами, падавшими из-под бархатного берета, Нелли Яхонтова. Среди этой компании Есенин сразу получил признание. Даже строгий к поэтам непролетарского направления Филипченко, пренебрежительно говоривший о них: "мух ловят", —

даже он, прочитав за столиком буфетной комнаты свежие и простые стихи Есенина, отнесся к ним с заметным одобрением.

Дм. Семеновский, с. 330—331.

Редактором и издателем "Млечного Пути", первый номер которого вышел в январе 1914 года, был Алексей Михайлович Чернышев. Самоучка, не получивший в школьные годы даже начального образования, он рано начал писать стихи. Самостоятельно занимаясь своим образованием, он вступил в кружок "Писатели из народа", а затем стал выпускать свой журнал, вкладывая в него бескорыстно порядочные средства и все свое свободное время.

Н. Ливкин.
В сб. "С. А. Есенин в восп. современников".
*М., "Худ. лит.", с. 163.**

То ли в шутку, то ли всерьез ухаживал за некрасивой поэтессой, на собраниях садился с ней рядом, провожал ее, занимал разговором. Девушка охотно принимала ухаживания Есенина и, может быть, уже записала его в свои поклонники.

Но однажды мы вчетвером — Есенин, Колоколов, я и наша поэтесса — сидели в гостях у поэта Ивана Коробова. Хозяин зачем-то вышел, оставив в комнате нас одних. Мы знали, что наша спутница считает себя певицей и кто-то из нас попросил ее спеть. Девушка запела. Слушать ее было невозможно. Голос у певицы был носовой, слух отсутствовал.

Мои приятели, прячась за стоявший на столе самовар и закрывая лицо руками, давились от смеха.

Я боялся, что их неуместная веселость бросится певице в глаза. Но, увлеченная пением, она ничего не замечала — и романс следовал за романсом.

Через несколько дней девушка пригласила поэтов "Млечного Пути" к себе.

...Завтра у меня день рожденья, приходите!

Пошли Есенин, Колоколов, Николаев и я.

Сидели за празднично убранным столом. Старшая сестра поэтессы познакомилась с нами и скромно ушла в соседнюю комнату. Бутылка легкого вина повысила наше настроение. Виновница торжества светилась радостным оживлением, мило улыбалась и обносила гостей сладким пирогом. С ней произошла волшебная перемена. Куда девалась ее некрасивость! Она принарядилась, казалась женственной, похорошевшей.

Футурист-одиночка Федор Николаев, носивший черные пышные локоны и бархатную блузу с кружевным воротником, не спускал с нее глаз. Уроженец Кавказа, он был человек темпераментный и считал себя неотразимым покорителем женских сердец. Подсев к девушке, Никола-

---

* Далее — по этому изданию.

ев старался завладеть ее вниманием. Я видел, что Есенину это не нравится.

Кода поэтесса вышла на минуту в комнату сестры, он негодующе крикнул Николаеву:

— Ты чего к ней привязался?

— А тебе что? — сердито ответил тот.

Произошла быстрая, энергичная перебранка. Закончилась она тем, что Есенин запальчиво бросил сопернику:

— Вызываю тебя на дуэль!

— Идет, — ответил футурист.

Драться решили на кулаках.

Вошла хозяйка. Все замолчали. Посидев еще немного, мы вышли на тихую заснеженную улицу. Шли молча. Зашли в какой-то двор с кучами сгребенного снега, смутно белевшими в ночном сумраке.

Враги сбросили с плеч пальто, засучили рукава и приготовились к поединку. Колокову и мне досталась роль секундантов.

Дуэлянты сошлись. Казалось, вот-вот они схватятся. Но то ли снежный воздух улицы охладил их пыл, то ли подействовали наши уговоры, только дело кончилось примирением.

После этой несостоявшейся драки я понял, что ласково улыбавшийся рязанский паренек умеет и постоять за себя.

Д. Семеновский, с. 158—159.

Познакомилась я с С. А. Есениным в 1913 году, когда он поступил на службу в типографию товарищества И. Д. Сытина в качестве подчитчика (помощника корректора). Он только что приехал из деревни, но по внешнему виду на деревенского парня похож не был. На нем был коричневый костюм, высокий накрахмаленный воротник и зеленый галстук. С золотыми кудрями он был кукольно красив, окружающие по первому впечатлению окрестили его вербочным херувимом. Был очень заносчив, самолюбив, его невзлюбили за это.

А. Изряднова (первая жена Есенина).
В сб. "С. Е. Есенин в восп. современников".
М., "Худ. лит." 1986, с. 144.*

В отчетах филеров, которые вели наружное наблюдение, Анна Изряднова проходила под кличкой "Доска".

А. Щукин, с. 28.

Ко мне он очень привязался, читал стихи...

А. Изряднова, с. 144.

Он уже был женат на работнице той типографии, где работал, имел

---

* Далее — по этому изданию.

ребенка. Но ни одним словом не вспоминал ни о жене, ни о ребенке. Даже лицо его сделалось совсем шалым.

Л. Клейнборт, с. 259.

Мы узнали уже, что Е. женат и у него ребенок. Я все пробовала представить себе его ходящим по комнате с ребенком на руках и вообще в этом быту пеленок и пр. (а в те "голые годы" ребенок неизбежно создавал такой быт), и никак такая картина не укладывалась в голову, больно не шло к нему это.

Г. А. Бениславская, с. 26.

В конце декабря у меня родился сын. Есенину пришлось много канителиться со мной (жили мы только вдвоем). Нужно было меня отправить в больницу, заботиться о квартире. Когда я вернулась домой, у него был образцовый порядок: везде вымыто, печи истоплены, и даже обед готов и куплено пирожное, ждал. На ребенка смотрел с любопытством, все твердил: "Вот я и отец". Потом скоро привык, полюбил его, качал, убаюкивая, пел над ним песни. Заставлял меня, укачивая, петь: "Ты пой ему больше песен".

А. Изряднова, с. 145.

Юра (Георгий) — сын Есенина. В феврале 1926 г. "Вечерняя Москва" сообщала о том, что поскольку родители "жили не повенчавшись, то, по существовавшим до революции законам, ребенок получил фамилию своей матери — Изрядновой. Свидетель Демидов, по приглашению Есенина принимавший участие в крещении ребенка, утверждает, что Есенин никогда не оспаривал того факта, что он является отцом ребенка Изрядновой".

Летом 1918 г. Есенин читал — "О муза, друг мой гибкий...", "Зеленая прическа", "Ключи Марии", читал ей на пароходе, когда ехали в Москву — сентябрь-октябрь 1918 г.

Запись С. А. Толстой в дневнике 1929 г.

Есенин не забывал своего первенца, иногда приходил к нему. С осени 1923 года он стал навещать и нас.

Т. Есенина (дочь поэта), с. 269.

Карточек старшего своего Юры Изряднова он никогда не показывал, никогда о нем не упоминал. Позже я узнала от самой Анны Романовны Изрядновой, что он оказывал ей некоторую материальную поддержку...

Н. Вольпин, с. 281.

Рассказывала мне об отце и Анна Романовна Изряднова — его первая любовь, мать его первого сына — Юры, погибшего в 1938 году. Удивительной чистоты была женщина. Удивительной скромности. После того как я остался один, Анна Романовна приняла в моей судьбе большое участие. В довоенном 1940 и в 1941 годах она всячески помогала мне — подкармливала меня в трудные студенческие времена. А позднее, когда я был на фронте, неоднократно присылала посылки с папиросами, табаком, теплыми вещами. Наиболее интересное из ее рассказов уже известно. Хочу только передать маленькую историю с папиросной коробкой Есенина.

В тот же день, что и к нам, Сергей Александрович пришел к Анне Романовне, чтобы проститься с Юрой. Он оставил на столе коробку папирос. Курил он "Сафо". Были такие папиросы высшего сорта, с женщиной в тунике на коробке. В коробке оставалось, как говорила Анна Романовна, несколько папирос. Их выкурил Юра. А одну оставил на память. Коробка была семейной реликвией.

В феврале 1937 года на шумной вечеринке мы простились с Юрой, который уходил в армию (я очень дружил с ним).

К. Есенин (сын поэта), с. 278.

1. Распространял на протяжении ряда лет контрреволюционную клевету против партии и Советского правительства.

2. Обсуждал вопрос о совершении террористического акта против руководства партии и правительства.

3. Обсуждал вопрос о переходе границы Советского Союза с целью невозращения в СССР, т. е. в преступлениях, предусмотренных статьями 19—58 п. 8 и 11 УК РСФСР.

*Из обвинительного заключения
на Юрия Изряднова, сына Есенина.
13 апреля 1937 г.*

Прошу снять арест с описанных у меня вещей, принадлежавших якобы сыну моему Георгию Сергеевичу Есенину. Вещи эти куплены мною, а не им, и многие из них приобретены мною после ухода его в армию. Некоторые имеют ярлыки магазинов, им не ношены и принадлежавшими ему считаться не могут. Шкап я уже приобрела, когда ему было два года. Сын мой незадолго до призыва в армию (где был арестован) кончил авиатехникум, стипендию не получал, жил на моем иждивении. Работал очень немного, в это время мне приходилось помогать ему. Для того, чтобы приобрести эти вещи, я работала по две смены и без выходных дней. Прошу снять арест с описанных вещей.

*А. Р. Изряднова — НКВД.
Москва, 3 октября 1937 г.*

В 1941 году, в ноябре, в тяжелые для Москвы дни, я пошел добровольцем в Красную Армию. Отправка задержалась, и несколько дней я все ходил по опустевшему городу — прощался с ним. А потом у Анны Романовны рассматривал разные отцовские реликвии. Вынули и коробку "Сафо". Ей тогда было уже 16 лет. Папироса высохла, а табак начинал высыпаться.

По торжественности случая я выкурил в этот день, 5 декабря 1941 года последнюю папиросу отца.

К. Есенин (сын поэта), с. 278—279.

Анна Романовна принадлежала к числу женщин, на чьей самоотверженности держится белый свет. Глядя на нее, простую и скромную, вечно погруженную в житейские заботы, можно было обмануться и не заметить, что она была в высокой степени наделена чувством юмора, обладала литературным вкусом, была начитанна. Все связанное с Есениным было для нее свято, его поступков она не обсуждала и не осуждала. Долг окружающих по отношению к нему был ей совершенно ясен — оберегать. И вот — не уберегли. Сама работящая, она уважала в нем труженика — кому как не ей было видно, какой путь он прошел всего за десять лет, как сам себя менял внешне и внутренне, сколько вбирал в себя — за день больше, чем иной за неделю или за месяц.

Т. Есенина (дочь поэта), с. 269.

Литературная буржуазная Москва встретила холодно белокурого смельчака.

Г. Деев-Хомяковский, с. 148.

Живется мне тоже здесь не завидно. Думаю во что бы то ни стало удрать в Питер.

Есенин — Г. А. Панфилову.
Москва, ноябрь 1913 г.

...Есенин сказал мне о своем намерении переселиться в Петроград. Мы шли по Тверской, мимо нас мчались лихачи, проносились, отсвечивая черным лаком, редкие автомобили. Есенин говорил:
— Весной уеду в Петроград. Это решено.
Ему казалось, что там, в центре литературной жизни, среди борьбы различных течений, легче выдвинуться молодому писателю. Звал с собой и меня:
— Поедем? Вдвоем в незнакомом городе легче, веселее. А денег достанем, заработаем...

Дм. Семеновский, с. 154.

...Есенин возбужденно говорил:
— Нет! Здесь в Москве ничего не добьешься. Надо ехать в Петроград. Ну что! Все письма со стихами возвращают. Ничего не печатают. Нет, надо самому... Под лежачий камень вода не течет. Славу надо брать за рога.
Мы шли из Садовников, где помещалась редакция, по Пятницкой. Остановились у типографии Сытина. В 1913—1914 годах Есенин работал здесь помощником корректора. Говорил один Сергей:
— Поеду в Петроград, пойду к Блоку. Он меня поймет...

Н. Ливкин, с. 164.

Запомнилось, как в другой раз, сойдясь в университете мы с Есениным пошли в буфетную комнату, где всегда было много народу. Помешивая ложечкой чай, Есенин говорил кому-то из подсевших к нам знакомых:

— Достану к весне денег и поеду в Петроград. Возьму с собой Семеновского...

Дм. Семеновский, с. 330.

...в конце декабря 1914 года на одном из литературных собраний Есенин встречается с петроградскими писателями. Они учли способность Есенина, и, к нашему огорчению, наш молодой поэт, забрав у нас "на дорогу", "махнул" в Питер — искать "счастья".

Г. Деев-Хомяковский, с. 150.

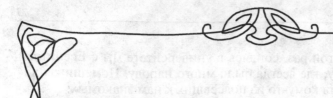

*Говорят, что я скоро стану
знаменитый русский поэт...*

ЕСЕНИН В ПЕТЕРБУРГЕ

*Литературные встречи. Мобилизация в армию. Петербургские
салоны, редакции, издательства. Первая книжка "Радуница".
Женитьба на Зинаиде Райх (1915—1917)*

В синем армяке, с копной соломенных волос, тучно смазанных лампадным маслом, бесшумно, как на резиновых подошвах, прокрался он в Санкт-
Петербург в 1912* году.

А. Ветлугин, с. 130.

Он словно предчувствовал свой будущий успех.

Д. Семеновский, с. 154.

О Есенине при его шумной жизни ходили всякого рода легенды. Вернее,
"лыгенды", как называл всякого рода сплетни Лесков. Ходят они и теперь. Я
предпочел бы не распространяться на эту тему. Есенин, конечно, не был
ангелом, но я предпочитаю следовать не за распространителями дурной
славы, которая сама бежит, а за Анатолем Франсом. Франс очень верно и
мудро говорил о Верлене:
"Нельзя подходить к этому поэту с той же меркой, с какой подходят к
людям благоразумным... Он обладал правами, которых у нас нет... Он стоял
несравненно выше нас... И вместе с тем несравненно ниже нас... Это было
бессознательное существо... Но это был такой поэт, который встречается
раз в столетие..."
Я верю в то, что это же самое вполне приложимо к Есенину.

Н. Никитин, с. 222.

---

* В оригинале скорее всего опечатка. Есенин прибыл в Питер 9 марта 1915 г.

Жизнь Есенина, даже на глазах близко знавших его людей, превращалась в легенду. О нем, шепотом и открыто, рассказывали самое невероятное. Но никто из недоброжелателей не мог отказать ему в умении работать, неуклонно растить и совершенствовать свой незаурядный поэтический дар. Странно было предположить, что такие стихи принадлежат человеку, не умеющему критически судить себя. И вместе с тем нелегко было понять, что в слухах о нем являлось правдой, что — бьющей на эффект, безудержной выдумкой.

Вс. Рождественский, с. 293.

О Есенине в тогдашних литературных салонах говорили как о чуде. И обычно этот рассказ сводился к тому, что нежданно-негаданно, точно в сказке, в Петербурге появился кудрявый деревенский паренек, в нагольном тулупе и дедовских валенках, оказавшийся сверхталантливым поэтом... О Есенине никто не говорил, что он приехал, хотя железные дороги действовали исправно. Есенин пешком пришел из рязанской деревни в Петроград, как ходили в старину на богомолье. Подобная версия казалась гораздо интереснее, а главное, больше устраивала всех.

М. Бабенчиков, с. 7—8.

Стихи он принес завязанными в деревенский платок...

С. Городецкий, с. 179.

Есенин, так или иначе, но попал в Петербург в 1915 году и был совершенно осязаем, а не бесплотен, как его пытались изображать столичные снобы.

М. Бабенчиков, с. 237.

Он приехал из Рязанской губернии в "Питер"... прямо с вокзала отправился к Блоку, — думал к Сергею Городецкому, да потерял адрес.

З. Гиппиус, с. 411.

Крестьянин Рязанской губ., 19 лет. Стихи свежие, чистые, голосистые, многословные. Язык. Приходил ко мне 9 марта 1915.

А. Блок.
Из дневника.

Около того времени из Москвы, прямо из университета Шанявского, приехал девятнадцатилетний Есенин в Питер. Раздобыл адрес Блока и ввалился к нему в квартиру в чуйке, в смазных сапогах и с охапкой стихов под мышкой.

— Почему вы пришли именно ко мне? — спросил Блок.

— Как к первому нашему поэту... народному!.. — забормотал робко Сергей Есенин. — Я тоже пишу стихи... Вот!.. Может, поглядите?.. Посылал в редакции — не печатают... Может, поможете?

— Я? Народный?.. — улыбнулся Блок, — непонятно. Вы крестьянин? Стихов ваших сейчас читать не могу... занят по горло... Вряд ли могу быть полезным для вас...

— А я-то думал... — пыхтел Есенин. — Вы поэт и я поэт.

Пимен Карпов.
Из глубины.
М., Худ. литература, 1991, с. 312.

До чего велика, но одновременно мутна и соблазнительна была популярность Блока, видно из того, что в то время как сотни восторженных гимназисток и сельских учительниц переписывали в свои альбомы внушенные Блоку просительной ектенией строки:

Девушка пела в церковном хоре
О всех усталых в чужом краю,
О всех кораблях, ушедших в море,
О всех забывших радость Твою...

— проститутки с Подъяческой улицы, гуляя по Невскому с прикрепленными к шляпам черными страусовыми перьями, рекомендовали себя проходящим в качестве "Незнакомок".

Ф. Степун.
Бывшее и несбывшееся.
Т. 1. Лондон, 1990, с. 318.

Есенин рассказывает, что он с вокзала, пешком, прямо и отправился к Блоку... И что первой этой встречей остался недоволен — не помню, почему.

З. Гиппиус, с. 38.

... Днем у меня рязанский парень со стихами.

А. Блок.
Из дневника.

Блок принял его со свойственными ему немногословием и сдержанностью, но это, видимо, не смутило его:

— "Я уже знал, что он хороший и добрый, когда прочитал стихи о Прекрасной Даме..."

В. Чернявский.
В сб. "С. А. Есенин в восп. современников".
М., "Худ. лит." 1986, с. 189. *

— Гм... — задумался Блок. — Поэт!.. Если вы в этом уверены, так что же я? Ищите опоры в жизни и не распыляйтесь... чтоб не развеял вас ветер... Одним стихом божьим не проживете... Вот, если хотите, дам вам адрес одного поэта... Забияка!.. Написал настоящую книжку, высокую и незлободневную — "Ярь". Слыхали? Сейчас он пишет плохие стихи, и лучше бы он их не писал... Но он практический человек... Где-нибудь вас пристроит... Я поговорю с ним по телефону... Ну, пока...

---

* Далее — по этому изданию.

— Сергей Городецкий — это который "Сретенье" написал? Да ну его! — взметнулся Сергей Есенин. — Погодите, Ляксандра Ляксандрыч, дайте на вас поглядеть... У нас на Рязани вас бы на руках понесли!..

Опечалился Блок. Вздохнул горько:

— Зачем вы это говорите! У вас на Рязани читают "Песенники" да "Сонники" Сытина. А таких, как я, — побивают камнями. И пусть. Сейчас идет война, а потом будет революция... и мечтателям тогда — конец!

Пимен Карпов, с. 312—313.

Вот что рассказывал он мне о своей первой встрече с Александром Блоком:

"Блока я знал уже давно, но только по книгам. Был он для меня словно икона, и еще в Москве я решил: доберусь до Петрограда и обязательно его увижу. Хоть и робок был тогда, а дал себе зарок: идти к нему прямо домой. Приду и скажу: вот я, Сергей Есенин, привез вам свои стихи. Вам только одному и верю. Как скажете, так и будет.

Ну, сошел я на Николаевском вокзале с сундучком за спиной, стою на площади и не знаю, куда идти дальше, — город незнакомый. А тут еще такая толпа, извозчики, трамваи — растерялся совсем. Вижу, широкая улица, и конца ей нет: Невский. Ладно, побрел потихонечку. А народ шумит, толкается, и все мой сундучок ругают. Остановил я прохожего, спрашиваю: "Где здесь живет Александр Александрович Блок?" — "Не знаю, — отвечает, — а кто он такой будет?" Ну, я не стал ему объяснять, пошел дальше. Раза два еще спросил — и все неудача. Прохожу мост с конями и вижу — книжная лавка. Вот, думаю, здесь уж наверно знают. И что ж ты думаешь: действительно раздобылся там верным адресом. Блок у них часто книги отбирал, и ему их с мальчиком на дом посылали.

Тронулся я в путь, а идти далеко. С утра ничего не ел, ноша все плечи оттянула. Но иду и иду. Блока повидать — первое дело. Все остальное — потом. А назавтра, надо сказать, мне дальше ехать. Пробирался я тогда на заработки в Балтийский порт (есть такое место где-то около Либавы) и в Петрограде никак дольше суток оставаться не рассчитывал. Долго ли, коротко ли — дошел до дома, где живет Блок. Поднимаюсь по лестнице, а сердце стучит, и даже вспотел весь. Вот и дверь его квартиры. Стою и руки к звонку не могу поднять. Легко ли подумать, — а вдруг сам Александр Александрович двери откроет. Нет, думаю, так негоже. Сошел вниз, походил около дома и решил наконец — будь что будет. Но на этот раз прошел со двора, по черному ходу. Поднимаюсь к его этажу, а у них дверь открыта, а чад из кухни так и валит.

Встречает меня кухарка. "Тебе чего, паренек?" — "Мне бы, — отвечаю, — Александра Александровича повидать". А сам жду, что она скажет "дома нет" и придется уходить несолоно хлебавши. Посмотрела она на меня, вытирает руки о передник и говорит: "Ну ладно, пойду скажу.

Только ты, милый, выйди на лестницу и там постой. У меня тут, сам видишь, кастрюли, посуда, а ты человек неизвестный. Кто тебя знает!"

Ушла и дверь на крючок прихлопнула. Стою. Жду.

Наконец дверь опять настежь. "Проходи, говорит, только ноги вытри!"

Вхожу я в кухню, ставлю сундучок, шапку снял, а из комнат идет мне навстречу сам Александр Александрович.

"Здравствуйте! Кто вы такой?".

Объясняю, что я такой-то и принес ему стихи. Блок улыбается.

"А я думал, вы из Шахматова. Ко мне иногда заходят земляки. Ну, пойдемте!" — и повел меня с собой.

Не помню сейчас, как мы тогда с ним разговор начали и как дело до стихов дошло. Памятно мне только, что я сижу, а пот с меня прямо градом, и я его платком вытираю.

"Что вы? — спрашивает Александр Александрович. — Неужели так жарко?"

"Нет, — отвечаю, — это я так". Хотел было добавить, что в первый раз в жизни настоящего поэта вижу, но поперхнулся и замолчал.

Говорили мы с ним не так уж долго. И такой оказался хороший человек, что сразу меня понял. Почитал я ему кое-что, показал свою тетрадочку. Поговорили о том о сем. Рассказал я ему о себе.

"Ну хорошо, — говорит Александр Александрович, — а чаю хотите?"

Усадил меня за стол. Я к тому времени посвободнее стал себя чувствовать. Беседую с Александром Александровичем, и между делом — не замечая как — всю у него белую булку съел. А Блок смеется.

"Может быть, и от яичницы не откажетесь?"

"Да, не откажусь", — говорю и тоже смеюсь чему-то. Так поговорили мы с ним еще с полчаса. Хотелось мне о многом спросить его, но я все же не смел. Ведь для Блока стихи — это вся жизнь, а как о жизни неведомому человеку, да еще в такое короткое время, расскажешь?

Прощаясь, Александр Александрович написал записочку и дает мне.

"Вот, идите с нею в редакцию (и адрес назвал): по-моему, ваши стихи надо напечатать. И вообще приходите ко мне, если что нужно будет".

Ушел я от Блока ног под собою не чуя. С него да с Сергея Митрофановича Городецкого и началась моя литературная дорога. Так и остался я в Петрограде и не пожалел об этом. И все с легкой блоковской руки!"

Вс. Рождественский, с. 117—119.

Рассказывал, не то с наивностью, не то с хитринкой деревенского мальчишки, как он прямо с Николаевского вокзала отправился к Блоку, а Блок-то, оказывается, еще спит... "со вчерашнего, будто". Он, Есенин, будто, "эдакого за Блоком не думал..."

З. Гиппиус, с. 83.

...Впоследствии сам рассказывал что, увидев Блока, вспотел от волнения.

В. Ходасевич, с. 46.

Когда я смотрел на Блока, с меня капал пот, потому что в первый раз видел живого поэта.

Есенин.
Автобиография 1924 г.

Есенин появился в Петрограде весной 1915 года. Он пришел ко мне с запиской Блока.

С. Городецкий, с. 179.

Я отобрал 6 стихотворений и направил с ними к Сергею Митрофановичу (Городецкому).

А. Блок.
Из дневника.

Посмотрите и сделайте все, что возможно.

А. Блок — С. Городецкому.
9 марта 1915.

Я не помню подробностей первой встречи. Вернее всего Есенин пришел ко мне с запиской от Блока. И я, и Блок увлекались тогда деревней...

С. Городецкий, с. 120.

Направляю к Вам талантливого крестьянского поэта-самородка. Вам, как крестьянскому писателю, он будет ближе, и Вы лучше, чем кто-либо, поймете его.

Ваш А. Блок.

P. S. Я отобрал 6 стихотворений и направил с ними к С. М. (Городецкому). Посмотрите и сделайте все возможное.

А. Блок — М. Мурашеву.
Петроград, 9 марта 1915 г.

Приласкайте молодой талант Сергея Александровича Есенина. В кармане у него рубль, а в душе богатство.

С. Городецкий — В. С. Миролюбову.
Петроград, 11 марта 1915 г.

Направляю к Вам Сергея Есенина — наш новый юный талант. Надеюсь, вы примете его стихи и оплатите по рукописи — и прилично. Ему нужна поддержка.

С. Городецкий — С. Ф. Либровичу.
Петроград 11 марта 1915 г.

В своих записях Есенин говорит, что первый поэт, к которому он пришел в Петербурге, был Блок. Однако еще до Блока он рассказывал мне о Мережковском. Я это помню...

Л. Клейнборт, с. 257.

Есенин только что, чуть ли не за день до того, явился в Петербург.

З. Гиппиус, с. 38.

Над заснеженным и еще не выметенным тротуаром, как катафалки, возвышались подъезды дома Мурузи с арабскими, вылитыми из чугуна надписями.

В огромной квартире дома Мурузи жил очень известный тогда писатель Дмитрий Мережковский. Мы говорили, что этот богоискатель ищет бога по слишком обширной квартире.

Мережковский — поэт, философ, романист и литературовед — был умен и талантлив. Исторические романы переполнены знаниями и параллелями.

Все герои существовали попарно. За основу бралась параллель: Христос и Антихрист; верх и низ; две бездны и т. п.

Его жена Зинаида Николаевна Гиппиус утверждала, что это сущность мира. Она описывала электрическую проводку так:

> Тут да и нет — слиты,
> Не слиты — сплетены.

Цитирую по памяти.

Вот так и искали в том доме истину между "да" и "нет", но электрический разряд не получали, потому что Мережковский был либералом. Зинаида Гиппиус была сухоумной, рыжеволосой женщиной, носящей длинные платья, преимущественно лилового цвета. Носила она еще золотой лорнет на золотой цепи, что тогда еще было не очень удивительно. На низких пуфах ее кабинета водились не то молодые писательницы, не то просто ахалки, тоже в лиловых платьях.

В. Шкловский, с. 598.

Не помню подробностей и не настаиваю на них. Но хорошо помню темноватый день, воскресенье, когда в нашей длинной столовой появился молодой рязанский парень, новый поэт "из народа", — Сергей Есенин.

З. Гиппиус, с. 83.

По поручению З. Н. Мережковской посылаю Вам письмо на имя А. А. Измайлова, которое прошу вскрыть.

Затем прилагаю стихи Сергея Есенина, с его письмом на мое имя.

Стихи этого талантливого поэта из народа печатались уже в "Русской мысли" и в "Северных записках". Если не ошибаюсь, о нем писал и А. А. Измайлов.

Д. В. Философов — М. М. Гаккебушу.
Петроград, 22 августа 1915 г.

Не знаю, кто привел Есенина, может быть его просто прислал Блок (он часто это делал). Во всяком случае, это было очень скоро после первого въезда Есенина в роковой для него Петербург: через день-два не больше.

З. Гиппиус, с. 83.

Когда пришел Есенин, была золотая ранняя осень, солнце билось с Невы в мою белую комнату. Есенин поселился у меня и прожил несколько месяцев. Записками во все знакомые журналы я облегчил ему хождение по мытарствам.

С. Городецкий, с. 122.

...Я очень люблю тебя, Сережа, заочно — потому что слышу твою душу в твоих писаниях — в них жизнь не вольно идущая. Мир тебе и любовь, милый.

Н. Клюев — Есенину.
Вытегра, 9 июля 1915 г.

Сергей Есенин и Николай Клюев у Городецкого появились так. Узнали, где живет он, достали ведро с краской, две кисти, пришли к нему на дачу и нанялись красить забор; не знаю, как они его покрасили, знаю, что потом пошли на кухню закусить, пели, читали стихи и доставили Сергею Городецкому удовольствие открыть деревенских поэтов. Это был случай, когда остров сам выплыл к кораблю. Городецкий оказался хорошим открывателем нового, он оценил стихи, устроил вечер.
Историю эту мне рассказывал Н. Клюев.

В. Шкловский, с. 598.

Помню, как волновался Есенин накануне назначенного свидания с Анной Ахматовой: говорил о ее стихах и о том, какой он ее себе представляет, и как странно и страшно, именно страшно, увидеть женщину-поэта, которая в печати открыла сокровенное своей души.
Вернувшись от Ахматовой, Есенин был грустным, заминал разговор, когда его спрашивали о поездке, которой он так ждал. Потом у него вырвалось:
— Она совсем не такая, какой представлялась мне по стихам.
Он так и не смог объяснить нам, чем же не понравилась ему Анна Ахматова, принявшая его ласково, гостеприимно. Он не сказал определенно, но как будто жалел, что поехал к ней.

З. Ясинская.
В сб. "С. А. Есенин в восп. современников".
*М., "Худ. лит.", 1986, с. 252.**

На собрании сотрудников и друзей "Северных записок" я познакомился с большим количеством петербуржцев. Больше всех ценимая Софьей Иса-

---

* Далее ее воспоминания — по этому изданию.

ковной (Чайкиной. — *Ред*.) и ее кругом Анна Ахматова мне при первой встрече не понравилась. Того большого, глубокого человека, которого в ней сразу разгадал Вячеслав Иванов, я поначалу в поэтессе не почувствовал. Быть может, оттого, что она как-то уж слишком эффектно сидела перед камином на белой медвежьей шкуре, окруженная какими-то, на петербургский лад изящными, перепудренными и продушенными визитками.

Среди этих выхоленных юношей чужаком мелькал Сергей Есенин, похожий на игрушечного паренька из кустарного музея: пеньковые волосы, васильковые глаза, любопытствующий носик. В манере откидывать назад голову — "задор разлуки и свободы". Он только еще начинал входить в моду. "Северные записки" весьма покровительствовали ему.

Ф. Степун.
"Бывшее и несбывшееся".
Т. 1. Лондон, 1990, с. 297.

Видимо, это было уже на второй или третий день Рождества, потому что он привез с собой рождественский номер "Биржевых ведомостей". Немного застенчивый, беленький, кудрявый, голубоглазый и донельзя наивный, Есенин весь сиял, показывая газету. Я сначала не понимала, чем было вызвано это его сияние. Помог понять, сам не очень мною понятый, его "вечный спутник" Клюев.

— Как же, высокочтимая Анна Андреевна, — расплываясь в улыбку и топорща моржовые усы, почему-то потупив глазки, поворковал, да, поворковал сей полудьяк, — мой Сереженька со всеми знатными пропечатан, да и я удостоился.

Я невольно заглянула в газету. Действительно, чуть ли не вся наша петроградская "знать", как изволил окрестить широко тогда известных поэтов и писателей Клюев, была представлена в рождественском номере газеты — Леонид Андреев, Ауслендер, Белый, Блок, Брюсов, Бунин, Волошин, Гиппиус, Мережковский, Ремизов, Скиталец, Сологуб, Тренев, Тэффи, Шагинян, Щепкина-Куперник, и Веснин, и Клюев. Иероним Ясинский умудрился в один номер газеты, как в Ноев ковчег, собрать всех, даже совершенно несовместимых, не позабыв и себя...

Я хорошо представляла себе, как трудно было юноше разобраться в этом смешении имен и каких-то идей, ведь ему было всего двадцать лет, и он был, или только казался мне, страшно открытым.

Но я чувствовала, что ему очень хочется прочесть его стихи, и попросила прочитать. Он назвал меня Анной Андреевной, а как же мне его называть? Так хотелось просто назвать — Сережа, но это противоречило бы всем правилам неписаного этикета, которым мы отгораживали себя от тех, кто не принадлежал к нашей "вере", вере акмеистов, и я упрямо называла его Сергей Александрович. И он начал читать, держа в одной руке газету, другой жестикулируя, но, видимо, от смущения, жесты были угловаты.

> Край родной! Поля, как святцы,
> Рощи в венчиках иконных...
> Я хотел бы затеряться
> В зеленях твоих стозвонных.
>
> По меже, на переметке,
> Резеда и риза кашки.
> И вызванивают в четки
> Ивы — кроткие монашки...

Читал он великолепно, хоть и немного громко для моей небольшой комнаты. Те слова, которые, он считал, имеют особое значение, растягивал, и они действительно выделялись...

Я просила еще читать, и он читал, а Клюев смотрел на него просто влюбленными глазами, чему-то ухмыляясь. Читая, Есенин был еще очаровательнее. Иногда он прямо смотрел на меня, и в эти мгновения я чувствовала, что он действительно "все встречает, все приемлет", одно тревожило, и эту тревогу за него я так и сохранила, пока он был с нами, тревожила последняя строка. "Я пришел на эту землю, чтоб скорей ее покинуть..."

Постепенно скованность его уходила, и он доверчиво уже готов был спорить. Он знал мои стихи и, прочитав наизусть несколько отрывков, сказал, что ему нравится — уж очень красивые и "о любви много", только жаль, что много нерусских слов. Это было очень наивно, но откровенно...

Мне его стихи нравились, хотя у нас были разные объекты любви — у него преобладала любовь к далекой для меня его родине, и слова он находил совсем другие, часто уж слишком рязанские, и, может быть, поэтому я его в те годы всерьез не принимала...

А. Ломан.
Цитата по книге Ст. и С. Куняевых
"Сергей Есенин", с. 68—69.

Стали болтать на разные темы, и между прочим зашел разговор о долголетии. Я сказала, что боюсь смерти, хочу своими глазами увидеть жизнь после революции. У нас дома в тот вечер много говорилось о похождениях Григория Распутина.

Есенин так и загорелся:

— Только короткая жизнь может быть яркой. Жить — значит отдать всего себя... поэзии. Отдать всего себя, без остатка. Жить — значит сгореть.

З. Ясинская, с. 261.

...преподнес мне свой портрет, написав на нем:

> Дорогой дружище Миша,
> Ты, как вихрь, а я, как замять,
> Сбереги под тихой крышей
> Обо мне любовь и память.

Сергей Есенин. 1916 г., 15 марта.

Принимая подарок, я сказал:

— Спасибо, дорогой Сергей Александрович за дружески теплую над-пись, но сохранить о себе память должен просить тебя я, так как я старше тебя намного и, естественно, должен уйти к праотцам раньше твоего.

— Нет, друг мой, — грустно ответил Сергей, — я недолговечен, ты переживешь меня, ты крепыш, а я часто трушу перед трудностями. Ты уме-ешь бороться с жизнью.

М. Мурашов, с. 192.

Он привел в пример Лермонтова и сказал:
— Жить надо не дольше двадцати пяти лет!

З. Ясинская, с. 261.

А затем Есенин пропал... если не с горизонта нашего, то из нашего дома.

Его закружила, завертела, захватила группа тогдашних "пейзанистов" (как мы с Блоком их называли). Во главе стоял Сергей Городецкий. Он, кажется, увидел в Есенине того удалого, "стихийного" парня, которого напрасно вымучивал из себя во дни юности. С летами он поутих, а к войне вся "стихийность" Городецкого вылилась в "патриотический пейзанизм".

З. Гиппиус, с. 84.

Городецкий покровительствовал Есенину, поместил его у себя на квар-тире.

З. Ясинская, с. 252.

С первых же строк мне было ясно, какая радость пришла в русскую по-эзию. Начался какой-то праздник песни. Мы целовались, и Сергунька опять читал стихи. Но не меньше, чем прочесть стихи, он торопился спеть рязан-ские "прибаски, канавушки и страдания"...

С. Городецкий, с. 179.

Называть себя он сам предложил "Сергуней", как звали его дома.

В. Чернявский, с. 202.

Фамилия моя древнерусская — Есенин. Если перевести ее на сегодняш-ний портовый язык и выискивать корень, то это будет — осень.
Есенин.

Из набросков, относящихся к 1922 г.

Нам послышалось не Есенин, а "Ясенин", и мы невольно произвели эту фамилию не то от "ясности", не то от "ясеня", не подозревая, что она означает "осенний" (есень)...

В. Чернявский,с. 198.

Фамилию свою любил производить от "ясень"...

Б. М. Зубакин — М. Горькому.
Москва, 1926 г.

Фамилия Есенина — русская-коренная, в ней звучат языческие корни — Овсень, Таусень, Осень, Ясень, — связанные с плодородием, с дарами земли, с осенними праздниками...

А. Толстой, с. 566.

Мне многое почувствовалось в твоих словах — продолжи их, милый, и прими меня в сердце свое.

Н. А. Клюев — Есенину.
Вытегра, 2 мая 1915 г.

На некоторое время он (Есенин) уезжал в Москву и опять вернулся — все еще без вещей, "постояльцем" с чемоданом...

В. Чернявский, с. 223.

В марте поехал в Петроград искать счастья. В мае этого же года приехал в Москву, уже другой. Был все такой же любящий, внимательный, но не тот, что уехал. Немного побыл в Москве, уехал в деревню, писал хорошие письма. Осенью опять заехал: "Еду в Петроград". Звал с собой... Тут же говорил: "Я скоро вернусь, не буду жить там долго".

А. Изряднова, с. 145.

Народу было мало, когда он заявился. Вновь приходившим мы его тотчас рекомендовали: особенного стеснения в нем не замечалось. Держал себя со скромностью, стихи читал, когда его просили, — охотно, но не много, не навязчиво: три-четыре стихотворения. Они были недурны, хотя еще с сильным клюевским налетом, и мы их в меру похвалили. Ему, как будто, эта мера показалась недостаточной. Затаенная мысль о своей "необыкновенности" уже имелась, вероятно: эти, мол, пока не знают, ну да мы им покажем...

Понемногу Есенин оживляется. За столом теперь так тесно, что места не хватает. Писатель, тоже "из народа", совсем не юный (но, увы, не "знаменитый"), присоединился к Есенину, вовлек его в разговор о деревне, — чуть ли не оказались они земляками. В молодом Есенине много еще было мужицко-детского и не развернувшейся удали — тоже ребяческой. Кончилось тем, что "стихотворство" было забыто, и молодой рязанец, — уже не в столовой, а в дальней комнате, куда мы всем обществом перекочевали, — во весь голос принялся нам распевать "ихние" деревенские частушки.

И надо сказать — это было хорошо. Удивительно шли — и распевность, и подчас нелепые, а то и нелепо-охальные слова — к этому парню в "спинжаке", что стоял перед нами, в углу, под целой стеной книг в темных переплетах. Книги-то, положим, оставались ему и частушкам — чужими; но частушки, со своей какой-то и безмерной — и короткой, грубой удалью, и орущий их парень в кубовой рубахе, решительно сливались в одно.

Странная гармония. Когда я говорю "удаль" — я не хочу сказать "сила".
Русская удаль есть часто великое русское бессилие.

З. Гиппиус, с. 83—84.

— Принесите, пожалуйста, гармошку Сергея Александровича.

Этот Сережа показался мне почти одного возраста со мной. Он совершенно не смутился, что его назвали по имени и отчеству. Если бы меня
назвали, я бы конечно, смутилась, а он — нисколько. Я решила, что он
большой воображала, если позволяет себя так называть. Принесли гармошку, он стал петь частушки. Герман Александрович (Лопатин, эсер, переводчик "Капитала") просил некоторые повторить по несколько раз. Особенно
одну, которая начиналась: "Я любил ее всею душой, а она меня половиною". Когда мы ехали трамваем домой, уже поздно, Герман Александрович
все повторял: "Вы подумайте, как хорошо: "Я любил ее всею душой, а она
меня половиною"....

М. Свирская, с. 143.

...Какие простые неискусные песенки Есенина в июньской книжке — в
них робость художника перед самим собой и детская, ребячья скупость на
игрушки-слова, которые обладателю кажутся очень серьезной вещью.

Н. Клюев — В. С. Миролюбову.
Олонецкая губ., Вытегорский уезд, 22 июля 1915 г.

За лето читал твои стихи в "Огоньке", в "Русской мысли", в "Северных записках". — Всем они очень нравятся, а особенно "Русь".

Л. Канненгисер — Есенину.
Петербург, 25 августа 1915 г.

Леня (Канегиссер). Есенин. Неразрывные, неразливные друзья. В их лице,
в столь разительно-разных лицах сошлись, слились две расы, два класса,
два мира. Сошлись — через все и вся — поэты.

Леня ездил к Есенину в деревню. Есенин в Петербурге от Лени не выходил. Так и вижу их две сдвинутые головы — на гостиной банкетке, в хорошую мальчишескую обнимку, сразу превращавшую банкетку в школьную
парту... (Мысленно и медленно обхожу ее.) Ленина черная головная гладь.
Есенинская сплошная кудря, курча. Есенинские васильки, Ленины карие
миндалины...

М. Цветаева.
"Нездешний вечер", с. 71.

По разным причинам я не ставлю себе задачей характеристику Леонида Канегиссера. Эта тема могла бы соблазнить большого художника: возможно, что для нее когда-нибудь найдется Достоевский. Достоевскому
по праву принадлежит и тот город, в котором жил и погиб Канегиссер,
страшный Петербург десятых годов, самый грешный из всех городов
мира...

Скажу лишь, что молодой человек, убивший Урицкого, был совершенно исключительно одарен от природы. Талантливый поэт, он оставил после себя несколько десятков стихотворений. Из них были напечатаны, в "Северных записках" и в "Русской мысли", шесть или семь отнюдь не лучшие. Многое другое он мне читал в свое время. Его наследия мало, чтобы посвятить ему литературно-критический этюд; вполне достаточно, чтобы без колебаний признать в нем дар, не успевший развиться.

> *Марк Алданов.*
> *Убийство Урицкого.*
> *Литература русского зарубежья. Т. 1, кн. первая, с. 99.*

...Особенно я боюсь за тебя: ты как куст лесной щипицы, — который чем больше шумит — тем больше осыпается.

> *Н. Клюев — Есенину.*
> *Вытегра, август 1915 г.*

Мне очень приятно, что мои стихи волнуют тебя, конечно, приятно потому, что ты оттулева, где махотка, шелковы купыри и щипульские колки. У вас ведь в Рязани — пироги с глазами, — их ядять, а они глядять.

> *Н. Клюев — Есенину.*
> *Вытегра, август 1915 г.*

...О, как я люблю свою родину и как ненавижу Америку, в чем бы она ни проявлялась. Вот нужно ехать в Питер, и я плачу горькими слезами, прощаясь с рекой окуньей, с часовней на бору, с мошничьим перелетом, с хлебной печью...

> *Н. Клюев — Есенину.*
> *Вытегра, август 1915 г.*

21 октября 1915 г.
Н. А. Клюев — в 4 часа с Есениным (до 9-ти). Хорошо.

> *А. Блок. Дневник, с. 23.*

Я тебе не скажу, что ты для меня, потому что ты сам знаешь. Ведь такие встречи, как наша, это и есть те чудеса из-за которых стоит жить.

> *С. М. Городецкий — Есенину.*
> *Судак, 7 августа 1915 г.*

Радуясь его стиху, силе слова и буйствующему крестьянскому разуму, я всячески силился представить себе поэта Сергея Есенина.

И в моем мозгу непременно возникал образ мужика лет под тридцать пять, роста в сажень, с бородой, как поднос из красной меди.

> *Анатолий Мариенгоф.*
> *Роман без вранья.*
> *Л., "Прибой", 1927, с. 3.*

Обыкновенный, неуклюжий парень лет 18-ти, в "спинжаке" поверх синей рубашки. Видно, что наивничает, однако прожженный; уж он со стихами, уж он и о Клюеве, давнем протеже Блока, этом хитрейшем мужичонке...

З. Гиппиус, с. 38.

Охотно знакомился с новыми людьми и почти сразу же находил с ними дружеский, непринужденный тон. Одет был по-прежнему, по-деревенски. Бледно-голубая русская рубаха очень шла к его белокурым легким волосам. Маленькие узкие глаза светились не то насмешливо, не то хитровато. Свои стихи Есенин читал неторопливо, сдержанно и с большой долей скромности, напускной или искренней — трудно было понять.

Вс. Рождественский, с. 285.

В молодые годы я часто бывал у одного из моих петербургских приятелей Кости Ляндау. Как большинство тогдашней молодежи, Ляндау бредил поэзией и даже пробовал помещать стихи в журналах. Поэта из него не вышло, но это был весьма начитанный для своего возраста человек с хорошим вкусом, и в его небольшой комнате на набережной Фонтанки у Аничкова моста чуть не каждый вечер собирались страстные поклонники поэзии.

Отец Ляндау, или, как его шутливо величали Костины сверстники, "старый Юлиан", был не то биржевиком, не то коммерсантом. Обладая солидными средствами, он ни в чем не стеснял своего сына и, бывали случаи, поддерживал материально его поэтических друзей.

У Ляндау-младшего, жившего отдельно от родителей, в холостяцкой обстановке, было собрание редких книг, главным образом, произведений русских и иностранных поэтов. Комната Ляндау помещалась в нижнем этаже типично петербургского дома, из окон которого виднелся мощный ансамбль Екатерининского института и силуэт вздыбленных клодтовских коней. Старинная обстановка: мебель, полки с книгами и гравюрами на стенах — делали ее похожей на интерьер первой половины прошлого века, а вечерние сборища, происходившие в ней, — на собрания пылких "архивных юношей" пушкинской поры. В "кружке Ляндау" до хрипоты спорили о поэзии и не раз раздавался густой голос Осипа Мандельштама, читавшего свои стихи.

Здесь же впервые я услышал и незнакомое мне до тех пор имя Сергея Есенина, а затем встретился с начавшим входить в моду "крестьянским", как его тогда называли, поэтом.

М. Бабенчиков.
В сб. "С. А. Есенин в восп. современников".
М., "Худ. лит.", 1986, с. 236.*

...пошли вместе с Есениным в хорошо известный многим "подвал" на Фонтанке, 23, близ Невского. Там квартировал молодой библиофил и отча-

_____

* Далее ее воспоминания — по этому изданию.

сти поэт К. Ю. Ляндау, устроивший себе уютное жилье из бывшей прачечной, с заботливостью эстета завесив его коврами и заполнив своими книгами и антиквернией. Этот таинственный подвал, где живал и я, часто видел в своих недрах Сергея. Ничего общего с публичными подвалами богемы это логово не имело, но некоторые ее представители нередко стучались сюда — прямо в окно с решеткой, — и тут постоянно звучали споры и стихи.

Есенина, которого все называли уже просто по имени, посадили посреди комнаты у круглого стола, а большинство гостей устроились в полумраке на диванах, чтобы его слушать. На парче под настольной лампой появился шартрез и венецианские рюмки. Помню, было жарко, и Сергей, сняв пиджачок, остался в своей голубой рубашке. Ему не понравился шартрез, он вышел и поморщился.

— “Что, не понравилось?”

— “Поганый!”

Такого рода замечаний им было сделано немало, а когда присутствующие улыбались, сам Сергей, поглядывая вокруг, тоже отвечал им улыбкой, немного сконфуженной и немного лукавой: такой, мол, как есть.

В. Чернявский, с. 200—201.

Не угощайте никогда коньяком — на него у меня положено проклятье. Я его никогда в жизни не брал в губы.

Есенин — Л. Н. Столице.
22 октября 1915 г.

Ходил Есенин по редакциям в рубашке с воротом, вышитым крестиком, а иногда в рубашке шелковой.

В. Шкловский, с. 597.

В первый раз я его встретил в лаптях и в рубахе с какими-то вышивками крестиками.

В. Маяковский, с. 82.

Ему лет 18. Крепкий, среднего роста. Сидит за стаканом чая немножко по-мужицки, ссутулясь; лицо обыкновенное, скорее приятное; низколобый, нос “пилочкой”, а монгольские глаза чуть косят. Волосы светлые, подстрижены по-деревенски, да и одет он еще в свой “дорожный” костюм: синяя косоворотка, не пиджак — а “спинжак”, высокие сапоги.

З. Гиппиус, с. 83.

Уже и тогда он предпочитал армяку — хороший пиджак, лампадному маслу — бриалин. Уже и тогда полыхали в его душе желания “огромных скандалов”, жажда досадить, показать...

Но... деревня научила Есенина “надувать скромностью”, душить лаской...

А. Ветугин, с. 130.

Про него в тот приезд говорили недоброжелатели, что его наивность и народный говор — нарочитые.

В. Чернявский, с. 201.

...В отличие от Клюева, он менял роли; говорил то об Индикоплове, то о скифстве; но не играть не мог (или не хотел). Часто я слышал, как поглядывая своими небесными глазами, он с легкой издевкой отвечал собеседнику: "Я уж не знаю, как у вас, а у нас, в Рязанской..."

И. Эренбург, с. 28.

Конечно, он не знал себе цену. И скромность его была лишь тонкой оболочкой, под которой билось жадное, ненасытное желание победить всех своими стихами, покорить, смять.

Р. Ивнев, с. 324.

Георгий Иванов, знавший Есенина дольше меня по Петрограду, рассказывает, что адъютантом его был поэт Рюрик Ивнев.

Гр. Забежинский, с. 80.

Рюрик Ивнев — ближайший друг и неразлучный спутник Есенина. Щуплая фигурка, бледное птичье личико, черепаховая дамская лорнетка у бесцветных щурящихся глаз. Одет изысканно-неряшливо. На дорогом костюме — пятно. Изящный галстук на боку. Каблуки лакированных туфель стоптаны. Рюрик Ивнев все время дергается, суетится, оборачивается. И почти к каждому слову прибавляет — полувопросительно, полурастерянно — Что? Что? — Сергей Есенин? Что? Что? Его стихи — волшебство. Что? Посмотрите на его волосы. Они цвета спелой ржи — что?

Г. Иванов, с. 31—32.

Рюрик Ивнев был очень рассеян, ходил с каким-то растерянным видом и чуть ли не стремился "выходить в окна и зеркала вместо дверей", как о нем говорил М. Кузмин...

Квартира его была тоже странная. Это была какая-то переплетная мастерская, в которой он снимал комнату. Вечером он был там один, а кругом были темные большие комнаты. Его жилище напоминало мне квартиру портного Капернаумова, в которой жила Соня Мармеладова. И мне всегда казалось, что за стеной сидит Свидригайлов. В этой квартире я впервые увидел С. Есенина, Рюрик Ивнев созвал много поэтов и писателей для того, чтобы познакомить их с Есениным и его поэзией. Есенин только что появился в Петербурге, о нем ходили слухи, как о поразительном "крестьянском поэте", но мало кто его знал. Он пришел в голубой косоворотке, был белокур и чрезвычайно привлекателен. Он читал стихи каким-то нарочито-деревенским говорком.

На этом вечере были Кузмин, Георгий Иванов, Георгий Адамович,

О. Мандельштам, а рядом с ними такие "невозможные" писатели и поэты как, например, Владимир Гордин и Дмитрий Цензор.

Георгий Иванов с обычной своей язвительностью, я бы сказал очаровательной язвительностью, прошептал мне: "И совсем он не из деревни, он кончил учительскую семинарию (или что-то в этом роде)".

Кузмина стихи Есенина "оставили холодным", зато группа В. Гордина — Д. Цензора (и иже с ними) были в каком-то телячьем восторге. Но когда они (посторонние) ушли и Есенин начал петь нецензурные частушки, пришли в восторг "оставшиеся холодными", в том числе и я. Кузмин сказал: "стихи были лимонадцем, а частушки водкой".

Есенин в то время был очень скромным и милым и был похож на балетного "пейзана". Когда я его встречал, то у меня в ушах неизменно звучала "Камаринская" Глинки. И как-то хотелось, чтобы он пустился плясать вприсядку. Я его потом часто встречал и у Рюрика Ивнева, и в других местах, но "разговора" у меня с ним никогда не выходило. Я думаю, что во мне было что-то отталкивающее для "крестьянских талантов". Я это замечал на Есенине, а также на Клюеве, который, впрочем, и мне был чрезвычайно неприятен какой-то фальшивой елейностью и сусальным русским стилем.

Вс. Пастухов. Из очерка "Страна воспоминаний".
В сб. "Русское зарубежье о Есенине". Т. 1, с. 88—89.

Есенин имел городской вид и отнюдь не производил впечатления провинциала, который "может потеряться в большом городе". Держался он со скромным достоинством и не отличался застенчивостью. Чувствовалось, что он новичок в литературной среде, к которой приглядывался с жадным любопытством.

З. Ясинская, с. 254.

...Держался он несколько в стороне, независимо, но ко всему что происходило приглядывался жадно.

Вс. Рождественский, с. 285.

Скоро приходит и известность. Надо знать, что в 1914—1915 годах в России поэтов было великое множество, но С. А. Есенин сразу обращает на себя внимание. Стихи Есенина были отмечены статьями А. Блока, С. Городецкого, З. Гиппиус и др. Столько в стихах этих было деревенской свежести, силы и простоты.

Д. Бурлюк, с. 236.

...Сергей Городецкий поднял Есенина на щит. И сразу тот прогремел
Пимен Карпов, с. 313.

Литературная летопись не отмечала более быстрого и легкого вхождения в литературу. Всеобщее признание свершилось буквально в какие-нибудь несколько недель.

Рюрик Ивнев, с. 327.

Что я дал ему в этот первый, решающий период? Положительного — только одно: осознание первого успеха, признание его мастерства и права на работу, поощрение, ласку и любовь друга. Отрицательного — много больше: все, что воспитала во мне тогдашняя питерская литература: эстетику рабской деревни, красоты тлена и безвыходного бунта. На почве моей поэзии, так же как Блока и Ремизова, Есенин мог только утвердиться во всех тональностях "Радуницы", заслышанных им еще в деревне. Стык наших питерских литературных мечтаний с голосом, рожденным деревней, казался нам оправданием всей нашей работы и праздником какого-то нового народничества.

С. Городецкий, с. 180.

Из Рязанской губернии приехал 19-летний крестьянский поэт Сергей Есенин. Отдельные кружки поэтов приглашали юношу нарасхват, он спокойно и сдержанно слушал стихи модернистов, чутко выделял лучшее в них, но не увлекаясь никакими футуристическими зигзагами. Стихи его очаровывают прежде всего своей непосредственностью, они идут прямо от земли, дышат полем, хлебом и даже прозаическими предметами крестьянского обихода.

"Петроградские ведомости".
11 июня 1915 г.

Пошел в их "поэзо-концерт". "Что ж, понравились футуристы?" — "Нет; стихи есть хо-ро-шие, а только что ж все кобениться". И люди в Питере, говорит, ничего, хорошие, да какие-то "не соленые".

З. Гиппиус, с. 411.

В то время он еще не носил своих знаменитых кудрей, но за трогательную и действительно "нездешнюю" наружность и "золотые флюиды" его наперерыв называли "пастушком", "Лелем", "ангелом" и всякий по-своему норовил его "по шерсти бархатной потрогать"...

В. Чернявский, с. 206.

Был я в Москве. Молва о тебе идет всюду, все тебе рады. Ходят и сказки. Вчера здесь мне рассказывали, как ты пришел в лазарет к солдатику, а там тут как тут Серафима Павловна Ремизова. Она тебя хвать и на извощика, во все редакции отвезла и представила. Вот какой ты знаменитый. Только ты головы себе не кружи этой чепухой, а работай потихоньку, поспокойней...

С. М. Городецкий — Есенину.
Петербург, 25 августа 1915 г.

25 октября 1915 г.
Вечер "Краса" (Клюев, Есенин, Городецкий, Ремизов) — в Тенишевском училище.

А. Блок. Из дневника.

Первый вечер, когда Есенин выступил вместе с Клюевым, состоялся в зале Тенишевского училища на Моховой улице.

З. Ясинская, с. 256.

Еще до революции в зале Тенишевского училища на Моховой по воскресеньям устраивали музыкальные тематические утренники. Выступали два певца Мариинского театра (Александрович, тенор, и Курзнер, бас). После революции какое-то время эти утренники еще продолжались. Посещала их главным образом молодежь гимназического возраста, бывало и много детворы. Эти утренники были как бы местом встреч. Народу всегда собиралось полным-полно. У каждого было много знакомых. Рассаживались своей компанией. До начала концерта стоял невероятный шум.

М. Свирская, с. 143.

...Есенин вкупе с Городецким надумали устроить свой вечер... Назывался вечер "Краса". Публика, читая афиши на заборах, недоумевала:
— Вечер Краса... Кто этот Крас? Пианист? Гармонист? Русский или, прости господи, немец?

Пимен Карпов, с. 324—325.

В Петербург Сережа вернулся в средних числах октября 1915 года и 25 октября выступил в организованном Городецким большом вечере (в Тенишевском зале) под названием "Краса". Тут он вынес наконец на эстраду свою родную тальянку.

В. Чернявский, с. 212.

Есенин незадолго перед тем нагрянул из рязанской деревни с "охапкой песен" (как говорил он). Остановился у Городецкого. Успел побывать у Блока, у Сологуба, пустить пыль в глаза Мережковскому, влюбиться в Ларису Рейснер.

Пимен Карпов, с. 324—325.

...В то время юная красавица Лариса писала эстетски-декадентские стихи, хотя в них и тогда уже проскальзывали бурные, революционные призывы.

В. Кострова, с. 290.

Есенин прозвал ее ланью, а себя — златогривым жеребенком.
Но так как у лани — Ларисы был другой избранник, рыцарь-денди, поэт-декадент З. (по некоторым сведениям — силач), то "хрупкий жеребенок" робел. Он только признавался робко — дескать, глаза ее, впервые им встреченные в упор, были тем ударом молнии, что раскололи ему душу.
Лариса смеялась звонко, тоже в упор.
— Есенин, зачем вы врете, эх вы, Лель!
— Вот те крест, не вру! — задыхался Лель.

— А я в крест-то как раз и не верю, — отворачивалась Лорелея.
И уходила прочь...

Пимен Карпов, с. 324.

Я назвал всю эту компанию и предполагавшееся ею издательство — "Краса". Общее выступление у нас было только одно: в Тенишевском училище —
вечер "Краса". Выступали Ремизов, Клюев, Есенин и я. Есенин читал свои
стихи, а кроме того, пел частушки под гармошку и вместе с Клюевым —
страдания. Это был первый публичный успех Есенина, не считая предше-
ствовавших закрытых чтений в литературных собраниях. Был объявлен сборник "Краса" с участием всей группы. В неосуществившемся же издательстве
"Краса" были объявлены первые книги Есенина: "Рязанские побаски, канавушки и страдания" и "Радуница".

С. Городецкий, с. 181.

...частушки: они были его гордостью не меньше, чем стихи; он говорил,
что набрал их до 4000 и что Городецкий непременно обещал устроить их в
печать.

В. Черняевский, с. 202.

...За несколько дней до вечера, когда все было готово и билеты распро-
даны, возник сложный вопрос — как одеть Есенина. Клюев заявил, что
будет выступать в своем обычном "одеянии". Для Есенина принесли взятый
напрокат фрак. Однако он совершенно не подходил ему. Тогда С. М. Городецкому пришла мысль нарядить Есенина в шелковую голубую рубашку,
которая очень шла ему. Костюм дополняли плисовые шаровары и остроно-
сые сапожки из цветной кожи, даже, кажется, на каблучках.

З. Ясинская, с. 257.

...встретил я в "Привале" Лорелею, поющую о революции, — Ларису
Рейснер. И воспоминания о прежних совсем еще недавних встречах с нею
оглушили меня лирическим прибоем...
В нее влюблено было, по крайней мере, с полсотни юношей и стариков.
Влюблялись адвокаты, педагоги, моряки, актеры, умники, дуралеи. А она
влюблена была, кажется, только в двух — поэта-денди З. и в восемнадцати-
летнего златокудрого Леля — Есенина...

Пимен Карпов, с. 323.

...Концертный зал Тенишевского училища. На ярко освещенной реф-
лектором эстраде, портрет Кольцова, осененный вилами, косой и сер-
пом. Под ним два "аржаных" снопа и вышитое крестиками полотенце. На
эстраду выходит Есенин в розовой, шелковой косоворотке, на золотом
пояске болтается гребешок. Щеки подрумянены. В руках букет бумажных
васильков. Выходит он подбоченясь, как-то "по-молодецки" раскачиваясь. Улыбка ухарская, но смущенная. Тоже, как и весь выход, должно

быть, не раз репетировалась и эта улыбка, а не удается, смущение сильнее.

— Валяй, Сережа! Не робей! — слышится из-за эстрады голос Городец-кого. Есенин встряхивает кудрями и начинает звонко отчеканивать стихи.

За ним читают другие. Городецкий, косоворотка которого топорщится на груди: под ней черный бант и крахмальный пластрон, после этого "му-жицкого" вечера Городецкий вдвоем с женой приглашен куда-то в "при-личный дом", где требуется смокинг... "Олонецкий гусляр" — Клюев, наря-женный коробейником и тоже подрумяненный. Черноглазый и белозубый красавец — не то лихач, не то опереточный разбойник Сергей Клычков...

Г. Иванов, с. 40—41.

И вдруг из-за кулис выгружается с трехрядкой-ливенкой через плечо Есе-нин. Городецкий, махнув на все рукой, бежит без оглядки с эстрады. Есенин, подойдя к рампе, пробует лады ливенки.

— Вот как у нас в деревне запузыривают! — бросает он в толпу зрите-лей. — С кандебобером! Слухайте!

Зал затихает, ждет. Гармонист заиграл...

Но что это была за игра! Сережа раздувал трехаршинные меха, опоясы-вал ими себя от плеч до пят, пыхтел, урчал... А до настоящих ладов не мог добраться. Гармонь выгромыхивала односложный хриплый мотив — грр-мрр-брр...

> Тырмана, тырмана, тырмана я, —
> Шать, пили, гармонь моя, —

подвывал гармонист.

Пот катился у него по лицу градом. Зал стонал от смеха и грохота. Публи-ка корчилась в коликах. Отовсюду несся утробный сплошной рев толпы:

— Ж-жмм-ии-... Жжж-аррь! Наяривай!

— Заппузззыррива-ай-ай, господин Крас!

(Многим почему-то показалось, что Есенин и есть Крас.).

Пимен Карпов, с. 326.

Потом — читают все. Есенин читает "Марфу Посадницу", принятую Горьким в "Летопись" и запрещенную цензурой. Помню сизые тучи голу-бей и черную — народного гнева. — "Как московский царь — на кровавой гульбе — продал душу свою — Антихристу..." Слушаю всеми корнями волос. Неужели этот херувим, это Milchgesicht, это оперное "Отоприте! Отоприте!" — этот — это написал? — почувствовал? (С Есениным я никог-да не перестала этому дивиться). Потом частушки под гармошку, точно из короба, точно из ее кузова сыплющимся горохом говорка:

> Играй, играй, гармонь моя!
> Сегодня тихая заря,
> Сегодня тихая заря, —
> Услышит милая моя.

М. Цветаева, с. 106.

Голубая рубашка, балалайка и особенно сапожки, напоминавшие былинный стих "возле носка хоть яйцо прокати, под пятой хоть воробей пролети", — все это изменило обычный облик Есенина.

З. Ясинская, с. 257.

Прошло полчаса, час, а исполнитель, обливаясь потом, онемев от ужаса, продолжал пиликать. Невозмутимый Блок, сидящий в первом ряду, безнадежно упрашивал гармониста Есенина:
— Отдохните! Почитайте лучше стихи!
А Лариса Рейснер, наоборот, неистово хлопала в ладоши, кричала, смеялась:
— Продолжайте... в том же духе!
Духу у Есенина-Леля больше не хватило. И все же, когда из артистической выскочил вдруг опять Сергей Городецкий и в панике потащил гармониста Сережу с эстрады — Есенин еще упирался, доказывал, что не всю "охапку частушек" израсходовал. Есть еще порох в пороховницах!
— Хватит до самого рассвета! — бухал он. — У нас на деревне...

Пимен Карпов, с. 326—327.

— Помните? — Есенин смеется. — Умора! На что я тогда похож был! Ряженый!..
— Да, конечно, ряженый. Только и сейчас в Берлине в этом пальто, которое он почему-то зовет пальмерстоном, и цилиндре, у него тоже вид ряженого. Этого я ему, понятно, не говорю.

Г. Иванов, с. 41.

...Городецкий рвал и метал, гнал всех с глаз.
— Провал, — стонал он.
Когда после вечера вышли на улицу, Лель-Сергей Есенин догнал Лорелею, Ларису Рейснер.
— Я вас люблю... лапочка! — забормотал он. — Мы поженимся...
Лариса отвечала насмешливо:
— "В одну телегу впрячь не можно коня и трепетную лань"... Эх вы, Лель!

Пимен Карпов, с. 327.

Когда-нибудь мы с восторгом и умилением вспомним о сопричастии нашем к этому вечеру, где впервые предстали нам ясные "ржаные лики" двух крестьянских поэтов, которых скоро с гордостью узнает и полюбит вся Россия...
Робкой, застенчивой, непривычной к эстраде походкой вышел к настороженной аудитории Сергей Есенин. Хрупкий девятнадцатилетний крестьянский юноша с вольно вьющимися золотыми кудрями, в белой рубашке, высоких сапогах, сразу уже одним милым доверчиво-добрым, детски чистым своим обликом властно приковал к себе все взгляды. И когда он начал с характерными рязанскими ударениями на "о" рассказы-

вать меткими, ритмическими строками о страданиях, надеждах, молитвах родной деревни (“Русь”), когда засверкали перед нами необычные по свежести, забытые по смыслу, а часто и совсем незнакомые обороты, слова, образы, когда перед нами предстал овеянный ржаным и лесным благоуханием “Божией милостью” юноша-поэт, — размягчились, согрелись холодные, искушенные, неверные, темные сердца наши, и мы полюбили рязанского Леля.

“Петроградские ведомости”.
4 ноября 1915 г.

Первые месяцы жизни поэта в Петрограде не были плодотворными: рассеянный образ жизни и небывалый успех на время выбили его из колеи. Помню, он принимался писать, но написанное его не удовлетворяло. Обычно Есенин слагал стихотворение в голове целиком и, не записывая, мог читать его без запинки. Не раз, бывало, ходит, ходит по кабинету и скажет:

— Миша, хочешь послушать новое стихотворение?
Читал, а сам чутко прислушивался к ритму. Затем садился и записывал.

М. Мурашов.
В сб. “С. А. Есенин в восп. современников”.
М., “Худ. лит.”, с. 188. *

Юнец златокудрый, который принесет тебе это письмо, — поэт Есенин (я тебе говорил — рязанский крестьянин). Не издашь ли его первую книгу “Радуница” у Сытина? Если поможет делу, я напишу предисловие. Стихи медовые, книга чудесная. Приласкай!

С. Городецкий — А. В. Руманову.
Петроград, 23 октября 1915 г.

1915 года, ноября 16 дня продал Михаилу Васильевичу Аверьянову в полную собственность право первых изданий в количестве трех тысяч экземпляров моей книги стихов “Радуница” за сумму сто двадцать пять рублей и деньги сполна получил.

Расписка Есенина от 16 ноября 1915 г.

Вышла первая книга стихотворений Есенина — “Радуница”. Получив авторские экземпляры, Сергей прибежал ко мне радостный, уселся в кресло и принялся перелистывать, точно пестуя первое свое детище. Потом, как бы разглядев недостатки своего первенца, проговорил:

— Некоторые стихотворения не следовало бы помещать.

М. Мурашов, с. 189.

Вскоре появился сборник стихов Есенина “Радуница”. О нем много писали. И мне отрадно сейчас вспоминать, что я знал его в самые счастливые

---

* Далее — по этому изданию.

дни его золотой юности. В это время Есенин часто выступал с чтением своих стихов.

М. Бабенчиков, с. 243.

Стихи запомнились, Сергей Есенин начал появляться в редакциях и в салонах.

В. Шкловский, с. 597.

Осенью я услышал имя Есенина в Финляндии на даче Горького.
Молодой брюнет в студенческой тужурке, армянский поэт В. С. Терьян рассказывал Алексею Максимовичу и его гостям, что в литературных салонах Петрограда появился новый талантливый поэт Сергей Есенин.
— Это простой крестьянин. Совсем еще юноша, но своими яркими, образными стихами заставил говорить о себе весь литературный Петроград.
Алексей Максимович отнесся к сообщению Терьяна с интересом. Узнав, что я встречался с Есениным в университете Шинявского, задал несколько вопросов и мне. Через несколько времени стихи Есенина стали печататься в "Летописи". Звезда Есенина разгоралась все ярче. Бурно развивалось его дарование, быстро росла известность.

Дм. Семеновский, с. 336.

...Есенин, наряженный в парчевую рубаху, в плисовые шаровары и желтые сафьяновые сапоги. (Дело происходит на квартире у Горького, собравшего у себя начинающих литераторов. — *Ред.*) Поэт-гармонист вызвался рассказать о лазаретных своих похождениях, о том, как он крыл дам-патронесс матом. Горький, добродушно улыбаясь в усы, подмигивал поэту, потом попросил его прочесть стихи. Тот прочел, глотая слова и ловя руками воздух. Горький вздохнул. Сказал раздумчиво:
— Хорошо, но... сусально что-то. Это, извините, похоже на парчевую рубашку: снаружи блестит, а изнутри — и холодно, и жестко. Миколы Милостивые, Егории Храбрые, — это старые, мертвые образы... Нет, сударь, на сусальных ликах далеко уехать нельзя! — заключил Горький... Обескураженный Есенин, фыркнув, бросился к выходу. Только его и видели. Он был с фанаберией...

Пимен Карпов, с. 341.

Есенин вызвал у меня неяркое впечатление скромного и несколько растерявшегося мальчика, который сам чувствует, что не место ему в огромном Петербурге.
Такие чистенькие мальчики — жильцы тихих городов, Калуги, Орла, Рязани, Симбирска, Тамбова. Там видишь их приказчиками в торговых рядах, подмастерьями столяров, танцорами и певцами в трактирных хорах, а в самой лучшей позиции — детьми небогатых купцов, сторонников древнего благочестия.

М. Горький, с. 5.

В "Северных записках" была повесть Есенина "Яр"; удивительно, как только ее напечатали. Черт знает что теперь творится, не стыдно Сакулину хвалить такие стишки, как:

> Я странник улогий
> В кубетке сырой,
> Пою я о Боге
> Касаткой степной...

Д. Н. Семеновский — М. Горькому.
Юрьевское, июль 1916 г.

Есенин написал плохую вещь, это верно.

М. Горький — Д. Н. Семеновскому.
Петроград, 2 августа 1916 г.

Я напомнил Есенину о его юношеской повести "Яр", печатавшейся в 1916 году в журнале "Северные записки". Мне хотелось спросить Есенина, откуда он так хорошо знает жизнь леса и его обитателей. Но Есенин только рукой махнул и сказал, что считает повесть неудачной и решил за прозу больше не браться.

Дм. Семеновский, с. 337.

"С детства, — говорил Есенин, — болел я "мукой слова". Хотелось высказать свое и по-своему. Но было, конечно, много влияний, и были ошибочные пути. Вот, например, знаете вы мою "Радуницу"?.. В первом издании у меня много местных рязанских слов. Слушатели часто недоумевали, а мне это сначала нравилось. "Что это значит, — спрашивали меня:

> Я странник улогий
> В кубетке сырой?"

Потом я решил, что это ни к чему. Надо писать так, чтобы тебя понимали <...>. Весь этот местный, рязанский колорит я из второго издания своей "Радуницы" выбросил.

И. Н. Розанов. Воспоминания, с. 310.

"Краса" просуществовала недолго. Клюев все больше оттягивал Есенина от меня. Кажется, он в это время дружил с Мережковскими — моими "врагами". Вероятно, бывал там и Есенин.

С. Городецкий, с. 181.

Есенин и Клюев меня предали...

С. Городецкий — А. В. Ширяевцу.
Петроград, конец 1915 — начало 1916 г.

К сожаленению, мужики мало похожи на кремень, народ не очень прочный, лютый до денег, из-за чего на все стороны улыбки посылают. Я говорю о наших гостях-мужиках. Клюеве и Есенине.

С. Городецкий — А. В. Ширяевцу.
Петроград 20 декабря 1915 г.

Весну и лето 16-го года я мало виделся с Клюевым и Есениным. Знаю, что они уже выступали в это время по салонам. Угар войны проходил, в Питере становилось душно, и осенью 16-го года я уехал в турецкую Армению на фронт. В самый момент отъезда, когда я уже собирал вещи, вошли Клюев и Есенин. Я жил на Николаевской набережной, дверь выходила прямо на улицу, извозчик ждал меня, свидание было недолгим. Самое неприятное впечатление осталось у меня от этой встречи. Оба поэта были в шикарных поддевках, со старинными крестами на груди, очень франтовитые и самодовольные.

С. Городецкий, с. 123.

В начале месяца мы с женой получили приглашение великой княгини послушать у нее "сказителей". Приглашались мы с детьми. В назначенный час мы с нашим мальчиком были на Ордынке... Великая княгиня с обычной приветливостью принимала своих гостей.

В противоположном конце комнаты сидели сказители. Их было двое: один молодой, лет двадцати, кудрявый блондин, с каким-то фарфоровым, как у куколки, лицом. Другой — сумрачный, широколицый брюнет лет под сорок. Оба были в поддевках, в рубахах-косоворотках, в высоких сапогах. Сидели они рядом...

М. Нестеров.
Цитата по книге Ст. и С. Куняевых
"Сергей Есенин", с. 84.

...В 1915 — 1916 годах в концертах знаменитой исполнительницы русских народных песен Плевицкой появился новый участник. В аккуратной синей поддевке, в смазных сапогах и с подстриженными под скобку волосами, приглаженными растительным маслом, он выходил "первым номером" на эстраду, низко, в пояс, кланялся публике, разгибался и, помолчав, говорил, резко "окая":

— Я не поэт, а мужик.

Это был Николай Клюев...

И. Шнейдер, с. 308.

Приезжай, брат, осенью во что бы то ни стало. Отсутствие твое для меня заметно очень, и очень скучно. Главное то, что одиночество круглое.

Есенин — Н. А. Клюеву.
Царское Село, июль — август 1916 г.

Всю весну и лето 1916 года они выступали по салонам. И в тех же театральных нарядах разъезжали с Плевицкой по городам и весям...

Л. Клейнборт, с. 265.

Его стали звать в богатые буржуазные салоны, сынки и дочки стремились показать его родителям и гостям. Это особенно усилилось с осени, когда он приехал вторично. За ним ухаживали, его любезно угощали на столиках с бронзой и инкрустацией, торжественно усадив посреди гостиной на золоченый стул. Ему пришлось видеть много анекдотического в этой обстановке, над которой он еще не научился смеяться, принимая ее доброжелательно, как все остальное. Толстые дамы с "привычкой к Лориган" лорнировали его в умилении, и солидные папаши, ни бельмеса не смыслящие в стихах, куря сигары, поощрительно хлопали ушами.

В. Чернявский, с. 205.

...Там ему все же было душновато. И, только повинуясь Клюеву, тогдашнему своему наставнику, соглашался он ездить на эти званые вечера.

Вс. Рождественский, с. 101.

В одном из лазаретов, по рассказу Маяковского, в княжеском особняке, оборудованном для раненных воинов, вышло так: Клюев и Есенин, одетые в неизменные бархатные кафтаны, выступили со своими стихами. Дамы-патронессы наводили на них лорнеты, долго слушали их с недоумением, а потом бросали небрежно:
— Фи! Ничего смешного!
Челядь засуетилась, затревожилась. Кто-то предложил впопыхах:
— Одеть одного из них в бабий сарафан, а другого — в медвежью шкуру! Пусть спляшут трепака! Солдатики сразу развеселяся.
Еще кто-то посоветовал:
— Напоить их чмырем — то-то будет потеха!
Клюев готов был провалиться сквозь землю. Есенин, положим, тут же послал всех дам-патронесс громогласно "к матери". Но от этого дело не изменилось. Солдаты-фронтовики, бородачи-инвалиды — дохли от скуки. Один из бородачей, что сидел в первом ряду, собрал среди соседей-ратников мелочь, что-то около рубля, и протянул запаренным поэтам-самородкам.
— На чмырь! — коротко пояснил бородач. — От души! Чекалдыкните!
(Чмырь — это самогон. На этом Маяковский обрывал свой рассказ.)

Пимен Карпов, с. 337—338.

В его обхождении с этими людьми, которых он еще вовсе не хотел называть "вылощенным сбродом", была патриархальная крестьянская благовоспитанность и особая ласковая жалость, но сквозь них, как непокорная прядь из-под скуфейки, изредка пробивался и подмигивал приятелям озорной и лукавый огонек, напоминавший, что "кудлатый щенок" не всегда будет забавлять их так кротко и незлобиво.

В. Чернявский, с. 206.

Уже много лет спустя рассказали мне любопытный случай, относившийся к этой эпохе. Клюев с Есениным были приглашены на один из "четвергов" графини Клейнмихель, представительницы одного из крайних монархических течений. В великолепном особняке на Сергиевской собралось общество, близкое к придворным кругам. За парадным ужином, под гул разговоров, звон посуды и лязг ножей, Есенин читал свои стихи и чувствовал себя в положении ярмарочного фигляра, которого едва удостаивают высокомерным любопытством. Он сдерживал закипавшую в нем злость и проклинал себя за то, что согласился сопутствовать Клюеву. Когда они собрались уходить и надевали в передней свои тулупы, важный старик дворецкий с густыми бакенбардами вынес им на серебряном подносе двадцать пять рублей.

— Это что? — спросил Есенин, внезапно багровея.

— По приказанию ее сиятельства, вам на дорожку-с!

— Поблагодарите графиню за хлеб-соль, а деньги возьмите себе! На нюхательный табак!

Вс. Рождественский.
В сб. "С. А. Есенин в восп. современников".
М., "Худ. лит.", 1986. Т. 2, с. 101—102.*

...Я помню, как жена Городецкого в одном собрании, где на все лады хвалили меня, выждав затишье в разговоре, вздохнула, закатила глаза и потом изрекла: "Да, хорошо быть крестьянином". Подумай, товарищ, не заключается ли в этой фразе все, что мы с тобой должны возненавидеть и чем обижаться кровно! Видите ли — не важен дух твой, бессмертное в тебе, а интересно лишь то, что ты, холуй и хам-смердяков, заговорил членораздельно.

Н. Клюев — Есенину.
Вытегра, август 1915 г.

...За меня и за себя Есенин ответ дал. Один из исследователей русской литературы представил Есенина своим гостям, как писателя "из низов". Есенин долго плевался на такое непонимание. "Мы, — говорит, — Николай, не должны соглашаться с такой кличкой! Мы с тобой не низы, а самоцветная маковка на златоверхом тереме России; самое аристократическое, что есть в русском народе"...

Н. Клюев, с. 145.

Высоколобый, узколицый, откидывающий голову назад, уже тогда чуть лысеющий, Осип Мандельштам сказал:

— Стихи мне нравятся, но зачем играть на гармониках, ведь Городецкий, прочитав стихи, не выступает тут же, на эстраде, в качестве пианиста?

В. Шкловский, с. 597.

Недавно приехавший в столицу и уже знаменитый "пригожий паренек" из Рязани, потряхивая светлыми кудрями, оправляя складки своей вышитой цветной рубахи и медово улыбаясь, нараспев, сладким голосом читал стихи:

---

* Далее ее воспоминания — по этому изданию.

Гей ты, Русь моя, светлая родина,
Мягкий отдых в шелку купырей.

Кто-то из строгих петербуржцев, показывая глазами на "истинно деревенский" наряд Есенина, сказал другому петербуржцу, другу крестьянского поэта:

— Что за маскарад, что за голос, неужели никто не может надоумить его одеваться иначе и вести себя по-другому?

На это послышался ответ, ставший классическим и роковым:

— Сереже все простительно.

Н. Оцуп, с. 160.

Его старшие начетчики с самыми лучшими намерениями старались стилизовать его на разные лады. В этом он был более всего пассивен и сам колебался в вопросе, какие прикрасы ему больше к лицу.

Некоторые советовали ему, отпустив подлиннее свои льняные кудри, носить поэтическую бархатную куртку под Байрона. Но народный поддевочный стиль восторжествовал: его сторонником был главный наставник Сергея — Клюев, о котором пришлось бы говорить непрерывно, вспоминая общий дух его "трудов и дней" в 1916 году.

В. Чернявский, с. 212.

Есенин стал со своей компанией являться всюду (не исключая и Религиозно-философского общества) в совершенно особом виде: в голубой шелковой рубашке с золотым пояском, с расчесанными, ровно подвитыми кудрями. Война, — Россия, — народ, — война! Удаль во всю, изобилие и кутежей, и стихов, всюду теперь печатаемых, стихов неровных, то недурных — то скверных, и естественный, понятный рост самоупоенья — я, мол, знаменит, я скоро буду первым русским поэтом — так "говорят"...

З. Гиппиус, с. 84.

В "Бродячей собаке", где мы часто бывали с Есениным и где было всегда шумно, но не всегда весело, кроме уже перечисленных лиц, встречалось великое множество самых разнообразных людей, начиная с великосветских снобов и кончая маститыми литераторами и актерами. Кажется, только один Блок не жаловал это артистическое логовище, не вынося царившего в нем богемного духа. Зато "Собаку" почти ежедневно посещали поэты-царскоселы во главе с Гумилевым и Ахматовой. "Жоржики", как называли тогда двух неразлучных аяксов, сюсюкающих Георгия Иванова и Георгия Адамовича, и целая свора представителей "обойной" поэзии, получившей такую злую кличку после того, когда сборник стихов этой группы вышел напечатанным на обойной бумаге.

В "Собаке" играли, пели, сочиняли шуточные экспромты, танцевали, рисовали шаржи друг на друга самые знаменитые артисты и художники. И если бы только сохранился архив этого своеобразного учреждения, многое из того, что кажется необъяснимым сегодня в русской художественной жизни начала нашего века, получило бы ясность и правильное истолкование.

Здесь, в "Бродячей собаке", культивировавшей вопреки всему направлению тогдашней эпохи "веселой легкости безумное житье", было можно встретить неизменно сидящего за одним и тем же столиком саженного Маяковского, похожего на фарфоровую статуэтку или игрушечного барабанщика Судейкина, Евреинова, Мейерхольда, Карсавину. Здесь играл совсем юный Прокофьев, и, лениво перебирая клавиши, напевал вполголоса свои песенки жеманно улыбавшийся Кузьмин. Встречались здесь и такие монстры, как способный молодой поэт Шилейко, выглядевший весьма ветхим сгорбленным стариком. Тогда еще студент университета, он обнаружил в хранилищах Эрмитажа два письма вавилонского царя Хаммурапи и получил справедливое признание как ученый-востоковед.

Здесь, в подвале, я много раз слышал Маяковского, Игоря Северянина, Есенина, читавших впервые свои новые стихи. Именно утром, после бурно проведенной в спорах ночи, а не вечером, когда этому чтению могли помешать "провизоры" — так называли почему-то в "Собаке" приглашенных со стороны гостей, всю ту денежную публику, которая косвенно субсидировала это предприятие.

М. Бабенчиков, с. 242—243.

Мы подошли к прилавку. У нас в глазах зарябило от множества цветных обложек.

— Нет, ты только послушай, как заливается этот индейский петух!

И, раскрыв пухлый том Бальмонта, громко и высокопарно, давясь подступавшим смехом, Есенин читал нараспев и в нос какую-то необычайно звонкую и трескучую строфу, подчеркивая внутренние созвучия. И тут же хватался за лежавший рядом сборник Игоря Северянина.

— А это еще хлестче! Парикмахер на свадьбе!

Мы так увлеклись, что и не заметили выросшего рядом приказчика.

— Молодые люди, — сказал он вежливо и спокойно, — вы шли бы прогуляться. Погода хорошая, и вам на улице будет гораздо интереснее. А тут вы только книги ворошите. Ведь все равно ничего не купите. Денег-то, вероятно, нет?

Есенин вскипел:

— Денег нет, это верно. Тут уж ничего не скажешь. Да зато есть вот это! И он выразительно хлопнул ладонью по собственному лбу.

— А если я, как курица, везде по зернышку клюю, то это уж мое дело. Никому от этого убытка нет.

И, презрительно вздернув голову, направился к выходу. Но когда мы очутились за дверью, не выдержал и рассмеялся на всю улицу.

— А ведь он и вправду думал, что мы книжки украдем. Это я-то Бальмонта буду красть? Чудеса!

Веселое настроение не покидало его всю дорогу.

Вс. Рождественский, с. 290.

Есенину приглянулась моя молоденькая горничная Настя. Он заговорил с ней такой изощренной фольклорной рязанской (а может быть и вовсе не рязанской, а ремизовской) речью, что, ничего не поняв, Настя, называвшая его, несмотря на косоворотку, "барином", хихикнув, убежала в кухню. Но, после отъезда Есенина, она призналась мне, что "молодой барин" был "красавчиком". Фальшивая косоворотка и бархатные шаровары, тем не менее, не понравились и ей. Они, впрочем, предназначались для другой аудитории.

Ю. Анненков, с. 156.

...я помню, как удивился, впервые встретив его наряженным в какой-то сверхфантастический костюм. Есенин сам ощущал нарочитую "экзотику" своего вида и, желая скрыть свое смущение от меня, задиристо кинул:

— Что, не похож я на мужика?

Мне было трудно удержаться от смеха, а он хохотал еще пуще меня, с мальчишеским любопытством разглядывая себя в зеркало. С завитыми в кольца кудряшками золотистых волос, в голубой шелковой рубахе с серебряным поясом, в бархатных навыпуск штанах и высоких сафьяновых сапожках, он и впрямь выглядел засахаренным пряничным херувимом.

М. Бабенчиков, с. 239.

Однажды зимой, в среду, писатель Иероним Ясинский приехал в Пенаты с одним юношей. Нельзя было не обратить внимания на его внешность. Свежее лицо, прямо девичьей красы, с светлыми глазами, с вьющимися кудрями цвета золотистого льна, элегантно одетый в серый костюм. За круглым столом при свете ламп проходил обед. Потом обратились к пище духовной. Вот тут-то Ясинский представил всем молодого русского поэта — Сергея Есенина. Есенин поднялся и, устремив светлый взор вдаль, начал декламировать. Голос его был чистый, мягкий и легкий тенор. В стихах была тихая грусть и ласка к далеким деревенским полям, с синевой лесов, с белизной нежных березок, бревенчатых изб... Так живо возникали лирические образы у нас, слушавших чтение. Репин аплодировал, благодарил поэта. Все присутствующие выражали свое восхищение.

А. Комашка, с. 156.

Моя первая встреча с Есениным, Сергеем Есениным, Сережей, Серегой, Сергуней, восходит к тому году и даже к тем дням, когда он впервые появился в Петербурге. Было это, кажется, в 14-м или 15-м году, точную дату я запамятовал. Состоялась эта встреча у Ильи Репина, в его имении Пенаты, в Куоккале, в одну из многолюдных Репинских сред. Есенина привез к Репину не Ясинский, а Корней Чуковский. Появление Есенина не было неожиданностью, так как Чуковский предупредил Репина заранее. И не только Репина: я пришел в ту среду в Пенаты, потому что Чуковский, с которым мы встречались в Куоккале почти ежедневно, предупредил и меня. Лицо Есенина (ему было тогда едва ли двадцать лет) действительно удивляло "девической красотой", но волосы не были ни цвета "золотистого льна", ни цвета "спелой ржи", как любят выражаться другие: они были русые, это приближается к пригашенной бесцветности березовой стружки. Прожив более сорока лет за границей, мы начинаем ценить богатство и точность русских определений. Вместо элегантного серого костюма, на Есенине была несколько театральная, балетная крестьянская косоворотка, с частым пастушьим гребнем на кушаке, бархатные шаровары при тонких шевровых сапожках. Сходство Есенина с кустарной игрушкой произвело на присутствовавших неуместно-маскарадное впечатление, и после чтения стихов, аплодисментов не последовало.

Напрасно Чуковский пытался растолковать формальные достоинства есенинской поэзии, напрасно указывал на далекую связь с Кольцовым, на свежесть образов — гости Репина в большинстве остались холодны, и сам хозяин дома не выразил большого удовольствия:

— Бог его знает, — сказал Репин суховато, — может быть и хорошо, но я чего-то не усвоил: сложно, молодой человек!

Ю. Анненков.
Дневник моих встреч. Т. 1.
Нью-Йорк, 1966, с. 154—155.

Между тем Мережковский, Философов, Гиппиус уже рассказывали о новом поэте, ставя его рядом с Николаем Клюевым. И было чему радоваться...

Л. Клейнборт, с. 255.

Растет мальчик (и откуда что берется); пройдя через большие страдания, быть может и до Клюева дорастет. Кое в чем он уже равен ему.

Иванов-Разумник — А. Белому.
Царское Село, 6 сентября 1917 г.

Впрочем, о Клюеве, человеке довольно сложного типа, я упоминаю лишь кстати: это он выискал Есенина и, выражаясь по-современному, "поставил его в контакт" с Блоком.

З. Гиппиус.
Судьба Есениных, с. 82.

Впервые я увидела Сергея Есенина в 1915 году в Петрограде, в знаменитом подвальчике "Бродячая собака". Собирались там, наряду с писателями, художниками, артистами, разбогатевшие на войне бесцеремонные спекулянты, важно называвшие себя "любителями искусств". Они не скупились на вино, вели себя нагло, часто затевали отвратительные скандалы. Так было и в тот вечер.

На сцене стоял сказочно прелестный златокудрый юноша в голубой вышитой рубашке. Это был Сергей Есенин. Он удивительно задушевно читал свои звонкие чудесные стихи. Все слушали, затаив дыхание. Вдруг послышались топанье, свист, звон разбитых бокалов, на сцену полетели апельсиновые корки. Юный поэт замолчал, на лице его застыла растерянная, по-детски беспомощная улыбка. А публика бесновалась, одни аплодировали, кричали "бис", другие свистели, ругались. Внезапно весь этот шум перекрыл глубокий спокойный голос:

— Стыдитесь, ведь перед вами прекрасный, настоящий поэт, быть может, будущий Пушкин! — С этими словами Александр Блок обнял Есенина за плечи и увел его со сцены...

В. Кострова, с. 290.

Блок тогда еще высоко ценил Клюева. Факт появления Есенина был осуществлением долгожданного чуда, а вместе с Клюевым и Ширяевцем, который тоже около этого времени появился, Есенин дал возможность говорить уже о целой группе крестьянских поэтов.

С. Городецкий.
В сб. "С. А. Есенин в восп. современников".
М., "Худ. лит.", 1986, с. 179.*

Но в особенности ухватились за него символисты. Появление Есенина было для них "осуществлением долгожданного чуда", по словам Сергея Городецкого.

Л. Клейнборт, с. 259.

Рядом с Есениным, за тем же столом, сидел пред нами другой юный поэт, не "земляной", — "каменный". Современники, они все-таки немножко не понимали друг друга. Есенин не знает "языков", а потому ему невдомек, что значит "манто", "ландолэ", "грезо-фарс" и т. д., а коллега не понимает ни "дежки", ни "купыря" и скорее до "экарлатной" зари додумается, чем до "маковой". Но оба хотят богатства слов. И оба имеют. Только у "каменного" поэта своего нехватка, и приходится в чужих странах прикупать, а поэт "земляной" приехал с собственным русским богатством из Рязанской губернии, и лишний раз стало ясно, как обильна земля наша; всего у нас вдоволь, а если кому не хватает, если в каменных столицах все, вплоть до слов, — покупное, так это потому, что мы с нашими богатствами сладить не умеем. Где густо, а где пусто.

З. Гиппиус, с. 412.

Поэт-юноша. Вошел в русскую литературу как равный великим худож-

---

* Далее — по этому изданию.

никам слова. Лучшие соки отдала Рязанская земля, чтобы родить певущий лик Есенина.

Огненная рука революции сплела ему венок славы, как своему певцу.

Слава русскому народу, душа которого не перестает источать чудеса даже средь великих бедствий, праведных ран и потерь!

И. Клюев, с. 26.

И той легкостью, какой Есенин вошел в литературу, он был, прежде всего, обязан им. Блок и Городецкий свели его с Клюевым, и теперь они были нерасторжимы друг с другом.

Л. Клейнборт, с. 259.

...Он ходил как в лесу, озирался, улыбался, ни в чем еще не был уверен, но крепко верил в себя.

В. Чернявский, с. 203.

...Он был юн, блондин с голубыми, немножко с сумасшедшинкой, глазами.

Вен. Левин, с. 212.

Застенчивая, счастливая улыбка не сходила с его лица.

С. Городецкий, с. 179.

...Думалось — как мог появиться здесь такой человек в годы пулеметной трескотни, гудящих аэропланов, голодного пайка!

Н. Полетаев, с. 294—295.

У нас, впрочем, сразу создалось впечатление, что этот парень, хоть в Петербурге еще ничего не видал, но у себя, в деревне, уж видал всякие виды.

З. Гиппиус, с. 83.

О своем детстве и отрочестве Есенин рассказывал много, охотно и неправдоподобно. Он любил смаковать побои, полученные в пятилетнем возрасте, "неправду", перепутанную в школе, соблазны, деревенские, почти что "рубенсовские соблазны", которыми встретила пятнадцатилетнего Есенина не лубочная и не тургеневская, а кровь и потная "Рассея".

Невозможно проверить (да и нужно ли) рассказы о "дядьях" грубых, пьяных, вороватых, бравших подряд на истребление грачиных гнезд по пятаку с гнезда и заставлявших четырехлетнего Сережу карабкаться и сбивать гнезда по копейке за пару.

Приятели, научившие Есенина, как "копить деньгу": "когда мать пошлет тебя в церковь святить просфиры, пятак сбереги, а для близири сам окропи просфиры речной водой и надрежь знаки освящения"...

Существовала ли эта, белотелая, шестипудовая попадья, которая "стиснув пятнадцатилетнего Сережу” меж колен, посвятила его в первые таинства любви?

Одно проверено и доказано: из деревни Есенин унес раздраженность, наследственный алкоголизм, звериную подозрительность...

А. Ветлугин, с. 129—130.

Но для нас, новых его приятелей, все в нем было только подлинностью и правдой.

В. Чернявский, с. 201.

Есенин стремился к успеху и, по мере того как привыкал к литературному окружению, обнаруживал все большую уверенность, а иногда и надменность. Щедро расточаемая похвала интеллигентских салонов стала для него и привычной и необходимой.

Вс. Рождественский, с. 285.

...и “кроткий отрок Сережа”, широко раскрыв выцветшие голубые глаза, певучим голосом рассказывал в Петербурге, и интеллигентских квартирах, и в Москве, в “Свободной эстетике” — о “лугах — белых кудрях дня”, о “пахучем сене”, о его преданности “земле”, о “великой деревне”.

И лгал, лгал безбожно...

Он презирал деревню, он видеть не мог луга и равнины, его претило от запаха сена. Но... он понял то, чего ждали от “деревенского гения”. Он знал мнение о деревне, царившее в ресторане “Вена”.

И он решил “сделать капитал” на деревенщине.

На идеализации того, что он остро ненавидел.

А. Ветлугин, с. 130.

Вскоре вслед за появлением Есенина в Петербурге за ним всюду по пятам стал ходить поэт Николай Клюев.

М. Бабенчиков, с. 240.

История их отношений с того момента и до последнего посещения Есениным Клюева перед смертью — тема целой книги.

С. Городецкий, с. 180.

...Его увлек в сторону Клюев, как мамаша, которая увлекает развращаемую дочку, когда боится, что у самой дочки не хватит сил и желания противиться.

В. Маяковский, с. 48.

Чудесный поэт, хитрый умник, обаятельный своим коварным смирением, творчеством вплотную примыкавший к былинам и духовным стихам севера, Клюев, конечно, овладел молодым Есениным, как овладевал каждым из нас в свое время.

С. Городецкий, с. 180.

Среднего роста, плечистый человек, с густо напомаженной головой, сладкой, витиеватой речью и елейным обхождением, он казался насквозь пропахнувшим лампадным маслом. Одевался Клюев в темного цвета поддевку и носил поскрипывавшие на ходу сапоги бутылками. Хотя в обществе Клюев держался важно и даже степенно, что-то хищное время от времени проглядывало в нем. Клюев всячески пытался скрыть эту сторону своей натуры, то улыбочкой, то ласковым взглядом заметая следы своего истинного отношения к людям. И надо сказать, что это часто удавалось ему. На Есенина он произвел неотразимое впечатление. И его влияние на молодого поэта вскоре приобрело характер власти.

М. Бабенчиков, с. 240.

Трудно было разгадать этого "мужика". Он был умен, а "работал под дурачка". Был хитер, а старался казаться простодушным. Был невероятно скуп, а прикидывался добрым...

И. Шнейдер, с. 308.

Мне говорили, что Клюев притворяется, что он хитрит. Но как человек может притворяться до того, чтобы плакать.

Я пригласила его к себе, и Н. Клюев бывал у меня.

Он нуждался и жил вместе с Сергеем Есениным, о котором всегда говорил с большой нежностью, называя его "златокудрым юношей". Талант Есенина он почитал высоко.

Однажды он привел ко мне "златокудрого". Оба поэта были в поддевках. Есенин обличьем был настоящий деревенский щеголь, и в его стихах, которые он читал, чувствовалось подражание Клюеву.

Сначала Есенин стеснялся, как девушка, а потом осмелел и за обедом стал трунить над Клюевым. Тот ежился и втягивал голову в плечи, опускал глаза и разглядывал пальцы, на которых вместо ногтей были поперечные, синеватые полоски.

— Ах, Сереженька, еретик, — говорил он тишайшим голосом.

Что-то затаенное и хлыстовское было в нем, но был он умен и беседой не утомлял, а увлекал, и сам до того увлекался, что плакал и по-детски вытирал глаза радужным фуляровым платочком.

Он всегда носил этот единственный платочек.

Тоже и рубаха синяя, набойчатая, всегда была на нем одна. Я ему подарила сапоги новые, а то он так и ходил бы в кривых голенищах, на стоптанных каблуках.

Иногда он сидел тихо, засунув руки в рукава поддевки, и молчал. Он всегда молчал кстати, точно узнавал каким-то чутьем, что его молчание мне нужнее беседы.

*Надежда Плевицкая.
Мой путь с песней.
М., 1993, с. 212—213.*

Были, кроме Клюева, у Есенина и другие друзья, чаще всего его сверстники. Клюев же и годами превосходил их, и писательским опытом обладал в большей степени.

М. Бабенчиков, с. 240—241.

Но была еще одна сила, которая окончательно обволокла Есенина идеализмом. Это — Николай Клюев.

С. Городецкий, с. 180.

Приехав в Петербург, Клюев попал тотчас же под влияние Городецкого и твердо усвоил приемы мужичка-травести.

— Ну, Николай Алексеевич, как устроились вы в Петербурге?

— Слава тебе Господи, не оставляет Заступница нас, грешных. Сыскал клетушку, — много ли нам надо? Заходи, сынок, осчастливь. На Морской за углом живу...

Клетушка была номером Отель де Франс с цельным ковром и широкой турецкой тахтой, Клюев сидел на тахте, при воротничке и галстуке, и читал Гейне в подлиннике.

— Маракую малость по-басурманскому, — заметил он мой удивленный взгляд. — Маракую малость. Только не лежит душа. Наши соловьи голосистей, ох, голосистей. Да, что ж это я, — взволновался он, — дорогого гостя как принимаю. Садись, сынок, садись, голубь. Чем угощать прикажешь? Чаю не пью, табаку не курю, пряника медового не припас. А то, — он подмигнул, — если не торопишься, может пополудничаем вместе? Есть тут один трактирчик. Хозяин хороший человек, хоть и француз. Тут, за углом. Альбертом зовут.

Я не торопился.

— Ну, вот и ладно, ну, вот, и чудесно, — сейчас обряжусь...

— Зачем же вам переодеваться?

— Что ты, что ты — разве можно? Ребята засмеют. Обожди минутку — я духом.

Из-за ширмы он вышел в поддевке, смазных сапогах и малиновой рубашке:

— Ну, вот, — так-то лучше!

— Да ведь, в ресторан в таком виде как раз не пустят.

— В общую и не просимся. Куда нам, мужичкам, промеж господ? Знай, сверчок, свой шесток. А мы не в общем, мы в клетушку-комнатушку, отдельный то есть. Туда и нам можно.

Вот именно в этих клетушках-комнатушках французских ресторанов и вырабатывался тогда городецко-клюевский stule russe: не то православие, не то хлыстовство, не то революция, не то черносотенство. Для Городецкого, разумеется, все это была очередная безответственная шумиха и болтовня: он уже побывал к тому времени и символистом, и мистическим анархистом, и мистическим реалистом, и акмеистом. Он любил маскарады и вывески. Переодеться мужичком было ему занимательно и рекламно. Но Клюев, хоть и "маракал по-басурманскому", был все же человек деревенский. Он, разумеется, знал, что таких мужичков, каким рядил его Городецкий, в действительности не бывает, но барину не перечил, пущай забавляется. А сам, между тем, не то чтобы вовсе тишком да молчком, а эдак полусловцами да песенками, поддакивая да подмигивая и вправо и влево, и черносотенцу — Городецкому, и эсерам, и членам религиозно-философского общества, и хлыстовским каким-то юношам, — выжидал. Чего?

В. Ходасевич.
В книге "Некрополь".
Париж, 1976, с. 49—50.

Не обошлось и без влияния Клюева, поэта большой и темной силы, изощрявшегося в затейливой, пестрой, надуманной передаче какой-то самим им изобретенной сказочной заонежской жизни. Русская деревня в представлении Клюева являла все черты пряничного стиля. Все в ней дышало сусальным благолепием, былинным обилием и объективно, конечно, выражало не подлинное лицо деревни, народа, а психологию хуторского столыпинского кулачества. И это как нельзя лучше соответствовало книжным восторгам Мережковского и его круга.

Вс. Рождественский, с. 286.

От клюевщины несло распутинщиной.

В. Ходасевич, с. 51.

За несколько месяцев Есенин стал неузнаваемым: исчезли последние следы его деревенского смущения. Нелепый псевдонародный кафтан, делавший его похожим на запевалу цыганского хора, обязывал ко многим неестественным жестам и вычурной речи. Постепенно уходили прежняя естественность и наивная общительность Он был, как и раньше, весел и насмешлив, но ко всему этому примешивалась заметная доля умной и расчетливой хитрецы. Вероятно, в глубине души Есенин сам посмеивался над своим маскарадом, но, считая его выгодным для литературной славы, упорно не желал с ним расставаться.

Вс. Рождественский, с. 286.

Россия — страна мужицкая. То, что в ней не от мужика и не для мужика, — накипь, которую надо соскоблить. Мужик — единственный носитель истинно русской религиозной и общественной идеи. Сейчас он подавлен и эксплуатируем людьми иных классов и профессий. Помещик, фабрикант, чиновник, интеллигент, рабочий, священник — все это разновидности паразитов, сосущих мужицкую кровь. И сами они, и все, что идет от них, должно быть сметено, а потом мужик построит новую Русь и даст ей новую правду и новое право, ибо он есть единственный источник того и другого.

Законы, которые высижены в Петербурге чиновниками, он отменит ради своих законов, неписаных. И веру, которой учат попы, обученные в семинариях да академиях, мужик исправит, и вместо церкви синодской построит новую — "земляную, лесную, зеленую". Вот тогда-то и превратится он из забитого Ивана-Дурака в Ивана-Царевича.

Такова программа. Какова же тактика? Тактика — выжидательная. Мужик окружен врагами: все на него и все сильнее его. Но если случится у врагов разлад и дойдет у них до когтей, вот тогда мужик разогнет спину и скажет свое последнее, решающее слово. Следовательно, пока что, ему не по дороге ни с кем. Приходится еще ждать: кто первый пустит красного петуха, к тому и пристать. А с какого конца загорится, кто именно пустит, — это пока все равно: хулиган ли мастеровой пойдет на царя, царь ли кликнет опричнину унимать беспокойную земщину — безразлично. Снизу ли, сверху ли, справа ли, слева ли, — все солома. Только бы полыхнуло.

Такова была клюевщина к 1913 году, когда Есенин появился в Петербурге. С Клюевым он тотчас подружился и подпал под его влияние.

В. Ходасевич, с. 50.

Многим приходилось читать о том, что Клюев и Есенин в Петрограде очень дружили, а потом Есенин охладел к старшему другу. (Клюев уже после смерти Есенина и устно, и в печати клялся, что, если бы дружба продлилась, он сумел бы предотвратить самоубийство.) На самом же деле их взаимоотношения не были основаны на дружеском расположении, а были навязаны, заданы, как актеру дается роль, да и то не всегда по душе.

З. Ясинская, с. 254.

Клюев приехал в Питер осенью (уже не в первый раз). Вероятно, у меня он познакомился с Есениным. И впился в него. Другого слова и не нахожу для начала их дружбы.

С. Городецкий, с. 180.

Сейчас, с приезда, живу у Городецкого и одолеваем ухаживаньем Клюева.

Есенин — Л. Н. Столице.
22 октября 1915 г.

Монолитный старовер Клюев в домотканном озяме с кожаною оторочкою на концах пол и на рукавах был тогда уже лет 38, и он держал Сережу сколько мог в отцовских рукавицах, но и Клюев носился с Сережею, как с редкой писанкой. Они читали свои стихи великолепно, один другому подражая, друг у друга заимствуя, друг друга дополняя. И вместе на глазах вырастали.

Г. Гребенщиков, с. 98.

Мне показалось, что Клюев был вдвое старше Есенина, хотя на самом деле разница в возрасте равнялась всего восьми годам. Николай Клюев, по-видимому, уже "понаторел" в хождении по писательским кружкам и гостиным: он успел выработать нарочитую манеру держаться степенно, говорить нараспев глуховатым тенорком и одеваться под "ладожского дьячка". Ходил он в очень длинной, почти до колен, бумазейной широкой кофте, темной старушечьей расцветки с беленькими крапинками-цветочками и подпоясывался шелковым пояском с кистями.

З. Ясинская, с. 252.

Завязывается разговор (с Есениным) о поэтах.
— Клюев... Вы, небось, думаете: мужичек из деревенской глуши. А он тонкая штучка. Так просто его не ухватишь. Хотите знать, что он такое? Он — Оскар Уайльд в лаптях...

Н. Вольпин, с. 246 .

Помню вечер в Петербурге, у культурнейшего джентльмена Евг. Ив. Замятина читал Клюев. Его моржовые усы полузакрывали широко открытый рот, он закрывал глаза и голос его чеканил удивительный узор из образов и слов северного эпоса. Это был баян, сказатель, слепой калика перехожий.

После него начинал читать Сережа. В ту пору у него в ходу была чудесная поэма о св. Миколе, который бродит по Руси и помогает в мужичьей доле. Поэма была полна религиозного чувства, но Сережа из особого ухарства читал ее с папироскою в зубах. Грешным делом, я еще тогда подумал, что в душе юного поэта нет основного начала для поэзии — нет той духовной чистоты и радости, которая озаряет жизнь всякого настоящего художника и ведет его к вершинам совершенства.

Г. Гребенщиков.
В сб. "Русское зарубежье о Есенине".
Т. 1, с. 98—99.

...Клюева Есенин всегда выделял из числа близких лиц, а раз, помнится, даже сказал, что это единственный человек, которого он по-настоящему прочно и долго любил и любит.

М. Бабенчиков, с. 248.

У Клюева было какое-то снисходительное, покровительственное и вместе с тем заискивающее отношение к Есенину. Он часто публично демонстрировал свою якобы влюбленность в молодого поэта, например, садился рядом с ним, когда хвалили стихи Есенина, начинал гладить его по спине, приговаривая: "Сокол ты мой ясный, голубень-голубарь" и тому подобное. Однажды моя подруга, не выдержав комизма этой сценки, задала Есенину очень непосредственный вопрос:
— Как вам приходится этот дядя? Он — родственник или земляк?
Есенин сразу ничего не ответил, сделал "скучное лицо", а затем, улучив

момент, когда внимание Клюева было отвлечено, почти одними губами, насмешливо, прошептал:
— Вроде "дяденьки"... приставлен ко мне.

З. Ясинская, с. 254—255.

Близость к Есенину льстила Клюеву, так как юный поэт к этому времени стал одной из заметных фигур в литературном мире. Его баловали, приглашали нарасхват в самые модные великосветские салоны, и бывать с ним повсюду вместе, — значило оказаться на виду. В свою очередь, на Есенина произвели сильное впечатление поэтическая настроенность и стихотворные образы Клюева, близкие его собственным настроениям в юные годы.

М. Бабенчиков, с. 240.

Будучи сильней всех нас, он крепче всех овладел Есениным.

С. Городецкий, с. 180.

Если кто и подчинил его своему влиянию, то это был Клюев и только Клюев, смиренный Миколай, которого Свенцицкий объявил пророком, — тайный мистик крестьянского обихода, выпустивший уже три книги своих стихов.
— Парень! — говорил о нем Есенин. — Красному солнышку брат!

Л. Клейнборт, с. 260.

Очень ценил Клюева, которого всегда называл своим учителем.

В. Наседкин, с. 32.

Очень ценил он Клюева и считал себя его учеником.

А. Воронский, с. 70.

В 1916 году беседы Клюева, его узорчатый язык, его завораживающие рассказы об олонецких непроходимых лесах и старообрядческих скитах, о религиозной культуре севера вообще производили большое впечатление на слушателей.

В. Чернявский, с. 213.

Где-то С. Городецкий, поэт и современник Есенина, писал, что даже у близких Клюеву людей возникали к нему приступы ненависти и что Есенин однажды сказал: "Ей-богу, я пырну ножом Клюева!"

И. Шнейдер, с. 311.

У всех нас после припадков дружбы с Клюевым бывали приступы ненависти к нему. Но общность философии опять спаивала. Популярная тогда рукописная книга т. Б. "Правда о Николае Клюеве", к сожалению, разбивала ореол Клюева не по линии философии. Приступы ненависти бывали и у Есенина. Помню, как он говорил мне: "Ей-богу, я пырну ножом Клюева!"

С. Городецкий, с. 123.

Эти сложные взаимоотношения двух индивидуально ярких поэтов, о которых опасно говорить в коротких словах, неизбежно станут большой и, вероятно, загадочной темой для будущего исследователя; она потребует тонкого и бережного анализа, которому не пришло еще время. Но во всяком случае, влияние Клюева на Есенина в 1915—1916 годах было огромно.

В. Чернявский, с. 213.

Есенин, который сразу же признал Клюева как учителя и в жизни, и в поэзии, оказался в дурацком положении. Рвать с Клюевым, стихи которого он ценил и без которого не мыслил своего дальнейшего пути к завоеванию читательских умов и сердец, ему, конечно же, не хотелось. Но и потакать Клюеву — он, молодой красивый юноша со здоровыми мужскими инстинктами, — конечно же, не мог. В мемуарах В. Чернявского, опубликованных за рубежом, рассказывается о том, как Есенин, живший осенью 1915 года с Клюевым в одной комнате, уходил вечерами на свидание с женщинами, а Клюев буквально садился перед порогом и по-бабьи, с визгливой ревностью, хватал его за полы пальто и кричал: "Не пущу, Сереженька!" Но Сереженька сжимал челюсти, суживал глаза, вырывался из цепких рук соблазнителя и, хлопая дверью, уходил в ночь.

Ст. и С. Куняевы.
"Сергей Есенин", с. 77.

...Приблудный, обычно доверчивый, Клюеву ни одного уклона не спускал, злобно высмеивал и подзуживал его, играя на больных струнах. Спокойно они не могли разговаривать, сейчас же вспыхивала перепалка, до того сильна была какая-то органическая антипатия. А С. А. слушал, стравлял их и покатывался со смеху. Позже я узнала, что одной из причин послужило то, что в первую же ночь в Петрограде Клюев полез к Приблудному, а последний, совершенно не ожидавший ничего подобного, озверев от отвращения и страха, поднял Клюева на воздух и хлопнул что есть мочи об пол; сам сбежал и прошатался всю ночь по улицам Петрограда.

Г. А. Бениславская.
Материалы..., с. 52—54.

...я был очень удивлен, когда часу в двенадцатом ночи раздался резкий звонок и не вошел, а вбежал ко мне Сергей Есенин. На вопрос, что с ним, он ничего не ответил и вдруг повалился на диван в сильнейшей истерике. Он кричал и катался по полу, колотил кулаками себя в грудь, рвал на себе волосы и плакал. Кое-как, с помощью прислуги, раздел я Есенина и натер ему виски и грудь одеколоном. С трудом он пришел в себя.
Принесли самовар, и Есенин постепенно успокоился. Я начал его

осторожно расспрашивать и уже с первых слов догадался, в чем было дело.

Оказалось, что Вурдалак в кабачке объяснился Есенину в "любви" и, вероятно, вообразив себя одним из андрониковских "мальчиков", дополнил свое признание соответствующими жестами...

Б. А. Садовский.
Встреча с Есениным, с. 355—356.

В начале 1916 года Сергей, кажется, впервые заговорил со мной откровенно о Клюеве, без которого даже у себя дома я давно его не видел. С этих пор, не отрицая значение Клюева как поэта и по-прежнему идя с ним по одному пути, он не сдерживал своего мальчишески-сердитого негодования. В этой порывистой брани подчас звучало больше горячности и злобы, чем их было в сердце Сергея. В иной, более глубокой сфере сознания он, конечно, не переставал считать Клюева своим другом и, несмотря на все дальнейшее охлаждение и разъединение, не покинул его внутренне до последних дней.

В. Чернявский, с. 214.

Ханжество, жадность, зависть, подлость, обжорство, животное себялюбие и обуславливаемые всем этим лицемерие и хитрость — вот нравственный облик, вот сущность этого когда-то крупного поэта.

Г. Бениславская, с. 61.

В чем дело, почему в Клюеве умерло все остальное человеческое (не может быть, чтобы никогда не было) осталась только эта мерзость и ничего человеческого? Быть может, прав Сергей Александрович: "Клюев расчищал нам всем дорогу. Вы, Галя, не знаете, чего это стоит. Клюев пришел первым и борьба всей тяжестью на его плечи легла."

Г. Бениславская, с. 63.

Похоже было, что жило-было два брата, старший и младший. И было у них все: земля добрая, изба с коньком, запасы сытые, да еще такое... Словом, мужицкий рай. Но вдруг ничего не осталось. Разве поддевки, да рубашки шелковые. Ну, что ж, сгорело — так сгорело, на то воля Божия. Но старший брат пронес мужицкую душу через все испытания, что были ей ниспосланы, младший же захирел, свихнулся, пропал и продал душу дьяволу.

Л. Клейнборт, с. 268.

Быть может, потому, несмотря на брезгливое и жалостное отношение, несмотря на отчужденность и даже презрение, С. А. не мог никак обидеть Клюева, не мог сам окончательно избавиться от присосавшегося к нему "смиренного Миколая", хоть и хотел этого.

Г. Бениславская, с. 78.

Он (Клюев) был человек принципиально непьющий, и я не помню, чтобы во время угощений находилась у него когда-либо водка или вино. С этим, видимо, считались и его гости. Более того, из Москвы иногда наезжали Клычков и Орешин. Останавливались в "Англетере", и потом все собирались в ресторане "Теремок". Но и там, если со всеми находился Клюев, пили только чай. В окружении Н. А. никакой водки не полагалось...

Б. Н. Кравченко.
Наше наследие, 1991, № 1, с. 122.

Он не курит, однако употребляет мясо (в его забытой Богом деревне не растут даже огурцы и капуста) и пьет пиво (у меня)...

Ф. Фидлер.
Дневник за 1915 г.

...и вообще был порядочным трусом. Так, однажды с пьяной компанией попал в драку в Союзе поэтов (на Тверской ул.). Его кто-то задел тоже. Ну, видно, и улепетывал он — я открыла ему дверь, так он пять минут отдышаться не мог и стал такие ужасы рассказывать, что все в его повествовании превратилось в грандиозное побоище, я думала, что никто из бывших там в живых не останется, а через десять минут пришли все остальные как ни в чем не бывало.

Г. А. Бениславская.
Материалы..., с. 46.

...он всю жизнь убил на совершенствование себя в области обморачивания людей.

Г. Бениславская, с. 60.

...А может быть, он (Клюев. — *Ред.*) просто любил мистифицировать всех, как не раз мне говорил об этом Есенин.

Р. Ивнев, с. 553

Кстати, Аввакума он числит в ряду своих предков. Клюев — родом — новгородец...

И. Оксенов.
Дневник. 20 июля 1924 г.

В одной из поездок, когда он на ходу пробирался из вагона в вагон, ветром унесло его шапку. Несмотря на предзимнее время, Клюев до конца поездки так и не купил новой, потому что в Москве у него была вторая шапка.

И. Шнейдер, с. 308.

В комиссию для пособия литераторам при Академии наук.
Прошение
Мы, поэты-крестьяне, Николай Алексеевич Клюев и Сергей Александрович Есенин, почтительнейше просим комиссию пособия литераторам при Академии наук помочь нам в нашей нужде.

Нужда наша следующая: мы живем крестьянским трудом, который без-
денежен и, отнимая много времени, не дает нам возможности учиться и
складывать стихи. Чтобы хоть некоторое время посвящать писательству не
во вред и тяготу нашему хозяйству и нашим старикам-родителям, един-
ственными кормильцами которых также являемся мы, нам необходима де-
нежная помощь в размере трехсот рублей на каждого.

(Заслуги наши перед литературой выражаются в сборниках стихов и со-
трудничестве в лучших журналах и газетах.)

Есенин, Клюев.
27 февраля 1916 г.

Глубокоуважаемый Нестор Александрович.

Сообщение Ваше о том, что Академия не может нам помочь, ввергло нас
в уныние. Последнее, что мы почтительнейше у Вас просим — это похода-
тайствовать перед комиссией, чтобы нам выдали хотя бы по 50—60 р., чтобы
выбраться из Петрограда домой — мне — Клюеву, например, такая сумма
крайняя, так как я живу пятьсот верст от чугунки, и это полутысячное
расстояние приходится коротать на подводе.

Бога ради, снизойдите к нашему молению, оно насущное и крайнее.

Извиняясь за беспокойство, остаемся Николай Клюев и Сергей Есенин.

Есенин и Клюев — Н. А. Котляревскому.
Февраль, до 27, 1916 г.

В январе 1916 года приехал с Клюевым. Сшили они себе боярские костюмы — бархатные длинные кафтаны; у Сергея была шелковая голубая рубаха
и желтые сапоги на высоком каблуке, как он говорил: "Под пятой, пятой
хоть яйцо кати". Читали они стихи в лазарете имени Елизаветы Федоровны,
Марфо-Марьянской обители и в "Эстетике". В "Эстетике" на них смотрели
как на диковинку...

А. Изряднова, с. 145.

У нас в Москве "поэзо-концертная" эпидемия. С легкой руки Ив. Буни-
на, начали выступать Северянин, Ратгауз, поэтессы (оптом), и между прочим, "народные поэты" (как себя именуют) Н. Клюев и С. Есенин. Последние на вечере свободной эстетики были в бархатных кафтанах, красных
рубахах и желтых сапогах.

С. Д. Фомин — Д. Н. Ломану.
Петроград, март — апрель 1916 г.

В год его первых успехов, когда он, сдружившись с Николаем Клюевым,
был предметом ласки и любви московских салонов, когда богатыри-моск-
вичи, разодевши обоих поэтов в шелковые рубахи и сафьяновые сапоги,
носились с ними — Сережа, — розовый мальчик, уже напивался...

Г. Гребенщиков, с. 98.

...Я помню Есенина в первые дни его появления. Он приехал из рязанской глуши, прямо к Блоку, на поклон. Его сопровождал Клюев. Есенин держался скромно и застенчиво, был он похож на лубочного "пригожего паренька", легко смеялся и косил при этом узкие, заячьи глаза. В Петербурге юного Есенина встретили довольно сурово. Отчасти в этом повинен Клюев. Он передал Есенину свой фальшиво-народный стиль в повадке, в разговоре. От Клюева Есенин перенял манеру говорить всем "ты", будто по незнанию, что в городе это не принято. Конечно, он прекрасно это знал.

Г. Адамович.
Сергей Есенин, с. 90.

...Маяковский, немного позднее, сказал, что когда он впервые услышал голос Есенина, ему почудилось, будто "заговорило ожившее лампадное масло". Зло, но метко. Лампадное масло пришлось петербуржцам не по вкусу.

Г. Адамович, с. 94.

...Интересные у него были с Маяковским отношения. Маяковский немного задирал его, хотя талант Есенина, как это видно хотя бы по стихотворению "На смерть Есенина", ценил высоко. Он знал Есенина еще по дореволюционному Петербургу, когда тот ходил в русской, вышитой рубашке, и позже писал о нем, что Есенин походил на ожившее лампадное масло.

К. Левин, с. 341.

Есенина я знал давно — лет десять, двенадцать. В первый раз я его встретил в лаптях и в рубахе с какими-то вышивками крестиками. Это было в одной из хороших ленинградских квартир. Зная, с каким удовольствием настоящий, а не декоративный мужик меняет свое одеяние на штиблеты и пиджак, я Есенину не поверил. Он мне показался опереточным, бутафорским. Тем более что он уже писал нравящиеся стихи и, очевидно, рубли на сапоги нашлись бы.

В. Маяковский.
Как делать стихи, с. 358.

...неистовые сторонники Маяковского и Есенина создали миф о том, что Маяковский и Есенин чуть ли не ненавидели друг друга.

Р. Ивнев, с. 514.

О встречах с ним рассказывал потом Владимир Маяковский, чуть улыбаясь, дружелюбно и заинтересованно.

В. Шкловский, с. 597.

— Что вы думаете о сегодняшним выступлении Есенина? — спросил я у Маяковского после окончания вечера.

— Продолжает зарабатывать себе славу скандалов лакированными туфлями, тростью. Но лапти со стихов снимает. Это хорошо... — ответил мне Владимир Владимирович.

А. Безыменский, с. 382.

...Говорили о Маяковском. "Да это же не поэзия, у него нет ни одного образа", — убеждал С. А.

Г. А. Бениславская.
Материалы..., с. 33.

Все же я спросил Есенина, почему его так возмущает Маяковский. "Он поэт для чего-то, а я поэт от чего-то. Не знаю сам от чего... Он проживет до восьмидесяти лет, ему памятник поставят... (Есенин всегда страстно жаждал славы, и памятники для него были не бронзовыми статуями, а воплощением бессмертия.) А я сдохну под забором на котором его стихи расклеивают. И все-таки я с ним не поменяюсь". Я попытался возразить. Есенин был в хорошем настроении и нехотя признал, что Маяковский — поэт, только "неинтересный".

И. Эренбург, с. 587.

— Что ни говори, а Маяковского не выкинешь. Ляжет в литературе бревном, — говаривал он, — и многие о него споткнутся.

И. Старцев, с. 411.

Маяковскому пришлось бороться с непониманием, издевками одних, душевным холодом других. Есенина понимали и любили при жизни.

И. Эренбург, с. 589.

Кажется, Есенин начинает подражать... Маяковскому. Нелепый опыт! Я по-своему ценю Маяковского, этого поэта-лешего, вносящего живописный хаос в парнасские сады, но видеть Есенина в роли его подражателя мне не хотелось бы. Впрочем, я все же надеюсь, что когда-нибудь Есенин вынырнет из этого омута литературной дешевки, в который упал.

Н. И. Колоколов — Д. Н. Семеновскому.
Москва, 9 июня (27 мая) 1918 г.

Поэтический темперамент, или, как он называл, "голос", он любил больше и часто бранил меня: "Холодный ты! Это все от Маяковского! От Маяковского добра не будет!"

В. Шершеневич, с. 18.

— ...Вы думаете, я пишу пером?
— А чем же?
— Вот чем! — Маяк(овский) хлопнул себя между ног. — Пока я влюблен, я пою...

Пимен Карпов, с. 322.

Оба (гораздо позже) много выступали — чаще всего в Доме печати на Никитском бульваре, пользовались большим успехом, но даже манера чтения показывала, какие разные они люди. Маяковский читал чеканно, как бы с высоты, со скупыми жестами, словно объясняя и донося до слушателя каждое слово. Есенин читал страстно и самозабвенно, бросаясь в свои стихи, как в бушующие волны, выбрасывал руки, хватался за волосы, изгибался, весь в чувстве и горении, как бы растворяясь в стихах. Потрясающе читал он "Сорокоуста", особенно те строки, где описана гонка жеребенка с поездом. С какой грустью и нежностью произносил он как свое, выстраданное:

> Милый, милый, смешной, дуралей,
> Ну, куда он, куда он гонится?
> Неужель он не знает, что живых коней
> Победила стальная конница?

Много лет миновало с тех пор, а я ясно вижу его перед собой — выброшенные вперед руки, полузакрытые глаза, растрепавшиеся волосы, слышу трепетный, хрипловатый голос.

К. Левин, с. 341—342.

... Во время чтения Есенина я время от времени отвлекался от него и всматривался в Маяковского и его спутницу. Они слушали внимательно, не переговаривались, как это делали некоторые. В этом внимании была какая-то сдержанность и настороженность. Возбуждение Есенина вызывало в Маяковском подчеркнутую невозмутимость, быть может, чуть-чуть демонстративную. Они ни разу друг к другу не подошли, не заговорили.

В. Мануйлов.
В сб. "С. А. Есенин в восп. современников".
*М., 1986, "Худ. лит". Т. 2, с. 171.**

Вечер. Идем по Тверской. Советская площадь. Есенин критикует Маяковского, высказывает о Маяковском крайне отрицательное мнение.
Я:
— Неужели ты не заметил ни одной хорошей строчки у Маяковского? Ведь даже у Тредьяковского находят прекрасные строки?
Есенин:
— Мне нравятся строки о глазах газет: "Ах, закройте, закройте глаза газет!"
И он вспоминает отрывки из двух стихотворений Маяковского о войне: "Мама и убитый немцами вечер" и "Война объявлена". Читает несколько строк с особой, свойственной ему нежностью и грустью...

И. Грузинов, с. 369.

---

* Далее — по этому изданию.

В эту пору я встречался с Есениным несколько раз, встречи были элегические, без малейших раздоров.

В. Маяковский, с. 359.

Август двадцать первого. "Стойло Пегаса". Ложа имажинистов. Кто-то указывает:

— Смотрите, какая вошла красивая пара.

Есенин:

— А я не знаю, что это значит, "красивый человек", "некрасивый". Лица для меня бывают "умные", "острые", "тупые", "добрые", "выразительные"... Маяковский прекрасен!

Н. Вольпин, с. 285—286.

— Я сейчас из камеры народного судьи. Разбиралось необычное дело: дети убили свою мать. Они оправдывались тем, что мать была большая дрянь! Распутная и продажная. Но дело в том, что мать была все-таки поэзия, а детки ее — имажинисты.

На стол президиума вскочил худой и высокий Есенин в щегольском костюме; обозленный всем по-детски, он зачем-то рванул на себе галстук, взъерошил припомаженные, блекло-золотистые кудрявые волосы, закричал звонким и чистым, тоже сильным голосом, но иного, чем у Маяковского, тембра:

— Не мы, а вы убиваете поэзию! Вы пишете не стихи, а агитезы!

Густым басом, подлинно, как "медногорлая сирена", отозвался ему Маяковский:

— А вы — кобылезы...

Чтобы заставить его замолчать, Есенин принялся надрывно кричать свои стихи. Маяковский немного послушал и начал читать свое произведение, совершенно заглушив Есенина...

Л. Сейфуллина.
(Цит. по: Катанян, с. 188).

С "Песней о собаке" связано у меня еще одно воспоминание 19-го или 20-го года. Дело происходило в московском клубе художников и поэтов, "Питтореск", украшенном "контррельефами" Георгия Якулова. Есенин читал стихи, Маяковский поднялся со стула и сказал:

— Какие же это стихи, Сергей? Рифма ребячья. Ты вот мою послушай:

> По волнам играя носится
> С миноносцем миноносица.
> ....
> Вдруг прожектор, вздев на нос очки,
> Впился в спину миноносочки.
> ....
> И чего это несносен, нам
> Мир в семействе миноносином?

— Понял? — обратился Маяковский к Есенину.

— Понял, — ответил тот, — здорово, ловко, браво!

И тотчас, без предисловий, прочел, почти пропел, о собаке. Одобрение зала было триумфальным.

Ю. Анненков, с. 165—166.

Встречаясь с Маяковским в "Прожекторе", Есенин поглядывал на него настороженно и не очень охотно разговаривал с ним. К тому, что писал Маяковский, Есенин относился не то что пренебрежительно, но не скрывал, что это не нравится ему, а за некоторые стихи и поругивал Маяковского. Особенно не нравились ему "рекламные" стихи Маяковского. Он говорил, что тут пахнет торговлей, а не поэзией.

К. Левин, с. 341.

Я знала, что его все больше и больше тянуло к Маяковскому, но что-то еще мешало. С Маяковским в жизни я встречалась несколько раз, почти мельком, но у меня осталось чувство, что он умеет внимательно и доброжелательно следить за человеком. В жизни он был другой, чем на эстраде.

Я жила в комнате вдвоем с сыном. Как-то рано вечером (сын гулял с няней) я сидела на кровати и что-то шила. В дверь постучали и вошел Маяковский. Он пришел к моему соседу по квартире, режиссеру Форейгеру. Попросил разрешения позвонить по телефону. "Вы — Миклашевская?" — "Я". — "Встаньте, я хочу посмотреть на вас". — Он сказал это так просто, серьезно, что я спокойно встала. "Да..." — сказал он. Поговорил немного о театре и, так и не дотронувшись до телефона, ушел. И хотя он ни звука не сказал о Есенине, я поняла, что интересовала его только потому, что мое имя было как-то связано с Есениным, он думал о нем.

А. Миклашевская, с. 279.

Кстати, он с откровенностью проявлял свое отношение к Маяковскому. Таким же откровенным был с ним и Маяковский. Они, конечно, не были друзьями, они были полярны, но через год после смерти Есенина, по-моему, лишь один Маяковский высказал истинное отношение к поэту Есенину в стихотворении "Сергею Есенину". Мне подчас кажется, что стихи "Сергею Есенину" — не стихи... Это воистину —

" в горле
горе комом..."

Н. Никитин, с. 221.

Маяковского волновала судьба Есенина.

А. Миклашевская, с. 279.

...Большинство смотрело на него только как на новинку и любопытное явление. Его слушали, покровительственно улыбаясь, добродушно хлопали его "коровам" и "кудлатым щенкам", идиллические члены редакции были довольны, но в кучке патентованных поэтов мелькали очень презрительные усмешки.

В. Чернявский, с. 203.

Существует легенда, будто Есенин встречен был с удивлением, с восторгом, — будто все сразу признали его талант. Это только легенда, не более. Восхищен был один Сергей Городецкий, которому Есенин был дорог и нужен, как "дитя народа", явившееся в условно-русском, нарядно-пейзанском обличьи: с кудрями, в голубой шелковой рубашке, с певучими былинно-религиозными стихами, чуть ли не с гуслями под мышкой...

Г. Адамович, с. 93.

Стоило ему только произнести с упором на "о" — "корова" или "сенокос", чтобы все пришли в шумный восторг. "Повторите, как вы сказали? Ко-ро-ва? Нет, это замечательно! Что за прелесть!"

В. Чернявский, с. 206.

Один Федор Сологуб отнесся холодно к Есенину. На мой вопрос: почему? — Сологуб ответил:

— Я отношусь недоверчиво к талантам, которые не прошли сквозь строй "унижений и оскорблений" непризнания. Что-то уж больно подозрителен этот легкий успех!

Рюрик Ивнев.
В сб. "С. А. Есенин в восп. современников".
М., "Худ. лит.", 1986, с. 325.*

"Кирпич в сюртуке" — словцо Розанова о Сологубе

Г. Иванов, с. 33.

Кажется, Блоку понравились стихи Есенина. Но Сологуб отозвался о них с убийственным пренебрежением. Кузмин, Ахматова, Гумилев говорили о Есенине не менее холодно.

Г. Адамович, с. 90.

...Смазливый такой, голубоглазый, смиренный, — неодобрительно описывал Есенина Сологуб. — Потеет от почтительности, сидит на кончике стула — каждую минуту готов вскочить. Подлизывается напропалую: — Ах, Федор Кузьмич! — Ох, Федор Кузьмич! — и все это чистейшей воды притворство! Льстит, а про себя думает, — ублажу старого хрена, — пристроит меня в печать. Ну, меня не проведешь, — я этого рязанского теленка сразу за ушко да на солнышко. Заставил его признаться и что стихов он моих не читал, и что успел до меня уже к Блоку и Мережковским подлизаться, и насчет лучины, при которой, якобы, грамоте обучался — тоже вранье. Кон-

---

* Далее — по этому изданию.

чил, оказывается, учительскую школу. Одним словом, прощупал хорошенько его фальшивую бархатную шкурку и обнаружил под шкуркой настоящую суть: адское самомнение и желание прославиться во что бы то ни стало. Обнаружил, распушил, отшлепал по заслугам — будет помнить старого хрена!..

И тут же, не меняя брюзгливо-неодобрительного тона, Сологуб протянул редактору Н. Архипову тетрадку стихов Есенина. Вот. Очень недурные стишки. Искра есть. Рекомендую напечатать — украсят журнал. И аванс советую дать. Мальчишка все-таки прямо из деревни — в кармане, должно быть, пятиалтынный. А мальчишка стоящий, с волей, страстью, горячей кровью. Не чета нашим тютькам из "Аполлона".

Г. Иванов, с. 33—34.

Блок молчал, Сологуб отделался несколькими едкими и пренебрежительными замечаниями. Гумилев сразу заявил, что Есенин, "как дважды два, ясен, и как дважды два, неинтересен", — и демонстративно принимался разговаривать, когда тот читал стихи. Ахматова улыбалась, как будто одобрительно, — но с таким же ледяным светски-любезным равнодушием, как слушала всех, даже Городецкого, стихи которого терпеть не могла. Кузмин пожимал плечами. Что же касается Гиппиус, то о встрече с ней рассказал сам Есенин. Увидев у себя в гостиной юного поэта в валенках, Гиппиус подняла лорнет, наклонилась и изобразила на лице самое непритворное любопытство:

— Что это на вас... за гетры такие?

Надо сказать, что раздражали в Есенине именно "гетры" — то есть его наряд и общая нарядность его стихов...

Г. Адамович, с. 93.

Да, я знаю. В 12-м году Есенина, действительно, приняли более чем холодно а ведь он — крестьянский самородок — приехал покорить Петербург! Как-то на каком-то чопорном приеме Гиппиус, наставив лорнет на его валенки, громко одобрила их: "Какие на вас интересные гетры!" Все присутствующие покатились со смеха.

Такие обиды не прощаются. И не забываются.

— Очень мне обидно было и горько, — говорит он. — Ведь я был доверчив, наивен...

И. Одоевцева, с. 190.

Лично я помню это время, помню Есенина в голубой ситцевой рубашке, "скромного, можно сказать, скромнее." Помню и то, что никто насчет его лицемерия тогда не обманывался. Кажется, Шкловский рассказал, как явился Есенин в салон Зинаиды Николаевны Гиппиус и как З. Н., скосив лорнет на его валенки, намеренно-капризно протянула:

— Что на вас за гетры такие?

Есенин с раздражением вспоминал впоследствии все подобные попытки вывести его "на чистую воду".

Г. Адамович, с. 39.

В тот день Зинаида Николаевна мягко лежала, опустив хвост лилового платья с кушетки на ковер. В углу, кроме ахалок, сидел красивый Дмитрий Философов, главный жрец и почитатель дома, толкователь книг Мережковского.

Есенин пришел со мной. Зинаида Николаевна посмотрела через лорнет на ноги Есенина и спросила:

— Что у вас за гетры, Есенин?

Была зима и сухой мороз. Есенин был в валенках, которые выглядели на ковре довольно странно.

— Это валенки, Зинаида Николаевна, — ответил Есенин.

На шелковую рубашку Есенина с вышивками по вороту и на белую рубашку с вышивкой крестиком Гиппиус не наводила лорнет: она была критиком, подписывалась Антон Крайний и допускала разнообразие.

Но валенки не театральный костюм, а обыденный костюм, а дом Мережковских был, так сказать, генеральский.

Затушить ссору мягко старался Философов. Вышел низкорослый блондин с бородкой — Мережковский. На ногах у него были мягкие туфли, он пришел с работы, из-за стола.

Люди говорили друг другу большие неприятности. Вспомнил я это потому, что недавно прочел письмо Есенина о ссоре с Мережковским: он ссылается на меня, как на свидетеля.

Ссора была резкая.

Столкновение в гостиной Мережковских было случайным, но случай часто подсказывается необходимостью.

В. Шкловский, с. 598—599.

Иронически Есенин рассказывал о Гиппиус и Мережковском. В первые годы своей поэтической деятельности он посещал их литературные вечера.

— Попал я как-то к ним на вечер в валенках. Ко мне подошла Гиппиус и спросила: — Вы, кажется, в новых гетрах?

— Нет, это — простые деревенские валенки... — Знала ведь, что на мне валенки...

А. Воронский, с. 70.

— Что на вас за гетры? — спросила она, наведя лорнет.

Я ей ответил:

— Это охотничьи валенки.

— Вы вообще кривляетесь.

Есенин.
Т. 5, с. 215—216.

Конечно, и Гиппиус знала, что валенки не гетры, и Есенин знал для чего его спросили. Зинаидин вопрос обозначал: не принимаю, не верю я в ваши валенки, никакой вы не крестьянин.

А ответ Есенина обозначал: отстань и совсем ты мне не нужна.

Вот как это делалось.

А спор весь шел об Октябрьской революции.

В. Шкловский.
Современники и синхронисты.
Л. — М., "Рус. современник", 1924. Кн. 3, с. 233.

...Гимназист Оксенов, бывший недавно по приглашению, для "ощупывания" в качестве представителя зеленой молодежи, у Мережковских, рассказывал мне, что там много о тебе говорили и что мнения расходились.

В. С. Чернявский — Есенину.
Аннополь-Волынский, 26 мая 1915 г.

Гибельным для Есенина оказалось знакомство с кружком Мережковского и Зинаиды Гиппиус. У них, в доме Мурузи (нелепое огромное здание на углу Литейного и Пантелеймоновской, в "железно-мавританском" стиле), собиралось пестрое общество литераторов и университетских профессоров, некогда настроенных либерально, а ныне сильно поправевших. Непривычное слово "народ" произносилось здесь с мистическим трепетом и некоторой опаской. Эту "дикую силу" предпочитали видеть укрощенной, вошедшей в "законные берега".

Для Зинаиды Гиппиус — пифии и вдохновительницы этого салона — появление Есенина оказалось долгожданной находкой. В ее представлении он, так же как и поэт Н. Клюев, должен был занять место провозвестника и пророка, "от лица народа" призванного разрешить все сложные проблемы вконец запутавшейся в своих религиозно-философских исканиях интеллигенции. Чтобы больше подчеркнуть связь с "почвой", "нутром", "черноземом", Есенина облекли в какую-то маскарадную плисовую поддевку (шитую, впрочем, у первоклассного портного) и завили ему белокурые волосы почти так же, как у Леля в опере "Снегурочка". Соответствующим образом были принаряжены отныне и его стихи, еще так недавно свежие, как черемуха в деревенском саду.

Вс. Рождественский, с. 286.

— Алеша Ка-га-ма-зов, — как-то презрительно бросил, пристально разглядывая Есенина, один ныне покойный эстет.

С Алешей у Есенина было действительно нечто общее. Как Алеша, он был розов, застенчив, малоречив, но в нем не было ни тени "достоевщины", в бездну которой Есенина в те годы усиленно толкали Мережковские.

М. Бабенчиков, с. 237—238.

Не бывая лично у Мережковских, где, конечно, со своей точки зрения были заинтересованы Есениным, человеком от земли, и куда Сергею было небесполезно приходить ввиду большой влиятельности хозяев в журнальном и критическом мире, я помню, как отзывался о них Сергей...

Сам Мережковский казался ему сумрачным, "выходил редко, больше все молчал" и как-то стеснял его. О Гиппиус, тоже рассматривавшей его в усмешливый лорнет и ставившей ему испытующие вопросы, он отзывался с все растущим неудовольствием. "Она меня, как вещь, ощупывает!" — говорил он.

В. Чернявский, с. 207.

Однако, он скромничал тогда, смекнув, должно быть, что так пока лучше. Стихи его нам всем тогда показались мало интересными, и он перешел к частушкам своей губернии, которые довольно долго распевал.

З. Гиппиус, с. 38

Он тогда ужасно притворялся, хитрил, играл в какого-то робкого тихого паренька, а в глазах было столько озорства и даже дерзости, что трудно было все это вынести. Кроме Городецкого и Клюева, кажется, все относились к нему отрицательно.

Г. Адамович, с. 38.

— Знаешь, как я на Парнас восходил?

И Есенин весело, по-мальчишески захохотал.

— Тут, брат, дело надо было вести хитро. Пусть, думаю, каждый считает: я его в русскую литературу ввел. Им приятно, а мне наплевать. Городецкий ввел? Ввел. Клюев ввел? Ввел. Сологуб с Чеботаревской ввели? Ввели. Одним словом: и Мережковский с Гиппиусихой, и Блок, и Рюрик Ивнев... к нему я, правда, первому из поэтов подошел — скосил он, помню, на меня лорнет, и не успел я еще стишка в двенадцать строчек прочесть, а он уже тоненьким таким голосочком: "Ах, как замечательно! Ах, как гениально! Ах..." и, ухватив меня под ручку, поволок от знаменитости к знаменитости, "ахи" свои расточая. Сам же я — скромного, можно сказать, скромнее. От каждой похвалы краснею, как девушка, и в глаза никому от робости не гляжу. Потеха!

А. Мариенгоф.
Роман без вранья, с. 8.

С ними нужно не сближаться, а обтесывать, как какую-нибудь плоскую доску, и выводить на ней узоры, какие тебе хочется, таков и Блок, таков Городецкий и все и весь их легион.

Есенин — А. Ширяевцу.
Лето 1917 г.

Спросил я его как-то про Блока. Есенин пожал плечами, как бы не зная, что сказать.

— Скучно мне было с ним разговаривать, — вымолвил он наконец.

— Александр Александрович взирал на меня с небес, словно бог Саваоф, грозящий пальцем... Правда, я тогда был совсем мальчишкой и, кажется, что-то надерзил ему... Но как поэт я многому научился у Блока ...

Н. Вержбицкий, с. 229.

Вчера мило гуторил с Блоком...

Есенин — Л. Н. Столице.
22 октября 1915 г.

С умилением и чуть-чуть с хитрецой вспомнил, как на ближайших днях Блок беседовал с ним об искусстве.

— "Не столько говорил, сколько вот так, объяснял руками. Искусство — это, понимаете... (он сделал несколько подражательных кругообразных жестов). А сказать так и не умел..."

В. Чернявский, с. 202.

О Блоке:

— Идет пьяный, брюки расстегнуты, а за ним вся партия левых эс-эров!

Э. Я. Герман.
Из "Книги о Есенине", с. 156.

...Ни "Скифы", ни "Двенадцать", казалось, не тронули Сергея.

В. Чернявский, с. 221.

Насколько я помню, к Блоку он относился с большой любовью, особенно ценя его "Двенадцать" и "Скифы".

В. Кириллов, с. 164.

Если не ошибаюсь, был только один случай, правда, резкий и надрывный, даже решающий, когда явясь к Блоку, он держал себя с ним, по собственному признанию, вызывающе и дерзко, а потом, вернувшись домой, нахмуренный, объявил, что у него с Блоком — кончено и что больше он к нему не пойдет. Это был период, когда в яростном напряжении молодых сил и самоуверенности ничего не видел, кроме рождения "новой России" в мужичьих яслях.

В. Чернявский, с. 215.

— А знаешь... мы еще и Блоку и Белому загнем салазки! Я вот на днях написал такое стихотворение, что и сам не понимаю, что оно такое! Читал Разумнику, говорит — здорово, а я... Ну, вот хоть убей, ничего не понимаю!

— А ну-ка...

Я думал, что Есенин опять разразится полным голосом и закинет правую руку на свою золотую макушку, как он обыкновенно делал при чтении своих стихов, но Есенин только слегка отодвинулся от меня в глубину ши-

рокого кожаного дивана и наивыразительнейше прочитал одно четверостишие почти шепотом:

> Облаки лают.
> Ревет златозубая высь...
> Пою и взываю:
> Господи, отелись!

И вдруг громко, сверкая глазами:

— Ты понимаешь: господи, отелись! Да нет, ты пойми хорошенько: го-
спо-ди, о-те-лись!.. Понял? Клюеву и даже Блоку так никогда не сказать...
Ну?

П. Орешин, с. 241.

Раз как-то зашел ко мне Александр Александрович Блок и принес два
стихотворения для сборника (в то время я готовил для одного издательства
литературный альманах). Затем мы вместе ушли. Без меня пришел Есенин.
На столе нашел стихи Блока, прочел и написал записку, а внизу приписал:
"Ой, ой, какое чудное стихотворение Блока! Знаешь, оно как бы светит
мне!"
Есенин очень любил стихи Блока и часто читал их на память.

М. Мурашов, с. 189.

Помнится, как горячо стал Есенин защищать Блока:
— Тут другое... Блок не только такой, как его стихи, он намного лучше
своих стихов.
Есенин говорил, что Александру Блоку он бы простил все.

З. Ясинская, с. 252.

Но некоторые стихотворения Блока он разбирал критически, обращая
особенное внимание на отдельные эпитеты.
— Блок — интеллигент, это сказывается на самом его восприятии, —
говорил он с горячностью. — Даже самая краска его образа как бы разведе-
на мыслью, разложена рефлексией. Я же с первых своих стихотворений стал
писать чистыми и яркими красками.
— Это и есть имажинизм? — спрашивал я.
— Ну да, — говорил он недовольно. — То есть все это произошло совсем
наоборот... Разве можно предположить, что я с детства стал имажинистом?
Но меня всегда тянуло писать именно такими чистыми, свежими красками,
тянуло еще тогда, когда я во всем этом ничего не понимал. И он тут же
прочел — я услышал тогда впервые это маленькое стихотворение:

> Там, где капустные грядки
> Красной водой поливает восход.
> Клененочек маленький матке
> Зеленое вымя сосет.

— Это я написал еще до того, как приехал в Москву. Никакого имажинизма тогда не было, да и Хлебникова я не знал. А сколько лет мне было?

Четырнадцать? Пятнадцать? Нет, не я примкнул к имажинистам, а они наросли на моих стихах. Александр Блок — это мой учитель. Но я не могу принять его рефлексии, его хныканья полубарского, полународнического.

Ю. Либединский, с. 183.

Осенью 1917 года в Петрограде меня позвала к себе молодая поэтесса М. М. Шкапская, которую я знал по Парижу. За столом сидел Н. А. Клюев в крестьянской рубахе и громко пил чай из блюдца. Он мне сразу показался актером, исполняющим в тысячный раз затверженную роль. Разговор иссякал, когда пришел новый гость, молодой, красивый паренек, похожий на Леля из оперы; улыбаясь, он представился: "Есенин. Сергей. Сережа..." У него были глаза ясные и наивные. Мария Михайловна попросила его почитать стихи. Я понял что передо мной большой поэт; хотел с ним поговорить но он, поулыбавшись, ушел.

И. Эренбург, с. 588.

Теперь он приходил лишь звать меня на свои выступления.
— Шагнули? — сказал я ему как-то.
— Я знал, что так будет, — с гордостью ответил он.

Л. Клейнборт, с. 261.

...Кажется, Сергей говорил мне о своей причастности к партии левых с.р., но, вероятно, мне и тогда подумалось, что прямого участия в политической работе он не принимал.

В. Чернявский, с. 216.

В 1917 году влияние Клюева, по существу близкого Есенину, сменилось левоэсеровским.

В. Ходасевич, с. 59.

Клюев, за исключением "Избяных песен", которые я ценю и признаю, за последнее время сделался моим врагом...

Есенин — Иванову-Разумнику.
Декабрь 1917 г.

...После февраля он очутился в рядах эсеров. После раскола эсеров на правых и левых — в рядах левых, там, где "крайнее", с теми, у кого в руках, как ему казалось, больше горючего материала. Программные различия были ему не важны, да, вероятно, и мало известны. Революция была для него лишь прологом гораздо более значительных событий. Эсеры (безразлично, правые или левые), как позже большевики, были для него теми, кто расчищает путь мужику и кого этот мужик в свое время одинаково сметет прочь. Уже в 1918 году был он на каком-то большевистском собрании и "приветливо улыбался" решительно всем — кто бы и что бы ни говорил. Потом желтоволосый мальчик сам возымел желание сказать слово... и сказал:

— Революция — это ворон... ворон, которого мы выпускаем из своей головы... на разведку... Будущее большое...

В. Ходасевич, с. 54.

За три, три с половиной года жизни в Петербурге Есенин стал известным поэтом. Его окружали поклонницы и друзья. Многие черты, которые Сологуб первый прощупал под его "бархатной шкуркой", проступили наружу. Он стал дерзок, самоуверен, хвастлив. Но, странно, шкурка осталась. Наивность, доверчивость, какая-то детская нежность уживались в Есенине рядом с озорством, близким к хулиганству, самомнением, недалеким от наглости. В этих противоречиях было какое-то особое очарование. И Есенина любили. Есенину прощали многое, что не простили бы другому, Есенина баловали, особенно в леволиберальных литературных кругах.

Г. Иванов, с. 34.

В этот момент он встретился с кружком князя Путятина...

А. Ветлугин, с. 130.

Неприглядное положение Есенина — в этот и последующий период времени — имело, конечно, свою опасность, но, в сущности, было очень обыкновенно. И у другого в девятнадцать лет закружилась бы голова. У русского же человека она особенно легко кружится... Но тут подоспели не совсем обыкновенные события.

З. Гиппиус, с. 84.

Рубеж 1913—1914, момент встречи Есенина с окружением князя Путятина (жившего и "работавшего" в Царском Селе), — слишком ярок еще в памяти современников и едва ли нуждается в длинных определениях.

Воздух, насыщенный приближающейся грозой.

Потерявшее голову общество.

Андрей Белый и "Петербург" в литературе.

Столпотворение и Распутин при дворе.

Религиозно-философские радения интеллигенции...

Даже неунывающий "Синий журнал" несколько "ударился в мистику" и послал Бориса Мирского в Египет разыскивать никогда не существовавшую "Зинаиду Радееву"...

Ночные заседания в Потсдаме, на которых намечается план, куется меч для головы Европы...

От Ламанша до Урала трясет лихорадка. С точки зрения полновесной солнечной культуры трудно сказать, кто был заразительнее и отравительнее.

Рудольф ли Штейнер с его проповедью "сексуального начала"...

Григорий ли Распутин с его столовертительными "дамочками".

Читайте предвоенные воспоминания Филиппа Гибса: Гороховая была не более невежественна, чем Фридрихштрассе...

А. Ветлугин, с. 130—131.

...Меня забрили в солдаты, но, думаю, воротят: я ведь поника — далеко не вижу.

Есенин — Л. В. Берману.
Константиново, 2 июня 1915 г.

От военной службы меня до осени освободили. По глазам оставили. Сперва было совсем взяли.

Есенин — В. С. Чернявскому.
Июнь 1915 г.

С войной мне нынешний год пришлось ехать в Ревель пробивать паклю, но ввиду нездоровости я вернулся.

Есенин — Иванову-Разумнику.
Декабрь 1915 г.

Весна 1916 года. Империалистическая война в полном разгаре. Весной и осенью призывали в армию молодежь. После годовой отсрочки собирался снова к призыву и Есенин. Встревоженный, пришел он ко мне и попросил помочь ему получить железнодорожный билет для поездки на родину, в деревню, а затем в Рязань призываться. Я стал его отговаривать, доказывая, что в случае призыва в Рязани он попадет в армейскую часть, а оттуда нелегко будет его вызволить. Посоветовал призываться в Петрограде, а все хлопоты взял на себя. И действительно, я устроил призыв Есенина в воинскую часть при петроградском воинском начальнике. Явка была назначена на 15 апреля.

Хотя поэт немного успокоился, но предстоящий призыв его удручал.

М. Мурашов, с. 190.

Кстати, в том же 1923 году Есенин (это было уже в Москве) однажды показал мне свою фотокарточку, на которой он был снят в солдатском обмундировании. Он выглядел на ней очень бравым солдатиком, аккуратным не по-окопному. Помнится, будто бы он говорил мне, что служил санитаром, кажется, в каком-то госпитале Царского Села. К сожалению, в моей памяти не уцелели все подробности. И сейчас завел я этот разговор лишь потому, что в Литературной энциклопедии (том IV, стр. 80) о Есенине написано, что он "был мобилизован в 1916 году", а "после Февральской революции дезертировал с фронта". Мне с ним не пришлось разговаривать по этому поводу, но этот момент его биографии хорошо бы выяснить. В "Снегиной" он писал о себе: "Война мне всю душу изъела", "Я бросил свою винтовку..." Как же все это было?

Н. Никитин, с. 224.

Началась война. Сергея призвали в армию.

Худой, остриженный наголо, приехал он на побывку. Отпустили его после операции аппендицита.

— Какая тишина здесь, — говорил Сергей, стоя у окна и любуясь нашей тихой зарей.

E. Есенина, с. 42.

В 1916 году, насколько мне помнится, Есенин был призван на военную службу и зачислен в один из царскосельских госпиталей санитаром. Он редко появлялся у нас и приходил в штатском, а не военном костюме. Одевался он в это трудное время с иголочки и преображался в настоящего денди, научился принимать вид томный и рассеянный. Он был уже вполне уверен в себе, а временами даже самоуверен...

3. Ясинская, с. 258.

С Высочайшего соизволения назначен санитаром в Царскосельский военно-санитарный поезд № 143 Ея Императорского Величества Государыни Императрицы Александры Федоровны... Апрель 5—1916. Царское Село.

Удостоверение С. Есенина.

При некотором покровительстве полковника Ломана, адъютанта императрицы, был представлен ко многим льготам. Жил в Царском недалеко от Разумника-Иванова. По просьбе Ломана однажды читал стихи императрице. Она после прочтения моих стихов сказала, что стихи мои красивые, но очень грустные. Я ответил ей, что такова вся Россия. Ссылался на бедность, климат и проч.

Революция застала меня на фронте в одном из дисциплинарных батальонов, куда угодил за то, что отказался написать стихи в честь царя. Отказывался, советуясь и ища поддержки в Иванове-Разумнике...

Есенин.
Из "Автобиографии" 1923 г.

...Иванов-Разумник так относился к Есенину, как Петр Верховенский к Ставрогину.

Оба ошиблись.

Но подобно тому, как Верховенский сумел закружить Ставрогина в вихре бесов, отличился и Иванов-Разумник.

А. Ветлугин, с. 133.

"В 1916 году был призван на военную службу", — пишет Есенин. "При некотором покровительстве полковника Ломана, адъютанта императрицы, был представлен ко многим льготам. Жил в Царском, недалеко от Разумника-Иванова. По просьбе Ломана, однажды читал стихи императрице. Она после прочтения моих стихов сказала, что стихи мои красивы, но очень грустны. Я ей ответил, что такова вся Россия. Ссылался на бедность, климат и прочее".

Тут, несомненно, многое сказано — и многое затушевано. Начать с того, что покровительство адъютанта императрицы ни простому деревенскому парню, ни русскому поэту получить было не так легко. Не с улицы же Есенин пришел к Ломану. Несомненно, были какие-то связующие звенья, и главное — обстоятельства, в силу которых Ломан счел нужным принять участие в судьбе Есенина. Неправдоподобно и то, что стихи читались императрице просто "по просьбе Ломана". По письмам императрицы к государю мы знаем, в каком болезненно-нервозном состоянии находилась она в 1916 году и как старалась оттолкнуть от себя все, на чем не было санкции "Друга" или его кругов. Ей было во всяком случае не до стихов, тем более — никому не ведомого Есенина. В те дни и вообще-то получить у нее аудиенцию было трудно, а тут вдруг выходит, что Есенина она сама приглашает. В действительности, конечно, было иначе: это чтение устроили Есенину лица, с которыми он был так или иначе связан, и которые были близки к императрице... Есенин довольно наивным приемом пытается отвести мысль читателя от этих царскосельских кружков: он, как-то вскользь, бросает фразу о том, что жил в Царском "недалеко от Разумника-Иванова". Жил-то недалеко, но общался далеко не с одним Разумником-Ивановым.

В. Ходасевич, с. 52—53.

Возвращаясь к князю Путятину: из всех марионеток, плясавших на европейском экране, его беспокоила лишь грузная масса Распутина. Князь понимал, что Распутина можно уничтожить, лишь создав Антираспутина... Лишь выдвинув иную "деревенскую силу", которая будет "импонировать их величествам". И так как самый воздух был пропитан сумасшедшими шпагоглотательными идеями — то такой синтетический "Антираспутин" был усмотрен в "отроке Сереже" (как окрестили Есенина Невский и Тверская).

А. Ветлугин, с. 131.

В первую мировую войну Есенина не сразу взяли на военную службу. А когда дошла его очередь, он устроился вместе с нашим общим приятелем художником П. С. Наумовым и рядом других знакомых лиц в санитарную часть в Царском Селе. Вскоре после этого мы встретились с Есениным на улице, и он, сняв фуражку с коротко остриженной головы, ткнул пальцем в кокарду и весело сказал:

— Видишь, забрили? Думаешь, пропал? Не тут-то было.

Глаза его лукаво подмигивали, и сам он напоминал школяра, тайком убежавшего от старших.

М. Бабенчиков, с. 244.

Прекраснейший из сынов крещеного царства мой светлый братик Сергей Есенин взят в санитарное войско с причислением к поезду № 143 имени е. и. в. в. к. Марии Павловны... В настоящее время ему, Есенину, грозит отправка на бранное поле к передовым окопам. Ближайшее начальство советует Есенину хлопотать о том, чтобы его немедленно потребовали в вышеозначенный поезд. Иначе отправка к окопам неустранима. Умоляю тебя, милостивый, ради родимой песни и червонного всерусского слова похлопотать о вызове Есенина в поезд — вскорости.

Н. А. Клюев — Д. Н. Ломану.
Петроград, март — апрель 1916 г.

В 1916 году Есенина направили служить в "санитарный поезд императрицы Александры Федоровны", с поездом этим Есенин побывал на фронте. Летом его положили в госпиталь — на операцию аппендицита, а затем, признав негодным к строевой службе, назначили писарем при "Федоровском государевом соборе" в Царском Селе. Тут и произошло его знакомство с штаб-офицером для поручений при дворцовом коменданте Д. Н. Ломаном. Ломан и организовал чтения перед членами царской фамилии...

И. Шнейдер, с. 323.

"Отрок Сережа" был представлен ко Двору.

Голова, запрокинутая в безбрежность, глаза не в небо и не в землю, а так, поверх присутствовавших, в "никуда", голос то певучий, опьяняющий и крадущийся, как песня Ракель Меллер, то визжащий, испуганный, тревожащий — как священный бред хлыста...

Они слушали его, как Шаляпина, затаив дыхание, боясь пропустить слово...

И он читал стихи, которые для Двора были откровением земли... Которые даже для литературного обозревателя Самаркандского листка были сложнейшим техническим построением, результатом не калмыцкого "накатило", а внимательного изучения методов, провозглашенных Андреем Белым...

Если верить Есенину — вот что произошло, когда он окончил чтение в этот первый весенний вечер.

— Неужели Россия такая грустная? — сказала государыня...

— О-о-о, мать моя, — ответил Есенин, — Россия в десять раз грустнее, чем все стихи мои...

Есенин был приглашен повторить чтение. Еще и еще раз.

Десятки "экспертов" дворцовых были приглашены послушать его и высказать мнение.

И пришел день, когда Есенин встретился с Распутиным.

"Отрок" со "Старцем".

А. Ветлугин, с. 131—132.

...Это было в Царском Селе, в 1916 году. Я часто бывал в Царском и потому, что пел в лазаретах императорской семьи, и потому, что в Царском жил мой близкий друг, полковник Ломан, несший обязанности ктитора Федоровского собора.

Однажды Ломан говорит мне:

— Юрий, у тебя артистический вкус. Я хочу, чтобы ты прослушал двух юных поэтов!.. Самородки из мужиков...

Я выразил живейшее согласие, и самородки из мужиков были приведены Ломаном в трапезную Федоровского собора. Оба они были в стрелецких костюмах. Не берусь утверждать, но, кажется, Ломан одел их в стрелецкое платье, чтобы представить юных самородков императрице Александре Федоровне. Одного из них звали Есенин, а другого Кусиков. Оба они поочередно стали декламировать свои произведения. Декламация Кусикова совершенно стерлась у меня в памяти, некоторые же стихи Есенина не забылись, и в них тогда еще пленили меня места, где так художественно и свежо описывались картинки природы.

Ломан спросил мое мнение. Я высказался в пользу Есенина, отметив его полное превосходство над Кусиковым...

Ю. Морфесси.
Жизнь, любовь, сцена.
Париж, 1931, с. 135.

"На публике" Есенин избегал появляться со старцем.

А. Ветлугин, с. 133.

Кончился петербургский период карьеры Есенина совершенно неожиданно. Поздней осенью 1916 г. вдруг распространился и потом подтвердился "чудовищный слух": — "Наш" Есенин, "душка-Есенин", "прелестный мальчик" Есенин представлялся Александре Федоровне в царскосельском дворце, читал ей стихи, просил и получил от Императрицы разрешение посвятить ей целый цикл в своей новой книге!

Теперь даже трудно себе представить степень негодования, охватившего тогдашнюю "передовую общественность", когда обнаружилось, что "гнусный поступок" Есенина не выдумка, не "навет черной сотни", а непреложный факт. Бросились к Есенину за объяснениями. Он сперва отмалчивался. Потом признался. Потом взял признание обратно. Потом куда-то исчез, не то на фронт, не то в рязанскую деревню...

Книга Есенина "Голубень" вышла уже после февральской революции. Посвящение государыне Есенин успел снять. Некоторые букинисты в Петербурге и в Москве сумели, однако, раздобыть несколько корректурных оттисков "Голубени" с роковым: "Благоговейно посвящаю..." В магазине Соловьева на Литейном такой экземпляр с пометкой "чрезвычайно курьезно" значился в каталоге редких книг. Был он и в руках В. Ф. Ходасевича.

Г. Иванов, с. 35.

...летом 1918 г. один московский издатель, библиофил и любитель книжных редкостей, предлагал мне купить у него или выменять раздобытый окольными путями корректурный оттиск второй есенинской книги "Голубень".

Книга эта вышла уже после февральской революции, но в урезанном виде. Набиралась же она еще в 1916 году, и полная корректура содержала целый цикл стихов, посвященных императрице.

В. Ходасевич, с. 53.

Возмущение вчерашним любимцем было огромно. Оно принимало порой комические формы. Так С. И. Чайкина, очень богатая и еще более передовая дама, всерьез называвшая издаваемый ею журнал "Северные записки" "тараном искусства по царизму", на пышном приеме в своей гостеприимной квартире истерически рвала рукописи и письма Есенина, визжа: "Отогрели змею! Новый Распутин! Второй Протопопов!" Тщетно ее более сдержанный супруг Я. Л. Сакер уговаривал расходившуюся меценатку не портить здоровья "из-за какого-то ренегата".

Г. Иванов, с. 35.

Выслушав стихи Есенина, старец будто бы сказал:
— У-ух, и хитер же ты Серега, страсть, как хитер...
Есенин (представляете, как наивно заблистала помутневшая голубизна глаз):
— О чем это ты, Григорий Ефимович, про какую такую хитрость.
— Да уж знаю про какую! Думаешь, коли нараспев вирши свои читаешь, не понимаю я, к чему гнешь... Так и скажи князю — "прост, мол, Григорий, да не родилась еще та мышь, что коту на хвост звонок повесила..."
Есенин опять — весь недоумение... Только губы не выдержали и улыбочка... Одна из тех улыбочек, которые только на лице деревенской Моны Лизы появляются... Француз в ответ на такую улыбочку пожимает плечами и соболезнующе подмигивает. — Русские... ненормальные... кошмар... достоевщина...
— Про какого это ты князя, Григорий Ефимович, рассказываешь... Я с князьями не знаюсь...
— Ты-то... Вот что я тебе, Серега, скажу... Ты из Рязани, я сибирский... не проведет Рязань Сибирь... Про Ермака слышал... Как он Грозного царя вокруг мизинца обкрутил...
Про Ермака Есенин действительно слышал... Но — "где Днепр, где имение". Сделанные из одной и той же глины, Распутин и Есенин отлично знали, "где Днепр, где имение..."
И с момента этого сумасшедшего разговора началась дружба.

А. Ветлугин, с. 132—133.

Шел декабрь 1916 года. Я уже давно сменил студенческое пальто на шинель вольноопределяющегося. Жить приходилось в казарме, но в предпраздничные дни, с увольнительной запиской в кармане, я свободно бродил по улицам города, стараясь, впрочем, по возможности меньше попадаться на глаза офицерам, чтобы не подвергать их соблазну сделать мне какое-либо замечание. Особенно сторонился я новоиспеченных прапорщиков. Все же, гуляя по городу, трудно было не заглянуть на Невский. А в толпе на его тротуарах то и дело поблескивали золотые и серебряные погоны. Тут уж приходилось держать ухо востро. И вот, торопясь миновать Морскую, я неожиданно столкнулся с такой же робкой и быстрой фигурой в серой солдатской шинели. На меня поглядели знакомые насмешливые глаза.

— Сергей!

— Я самый. Разрешите доложить: рядовой санитарной роты Есенин Сергей отпущен из части по увольнительной записке до восьми часов вечера.

Мы оба расхохотались — так необычна была наша встреча — и тут же свернули на Мойку, чтобы никто не мог помешать нашему разговору.

Я глядел на Есенина и не узнавал его. В грубой, не по росту большой шинели с красными матерчатыми крестиками на солдатских погонах, остриженный наголо, осунувшийся и непривычно суетливый, он казался мальчиком-подростком, одетым в больничный халат. Куда девались его лихие кудри, несколько надменная улыбка?

Он рассказал мне, что ему удалось устроиться санитаром в дворцовом госпитале Царского Села.

— Место неплохое, — добавил он, — беспокойства только много. И добро бы по работе. А то начнешь что налаживать — глядь, какие-то важные особы пожаловали. То им покажи, то разъясни — ходят по палатам, путают, любопытствуют, во все вмешиваются. А слова поперек нельзя сказать. Стой навытяжку — чтоб им пусто было. Приедут с утра, и весь госпиталь вверх дном идет. Врачи с ног сбились. А они ходят по палатам, умиляются, образки раздают, как орехи с елки. Играют в солдатики, одним словом. Я и "немку" два раза видел. Худая и злющая. Такой только попадись — рад не будешь. Доложил кто-то, что вот есть здесь санитар Есенин, патриотические стихи пишет. Заинтересовались. Велели читать. Я читаю, а они вздыхают: "Ах, это все о народе, о великом нашем мученике страдальце..." И платочек из сумочки вынимают. Такое меня зло взяло. Думаю — что вы в этом народе понимаете?

Вс. Рождественский, с. 288—289.

Как я уже неоднократно подчеркивал — весь сообщаемый мной материал зиждился на рассказах самого Есенина.

Его ценность и буквальность целиком зависят от веры в эти рассказы. Есенину была свойственна известная страсть к приукрашиванию, гарнированью.

Но не думаю, чтобы он выдумывал целиком.

Да и для чего?

В частности, о встрече своей с Распутиным, он рассказывал в 1922, шесть лет после смерти Распутина, пять лет после того, как самое имя Распутина потеряло какую бы то ни было значительность.

А. Ветлугин, с. 132.

В армии он ездил на фронт с санитарным поездом, и его обязанностью было записывать имена и фамилии раненых. Много тяжелых и смешных случаев с ранеными рассказывал он. Ему приходилось бывать и в операционной. Он говорил об операции одного офицера, которому отнимали обе ноги.

Сергей рассказывал, что это был красивый и совсем молодой офицер. Под наркозом он пел "Дремлют плакучие ивы". Проснулся он калекой...

Через несколько дней Сергей уехал в Питер.

В этот приезд Сергей написал стихотворение "Я снова здесь, в семье родной..."

Е. Есенина, с. 42.

Возвращаюсь к Распутину: Есенин частенько появлялся на Гороховой, не раз они вместе путешествовали в гости к гениальному Роде, Адольфу Роде, владельцу "Виллы Роде".

По словам Есенина в Распутине его интересовал не только "тип". Такой профессионально-беллетристический подход был чужд Есенину, хотя в характере его "Пугачева" не трудно уличить распутинские черты. Есенинское самолюбие было затронуто. — Кто кого перехитрит? Чья земля сильнее? Рязанская или сибирская?

Кроме того (и это поучительно и для рязанской земли, и для Есенина), Есенин получал почти что физическое наслаждение, наблюдая, как Распутин, только что не плевал на шикарных дам и прекрасных кавалеров, толпившихся вокруг него. — Когда я бывал с Распутиным, — смаковал Есенин, — я всеми десятью пальцами ощупывал — гниет, ползет, тлеет проклятое умирающие общество. Распутин... Бумеранг... Думали сблизиться с землей, а она, бац по лбу...

А. Ветлугин, с. 133.

...Таких "преступлений", как монархические чувства, русскому писателю либеральная общественность не прощала. Есенин не мог этого не понимать и, очевидно, сознательно шел на разрыв.

Г. Иванов, с. 35.

После операции Сергей не мог ехать на фронт. Его оставили служить в лазарете в Царском Селе. Дважды он приезжал оттуда на побывку. Полковник Ломан, под начальством которого находился Сергей, позволял ему многое, что не полагалось рядовому солдату. Поездки в деревню, домой, тоже были поблажкой полковника Ломана.

Е. Есенина, с. 43.

Успенскому казалось, что в нем боролись, не на жизнь, а на смерть, — двое.

"Глеб" — ангел.

"Иваныч" — свинья.

Двое в Есенине — поэт Сергей Есенин и "отрок рязанский Серега". Двое в Есенине — один — жаждущий творить, другой — жаждущий комфорта, роскоши.

Двое в Есенине — один — спящий со сжатыми кулаками в мечтах о революции, об отомщении (хотя у него лично не было решительно никаких причин жаждать мстить), другой — культивирующий дружбу с Царским Селом.

Один, проводивший ночи с Блоком, Ивановым-Разумником, Белым в спорах, в предрассветных российских спорах, все больше ни о чем. Другой, проводящий полудни с Распутиным, князем Путятиным, фрейлинами двора.

Один, повествующий об ужасах деревни, жестокостях земли, другой, перемигивающийся с Клюевым, — "надуем, мол, городских фраеров".

Развосьмерение личности, раздесятирение личности.

А. Ветлугин, с. 134.

Миша, я под арестом на 20 дней.

Есенин — М. П. Мурашеву.
Царское Село, август 1916 г.

Есенину было страшно трудно разобраться в арсенале своих масок.

В начале, в 1913, 1914, он знал, куда и когда показываться в розовой, куда и когда в красной.

Потом, к 1916 положение усложнилось.

Подошло 6 декабря 1916 — именины царя.

И здесь снова предоставим слово Есенину, и возложим всю ответственность за точность рассказа на Есенина.

"Пришел князь Путятин и говорит: — "Сережа... шестое не за горами...

— Шестое? Это про что?

— Шестое — именины Царя.

— Ну?..

— Оду надо писать. Ждут во дворце...

— Оду?

Есенин ухмыльнулся.

— Найдите кого-нибудь другого...

Князь так и присел.

— Да пойми ты, Сережа, необходимо... Во что бы то ни стало... Во дворце...

— Во дворце вашем трупом пахнет, не стану я од писать...

Через неделю Есенин был отослан на фронт, в дисциплинарный батальон.

"Взяли поэта и бросили в банду уголовных, бандитов, жуликов..."
А. Ветлугин, с. 134.

Через неделю звонок по телефону. Слышу: Есенин.

— Ты что пропал? — спрашиваю.

— Я, брат, в казарме. Выручай.

В казарме ему было трудно. Заели насекомые. Заставляли снять волосы. Этого-то он боялся пуще всего. Он следил за своими кудрями. Часто мыл голову. А тут на нарах, в грязи...
М. Мурашов, с. 19.

...Из армии он с началом революции самовольно ретировался.
Е. Есенина, с. 43.

Лавры воина его не прельщали. Не без кокетства излагал свою дезертирскую эпопею. Попал как-то в уличную облаву. Спасся бегством. Укрылся в дворовой уборной.

— Веришь ли: два часа там сидел.
Э. Я. Герман, с. 173—174.

Другую явил я отвагу — Был первый в стране дезертир...
Есенин.
Из поэмы "Анна Снегина" 1925 г.

На Новую Землю он бежал дезертиром во времена Керенского. Рассказывал он о жизни своей там в избе с деревянным полом, о борьбе за существование и о борьбе с большими прожорливыми птицами, которые забирались в комнату и уничтожали все запасы пищи и воды. Воду покрывали крышкой, на которую накладывали тяжелые камни, а птицы опрокидывали крышку и опорожняли кадку; они уносили вилки, ложки. Больше всего и запомнилось описание этих птиц, — больших, беспокойных, сильных птиц. И сам Есенин, похожий на белую нежную птицу, словно вырастал, когда характерным движением рук описывал их...
С. Виноградская. Как жил Есенин.
М., 1926. Б-ка "Огонек", № 201, с. 15.

В действительности Есенин не был на фронте, а потому и не мог дезертировать, как напечатано в Литературной энциклопедии, том 4, стр. 80; Есенин все время жил в Петрограде и часто бывал в тогдашнем Царском Селе у Р. В. Иванова-Разумника. Туда же почти каждое воскресенье приходила женщина-врач (хирург) и под аккомпанемент Разумника Васильевича играла на скрипке. Она же была и поэтом и писала под псевдонимом Сергей Гедройц. Во время войны Гедройц служила главным врачом царскосельского госпиталя, находившегося под покровительством царицы и ее дочерей.

Когда возник вопрос об отбывании Есениным воинской повинности, Гедройц взяла его в свой госпиталь санитаром, где он и оставался вплоть до Февральской революции. Передавали, что он не раз читал там свои стихи дочерям царя — они совсем не знали современной русской поэзии. Шлиссельбуржец Панкратов, живший с царской семьей в Тобольске в качестве комиссара Временного правительства, занимался литературным воспитанием девиц. Они с интересом слушали стихи Некрасова, о котором никогда раньше не слыхали.

Естественно, что и стихи Есенина в живом чтении самого поэта увлекали их.

С. П. Постников.
Некоторые добавления к воспоминаниям о Сергее Есенине, с. 340.

Мне, волею судеб, стало кое-что известно о царскосельском периоде жизни Есенина. В 30-х гг. я работал научным сотрудником тогдашних царскосельских дворцов-музеев. Мне было поручено разобрать и ознакомиться с материалами так называемой "Детской половины" Александровского дворца, где жили дети Николая II. И там среди книг, журналов, бесчисленных фотографий, альбомов и папок я обнаружил роскошную большую, в пол-листа, папку, обложенную великолепной золотой парчой, сделанной в стиле конца XVII в. В папке лежал большой лист плотной бумаги, на котором, среди очень неплохо сделанных орнаментов в том же стиле конца XVII в., было написано, чуть ли не золотом, стихотворение "Царевнам", подписанное Есениным, — строк 8 или 12.

А. И. Иконников — Н. Н. Никитину.
Москва, 19 мая 1962 г.

(А это уже было в пору советскую. Опять мобилизация. На борьбу с белыми.)

С перепугу Есенин побежал к комиссару цирков — Нине Сергеевне Рукавишниковой.

Циркачи были освобождены от обязанности и чести с винтовкой в руках защищать республику.

Рукавишникова предложила Есенину выезжать верхом на коне на арену и читать какую-то стихотворную ерунду, сопровождающую пантомиму.

Три дня Есенин гарцевал на коне, а я с приятельницами из ложи бенуара встречал и провожал его громовыми овациями.

Четвертое выступление было менее удачным.

У цирковой клячи защекотало в ноздре, и она так мотнула головой, что Есенин, попривыкнувший к ее спокойному нраву, от неожиданности вылетел из седла и, описав в воздухе головокружительное сальто-мортале, растянулся на земле:

— Уж лучше сложу голову в честном бою, — сказал он Нине Сергеевне...

А. Мариенгоф.
Роман без вранья, с. 40—41.

21 (8) февраля 1918 г.
Есенин записался в боевую дружину.

А. Блок.
Дневник, с. 23.

В кафе пришли Мариенгоф и Шершеневич. С ними был какой-то военный с румяным, полным лицом. Поэты с военным прошли в глубь кафе и заняли стол у стенки. Мы с Есениным тоже перешли к ним и поместились за соседним столиком.

Военный начал показывать поэтам свой револьвер. Есенин сказал:

— Эх, было время, когда и мы держали в руках такие штучки!..

Известно, что в ответ на обращение Совнаркома "Социалистическое отечество в опасности", написанное В. И. Лениным в связи с немецким наступлением в 1918 году, Есенин записался в боевую дружину

Дм. Семеновский, с. 343.

...в 1918 году, когда после срыва мирных переговоров с немцами в Бресте, немцы вновь двинули армию на Восток и стали занимать Украину, я спросил Есенина (в редакции "Знамени труда") — как он это переживает?

Сергей Александрович положил ладонь на лист бумаги, лежавший на столе, и сказал:

— Видите: бумага горит — и рука сгорит. Вот как я чувствую.

Лучше объяснить он не мог. Он был поэт — не политик. Политикам это казалось недостаточным и неубедительным. И из среды левых эсеров вышли террористы Блюмкин и Борис Донской. Первый из них убил "посла германского империализма" графа Мирбаха, в Москве, а второй — германского "победителя" Украины, фельдмаршала Эйхгорна в Киеве. Блюмкина со временем казнили большевики, Донского — германцы...

Вен. Левин, с. 220.

Тогда он еще не был большим, и любители поэзии из числа комсомольцев, прочитавшие его сборник "Радуница", были в некоторой растерянности.

К нам в Можайск попало второе издание сборника. На обложке значилось: "1918. 2-й год I века".

А. Жаров, с 413.

Поэт Сергей Клычков был товарищем Есенина по издательству "Трудовая артель художников слова". Год назад друзья под маркой этого издательства выпустили несколько сборников с пометкой на обложке: "2-й год 1-го века". На этом деятельность издательства прекратилась.

Дм. Семеновский, с. 339.

Помню фразу: "Блок и я — первые пошли с большевиками!"

В. Чернявский, с. 222.

Он был, по-видимому, на стороне переворота, но принимал его по-своему, совершенно не разбираясь в соотношении сил его, в реальном ходе событий. Что-то блоковское было в его взглядах. Он был уверен, что больше всего от революции выиграет мужик.

Л. Клейнборт, с. 266.

Вместе с сестрой и Капитолиной Ивановной, дочерью константиновского священника И. Я. Смирнова, я оказалась в толпе молодежи около церкви. Слышался звон колокола, смех и шутки. Многие смотрели вверх, на колокольню. Я тоже подняла голову и увидела двух парней. Это были Клавдий Воронцов и Сергей Есенин. Клавдий звонил, а Сергей пускал с колокольни бумажных голубей.

А. Соколова, с. 209.

Что у меня осталось от Есенина? — Красный шелковый бинт, которым перевязывал кисть левой руки, да черновик "Песни о великом походе".

Кстати, о бинте. Один ленинградский писатель, глядя как-то на руки Есенина, съязвил:

— У Есенина одна рука красная, другая белая. Я не думаю, что он был прав.

В. Эрлих, с. 35.

3 января 1918 г.
Весь вечер у меня Есенин.

А. Блок.
Из дневника.

...за каждый шаг свой рано или поздно придется дать ответ, а шагать теперь трудно, в литературе, пожалуй, всего труднее.

Из разговора А. Блока с Есениным.
Дневник, с. 23.

4 января 1918 г.
О чем вчера говорил Есенин (у меня).

Кольцов — старший брат (его уж очень вымуштровали, Белинский не давал свободы, Клюев — средний — "и так и сяк" (изограф, слова собирает), а я — младший (слова дороги — только "проткнутые яйца").

Я выплевываю Причастие (не из кощунства, а не хочу страдания, смирения, сораспятия).

(Интеллигент) — как птица в клетке; к нему протягивается рука здоровая, жилистая (народ); он бьется, кричит от страха. А его возьмут... и выпустят (жест наверх; вообще — напев А. Белого — при чтении стихов и в жестах, и в разговоре).

Вы — западник.

Щит между людьми. Революция должна снять эти щиты. Я не чувствую щита между нами.

Из богатой старообрядческой крестьянской семьи — рязанец. Клюев в молодости жил в Рязанской губернии несколько лет.

Старообрядчество связано с текучими сектами (и с хлыстовством). Отсюда — о творчестве (опять ответ на мои мысли — о потоке). Ненависть к православию. Старообрядчество московских купцов — не настоящее, застывшее.

Никогда не нуждался.

Есть всякие (хулиганы), но нельзя в них винить народ.

Люба: "Народ талантливый, но жулик".

Разрушают (церкви, Кремль, которого Есенину не жалко) только из озорства. Я спросил, нет ли таких, которые разрушают во имя высших ценностей. Он говорит, что нет (т. е. моя мысль тут впереди?).

Как разрушают статуи (голая женщина), и как легко от этого отговорить почти всякого (как детей от озорства).

Клюев — черносотенный (как Ремизов). Это не творчество, а подражание (природе, а нужно, чтобы творчество было природой; но слово — не предмет и не дерево; это — другая природа; тут мы общими силами выяснили).

[Ремизов (по словам Разумника) не может слышать о Клюеве — за его революционность.]

Есенин теперь женат. Привыкает к собственности. Служить не хочет (мешает свободе).

Образ творчества: схватить, прокусить.

Налимы, видя отражение луны на льду, присасываются ко льду снизу и сосут: прососали, а луна убежала на небо. Налиму выплеснуться до луны.

Жадный окунь с плотвой во рту: плотва больше его ростом, он не может проглотить, она уж его тащит за собой, не он ее.

А. Блок.
Дневник, с. 23—24.

22 января года 1918-го, Блок записал в дневнике: "Звонил Есенин, рассказывал о вчерашнем "Утре России" в Тенишевском зале. Гизетти и толпа кричали по адресу его, А. Белого и моему — "изменники". Не подают руки. Кадеты и Мережковские злятся на меня страшно".

В. Шкловский, с. 599.

Сразу же после октябрьского переворота Есенин оказался не в партии, — членом ВКП он никогда так и не стал, — но в непосредственной близости к "советским верхам". Ничего странного в этом не было. Было бы, напротив, удивительно, если бы этого не случилось.

Представить себе Есенина у Деникина, Колчака или, тем более, в эмиграции психологически невозможно. От происхождения до душевного склада — все располагало его отвернуться от "керенской России" и не за страх, а за совесть поддержать "рабоче-крестьянскую".

Г. Иванов, с. 36.

В автобиографии 1922 года он написал: "В РКП я никогда не состоял, потому что чувствую себя гораздо левее".

"Левее" значило для него — дальше, позже, за большевиками, над большевиками. Чем "левее" — тем лучше.

В. Ходасевич, с. 54.

Нет, поэт не был чужд революции, — он был несроден ей. Есенин интимен, нежен, лиричен, — революция публична, — эпична, — катастрофична. Оттого-то короткая жизнь поэта оборвалась катастрофой.

Л. Д. Троцкий. Там же...

Вращался он тогда в дурном обществе. Преимущественно это были молодые люди, примкнувшие к левым эсерам и большевикам, довольно невежественные, но чувствовавшие решительную готовность к переустройству мира. Философствовали непрестанно и непременно в экстремистском духе. Люди были широкие. Мало ели, но много пили. Не то пламенно веровали, не то пламенно кощунствовали. Ходили к проституткам проповедовать революцию — и били их. Основным образом делились на два типа. Первый — мрачный брюнет с большой бородой. Второй — белокурый юноша с длинными волосами и серафимическим взором, слегка "нестеровского" облика. И те, и другие готовы были ради ближнего отдать последнюю рубашку и загубить свою душу. Самого же ближнего — тут же расстрелять, если того "потребует революция". Все писали стихи и все имели непосредственное касательство к чека. Кое-кто из серафимических блондинов позднее прославился именно на почве расстреливания. Думаю, что Есенин знался с ними из небрезгливого любопытства и из любви к крайностям, каковы бы они ни были.

В. Ходасевич, с. 61.

...для Есенина сближение с большевиками не имело неизбежного для любого русского интеллигента зловещего оттенка измены. Наоборот, по его тогдашним понятиям, это Временное правительство изменило царю и народу, а Ленин, отняв у Керенского власть, выполнил народную волю. Так, по-мужицки, инстинктивно рассуждает он сам. Так думали и его тогдашние друзья: Клюев, Пимен Карпов, Клычков.

Г. Иванов, с. 36.

Помню такую историю. Тогда же, весной 1918 г. Алексей Толстой вздумал справлять именины. Созвал всю Москву литературную: "Сами приходите и вообще публику приводите". Собралось человек сорок, если не больше. Пришел и Есенин. Привел бородатого брюнета в кожаной куртке. Брюнет прислушивался к беседам. Порою вставлял словцо — и не глупое. Это был Блюмкин, месяца через три убивший графа Мирбаха, германского посла. Есенин с ним, видимо, дружил. Была в числе гостей поэтесса К. Приглянулась она Есенину. Стал ухаживать. Захотел щегольнуть — и простодушно предложил поэтессе:

— А хотите поглядеть, как расстреливают? Я это вам через Блюмкина в одну минуту устрою.

В. Ходасевич, с. 61.

...Была одна новая черта у самовлюбленнейшего Есенина: он с некоторой завистью относился ко всем поэтам, которые органически спаялись с революцией, с классом и видели перед собой большой и оптимистический путь.

В. Маяковский, с. 359.

Кажется, жил он довольно бестолково. В ту пору сблизился и с большевистскими "сферами".

В. Ходасевич, с. 61.

Перед тем как написать "Небесного барабанщика", Есенин несколько раз говорил о том, что он хочет войти в Коммунистическую партию. И даже написал заявление, которое лежало у меня на столе несколько недель... Только немного позднее, когда Н. Л. Мещеряков написал на оригинале "Небесного барабанщика", предназначавшегося мною для напечатания в "Правде": "Нескладная чепуха. Не пойдет. Н. М.", — Есенин окончательно бросил мысль о вступлении в партию. Его самолюбие было ранено...

Г. Устинов, с. 184.

Клюев, повлиявший на Есенина больше, чем кто-нибудь другой, называл эту мечту то "Новым Градом", то "Лесной Правдой". Есенин назвал ее "Инонией". Поэма под этим названием, написанная в 1918 г., — ключ к пониманию Есенина эпохи военного коммунизма. Как стихи, это, вероятно, самое совершенное, что он создал за всю свою жизнь. Как документ, яркое свидетельство искренности его безбожных и революционных увлечений.

Г. Иванов, с. 36.

В начале 1919 года вздумал он записаться в большевистскую партию. Его не приняли, но намерение знаменательно.

В. Ходасевич, с. 61.

Первой женой Сергея Александровича была моя секретарша в редакции газеты "Дело народа".

Должен сознаться, что я, в суете того времени, как-то проглядел этого интересного и хорошего человека — Зинаиду Николаевну Райх.

С. Постников, с. 340—341.

На лекциях о жизни и творчестве Сергея Есенина постоянно задается вопрос: "Кому написано "Письмо к женщине"?" Его задают мастерам художественного слова, читающим "Письмо к женщине". С этим вопросом неизменно обращаются ко мне, когда я выступаю с личными воспоминаниями о поэте. И ответ всегда и у всех один: первой законной жене Сергея Есенина — Зинаиде Николаевне Райх, матери двух детей поэта.

И. Шнейдер, с. 411.

Однажды с Есениным мы ехали на извозчике по Литейному проспекту. Увидев большой серый дом в стиле модерн на углу Симеоновской (теперь ул. Белинского), он с грустью сказал:

— Я здесь жил когда-то... Вот эти окна! Жил с женой в начале революции. Тогда у меня была семья. Был самовар, как у тебя. Потом жена ушла...

Н. Никитин, с. 226.

Весной 1917 года Зинаида Николаевна жила в Петрограде одна, без родителей, работала секретарем-машинисткой в редакции газеты “Дело народа”. Есенин печатался здесь. Знакомство состоялось в тот день, когда поэт, кого-то не застав, от нечего делать разговорился с сотрудницей редакции.

А когда человек, которого он дожидался, наконец пришел и пригласил его, Сергей Александрович, со свойственной ему непосредственностью, отмахнулся:

— Ладно уж, я лучше здесь посижу...

Зинаиде Николаевне было 22 года. Она была смешлива и жизнерадостна.

Т. Есенина (дочь поэта), с. 264—265.

Мать была южанкой, но к моменту встречи с Есениным уже несколько лет жила в Петербурге, сама зарабатывала на жизнь, посещала Высшие женские курсы. Вопрос “кем быть?” не был еще решен. Как девушка из рабочей семьи, она была собранна, чужда богеме и стремилась прежде всего к самостоятельности.

Т. Есенина (дочь поэта).
В сб. “С. А. Есенин в восп. современников”.
М., “Худ. лит”, 1986. Т. 2, с. 264.*

Не любя Зинаиду Райх (это необходимо принять во внимание), я обычно говорил о ней:

— Эта дебелая еврейская дама.

Щедрая природа одарила ее чувственными губами на лице, круглом, как тарелка. Одарила задом величиной с громадный ресторанный поднос при подаче на компанию. Кривоватые ноги ее ходили по земле, а потом и по сцене, как по палубе корабля, плывущего в качку. Вадим Шершеневич в одной из своих рецензий, после очередной мейерхольдовской премьеры, нагло скаламбурил: “Ах, как надоело мне смотреть на райх-итичные ноги!”.

А. Мариенгоф.
Мой век..., с. 308—309.

─────────────

* Далее — по этому изданию.

...Она была женственна, классически безупречной красоты, но в семье, где она росла, было не принято говорить об этом, напротив, ей внушали, что девушки, с которыми она дружила, "в десять раз красивее".

Т. Есенина (дочь поэта), с. 265.

...У Зинаиды Николаевны были тогда две косы, уложенные вокруг головы.

М. Свирская, с. 146.

... Какое-то время она брала уроки скульптуры. Читала бездну. Одним из любимых ее писателей был тогда Гамсун, что-то было близкое ей в странном чередовании сдержанности и порывов, свойственном его героям.

Т. Есенина (дочь поэта), с. 264.

Со дня знакомства до дня венчания прошло примерно три месяца. Все это время отношения были сдержанными, будущие супруги оставались на "вы", встречались на людях. Случайные эпизоды, о которых вспоминала мать, ничего ни говорили о сближении.

Т. Есенина (дочь поэта), с. 265.

Но вот однажды моя секретарша почему-то не пришла на службу. Пропадала она три дня, а потом явилась и на наши расспросы радостно сообщила, что ездила с Сережей в Шлиссельбург венчаться... Не помню уж, кто у них был тогда шафером.

С. Постников, с. 342.

...еще до знакомства с Есениным у нее появился жених... она дала согласие, но сроки свадьбы не оговаривались.

Появление Ганина, а потом Есенина, видимо, заставило Райх забыть о женихе.

Неясно, в каком составе они путешествовали по Северу: "Слишком уж отчетливо я помню такие слова матери: "Все трое были ко мне немного неравнодушны", или такие: "Мы все четверо вышли в Вологде". Кто был четвертым — об этом пока ничего не известно".

Т. Есенина (дочь поэта), с. 103.

Слова "не помню их имен" справедливы для того времени, когда эта статья печаталась в сб. "Есенин и современность" (изд-во "Современник". 1975). Теперь я могу назвать одного из спутников — это был приятель моего отца поэт А. Ганин. Эта фамилия не "всплыла" в памяти сама собой. В ЦГАЛИ хранится план воспоминаний моей матери о Есенине. Воспоминания написаны не были, а с планом я познакомилась сравнительно недавно. Ганин упомянут в том пункте, где речь идет о поездке к Белому морю.

Т. Есенина (дочь поэта).
Из более поздних комментариев к своим восп., с. 265.

В сноске о Ганине хотела добавить, что его имя есть в церковной книге, как свидетеля на свадьбе.

Т. С. Есенина — Т. П. Флор-Есениной.
Ташкент, 18 января 1984 г.

Летом 17-го года вбежал в Общество Есенин: "Мина, едемте с ними на Соловки. Мы с Алешей едем". Это было очень неожиданно и в обстановке, в которой я жила, похоже на шутку. В Обществе работала старая эсерка Софья Карклеазовна Макаева. Женщина резкая, но относившаяся к нам, молодежи — хорошо, любившая и подшутить над нами. И тут не упустила, чтобы не посмеяться над "фантастическими глупостями", которые во время подготовки к выборам в Учредительное собрание могут прийти в голову только бездельникам. Как и очень часто, мне нужно было на Галерную, Есенин пошел со мной. Придя к Зинаиде, я ей тут же рассказала, что Сергей с Алешей собрались ехать на Соловки и Сергей пришел звать меня. Она вскочила, захлопала в ладоши — "Ох, как интересно! Я поеду. Сейчас пойду отпрашиваться к Сереженьке!" — так мы называли за глаза Сергея Порфирьевича Постникова, секретаря газеты "Дело народа", непосредственного начальника Зинаиды. Она убежала, быстро вернулась очень довольная, завертелась по комнате, приговаривая: "Сереженька меня отпустил". Вдвоем они стали меня уговаривать ехать с ними. Возбуждение Зинаиды Николавны, может быть, на какое-то мгновение передалось мне. Но я не могла себе представить, что имею право бросить работу в Обществе, которой в то время, в связи с выборами в Учредительное собрание, было много. Сергей и Зинаида начали обсуждать подробности поездки. Помню, что Сергей с Алешей должны были выехать раньше, а Зинаида где-то к ним присоединиться. Как оказалось, ни у Сергея, ни у Алеши почти не было денег. У Зинаиды была какая-то заветная сумма, которую она предложила на поездку. Я ушла. Сергей остался на Галерной. Больше ничего об их отъезде вспомнить не могу. Некоторое время спустя в Общество пришел Гаврила Андреевич Билима-Пастернак и рассказал, что ездил в Архангельскую область по выборам в Учредительное собрание и на пароходе в Белом море встретил их троих. Сколько времени продолжалась их поездка, не помню. Но помню, что кто-то пришел и сказал, что был на Галерной и что Зинаида Николаевна вернулась. Я тут же пошла туда. Она писала какую-то служебную бумагу, показала: "Сейчас допишу". Она дописала и повернула в мою сторону написанную бумагу, указывая на свою подпись: Райх-Есенина. — "Знаешь, нас с Сергеем на Соловках попик обвенчал", — сказала она. Мне не было еще и семнадцати лет, сосредоточиться на этом событии я не умела и не задавала никаких вопросов. Зинаида сама стала рассказывать. Ей казалось, что если она выйдет замуж, то выйдет за Алексея. Что с Сергеем ее связывают чисто дружеские отношения. Для нее было до некоторой степени неожиданностью, когда на пароходе Сергей сказал, что любит ее и жить без нее не может, что они должны обвенчаться. На Соловках они набрели на часовенку; в которой шла служба, и там их обвенчали. Ни Сергей, ни Алексей мне об этом ничего не рассказывали.

Мина Свирская.
Знакомство с Есениным.
"Минувшее". Вып. 7. Париж, 1988, с. 38—39.

...Сергей Александрович сделал матери предложение, сказав громким шепотом:

— Я хочу на вас жениться.

Ответ: "Дайте мне подумать" — его немного рассердил. Решено было венчаться немедленно.

Т. Есенина (дочь поэта), с. 265.

Довольно забавен был рассказ деда, отца матери, о ее замужестве. В тихий Орел, где тогда жили родители матери, в грозовое лето 1917 года пришла телеграмма: "Выхожу замуж, вышли сто. Зинаида". Отец и мать, незадолго до этого познакомившиеся, отправились в путешествие. Им было тогда 22 и 23 года. Даже неполных.

К. Есенин (сын поэта), с. 278.

... В ответ на телеграмму "Вышли сто, венчаюсь" — их выслал из Орла, не требуя объяснений, отец Зинаиды Николаевны. Купили обручальные кольца, нарядили невесту. На букет, который жениху надлежало преподнести невесте, денег уже не было. Есенин нарвал букет полевых цветов по пути в церковь — на улицах всюду пробивалась трава, перед церковью была целая лужайка.

Т. Есенина (дочь поэта), с. 265.

... Все четверо сошли в Вологде. Денег ни у кого уже не было.

Т. Есенина (дочь поэта), с. 265.

"В конце лета приехали трое в Орел, — рассказывал дед. — Зинаида с мужем и какой-то белобрысый паренек. Муж — высокий, темноволосый, солидный, серьезный. Ну, конечно, устроили небольшой пир. Время трудное было. Посидели, попили, поговорили. Ночь подошла. Молодым я комнату отвел. Гляжу, а Зинаида не к мужу, а к белобрысенькому подходит. Я ничего не понимаю. Она с ним вдвоем идет в отведенную комнату. Только тогда и сообразил, что муж-то — белобрысенький. А второй — это его приятель, мне еще его устраивать надо". Дед, как все деды, любил солидность и основательность. Мальчишеский вид Сергея Александровича его обескуражил.

К. Есенин (сын поэта), с. 278.

Мои воспоминания ведут меня к дому № 33 по Литейному. В этом доме провел Есенин первые месяцы своего брака с Зин. Ник. Райх (тогда вовсе не актрисой, а просто молодой редакционной работницей, красивой, спокойной, мягким движением кутавшейся в теплый платок).

В. Чернявский, с. 216.

Поселилась она на Литейном в квартире, часть которой занимало какое-то кооперативное издательство. Там же жили друзья Зинаиды по Вендорам — брат и сестра: Савелий Павлович и Раиса Павловна. Савелий Павлович имел отношение к этому издательству. Зинаида с Сергеем заняли в этой квартире небольшую светлую комнату. Где-то в квартире устроился Ганин. Жили они коммуной. Хозяйством заправляла Зинаида.

М. Свирская, с. 146.

В доме № 33 по Литейному молодые Есенины наняли во втором этаже две комнаты с мебелью, окнами во двор. С ноября по март был я у них частым, а то и ежедневным гостем. Жили они без особенного комфорта (тогда было не до того), но со своего рода домашним укладом и не очень бедно. Сергей много печатался, и ему платили как поэту большого масштаба. И он, и Зинаида Николаевна умели быть, несмотря на начавшуюся голодовку, приветливыми хлебосолами. По всей повадке они были настоящими "молодыми". Сергею доставляло большое удовольствие повторять рассказ о своем сватовстве, связанном с поездкой на пароходе, о том, как он "окрутился" на лоне северного пейзажа. Его, тогда еще не очень избалованного чудесами, восхищала эта неприхотливая романтика и тешило право на простые слова: "У меня есть жена". Мне впервые открылись в нем черточки "избяного хозяина" и главы своего очага. Как-никак тут был его первый личный дом, закладка его собственной семьи, и он, играя иногда во внешнюю нелюбовь ко всем "порядкам" и ворча на сковывающие мелочи семейных отношений, внутренне придавал укладу жизни большое значение. Если в его характере и поведении мелькали уже изломы и вспышки, предрекавшие непрочность этих устоев, — их все-таки нельзя было считать угрожающими.

В. Чернявский, с. 218.

...В их укладе начала чувствоваться домовитость. Приближался день рождения Сергея, Зинаида просила меня прийти. Сказала, что будет только несколько человек — закуски ведь будет очень мало. Я пришла. Электричество не горело. На столе стояла маленькая керосиновая лампа, несколько свечей. Несколько бутылок и какая-то закуска. По тем временам стол выглядел празднично. Были Раиса Павловна, Савелий Павлович, Ганин, Иванов-Разумник, Петр Орешин и еще кто-то, но не вспомню. Было очень оживлённо и весело. Есенин настоял, чтобы я с ним и с Алешей выпила на брудершафт. Мы выпили. Ганин стал придумывать для меня штраф, если я буду сбиваться с "ты" на "вы". Вдруг Есенин встал, взял со стола одну свечу и потянул меня за руку: "Идем со мной, мы сейчас вернемся". Я встала и пошла за ним в их комнату, Есенин сел за стол и показал мне рукой на второй стул у стола. Я села. Он стал писать.

— Сережа, я пойду.

— Нет, нет, я сейчас, сейчас.

Дописав, он прочел мне следующее стихотворение. Хорошо помню, что в нем было пять четверостиший, но пятое вспомнить не могу.

МИНЕ

От берегов, где просинь
Душистей, чем вода,
Я двадцать третью осень
Пришел встречать сюда.

Я вижу сонмы ликов
И смех их за вином,
Но журавлиных криков
Не слышу за окном.

О, радостная Мина,
Я так же, как и ты,
Влюблен в мои долины (?)
Как в детские мечты.

Но тяжелее чарку
Я подношу к губам
Как нищий злато в сумку,
С слезою пополам.

— Сережа, почему ты написал, что влюблен так же, как я? Ведь ты меня научил любить. — Он ничего не ответил. Держа свечу в одной руке и листок со стихотворением в другой, вышел из комнаты. Я пошла за ним. Он прочел стихотворение присутствующим и отдал его мне. Оно было у меня до моего отъезда из Петрограда в Самару весной 1918 года.

Первое стихотворение я положила в томик Герцена — "Письма с того берега". Это было первое заграничное издание. Я этот томик очень берегла. В нем, кроме стихотворения Есенина, лежала фотография "бабушки" Бреш-ко-Брешковской. Она держала развернутую газету "Земля и воля". Я сижу у ее ног на маленькой скамеечке. На обороте "бабка" сделала надпись, назвав меня "правнучкой". Этот томик с его содержимым исчез из моего портфеля еще во время существования Общества.

В вечер дня рождения Есенина, когда мы все уже собирались уходить, Ганин сказал, что пойдет меня провожать. Он уже снял пальто с вешалки. Сергей подошел к нему, взял у него из рук пальто и быстро одел его на себя. Погода была пресскверная. Моросил мелкий дождь. По мере того, как мы приближались к Неве, туман усиливался. Мы шли молча. Мне это молчание было тягостно. Хотелось его нарушить, я не знала, как это сделать. На мосту я остановилась и сказала: "Давай смотреть на воду, интересно, что мы увидим сегодня в день твоего рождения". — "Ничего не получится", — ответил он и потянул меня за руку. И молча мы дошли до моего дома. Через день или два пришел в Общество Ганин: "Если бы ты знала, как Сергуньке попало". — "Алеша, за что?" — "Нет, не за то, что он пошел тебя провожать. Зина упрекала его, что он не подарил ей ни одного стихотворения. Он слушал ее, надувшись, ничего ей не ответил, потом быстро оделся и ушел. Я думал, он у вас". — "Нет, к нам он не приходил". Уже после ухода Ганина очень мрачный пришел Есенин. Я ему сказала, что приходил Ганин, искал его. Он мне ничего не ответил, уселся читать и быстро ушел.

М. Свирская, с. 148—149.

Было около четырех часов утра, когда мы разошлись. Есенин надел меховой пиджак и шляпу. Я предложил ему заночевать у меня, но он отказался.

— А жену кому?.. Я, брат, жену люблю! Приходи к нам... Да вообще... так нельзя... в одиночку!

П. Орешин, с. 244.

...В нем была какая-то робость и застенчивость. И когда уже много лет спустя Зинаида сказала Косте: "Твой отец ухаживал за Миной", — слово "ухаживал" меня задело. Ничего от этого не было в наших отношениях. Это была дружба.

М. Свирская, с. 151.

Исправив строчку или найдя нужный ему образ (неизменно космический!), Сергей, нежно поприветствовав гостя — меня или другого, — начинал без разбору распоряжаться: "Почему самовар не готов?" или: "Ну, Зинаида, что ты его не кормишь?", или: "Ну, налей ему еще!"

У небольшого обеденного стола близ печки, в которой мы трое по вечерам за тихими разговорами (чаяниями и воспоминаниями) пекли и ели с солью революционную картошку, нередко собирались за самоваром гости. Из них в то время очень желанными и "своими" были, насколько я помню, А. Чапыгин, П. Орешин и художник К. Соколов (все трое не изменили Сергею в преданной дружбе).

В. Чернявский, с. 219.

Две Зинаиды — Зинаида Валентиновна и Зинаида Есенина очень подружились. От своей Зины я узнавал многие подробности жизни Есенина. Иногда он исчезал на несколько дней и пропадал неизвестно где с неизвестными людьми. Это было время его дружбы с Анатолием Мариенгофом, Вадимом Шершеневичем, Александром Кусиковым и другими представителями литературной богемы Москвы того времени. Зинаида мирилась с этими чертами его характера, но ей было трудно, очень трудно, и об этом она часто рассказывала моей жене. Но это нисколько не мешало нашей дружбе — я никогда не видел Есенина неприличным — он всегда был джентльменом, трезвым, чистым, аккуратным. Та, другая сторона жизни, была мне известна лишь со слов второго лица — моей Зинаиды.

Вен. Левин, с. 214.

Помнится, под праздник или после получения гонорара Сергей приносил иногда бутылку-другую вина, которое нетрудно было добыть из-под полы. Но от пьянства он был совершенно далек и выпивал только "ради случая".

В. Чернявский, с. 219—220.

Зинаида сказала ему, что он у нее первый. И соврала. Этого — по-мужицки, по темной крови, а не по мысли — Есенин никогда не мог простить ей. Трагически, обреченно не мог.

Годы отщелкивались, как костяшки на купеческих счетах. Пусто. Всякий раз, когда Есенин вспоминал Зинаиду, судорога сводила его лицо, глаза багровели, руки сжимались в кулаки:

— Зачем соврала, гадина!

А. Мариенгоф.
Мой век..., с. 384.

Однажды привелось слышать и такое:

— Но смотрите, чтоб ребенок был светлый. Есенины черными не бывают. (Узнаю позже: он говорил так и жене, Зинаиде Райх!).

Н. Вольпин, с. 340.

Да, Зинаида Николаевна ушла, потому что он начал ту жизнь, которую после Мариенгоф описал в "Романе без вранья". Но Зинаида Николаевна очень старалась наладить их общую семейную и трудовую жизнь. Я бывал у них на Литейном. Помню, она же устроила в Тенишевском доме открытое чтение стихов Сергея Александровича.

И все-таки ей не удалось наладить их жизнь...

С. Постников, с. 342.

Об этой первой настоящей ссоре мне было рассказано подробно. До этого дня она ни малейших изменений в отношении к себе своего мужа не замечала.

Она пришла с работы. В комнате, где он обычно работал за обеденным столом, был полный разгром, на полу валялись раскрытые чемоданы, вещи смяты, раскиданы, повсюду листы исписанной бумаги. Топилась печь, он сидел перед нею на корточках и не сразу обернулся — продолжал засовывать в топку скомканные листы. Она успела разглядеть, что он сжигает рукопись своей пьесы. Но вот он поднялся ей навстречу. Чужое лицо — такого она еще не видела. На нее посыпались ужасные, оскорбительные слова — она не знала, что он способен их произносить. Она упала на пол — не в обморок, просто упала и разрыдалась. Он не подошел. Когда поднялась, он, держа в руках какую-то коробочку, крикнул: "Подарки от любовников принимаешь?!" Швырнул коробочку на стол. Она доплелась до стола, опустилась на стул и впала в оцепенение — не могла ни говорить, ни двигаться.

Они помирились в тот же вечер. Но они перешагнули какую-то грань, и восстановить прежнюю идиллию было уже невозможно. В их бытность в Петрограде крупных ссор больше не было, но он, осерчав на что-то, уже мог ее оскорбить.

Т. Есенина (дочь поэта), с. 103—104.

Больше всех он ненавидел Зинаиду Райх.

Вот ее, эту женщину с лицом круглым и белым, как тарелка, эту женщину, которую он ненавидел больше всех в жизни, ее — единственную — он и любил...

А. Мариенгоф.
Мой век..., с. 384.

...Я знала, что так, как Зинаиду Николаевну, он никого никогда не будет любить.

Г. А. Бениславская.
Материалы..., с. 81.

— Не скрою, было, было. В прошлом. Сильно любил. Но с тех пор уже никогда. И больше полюбить не смогу...

— Знаю, кого вы любили: жену! Зинаиду Райх!

Последовало рьяно отрицание.

Н. Вольпин, с. 259.

Была Зинаида Николаевна, но она, ей-Богу, внешне не лучше "жабы". Лида почти угадала. Не ожидала; что угодно, но не такая. И в нее так влюбиться, что не видит революции?! Надо же!

Г. А. Бениславская.
Дневник..., с. 105.

...Зинаида разошлась с ним (у них было двое детей) и вышла замуж за режиссера Мейерхольда. Время от времени он посещал своих детей и с Зинаидой у него сохранились хорошие товарищеские отношения. Зинаида Райх стала заметной актрисой в труппе театра Мейерхольда.

Вен. Левин, с. 217.

...и не поверила я его поэтической похвальбе (пусть высказанной якобы устами его матери): "Свою жену легко отдал другому!.."

Н. Вольпин, с. 261.

Не знаю, любила она его или нет, но прожила с ним не больше одного года. Потом ушла к Мейерхольду, который ее боготворил и сделал из нее хорошую артистку. А Есенин любил ее до самой смерти.

С. Постников, с. 344.

Мне кажется, что и у нее другой любви не было. Помани ее Есенин пальцем, она бы от Мейерхольда убежала без зонтика в дождь и град.

А. Мариенгоф.
Мой век..., с. 385.

Первые ссоры были навеяны поэзией. Однажды они выбросили в темное окно обручальные кольца (Блок — "Я бросил в ночь заветное кольцо") и тут же помчались их искать (разумеется, мать рассказывала это с добавлением: "Какие же мы были дураки!").

Т. Есенина (дочь поэта), с. 266.

Райх актрисой не была — ни плохой, ни хорошей. Ее прошлое — советские канцелярии. В Петрограде, в Москве, у себя на родине в Орле (в военном комиссариате) и опять в Москве. А в канун романа с Мейерхольдом она уже заведовала каким-то отделом в каком-то учреждении и не без гордости.

А. Мариенгоф.
Мой век..., с. 308.

...до 1924 года такой актрисы не существовало (свою первую роль она сыграла в возрасте 30 лет).

Т. Есенина (дочь поэта), с. 264.

Брошенная Есениным, она стала женой Мейерхольда, который в спешном порядке делал из этой скромной совслужащей знаменитую актрису...

Хорошей актрисой Зинаида Райх, разумеется, не стала, но знаменитой — бесспорно. Свое черное дело быстро сделали: во-первых, гений Мейерхольда; во-вторых, ее собственный алчный зад; в-третьих — искусная портниха, резко разделившая этот зад на две могучие половинки; и, наконец, многочисленные ругательные статейки. Ведь славу-то не хвалебные создают!..

Анатолий Мариенгоф.
Мой век...,
Изд. "Худ. лит.", 1988, с. 307.

Зинаида Николаевна была интересным и содержательным человеком. Иванов-Разумник часто получал от нее письма, когда она жила уже с Мейерхольдом. Он говорил что ее письма всегда были умные и взволнованные. Вспоминала и Есенина, от которого имела второго ребенка, после встречи, когда Есенин возвращался с Кавказа.

С. Постников, с. 343.

Потом между ними произошел разрыв, и Зинаида Николаевна снова уехала со мной к своим родным. Непосредственной причиной, видимо, было сближение Есенина с Мариенгофом, которого мать совершенно не переваривала. О том, как Мариенгоф относился к ней, да и вообще к большинству окружающих, можно судить по его книге "Роман без вранья".

T. Есенина (дочь поэта), с. 266.

Нежно обняв за плечи и купая свой голубой глаз в моих зрачках, Есенин спросил:

— Любишь ли ты меня, Анатолий? Друг ты мне взаправдашний или не друг?

— Чего болтаешь?

— А вот что... не могу с Зинаидой жить... вот тебе слово, не могу... говорил ей — понимать не хочет... не уйдет, и все... ни за что не уйдет... вбила себе в голову: "Любишь ты меня, Сергун, это знаю и другого знать не хочу"... Скажи ты ей Толя (уж так прошу, как просить больше нельзя!), что есть у меня другая женщина...

— Что ты, Сережа!..

— Эх, милой, из петли меня вынуть не хочешь... петля мне ее любовь... Толюк, родной, я пойду похожу... по бульварам, к Москве-реке... а ты скажи, — она непременно спросит, — что я у женщины... с весны, мол, путаюсь и влюблен накрепко... а таить того не велел... Дай тебя поцелую...

Зинаида Николаевна на другой день уехала в Орел...

А. Мариенгоф.
Роман без вранья, с. 24.

Отец, как известно, не скрывал, что его семью помог разрушить Мариенгоф... Мариенгоф с помощью какой-то выдумки спровоцировал ужасающую сцену ревности. До родов оставался месяц с днями, мать прожила их у кого-то из знакомых. Вернуться к своим родителям она не могла, военные действия в районе Орла продолжались. Костя родился 3 февраля (1920 г. — *Ред.*).

T. Есенина (дочь поэта), с. 103.

Случайно на платформе ростовского вокзала я столкнулся с Зинаидой Николаевной Райх. Она ехала в Кисловодск.

Зимой Зинаида Николаевна родила мальчика. У Есенина спросила по телефону:

— Как назвать?

Есенин думал, думал — выбирая нелитературное имя — и сказал:

— Константином.

После крещения спохватился:

— Черт побери, а ведь Бальмонта Константином зовут.

На сына смотреть не поехал.

А. Мариенгоф.
Роман без вранья, с. 47.

Отдел расторжений
Сергея Александровича Есенина,
гр. Рязанской губ. и уезда, села Константиново
Заявление
Прошу не отказать в Вашем распоряжении об оформлении моего развода с моей женой Зинаидой Николаевной Есениной-Райх. Наших детей — Татьяну трех лет и Константина одного года оставляю для воспитания у моей бывшей жены Зинаиды Николаевны Райх, беря на себя материальное обеспечение их, в чем и подписываюсь.

Сергей Есенин.
Москва, 19 февр. 1921 г.

А вот еще есенинские частушки:

> — Ох, и песней хлестану,
> Аж засвищет задница.
> Коль возьмешь мою жену,
> Буду низко кланяться.

> Пей, закусывай изволь!
> Вот Перцовка под леща!
> Мейерхольд, ах, Мейерхольд,
> Выручай товарища.

> Уж коль в суку ты влюблен,
> В загс да и в кроваточку.
> Мой за то тебе поклон
> Будет низкий — в пяточку...

А. Мариенгоф.
Роман без вранья, с. 81.

...достает из кармана распечатанное письмо.
— Вот. От жены. Из Кисловодска.
Знаю, что с женой он разошелся, но развода еще не оформил.
— Она там с ребенком. А пишет, как всегда: чтоб немедленно выслал деньги.
— Пошлете?
В голосе Есенина сильное раздражение.
— Конечно! Но только, когда пройдет это "немедленно"!..

Н. Вольпин, с. 251.

Есенин тосковал о детях.
— Анатолий все сделал, чтобы поссорить меня с Райх.
Уводил его из дома. Постоянно твердил, что поэт не должен быть женат.
— Развел меня с Райх, а сам женился и оставил меня одного...

А. Миклашевская, с. 282.

Безусловно, судя по рассказам матери и ее подруги — Зинаиды Вениаминовны Гейман, сыграли роль и "друзья" отца из группы "мужиковствую-щих", неприязненно относившихся к моей матери.

Она и сама относилась к ним с неприязнью, видя их тлетворное влияние на отца.

Видимо, сыграла во всем этом деле роль и нерусская фамилия матери — Райх, которую она получила от своего отца — моего деда. "Мужиковствую-щие" настаивали на ее (еврейском) нерусском происхождении, в то время как мать у нее была русской, даже вышедшей из захудалого дворянского рода (Анна Ивановна Викторова). Отец матери — Николай Андреевич Райх — железнодорожник, выходец из Силезии. Национальная принадлеж-ность его затерялась в метриках прошлого века.

Насколько мне известно, мать и С. А. переживали разрыв мучительно, и даже после того, как мать вышла замуж за Всеволода Эмильевича Мейер-хольда, встречались неоднократно на квартире Зинаиды Вениаминовны Гейман. Всеволод Эмильевич, по словам З. В. Гейман, а он был человек наблюдательный, узнал об этих встречах и имел серьезный разговор с З. В. "Вы знаете, чем все это кончится? С. А. и З. Н. снова сойдутся, и это будет новым несчастьем для нее".

К. Есенин — М. Ройзману,
2 декабря 1967 г. (ГЛМ, ф. 2809, оп. 1, ед. хр. 114).

В нагрудном кармане пиджака Сергей постоянно носит фотокарточки своих детей: детей от Зинаиды Райх — Тани и Кости. Любит показывать их собеседникам. А мужчины, поглядев, редко откажут себе в замечании, обы-денном в те первые послереволюционные годы: "Откуда у тебя такая уве-ренность, что дети твои? Ну, дочка светленькая, на тебя похожа, а сын весь в мать..." И далее намеки на незадавшуюся брачную жизнь Сергея. Грубая, мужская жеребятина...

Н. Вольпин, с. 281.

...Носил при себе не расставаясь карточки своих детей и сестры. Иногда вваливался неожиданно, с ворохом игрушек, в квартиру бывшей своей жены — и тогда был странен, нежен с детьми — и мучителен.

Б. М. Зубакин — М. Горькому.
Москва, 1926 г.

... Я пользовался значительно меньшим вниманием отца. В детстве я был очень похож на мать — чертами лица, цветом волос. Татьяна — блондинка, и Есенин видел в ней больше своего, чем во мне.

К. Есенин (сын поэта), с. 276.

Зина! Я послал тебе вчера 2000 руб. Как получишь, приезжай в Москву. Сергей Есенин.

Типография заработала. Денег у меня пока для тебя 10000 руб.

Есенин — З. Н. Райх
18 июня 1919 г.

...есть к тебе особливая просьба. Ежели на горизонте появится моя жена Зинаида Николаевна, то устрой ей как-нибудь через себя или Кожебаткина тыс. 30 или 40. Она вероятно очень нуждается, а я не знаю ее адрес. С Кавказа она, кажется, уже уехала, и встретить я ее уже не смогу...

Есенин — А. Сахарову.
Ростов-на-Дону. Июль 1920 г.

По существу, у меня нет воспоминаний. Последний раз отец навестил нас с сестрой Татьяной за четыре дня до своей смерти, а мне тогда было неполных шесть лет...

К. Есенин (сын поэта от Зинаиды Райх).
В сб. "С. А. Есенин в восп. современников".
М., "Худ. лит", 1986. Т. 2, с. 274. *

Как-то он, словно бы вскользь (на вопрос "Почему пригорюнились?") сказал: "Любимая меня бросила. И увела с собой ребенка! А в другой раз, месяца через два, сказал мне вскользь: "У меня трое детей". Однако позже горячо это отрицал: "Детей у меня двое!"

— Да вы же сами сказали мне, что трое!

— Сказал? Я? Не мог я вам этого сказать! Двое!

И только через четыре года, уже зная, что и я намерена одарить его ребенком, сознался мне, что детей у него трое: дочка и двое сыновей. "Засекреченным" сыном был, по-видимому, Юрий Изряднов. От Кости он при мне никогда не открещивался...

Надежда Вольпин.
В сб. "Как жил Есенин".
Челябинск, Южно-Уральское кн. изд., 1992, с. 236.

В памяти сохранилось несколько сцен, когда отец приходил посмотреть на нас с Таней. Как все молодые отцы, он особенно нежно относился к дочери. Таня была его любимицей. Он уединялся с ней на лестничной площадке и, сидя на подоконнике, разговаривал с ней, слушал, как она читает стихи.

К. Есенин (сын поэта), с. 276.

Тогда Всеволод Эмильевич был уже женат на Зинаиде Николаевне Райх (бывшей жене Есенина). Я заходил к Мейерхольдам несколько раз. С Мейерхольдами жили и дети Есенина.

П. Кузько, с. 282.

Если Станиславский был богом театра, то Мейерхольд — его сатаной. Но ведь сатана это тоже бог, только с черным ликом. Не правда ли?..

А. Мариенгоф.
Мой век..., с. 310.

---

* Далее его воспоминания — по этому тексту.

Райх была чрезвычайно интересной и обаятельной женщиной, обладавшей в очень большой степени тем необъяснимым драгоценным качеством, которое по-русски называется "поди сюда", а на Западе известно как sex appeal. Всегда была она окружена большим кругом поклонников, многие из которых демонстрировали ей свои пылкие чувства в весьма откровенной форме.

Райх любила веселую и блестящую жизнь, любила вечеринки с танцами и рестораны с цыганами, ночные балы в московских театрах и банкеты в наркоматах. Любила туалеты из Парижа, Вены и Варшавы, котиковые и каракулевые шубы, французские духи (стоившие тогда в Москве по 200 рублей за маленький флакон), пудру Кота и шелковые чулки... и любила поклонников. Нет никаких оснований утверждать, что она была верной женой В. Э. — скорее есть данные думать совершенно противоположное...

Е. Елагин.
Цитата по книге Ст. и С. Куняевых
"Сергей Есенин", с. 104.

...говорил он, обращаясь по большей части к Тане. После первых слов, что давно забыты, он начал расспрашивать о том, в какие игры играем, что за книжки читаем. Увидев на столе какие-то детские тоненькие книжицы, почти всерьез рассердился.

— А мои стихи читаете?

Помню общую нашу с сестрой растерянность. И наставительное замечание отца:

— Вы должны читать и знать мои стихи...

К. Есенин (сын поэта), с. 275.

В тот вечер я сидела рядом с Сергеем за столиком в "Стойле Пегаса" — не в "ложе имажинистов", а там же, по левую сторону, но ближе к выходу. Год двадцать первый, а в сентябре это было или ближе к зиме, не припомню. Пожалуй, второе. С нами еще несколько человек. Есенин стал показывать новые фото детей. И кто-то — не Иван ли Грузинов? — бросил это набившее всем оскомину: "Да твой ли сын-то? Родился, когда у вас с женой пошло на разрыв". И вдруг Сергей отозвался с горячностью, даже удивившей меня, — не стал переводить вопрос в шутку.

— А вот знаю, что мой! Знаю! Чувствую нутром!

И, повернувшись ко мне, глядя прямо в глаза, проговорил:

— Вот вы скажите, ведь может и мужчина, как женщина, знать, что ребенок его? Знать всем существом...

Н. Вольпин, с. 281.

...она (Зинаида Райх) не была героиней, как жена Достоевского, Анна Григорьевна, и страшной смертью расплатилась за это. И этой теме здесь тоже не место...

Вен. Левин, с. 219.

А когда поставили к стенке старика Мейерхольда, он, как мне передавали, воскликнул: "Да здравствует революция".

А. Мариенгоф.
Мой век..., с. 346.

В Профессиональный Союз писателей
Сергея Александровича Есенина
Заявление
Прошу зачислить меня в Союз писателей. Имею вышедших четыре книги: "Радуница", "Голубень", "Преображение" и "Сельский часослов".
Сергей Есенин.

Есенин — Союзу московских писателей.
Декабрь 1917 г.

В Союз московских писателей
Сергея Александровича Есенина
Заявление
Прошу Союз писателей выдать мне удостоверение для местных властей, которое бы оберегало меня от разного рода налогов на хозяйство и реквизиций. Хозяйство мое весьма маленькое (лошадь, две коровы, несколько мелких животных и т. д.), и всякий налог на него может выбить меня из колеи творческой работы, то есть вполне приостановить ее, ибо я, не эксплуатируя чужого труда, только этим и поддерживаю жизнь моей семьи.
Сергей Есенин.
Село Константиново Федякинской вол. Рязанской губ. и уез.
20 декабря 1917 г.

Есенин — Союзу московских писателей.

СНОВА В МОСКВЕ

Март 1918 г.

Потом Есенин уехал в Москву и там им восхищались Львов-Рогачевский, Иванов-Разумник, Коган; не было газеты, не было журнала без хвалебной заметки о каком-либо новом стихотворении Есенина.

Г. Адамович, с. 90.

Весной восемнадцатого года мы перекочевали из Петрограда в Москву, и для Есенина эта весна и этот год были исключительно счастливыми временами.

П. Орешин, с. 181.

...В его лирику вплелись ноты драматические. Но, может быть, и произошло это потому, что в Москве Есенин оказался больше "дома".

Г. Адамович, с. 94.

Есенин покинул берега Невы надолго. Он редко возвращался сюда, потому что уже всем сердцем принадлежал Москве.

Вс. Рождественский, с. 291.

Помнится мне, как Есенин появился в Москве. Это было весной 1918 года. Клюевщина и вот этот бытовой уклад тысячелетней деревни был за плечами. Тогда его бывшие друзья меня предупреждали, что у Есенина появились тревожные симптомы, нервная расшатанность и стала появляться, как исход, как больные искания, склонность к вину, и просили обратить внимание.

А. Белый, с. 383.

Весной 1918 года я познакомился в Москве с Есениным. Он как-то физически был приятен. Нравилась его стройность; мягкие, но уверенные движения; лицо не красивое, но миловидное. А лучше всего была его веселость, легкая, бойкая, но не шумная и не резкая. Он был очень ритмичен. Смотрел прямо в глаза и сразу производил впечатление человека с правдивым сердцем, наверное — отличнейшего товарища.

В. Ходасевич, с. 60.

В Есенине — сочетание озорства с большою утонченностью. Иногда — почти декадентство. Есть строки нелепые, есть строки, приближающиеся по спокойной силе к классикам. Иванов-Разумник балует Есенина, не напортил бы.

Евг. Лундберг.
Записки писателя.
Л., 1930. Т. 1, с. 138.

Тягой, стремлением, гонкой к славе, к званию "первого русского поэта", к "догнать и перегнать", к перескочить и переплюнуть, были одержимы многие поэты того времени: Игорь Северянин, Владимир Маяковский и даже кроткий, молчаливый и как бы вечно испуганный Велимир Хлебников. Как-то я спросил Есенина, на какого черта нужен ему этот сомнительный и преждевременный чемпионат?

— По традиции, — ответил Есенин, — читал у Пушкина "Я памятник себе воздвиг нерукотворный"?

Когда я подтвердил, что встречал этот памятник не только у Пушкина и не только у Державина, но даже у Горация, Есенин взглянул на меня в упор и сказал:

— Этого типа не помню, не читал.

Ю. Анненков, с. 157.

Вскоре потом я его встретил в Пролеткульте, где я в то время был преподавателем и в это время там жили Клычков и Есенин. У Есенина не было квартиры, и он там ютился. И очень часто, после собрания, мы собирались в общую комнату, заходили к Клычкову и видели жизнь и быт Есенина. Я, хотя человек посторонний в Пролеткульте, наблюдал эту роль развернувшихся взаимоотношений Есенина с другими, которые не всегда были мне в то время симпатичны, и должен сказать, что он ждал чего-то хорошего от лозунга "смычки с деревней", но отчаялся, этого в Пролеткульте того времени не было...

А. Белый, с. 384.

Иван Егорович (Вольнов) с Сергеем Есениным впервые встретился в Москве в 1918 г. Одно время они жили в общежитии литераторов в Большом Гнездниковском переулке. Им пришлось ютиться в ванной комнате и отапливаться досками, которые они выламывали по вечерам из палисадников, так как топить было больше нечем.

М. М. Волокова — М. В. Минокину.
19 февраля 1957 г.

При военном коммунизме дрова покупали на фунты, как селедку.

А. Мариенгоф, с. 319.

Познакомившись с Есениным, я узнал, что он живет тут же, в Пролеткульте, с поэтом Клычковым, в ванной комнате купцов Морозовых, причем один из них спит на кровати, а другой — в каком-то шкафу на чем-то для спанья совсем непригодном. Чем они жили, довольно трудно было сказать, — тогда и все-то неизвестно на какие средства жили, но были веселы и стихи писали, как никогда.

Н. Полетаев.
Есенин за восемь лет.
В сб. "С. А. Есенин в восп. современников".
М., "Худ. лит.", 1986, с. 295. *

Есенин приходил в Пролеткульт в синей поддевочке с барашковым воротником, часто вместе с Клычковым и Орешиным. Иногда Сергей Александрович, по-тогдашнему Сережа, оставался ночевать в комнате Герасимова. За пролеткультовской оградой, под окном, цвел небольшой садик, там был каменный приступок стены.

Есенин, нарочно по-деревенски растягивая слова, говаривал: "Давай на крылечке в Москве посидим". Казалось, только семячек не хватает. Мы усаживались на этом приступке, глядели на прохожих и тихонько читали стихи. Как-то всей компанией с пролеткультовскими поэтами пошли в мастерскую С. Конёнкова. Меня поразили своей красотой и артистичностью руки скульптора. Читали стихи.

Н. Павлович, с. 263.

В переулке, выходившем на Тверскую, мы прошли в подъезд большого дома и по лестнице поднялись наверх. На звонок дверь открылась, и я увидел Есенина. Это он и впустил нас в квартиру. Есенин сразу узнал меня, несмотря на мою кроличью шапку, валенки, башлык и короткую ватную тужурку, в которой я имел вид какого-то рекрута.

— Ты одеваешься под деревенского парня, — одобрительно сказал Есенин.

— А это что за крест у тебя на щеке? — спросил он о давнишнем шраме, будто впервые заметив его.

Сам он очень возмужал. Широкогрудый, стройный, с легким румянцем на щеках, он выглядел сильным и здоровым. Есенин показал мне свою комнату. В ней стояла койка, стул с горкой книг на сиденье. На стене я увидел нашитый на кусок голубого шелка парчовый восьмиконечный крест. Служил ли он простым украшением или выполнял другое назначение, я не спрашивал.

Тогдашние стихи Есенина были насыщены церковными словами. Он

---

* Далее — по этому тексту.

пользовался ими для того, чтобы говорить о революции. Тут были и голгофа, и крест, и многое другое. Скоро в стихах Есенина появились иные метафоры, и, может быть, крест на стене был последним его увлечением церковностью.

Дм. Семеновский, с. 337.

По приезде в Москву Есенин оказался в затруднительном положении. С Зинаидой Николаевной Райх он разошелся, и собственного угла у него не было. Толстые журналы были закрыты, и печататься было негде. Голод в Москве давал себя чувствовать все сильнее и сильнее. Надо было что-то предпринимать.

Л. Повицкий.
В сб. "С. А. Есенин в восп. современников".
М., "Худ. лит.", 1986. Т. 2, с. 233.*

Москва, "Люкс". Двенадцать часов ночи. Идет горячий спор о революции. Нас шесть человек. Сергею Есенину охота повернуть земной шар, нашу русскую зиму отодвинуть на место Сахары, а у нас цвела бы весна, цветы, солнце и все прочее. В нем горит поэтический огонь... Он живой, умный малый... Третий день не топят: нет дров.

Иван Репин.
Дневник. 6 марта 1919 г.

... Он временами переживал подлинный голод.

Характерен в этом отношении следующий случай.

Однажды Есенин с Клычковым пришли ко мне на квартиру в "Петровских линиях", где я тогда проживал. Поговорили о том, о сем, и я предложил гостям поужинать. Оба охотно согласились. Я вышел в кухню для некоторых приготовлений. Возвращаюсь, "сервирую" стол и направляюсь к буфету за продуктами. Там хранился у меня, как особенно приятный сюрприз, довольно большой кусок сливочного масла, недавно полученный мною от брата из Тулы. Ищу масло в буфете и не нахожу.

Оборачиваюсь к гостям и смущенно говорю:

— Никак масла не найду... — Оба прыснули со смеху. Есенин признался:

— А мы не выдержали, съели все без остатка.

Я удивился:

— Как съели? Ведь в буфете хлеба не было!

— А мы его без хлеба, ничего — вкусно! — подтверждали оба и долго хохотали, любуясь моим смущенным видом.

Конечно, только буквально голодные люди могут наброситься на масло и съесть его без единого кусочка хлеба.

Л. Повицкий, с. 235.

---

* Далее — по этому изданию.

В январе 1919 года Есенину пришла в голову мысль образовать "писатель-скую коммуну", то есть выхлопотать у Моссовета ордер на отдельную квартиру в Козицком переулке, почти на углу Тверской. Туда вошли кроме Есенина и меня писатель Гусев-Оренбургский, журналист Борис Тимофеев и еще кто-то, теперь уже не помню, кто именно. Секрет заключался в том, что эта квартира находилась в доме, в котором каким-то чудом действовало паровое отопление, почти не работавшее ни в одном доме Москвы...

Жизнь в коммуне началась с первых же дней небывалым нашествием друзей. Конечно, не обошлось без вина. Один Гусев-Оренбургский оставался верен своему крепчайшему чаю — других напитков он не признавал.

Второй и третий день ничем не отличались от первого. Гости и разговоры, разговоры и гости и, конечно, опять вино. Четвертый день внес существенное "дополнение" к нашему времяпрепровождению: одна треть гостей осталась ночевать, так как на дворе стоял трескучий мороз, трамваи не ходили, а такси тогда не существовало. Все это меня мало устраивало, и я, несмотря на чудесную теплоту в квартире, пытался высмотреть сквозь заиндевевшие стекла то направление, по которому, проведя прямую линию, я мог бы мысленно определить местонахождение моего покинутого "ледяного дома". Есенин заметил мое "упадническое" настроение и как мог утешал меня, что волна гостей скоро спадет и мы "засядем за работу". При этом он так хитро улыбался, что я понимал, насколько он сам не верит тому, о чем говорит. Я делал вид, что верю ему, и думал о моей покинутой комнате, но тут же вспоминал стакан со льдом вместо воды, который замечал прежде всего, как только просыпался утром, и на время успокаивался. Прошло еще несколько шумных дней. Как-то пришел Иван Рукавишников. И вот в 3 часа ночи, когда я уже спал, его приносят в мою комнату мертвецки пьяного и говорят, что единственное "свободное место" в пятикомнатной квартире — это моя кровать, на остальных же — застрявшие с вечера гости. Я завернулся в одеяло и эвакуировался в коридор. Есенин сжалился надо мной, повел в свою комнату, хохоча, спихнул кого-то со своей койки и уложил меня около себя... Дней через десять я все же сбежал из этой квартиры в Козицком переулке, так как нашествие гостей не прекращалось. Я вернулся в свой "ледяной дом", проклиная его и одновременно радуясь, что не порвал с ним окончательно. Есенин понял меня сразу и не рассердился за это бегство, а когда узнал, что я, переезжая в "коммуну", оставил за собой мою прежнюю комнату, то разразился одобрительным хохотом.

Рюрик Ивнев.
Московские встречи.
В сб. "Воспоминания о Сергее Есенине".
М., "Московский рабочий", 1975, с. 232.

Но у Есенина уже намечались новые литературные планы. Творческие силы и замыслы кипели в нем. Ему мало было писать просто хорошие стихи. Он хотел быть открывателем новых путей. В брошюре "Ключи Марии" он изложил свои взгляды на литературное творчество, на роль образа в поэзии.

У него появились новые друзья и единомышленники. Правда, еще не было имажинистских манифестов, не было сборников с кричащими названиями. Мариенгоф служил в издательстве ВЦИК бухгалтером, Шершеневич не доказывал, что "2 × 2 = 5". Но слово "имажинизм" уже прозвучало. В этот вечер я узнал о новом поэтическом течении подробнее.

Дм. Семеновский, с. 339.

Слово это происходит от французского image, означающего по-русски "образ".

Л. Берман, с. 248.

Из всех бесед, которые у меня были с ним в то время, из настойчивых напоминаний — "Прочитай "Ключи Марии"" — у меня сложилось твердое мнение, что эту книгу он любил и считал для себя важной. Такой она и останется в литературном наследстве Есенина. Она далась ему не без труда. В этой книге он попытался оформить и осознать свои литературные искания и идеи. Здесь он определенно говорит, что поэт должен искать образы, которые соединяли бы его с каким-то незримым миром. Одним словом, в этой книге он подходит вплотную ко всем идеям дореволюционного Петербурга. Но в то же самое время, когда он оформил свои идеи, он создал движение, которое для него сыграло большую роль. Это движение известно под именем имажинизма.

С. Городецкий, с. 183.

В 1918 году в Москве было основано Общество имажинистов. С. А. Есенин и Шершеневич играют здесь главную роль. В это время стихи Есенина исполняются в литературных кабаре Москвы, вызывая общее восхищение.

Д. Бурлюк, с. 236.

Умелый версификатор (Речь идет о Шершеневиче. — *Ред.*), знаток французских поэтов, переводчик Лафорга, отличный оратор. Остроумный, но холодный и опустошенный, отщелкивавший строки, будто арифметические выкладки. Всю жизнь блистал он отраженным светом, последовательно повторяя Бальмонта, Северянина, Маринетти и Маяковского. Честолюбие толкнуло его на роль Брюсова среди футуристов, но существование Маяковского ему мешало. Шершеневич пытался себя противопоставить самобытной силе этой сразу вставшей во весь свой огромный рост личности. Стоило Маяковскому вернуться после революции в Москву, у Шершеневича, несмотря на многие его книги, не осталось ни поприща, ни последователей. Тогда, в противовес Маяковскому, Шершеневич изобрел свой "имажинизм".

С. Д. Спасский, с. 199—200.

Не помню, как познакомились с Есениным Мариенгоф и Шершеневич, но к 1919 году уже наметилось наше общее сближение, приведшее к
опубликованию "манифеста имажинистов", наделавшего в свое время
много шума...

Р. Ивнев.
Московские встречи, с. 231—232.

Дружил он, кажется, только с одним Мариенгофом.

И. Шнейдер, с. 300.

Мариенгоф был настоящим другом Сергею.

Г. А. Бениславская.
Материалы..., с. 95.

В 1919 году произошла встреча Есенина с Мариенгофом и возник их
литературно-бытовой союз.

Л. Повицкий, с. 237.

...По улице (было видно в окно. — *Ред.*) ровными каменными рядами шли
латыши. Казалось, что шинели их сшиты не из серого солдатского сукна, а из
стали. Впереди несли стяг, на котором было написано:

Требуем массового террора!

Меня кто-то легонько тронул за плечо:
— Скажите, товарищ, могу я пройти к заведующему издательством Кон-
стантину Степановичу Еремееву?

Передо мной стоял паренек в светлой синей поддевке. Под синей под-
девкой белая шелковая рубашка. Волосы волнистые, желтые, с золотым
отблеском. Большой завиток как будто небрежно (но очень нарочно) падал
на лоб. Завиток придавал ему схожесть с молоденьким хорошеньким парик-
махером из провинции. И только голубые глаза (не очень большие и не
очень красивые) делали лицо умнее — и завитка, и синей поддевочки, и
вышитого, как русское полотенце, ворота шелковой рубашки.

— Скажите товарищу Еремееву, что его спрашивает Сергей Есенин...

А. Мариенгоф.
Роман без вранья.
Л., "Прибой", 1927, с. 6.

Несмотря на голодное время, на улице шла бойкая торговля. Продавали
папиросы, съестное, разную рухлядь. Есенин купил у одного из уличных
торговцев пакетик соленых огурцов. Всю дорогу по его пальцам стекал на
снег огуречный рассол. Мы пришли в издательство. Аккуратный пробор
Мариенгофа склонился над толстыми бухгалтерскими книгами. Передав другу
размокший пакет, Есенин сказал:
— Наслаждайся!

Дм. Семеновский, с. 340.

Каждый день, часов около двух, приходил Есенин ко мне в издательство и, садясь около, клал на стол, заставленный рукописями, желтый тюречок с солеными огурцами.

Из тюречка на стол бежали струйки рассола.

В зубах хрустело огуречное зеленое мясо, и сочился соленый сок, расползаясь фиолетовыми пятнами по рукописным страничкам.

А. Мариенгоф.
Роман без вранья, с. 7.

Мариенгоф романтику в стихе сочетал с трезвым реализмом в быту.

Л. Повицкий, с. 237.

Когда я, не понимая его дружбы с Мариенгофом, спросил его о причине ее, он ответил: "Как ты не понимаешь, что мне нужна тень". Но на самом деле в быту он был тенью денди Мариенгофа, он копировал его и очень легко усвоил еще до европейской поездки всю несложную премудрость внешнего дендизма.

С. Городецкий, с. 184.

Время было еще голодное, и Мариенгоф прежде всего позаботился о материальной базе молодого союза. Для этой цели очень пригодным оказался товарищ Мариенгофа по гимназии Молабух (он же "Почём-Соль"). Этот новоиспеченный железнодорожный чиновник получил в свое распоряжение салон-вагон, разъезжал в нем свободно по железным дорогам Союза и предоставлял в этом вагоне постоянное место Есенину и Мариенгофу. Мало того, зачастую Есенин с Мариенгофом разрабатывали маршрут очередной поездки и без особенного труда получали согласие хозяина салон-вагона на намеченный ими маршрут ...

Л. Повицкий, с. 237.

В 1920-м году, сразу после занятия Ростова-на-Дону конницей Буденного, воспетой Исааком Бабелем, я приехал в этот город и, в тот же день, попал на "вечер поэтов", организованный местным Рабисом (Профессиональный союз работников искусства), в помещении "Интимного театра". В зале велись "собеседования о путях поэтического творчества", на сцене выступали желающие — поэты и разговорщики, — в фойе пили пиво "Старая Бавария", 10 рублей стакан; стоял бочонок (почти как в Мюнхене), в бочонке кран, подле крана — хвост жаждущих и товарищ-услужающий. Получить пиво можно было только по предъявлении членской карточки ростовского Рабиса. Которые просто гости или иногородние работники искусства — те пива не получали. В их числе — я.

Выступавшие поэты принадлежали к разным школам, до "имажинистов" включительно. Некий профессор, фамилию которого я запамятовал, фаворит ростовской публики тех лет, говорил о том, что "настоящий талант всегда бывает скромен. Свидетельство этому мы находим у великих русских поэтов — Пушкина, Лермонтова и Надсона. Можно продавать строки, но Музу продавать нельзя! А вот Муза имажинистов и футуристов продажна. Это нехорошо!"

Скромный поэт "пушкинской школы" робко читал по записочке свои стихи, застенчиво предупредив публику, что наизусть никогда не помнит:

> Мы стояли у жизни моря,
> Нам светила бледная луна...
> Затихало наше горе,
> В твоих глазах любовь цвела...

С "галерки" кричали:

— Есенина! Есенина!

Зачем, почему оказался Есенин в Ростове — я не знал. Впрочем, он и сам редко знал — где и почему.

— Есенин — пуля в Ростове, — шепнул мне сосед по стулу, — ходит по улицам без шляпы (в те годы это считалось почти неприличным), все на него смотрят и пройтись с ним под руку особенно лестно, так как он отдувается здесь за всю "новую школу".

Голос из публики:

— Есенин не дождался своей очереди и ушел ужинать в "Альгамбру".

Конферансье сердился:

— Уважаемой публике, товарищ, решительно безразлично, где ужинает товарищ Есенин! Не надо лишних слов. Здесь имеется конферансье в моем лице, и я нахожу ваши заявления с мест излишними! Надо быть парламентарным. Уважаемый профессор говорил нам, что еще у великого русского поэта Пушкина есть указания на то, что истинный талант должен быть скромен. Нашей молодежи следует поучиться этому у корифеев отечественной литературы. Конечно, есть среди поэтов новой школы талантливые люди. Вот, например, Маяковский (смех в публике) назвал Зимний дворец "макаронной фабрикой". Если мы вспомним архитектуру дворца (оратор забыл имя строителя, но выражает надежду, что присутствующие на вечере архитекторы выручат), то заметим, что его колоннады, действительно, напоминают макароны. Тем более, что зодчий был итальянцем... Тоже и рифмы бывают у молодых поэтов удачные. Великий Кольцов плохо владел рифмой, почему и писал довольно часто белыми стихами. Впрочем, рифмы Маяковского можно слушать с эстрады, а при чтении в книге ничего не получается, не рифмуется.

Голос из публики:

— Имажинисты, имажинята, щенята, телята, сосунки!!

В фойе — шум и крики, заглушающие оратора. Громче всех — свирепый голос распределителя:

— Прошу не кричать, а то мы прекратим выдачу пива!

...Проголодавшись, я отправился в названную "Альгамбру", где и встретил Есенина, и мы снова провели пьяную ночь.

— В горы! Хочу в горы! — кричал Есенин, — вершин! грузиночек! курочек! цыплят!.. Айда, сволочь, в горы!?

"Сволочь" — это обращалось ко мне.

Но, вместо того, чтобы собираться на вокзал, Есенин стучал кулаком по столу:

— Товарищ лакей! Пробку!!

"Пробкой" называлась бутылка вина, так как в живых оставалась только пробка: вино выпивалось, бутылка билась вдребезги.

> Я памятник себе воздвиг из пробок,
> Из пробок вылаканных вин!..

— Нет, не памятник: пирамиду!

И, повернувшись ко мне:

— Ты уверен, что у твоего Горация говорилось о пирамидах? Ведь при Горации пирамид, по-моему, еще не было?

Дальше начинался матерный период. Виртуозной скороговоркой Есенин выругивал без запинок "Малый матерный загиб" Петра Великого (37 слов), с его диковинным "ежом косматым, против шерсти волосатым", и "Большой загиб", состоящий из двухсот шестидесяти слов. Малый загиб я, кажется, могу еще восстановить. Большой загиб, кроме Есенина, знал только мой друг "советский граф" и специалист по Петру Великому, Алексей Толстой.

Через три дня, протрезвившись, я возвращался в Москву. Есенин дал мне для кого-то в Москве "важное" письмо: в исполнительность почты он в то время, с некоторым основанием, не верил. Ехать до Москвы пришлось четыре дня. Поезд раз десять менял направление. Под Матвеевым Курганом или возле Чаплина (не оттуда ли родом Чарли Чаплин?) была обещана веселая встреча то ли с батькой Махно, то ли — с Тютюнником. Выше пассажирам пришлось почему-то пройти пешком верст двадцать, в то время, как поезд, при погашенных огнях промчался мимо по рельсам... Короче говоря, письмо я потерял по дороге. Есенин, по возвращении в Москву, о нем тоже забыл: тогда начинался дункановский загиб. Боюсь, однако, что на том свете вспомнит, и если характер его не изменился, он непременно набьет мне морду.

Ю. Анненков, с. 168—170.

Их было много, этих имажинистов, они вились вокруг Есенина, подобно мошкаре в солнечном луче... Впрочем, не только имажинисты... Бывал, например, некто Гриша Колобов, которого поэты прозвали "Почём-Соль": он служил инспектором Всероссийской эвакуационной комиссии, имел свой салон-вагон. Прибыв на место, первым делом осведомлялся: "Почем соль?" — и, закупив не один мешок, доставлял в своем салон-

вагоне в Москву, меняя соль на водку и прочее, и поил и угощал своих
друзей поэтов.

И. Шнейдер, с. 298.

С Сергеем Александровичем Есениным я познакомился в Ташкенте. Произошло это знакомство, если не изменяет мне память, в 1921 году.

П. Дружинин, с. 131—132.

... Я еду в Ташкент, в мае вернусь.

Есенин — А. М. Сахарову.
Апрель 1921 г.

В кинотеатре "Хива" шел фильм "Кабинет профессора Каллигари" с
Конрадом Вейдтом в главной роли. Есенин в кино не пошел. Сказал: "Надоело". Пробовали его затащить в концерт, где заезжая певица пела "Шумит
ночной Марсель". Но он и оттуда удрал — по ногам, со скандалом. "Пусти-
те, — говорит, — меня, не за тем я сюда приехал". Вышел на улицу, а там
верблюд стоит, склонил к нему свою голову. Есенин обнял его за шею и
говорит: "Милый, унеси ты меня отсюда, как Меджнуна..." Пришел ко
мне, сел на пол в комнате возле окна и стал читать стихи. "Все познать,
ничего не взять пришел в этот мир поэт..."

А. Волков.
В книге Куняевых "Сергей Есенин", с. 215.

В Ташкенте Есенин пробыл несколько дней. Он читал свои стихи, отрывки из поэмы "Пугачев" в кружке ташкентских стихотворцев, выступал в
городской публичной библиотеке на специально посвященном ему литературном вечере. И всюду, где бы я ни встречался в эти дни с Есениным, я
видел перед собой светлоликого и тихого юношу с характерной есенинской
прической.

П. Дружинин, с. 133.

Он был как-то вдумчиво невозмутим. Только однажды на вечере местно-
го пролетарского поэта Семена Окова в театре имени Луначарского я увидел Есенина несколько другим.

Выйдя на сцену, Оков начал рассказывать свою биографию. Мы с
Есениным наблюдали из-за кулис за публикой, среди которой, как нам
показалось, "было немало так называемых бывших людей. Когда Оков
начал перечислять свою родословную и разъяснять, что он родился от
бездомной нищенки чуть ли не в хлеву, в зале послышался злой смех.
Есенин вдруг потемнел в лице, сжал кулаки и полушепотом заговорил:
"Зачем, зачем он это делает, унижается, да еще перед кем унижается,
чудак!.. "

П. Дружинин, с. 133.

...приехал из Москвы с А. Б. Мариенгофом и Г. Р. Колобовым. Цель приезда — пропаганда советской поэзии.

Н. Александрова, с. 251.

Вечер с участием С. Есенина состоялся вскоре в помещении кинотеатра "Колизей" (в доме, где теперь кинотеатр "Буревестник").

Н. Александрова, с. 253.

Почти ежедневно в течение двух недель, проведенных в Ростове, Есенин бывал в доме моего отца по Социалистической улице, № 50. Здесь, окруженный поэтической молодежью, Сергей Александрович читал стихи, рассказывал о своей юности, о своих первых встречах с С. Городецким и А. Блоком. — Очень люблю Блока, — говорил он, — у него глубокое чувство родины. А это — главное, без этого нет поэзии.

Н. Александрова, с. 253 .

Мы побывали в гостях у С. А. Есенина. Он жил на вокзале в том самом служебном вагоне, который доставил его в Ростов. И Колобов, и Мариенгоф были "дома". Все они гостеприимно хозяйничали, угощали нас абрикосами, поили сладким чаем. Ставить самовар пришлось Есенину, была его очередь. Я удивилась, когда увидела, что Сергей Александрович переоделся и вместо серого щегольского пиджака на нем матросская белая блуза с голубым воротником. Мне объяснили: для того, чтобы разжечь самовар, надо добыть полешек, а вокзальная администрация охотнее сговаривается с моряками, чем с поэтами.

Н. Александрова, с. 253.

В это время Сергей жил с А. Мариенгофом в Богословском переулке (ныне ул. Москвина), где они занимали две комнаты.

А. Есенина, с. 105.

Когда садились за стихи, запирали комнату, дважды повернув ключ в замке, и с видом преступников ставили на стол грелку. Радовались, что в чернильнице у нас не замерзли чернила и писать можно было без перчаток...

А. Мариенгоф.
Роман без вранья, с. 29.

В начале своего возникновения творческий союз Есенина с Мариенгофом был плодотворным для обоих. У них шло здоровое и полезное обоим соревнование. Мариенгоф работал над "Заговором дураков", Есенин засел за "Пугачева". В эту пору им были написаны "Кобыльи корабли", "Сорокоуст", "Пантократор", ряд лирических стихов: "Душа грустит о небесах...", "Все живое особой метой...", "Не жалею, не зову, не плачу..." и др.

Л. Повицкий, с. 238.

По четным дням я, а по нечетным Есенин первым корчился на ледяной простыне, согревая ее дыханием и теплом тела.

Одна поэтесса просила Есенина помочь устроиться ей на службу. У нее были розовые щеки, круглые бедра и пышные плечи.

Есенин предложил поэтессе жалованье советской машинистки, с тем чтобы она приходила к нам в час ночи, раздевалась, ложилась под одеяло и, согрев постель ("пятнадцатиминутная работа"), вылезала из нее, облекалась в свои одежды и уходила домой.

Дал слово, что во время всей этой церемонии будем сидеть к ней спинами и носами уткнувшись в рукописи.

Три дня, в точности соблюдая условия, мы ложились в теплую постель.

На четвертый день поэтесса ушла от нас, заявив, что не намерена больше продолжать своей службы. Когда она говорила, голос ее прерывался, захлебывался от возмущения, а гнев расширил зрачки до такой степени, что глаза из небесно-голубых стали черными, как пуговицы на лаковых ботинках.

Мы недоумевали:

— В чем дело? Наши спины и наши носы свято блюли условия...

— Именно!.. Но я не нанималась греть простыни у святых...

— А!..

Но было уже поздно: перед моим лбом так громыхнула входная дверь, что все шесть винтов английского замка вылезли из своих нор.

А. Мариенгоф.
Роман без вранья, с. 47.

Жили они вместе в одной комнате, рядом с театром Корша, в Богословском переулке. Вместе щеголяли в новеньких блестящих цилиндрах. Впрочем, эксцентричность эта объяснялась весьма прозаически.

И. Шнейдер, с. 300.

... в Петербурге шел дождь.

Мой пробор блестел, как крышка рояля. Есенинская золотая голова побурела, а кудри свисали жалкими писарскими запятыми. Он был огорчен до последней степени.

Бегали из магазина в магазин, умоляя продать нам без ордера шляпу. В магазине, по счету десятом, краснощекий немец за кассой сказал:

— Без ордера могу отпустить вам только цилиндры.

Мы, невероятно обрадованные, благодарно жали немцу пухлую руку.

А через пять минут на Невском призрачные петербуржане вылупляли на нас глаза, ирисники гоготали вслед, а пораженный милиционер потребовал:

— Документы!

Вот правдивая история появления на свет легендарных и единственных в революции цилиндров, прославленных молвой и воспетых поэтами...

А. Мариенгоф.
Роман без вранья, с. 24—25.

Одевался Есенин элегантно, но странно: по-своему, но как-то не в свое. Он ощущал, что цилиндр и лаковые сапоги — печальная шутка.

В. Шкловский, с. 601.

...Есенину цилиндр — именно как корове седло. Сам небольшого роста, на голове высокий цилиндр — комичная кинематографическая фигура.

Г. Бениславская.
Воспоминания о Есенине, с. 49.

Из цилиндра можно, например, накормить лошадь, если в него насыпать овес.

В. Шкловский, с. 601.

...Ну, Есенин и цилиндр. Этот быт разлагающе действует на Есенина.

А. Белый, с. 384.

...Дружба Есенина к Мариенгофу, столь теплая и столь трогательная, что я никогда не предполагал, что она порвется. Есенин делал для Мариенгофа все, все по желанию последнего исполнялось беспрекословно. К любимой женщине не бывает редко такое внимание. Есенин ходил в потрепанном костюме и разбитых ботинках, играл в кости и на эти "кости" шил костюм или пальто (у Деллоне) Мариенгофу. Ботинки Мариенгоф шил непременно "в Камергерском" у самого дорогого сапожного мастера, а в то же время Есенин занимал у меня деньги и покупал ботинки на Сухаревке. По какой-то странности казначеем был Мариенгоф. До 1920 года Есенин к этому относился равнодушно, потом это стало его стеснять, и как-то, после одного случая, Есенин начал делить деньги на две части.

А. Сахаров.
В книге В. Кузнецова "Тайна гибели Есенина".
М., "Современник", 1998, с. 296—297.

...мать допрашивала отца:
— Мерингофа-то ты видал?
— Видел, — отвечал отец. — Ничего молодой человек, только лицо длинное, как морда у лошади. Кормился он, видно, около нашего Сергея.

Е. Есенина, с. 53.

...Он жил у названного Сахарова, бывшего издателя, которого в это время в городе не было. Жили они в прекрасной, "довоенной" квартире со всей сохранившейся обстановкой особняков на Набережной. В первых комнатах меня встретили "имажинята" последнего призыва. Черноволосые мечтательные мальчики, живущие как птицы небесные, не заботящиеся о завтрашнем дне... Помню радушную встречу и вкусный завтрак с чаем, приготовленный на всю братию и сервированный с некоторым кокетством, то есть с салфетками, вилками, ножами, скатертью.

Вл. Пяст, с. 96.

Все эти два или три года Есенин продолжал работать, часто скандалил, но, кажется, не пил.

Н. Полетаев, с. 298.

Кафе поэтов "Домино". В нем были два зала: один для публики, другой для поэтов. Оба зала в эти года, когда все и везде было закрыто, а в "Домино" торговля производилась до двух часов ночи, были всегда переполнены. Здесь можно было разного рода спекулянтам и лицам неопределенных профессий послушать музыку, закусить хорошенько с "дамой", подобранной с Тверской улицы, и т. д. Поэты, как объяснил мне потом один знакомый, были здесь "так, для блезиру", но они, конечно, того не думали. Наивные, они и не подозревали, как за их спиной набивали карманы содержатели всех этих кафе, да поэтам и деваться было некуда. Спекулянты и дамы их, шикарно одетые, были жирные, красные, много ели и пили. Бледные и дурно одетые поэты сидели за пустыми столами и вели бесконечные споры о том, кто из них гениальнее. Несмотря на жалкий вид, они сохранили еще прежние привычки и церемонно целовали руки у своих жалких подруг. Стихи, звуки — они все любили до глупости. Вот обстановка, в которой в 1919 году царил С. Есенин.

Н. Полетаев, с. 296—297.

Теперь на том месте, на углу Петровки и Кузнецкого переулка, разбит сквер, и только старожилы помнят дом с полукруглым фасадом, где было это кафе.

Л. Никулин.
В сб. "С. А. Есенин в восп. современников".
М., "Худ. лит.", 1986, с. 304.*

Переделка под клуб состояла в небольшой перестройке вестибюля и украшении росписью стен первого зала, отделенного от второго аркой. Занимался этим молодой задорный художник Юрий Анненков, стилизуя все под гротеск, лубок, а иногда отступая от того и другого. Например, на стене, слева от арки, была повешена пустая, найденная в сарае бывшего владельца "Домино" птичья клетка. Далее произошло невероятное: первый председатель союза Василий Каменский приобрел за продукты новые брюки, надел их, а старые оставил в кафе. В честь него эти черные с заплатами на заду штаны приколотили гвоздями рядом с клеткой. На кухне валялась плетеная корзина из-под сотни яиц, кто-то оторвал крышку и дал Анненкову. Он прибил эту крышку на брюки Василия Васильевича наискосок. Под этим "шедевром" белыми буквами были выведены строки:

---

* Далее — по этому изданию.

Будем помнить Стеньку,
Мы от Стеньки Стеньки кость.
И пока горяч-кистень куй,
Чтоб звенела молодость!!!

Далее вдоль стены шли гротесковые рисунки, иллюстрирующие дву- и четверостишия поэтов А. Блока, Андрея Белого, В. Брюсова, имажинистов. Под красной лодкой были крупно выведены строки Есенина:

Веслами огрубленных рук
Вы гребетесь в страну грядущего.

В клубе была доступная для всех членов союза эстрада. Редкий литературный вечер обходился без выступления начинающих или старых поэтов.

М. Райзман.
"Все, что помню о Есенине", с. 380—381.

Здесь впервые я увидел в шелковой поддевке голубоглазого юношу с соломенными волосами. Он не читал. Он "прибеднялся". Он еще слепо тыкался в литературу, как кутенок в блюдо с молоком. Это был Есенин...

В. Шершеневич, с. 4.

"Зеленая литературная улица" с ее интригами, борьбой мелких самолюбий, ужимочками — ужасна всегда и везде.

В расплавленной голодной нищей Москве 1919—21 — она была адом.

Творчество обращалось в плакат...

Жизнь поэта — в закулисные дрязги бродячего цирка.

Мороз. Крещенский мороз.

Нетопленая комната.

Дым "буржуазии".

Хлеб со жмыхами.

Есенин выворачивает душу в спорах, кто у кого "стянул" образ в поэме — он ли у Клюева, Клюев ли у него?!

Мудрено ли, что он не "устоял"?

Что в этой атмосфере помутилась душа и задрожала рука.

В революцию ибсеновское правило — "Самый одинокий — самый могущественный" — приобретает особое, зловещее значение.

Есенин не применяет ибсеновскую мудрость.

Каждую секунду на людях.

И каких людях!

Мальчишках, ставших теми или иными "истами" за шесть месяцев до написания их первого стихотворения.

Налетчиках от поэзии...

А. Ветлугин, с. 136—137.

...он и начал с ними куролесить! Недавно написал дегтем на стенах Страстного монастыря неприличнейшее кощунство!.. Я уже его стыдил — да чего, только ухмыляется — дескать, не понимаете вы нас, имажинистов!

По-моему — вредная для него компания. Напускное все это, на самом-то деле — скромный парень, а вот революция выворачивает людей наизнанку!

Скиталец, с. 167—168.

...В каждом городе существуют Пушкинская или Гоголевская улицы. Однако ни в одном городе нет Есенинской... Имажинисты отправляются в магазин и заказывают нормальные эмалированные дощечки улиц: "Улица Есенина" и "Улица Кусикова", "Улица Мариенгофа", "Улица Шершеневича". На вопрос продавщика, кто эти люди и почему в их честь переименовываются улицы, мы отвечаем, удовлетворяя любопытство: "Это красные партизаны, освободившие Сибирь от Колчака!"

Через некоторое время дощечки готовы. Кусиков расплачивается за них. Мы идем на заседание: надо распределить улицы. Я получаю Никитскую, на которой живу. По тому же принципу Мариенгоф получает Петровку. Есенин и Кусиков обхаживают друг друга в отношении Тверской. Каждый приводит доводы. Есенин больше упирает на свою гениальность, Кусиков на то, что за дощечки платил он. Не помню, как именно, но Рязань и тут обошла Армавир. Кусиков удовлетворяется Дмитровкой. И снова под покровом ночи мы идем прикреплять дощечки. Мариенгоф прикрепляет свою прямо на здании Большого театра. Дощечки не имели шумного успеха...

В. Шершеневич, с. 26.

После чая мы всей компанией отправились в тогдашнее литературное кафе "Домино", хозяевами которого были имажинисты, где каждый вечер исполнялась музыкально-вокальная программа с их выступлением в конце. "Домино" это находилось в маленьком помещении на Тверской, пройдя Камергерский переулок. На углу Камергерского Есенин остановил нас и застенчиво ухмыляясь, сказал:

— Прочтите новое название!

На углу вместо прежней надписи была прибита свеженаписанная: "улица Есенина".

— Это я сам нынче утром прибил! Еще не сняли!..

— Ну, зачем? — укорил его приятель. — Ведь это же деревенское хулиганство!

Но Есенин, по-прежнему ухмыляясь, только махнул рукой: ему казалось, что мы не понимаем его революционно-имажинистского "протеста" против чего-то или кого-то. Бедный юноша!..

Скиталец, с. 169.

Как-то бесцветно были сняты поздно заметившими дворниками эти дощечки. Тверская сохраняла название "Есенинская" чуть ли не месяцы... Много позже временная улица Шершеневича стала улицей Герцена. Есенинская — улицей Горького. Пришлось это перенести...

В. Шершеневич, с. 26.

Я поднялся в зал и стал слушать выступления чтецов. Первым читал стихи Вадим Шершеневич из своей книги "Лошадь как лошадь". Читал он зычно, но лошадиная тема не доходила до слушателей. Ждали Есенина. Спустившись вниз, я позвал Есенина читать стихи. "Выйду", — лаконично ответил он.

Смотрю, Есенин поднимается по лестнице, уже подошел к кафедре. Шепот в зале смолкает. Звучат строки новых стихов:

Не жалею, не зову, не плачу,
Все пройдет, как с белых яблонь дым...

Вторая строфа идет с новым подъемом. Читая, поэт наклоняется вперед, он как бы летит. Сердца слушателей мгновенно молнией пронизывает поэтическая искра.

Звучит последняя строфа, чародей Есенин ведет толпу в просторы родного края. Он взмахивает руками, навстречу летит гром аплодисментов.

П. Радимов, с. 277—278.

Обычный шум в кафе, пьяные выкрики и замечания со столиков при выступлении Есенина тотчас же прекращались. Слушали его с напряженным вниманием. Бывали вечера его выступлений, когда публика, забив буквально все щели кафе, слушала, затаясь при входе в открытых дверях на улице.

И. Старцев, с. 410.

...Действительно, и стихи были хорошие, и поэт оказался хорошим декламатором. В его чтении стихи много выигрывали. Я сказал ему это.

— Да ведь я все-таки был немножко на сцене! — возразил он, — много участвовал в любительских спектаклях, даже в малорусских пьесах героев-любовников играл!..

Скиталец, с. 168.

Из гостиницы "Бристоль", расположенной на Тверской улице, иду утречком вместе с другими приезжими губкомовцами по площади вдоль стены Страстного монастыря. Останавливаемся, смотрим на верхнюю часть краснокирпичной стены. Читаем начертанное еще не высохшими белилами четверостишие:

Облаки лают
Ревет златозубая высь.
Пою и взываю:
Господи, отелись!

И подпись: Сергей Есенин.

Оказалось, что эти стихи были написаны минувшей ночью группой приятелей Есенина при его личном участии.

Деяние это в отделении милиции квалифицировалось как нарушение общественного порядка. Есенина, задержанного на несколько часов, освободили под поручительство Демьяна Бедного. От него я и узнал подробности этого эпизода.

А. Жаров, с. 413—414.

Модным лозунгом дня стало вынесение искусства на площадь и художественное преображение жизни нашей улицы. Весьма характерно поняли этот лозунг имажинисты. Они попросту проповедуют в искусстве то, что принято в общежитии называть "уличным", "площадным" и т. п. (брань, цинизм, хулиганство, некультурность). И свое "искусство" в этой области выносят на заборы и стены домов Москвы.

28 мая утром на стенах Страстного монастыря объявились глазам москвичей новые письмена "весьма веселого" содержания. "Господи, отелись!", "Граждане, белье исподнее меняйте!" и т. п. за подписью группы имажинистов. В толпе собравшейся публики поднялось справедливое возмущение, принимавшее благоприятную форму для погромной агитации.

Действительно, подобной "стенной" поэзии допускать нельзя. Придется серьезными мерами охранять Москву от уличного озорства этого нового типа веселой молодежи.

"Известия ВЦИК".
30 мая 1919 г.

Вы посмотрели бы только, что там вчера делалось! Вечер, собственно, был экспрессионистов, которые, выставив свою программу, объявили всех остальных поэтов (вообще всех без исключения) и, главное, имажинистов покойниками, а свою "фракцию" единственно живой и современной. Имажинисты возмутились таким произволом — заколачивать живых в гроб — и выступили со своей программой и стихами, в качестве оппонентов, а блаженной публике предоставили решить — чьи стихи удачнее — имажинистов или экспрессионистов. Экспрессионисты провалились. Споры переходили все время на личную почву — так, например, И. Соколова Есенин прямо назвал бездарностью: "Нет, господа, вы послушайте меня, а не эту бездарность, которая говорить-то даже не умеет!" Словом, я думала, что произойдет прямо свалка. Один выступает, другой его с ног сшибает — поэты XX века!..

Сейчас пойду в кинематограф, а оттуда в Союз — ведь сегодня выступают "4 слона Имажинизма" — Есенин, Кусиков, Шершеневич и Мариенгоф.

Е. Д. Ланкина — П. Н. Сакулину.
Москва, 13 июля 1919 г.

В двадцатых годах я увиделся с Есениным уже в Москве, куда мы оба переехали из Петербурга, и, признаюсь, не сразу узнал его. Беспокойный, шумный, глава имажинизма, он внешне походил теперь на молодого купчика. Глядел чуть свысока. Говорил важным тоном и неожиданно придирался к мелочам, открыто идя на ссору. В коридорах издательств и столовке на

Арбате Есенин появлялся в сопровождении целой своры досужих прихлебателей и на мой вопрос: "Зачем они тебе?" — неопределенно ответил: "А я знаю?"

М. Бабенчиков, с. 244.

Есенина я не видел уже шесть лет, и внешних перемен в нем немного, если не считать морщин на лбу...

И. Оксенов.
Дневник 20-х годов. Частное собрание.

...Возможно, что в это время он уже был компаньоном по ведению лавки в Москве — не помню с кем.

Это давало ему доход для жизни. Такими же делами занимались тогда Н. А. Бердяев, Борис Зайцев, поэты Кусиков и Шершеневич. Праздничная весна революции уже пронеслась, настали будни...

Вен. Левин, с. 214—215.

Московская Трудовая Артель Художников Слова сим просит Вас выдать ей разрешение на открытие книжной лавки. Настоящая книжная лавка имеет цель обслуживать читающие массы исключительно книгами по искусству, удовлетворяя как единичных потребителей, так и рабочие организации.

Работу по лавке будет нести Трудовая Артель, совершенно не пользуясь наемным трудом, в лице поэтов Сергея Есенина, Анатолия Мариенгофа, Петра Орешина, Николая Клюева, М. Герасимова и др.

Трудовая Артель надеется, что означенное ходатайство будет Вами удовлетворено. Староста С. Есенин. Писарь Мариенгоф.

20 сентября 1919 г.

Обращение группы поэтов
Московской Артели Художников Слова
в горсовет Москвы.

Есенин и Мариенгоф открыли книжный магазин на Никитской улице, который назывался магазином "Артели художественного слова".

Г. Устинов, с. 184.

"Разговор книгопродавца с поэтом" был для Есенина на заре нэпа разговором с самим собой. Он был совладельцем книжной лавки на Никитской. В тонкости книжной торговли он едва ли вникал, но за прилавком стаивал нередко. Судачит, бывало, о чем-нибудь с товарищами по "задорному цеху", а краем уха вслушивается в чужой разговор...

— Маяковского? Такого не держим. Не спрашивают.

Сияет. Рад, что подложил свинью футуризму.

Э. Я. Герман, с. 177.

...я увидел своими глазами этот знаменитый в то время книжный магазин имажинистов на Большой Никитской улице во всем великолепии. Он был почти всегда переполнен покупателями, торговля шла бойко. Продавались новые издания имажинистов, а в букинистическом отделе — старые книги дореволюционных изданий.

Р. Ивнев.
Московские встречи, с. 235—236.

Иногда я заходил в книжную лавку имажинистов, которая находилась одно время на Кузнецком мосту, а затем на Лубянской площади (ныне площади Дзержинского). Есенин не любил торговать книгами, но охотно их надписывал и, как мне вспоминается, вызывал недовольство своих компаньонов, когда брал с прилавка книжку стихов и дарил ее посетителю. "Этак ты нас совсем разоришь", — как-то при мне сказал ему Шершеневич.

В. Мануйлов, с. 466.

Давид Самойлович Айзенштадт — голова, сердце и золотые руки "предприятия" рассерженно обращался к Есенину:

— Уж лучше, Сергей Александрович, совсем не заниматься с покупателем, чем так заниматься, как вы или Анатолий Борисович...

— Простите, Давид Самойлович, душа взбурлила.

А дело заключалось в следующем: зайдет в лавку человек, спросит:

— Есть у вас Маяковского "Облако в штанах"?

Тогда отходил Есенин шага на два назад, узил в щелочки глаза, обмерял спрашивавшего, как аршином, щелочками своими сначала от головы до ног, потом от уха к уху и, выдержав презрительную паузу (от которой начинал топтаться на месте приемом таким огорошенный покупатель), отвечал своей жертве ледяным голосом:

— А не прикажете ли, милостивый государь, отпустить вам... Надсона... роскошное имеется у нас издание, в парчевом переплете и с золотым обрезом?

Покупатель обижался:

— Почему же, товарищ, Надсона?

— А потому, что я так соображаю: одна дрянь!.. От замены этого этим ни прибыли ни убытку в достоинствах поэтических... переплетец же у господина Надсона несравненно лучше.

Наливаясь румянцем, как анисовое яблоко, выкатывался покупатель из лавки...

А. Мариенгоф.
Роман без вранья, с. 35—36.

...в первый день моего знакомства с магазином он с явным удовольствием показывал мне помещение с таким видом, как будто я был покупатель, но не книг, а всего магазина.

Мариенгоф в то время стоял за прилавком и издали посылал улыбки, как бы говоря: "Вот видишь, поэт за прилавком!"...

Рюрик Ивнев, с. 335.

В 1919 году молодежь — Клавдий Воронцов, Сергей Брежнев, Сергей Соколов, Петр Ступеньков, Василий Ерошин, Анна Гусева и другие (среди них был и я) — организовали в Константинове так называемый культпросвет и комсомольскую ячейку. В доме бывшей помещицы Кашиной мы оборудовали сцену и своими силами ставили пьесы, чаще всего — А. Н. Островского. Для нашего кружка потребовались костюмы, парики, грим. Вспомнили Есенина. Он жил в Москве, входил в славу как поэт. Не выручит ли нас? Клавдий Воронцов написал Есенину записку. Передать ее было поручено мне.

В Москве я нашел Есенина в книжном магазине писателей на Никитской улице. Уже подходя к магазину, я обратил внимание на книжки его стихов, выставленные в витрине. Приятно было видеть сочинения своего земляка.

В магазине я попросил стоявшего за прилавком продавца показать мне все книжки Есенина. В это время открылась дверь и вошел Есенин. Он сразу узнал меня.

"Опять на мотоцикле?" — спросил Есенин улыбаясь. "Да, Сергей Александрович, на мотоцикле, — ответил я. — Дело к вам есть". И передал ему записку Воронцова.

"Пьесы ставите?" — "Ставим". — "Скоро приеду в Константиново, посмотрю".

Есенин куда-то позвонил, потом написал записку и послал меня в костюмерную Большого театра. Уходя от Есенина, я попросил его подарить мне свои стихотворения. Он взял с прилавка две тонкие книжки и на каждой написал: "Земляку Саше Силкину. С. Есенин".

К моему великому огорчению, эти книжки не сохранились. Как-то подвыпив, мой отчим сжег мои книги. Я, по его мнению, слишком много тратил денег на их покупку.

А в Большом театре мне выдали все необходимое для драмкружка. Набрался целый мешок вещей, который я привез на мотоцикле в Константиново.

А. Силкин, с. 211.

В книжную лавку имажинистов я, наверное, зашла или по дороге на Волгу, или в один из своих приездов из Самары, откуда несколько раз ездила в Москву как связная. Есенин стоял у прилавка и продавал книги. (Народу приходило туда много. Не так купить книги, как посмотреть на Есенина). Делал это он очень неуклюже. Лазал по полкам, чтобы достать нужную книгу. Долго не находил. Растерянно суетился. Мне стало очень больно за него. В душе я ругала Шершеневича и Мариенгофа, которые для приманки поставили его торговать. Я хотела уйти. Он просил подождать. Покупателям не было конца. Я спросила, что он знает о Зинаиде. Она была с Танечкой у своих родителей в Орле.

— Сережа, неужели так необходимо, чтобы ты стоял у прилавка?

— Да, знаешь, надо.

Я обещала зайти еще раз, но знала, что не зайду. Мне было тяжело видеть его в этой роли...

М. Свирская, с. 149.

Есенин и Мариенгоф не всегда стояли за прилавком (было еще несколько служащих), но всегда находились в помещении. Во втором этаже была еще одна комната, обставленная как салон, с большим круглым столом, диваном и мягкой мебелью. Называлась она "кабинетом дирекции".

Р. Ивнев.
Московские встречи, с. 236.

...Нас, молодых, выдвигавшихся тогда поэтов из Пролеткульта, пригласили читать стихи в "Домино". Есенин тогда гремел и сверкал, и мы очень обрадовались, узнав, что и он в этот вечер будет читать стихи. Он стоял, окруженный неведомыми миру "гениями" и "знаменитостями", очаровывая всех своей необычной улыбкой. Характерная подробность: улыбка его не менялась в зависимости от того, разговаривал ли он с женщиной или с мужчиной, а это очень редко бывает. Как ни любезно говорил он со всеми, было заметно, что этот "крестьянский сын" смотрел на них как на подножие грядущей к нему славы. Нервности и неуверенности в нем не было. Он уже был "имажинистом" и ходил не в оперном костюме крестьянина, а в "цилиндре и лакированных башмаках". Я полюбил его издалека, чтобы не обжечься. В это вечер он сделал очередной большой скандал.

Когда мои товарищи читали, я с беспокойством смотрел на них и на публику. Они робели, старались читать лучше и оттого читали хуже, чем всегда, а публика, эта публика в мехах, награбленных с голодающего населения, лениво побалтывала ложечками в стаканах дрянного кофе с сахарином и даже переговаривалась между собой, нисколько не стесняясь. Мне пришлось читать последнему. После меня объявляют Есенина. Он выходит в меховой куртке, без шапки. Обычно улыбается, но вдруг неожиданно бледнеет, как-то отодвигается спиной к эстраде и говорит:

— Вы думаете, что я вышел читать вам стихи? Нет, я вышел затем, чтобы послать вас к ... ! Спекулянты и шарлатаны!..

Публика повскакала с мест. Кричали, стучали, налезали на поэта, звонили по телефону, вызывали "чеку". Нас задержали часов до трех ночи для проверки документов. Есенин, все так же улыбаясь, веселый и взволнованный, притворно возмущался, отчаянно размахивал руками, стискивая кулаки и наклоняя голову "бычком" (поза дерущегося деревенского парня), странно, как-то по-ребячески морщил брови и оттопыривал красные, сочные красивые губы. Он был доволен...

Н. Полетаев, с. 297.

Тов. Мессингу!

11 января 1920 года 11 часов вечера, когда я шел домой от т. Эйдука по Тверской ул., я услышал, что публика кричит на поэтов, что с эстрады нельзя ругать по матушке, чуть дело не дошло до драки, я ликвидировал скандал, потом явился комиссар Рэкстейн и принял некоторые заявления от публики и составила протокол.

Показания чекиста Шейкмана.
Из уголовного дела № 10055 Московской ЧК.

11 января 1920 года по личному приказу дежурного по Комиссии тов. Тизенберга, я, комиссар М. Ч. К. опер. части А. Рекстень, прибыла на Тверскую улицу в кафе "Домино" Всероссийского Союза Поэтов и застала в нем большую крайне возбужденную толпу посетителей, обсуждающих только что происшедший инцидент. Из опроса публики я установила следующее: около 11 часов вечера на эстраде появился член Союза Сергей Есенин и, обращаясь к публике, произнес площадную грубую до последней возможности брань. Поднялся сильный шум, раздались крики, едва не дошедшие до драки. Кто-то из публики позвонил в М. Ч. К. и просил прислать комиссара для ареста Есенина. Скандал до некоторой степени до моего прихода в кафе был ликвидирован случайно проходившим по улице товарищем из В. Ч. К. Шейкманом. Ко мне поступило заявление от президиума Союза Поэтов, в котором они снимают с себя ответственность за грубое выступление своего члена и обещаются не допускать подобных выступлений в дальнейшем.

Мои личные впечатления от всей этой скандальной истории сложились в крайне определенную форму и связаны не только с недопустимым выступлением Есенина, но и о кафе как таковом. По характеру своему это кафе является местом, в котором такие хулиганские выступления являются почти неизбежными, так как и состав публики и содержание читаемых поэтами своих произведений вполне соответствуют друг другу. Мне удалось установить из проверки документов публики, что кафе посещается лицами, ищущими скандальных выступлений против Советской власти, любителями грязных безнравственных выражений и т. п. И поэты, именующие себя футуристами и имажинистами, не жалеют слов и сравнений, нередко настолько нецензурных и грубых, что в печати недопустимых, оскорбляющих нравственное чувство, напоминающих о кабаках самого низкого свойства. В публике находились и женщины — и явно — хулиганские выступления лиц, называющих себя поэтами, становятся тем более невозможными и недопустимыми в центре Советской России.

Единственная мера, возможная к данному кафе, — это скорейшее его закрытие.

Комиссар М. Ч. К.   А. Рэкстень.
Из протокола от 11 января 1920 г.

В воскресенье 11 января 1920 года я с компанией моих знакомых — Надежда и Татьяна Лобиновых (Страстной бульвар, 6) и т. Карпов, сотрудник Наркомпрода организационного отдела, — сидел в кафе поэтов по Тверской, дом 18. Один из поэтов Союза, Есенин, выражался с руганью по матушке...”

Из показаний Леви Семена,
мещанина Таврической губ. 28 лет,
сотрудника Наркомпрода.
11 января 1920 г.

ВЧК
Заявление.
Мы, присутствующие посетители в кафе поэтов по Тверской ул. “Домино” заявляем, 11/1 — 20 г. выступал на эстраде член союза поэт Сергей Есенин и в первых словах своих ко всей публике сказал: “Я вошел на эстраду для того, чтобы послать вас всех к ... матери” и затем продолжал и дальше грубить публике по поводу невнимания ее к поэтам. Считая подобную форму обращения к публике Советской республики возмутительным, просим принять по сему соответствующий предел (фамилии неразборчивы).

Из заявления в ВЧК группы посетителей кафе “Домино”
от 11 января 1920 г.

В ВЧК
Заявление от Президиума Всероссийского Союза поэтов.
Президиум Всероссийского Союза поэтов заявляет, что выступление поэта Есенина, имевшее место в кафе при Союзе происходило не от Президиума и Президиум ВСП ни в коем случае не может брать ответственность за отдельные личные выступления членов Союза, все же меры к тому, чтобы впредь подобные выступления не повторялись, Президиум обязуется принять.
Председатель ВСП Грузинов.

Из заявления в ВЧК председателя Президиума
Всероссийского Союза поэтов
от 12 января 1920 г.

“Слушали дело № 10055 — дело кафе “Домино”.
Постановили — дело передать в Местный нар. суд.”

Выписка из протокола заседания коллегии
следственного отдела МЧК
от 27/ 1—1920 г.

Есенин по этому случаю в суд вызывался, но не явился, поскольку в спешном порядке укатил в город Харьков. В Харькове особых дел у него не было. В сущности, это был побег.

Э. Хлысталов.
Тринадцать уголовных дел Есенина, с. 43.

Есенин несколько раз бывал в Харькове в 1920—1921 годах.

А. Гатов, с. 409.

Кругом вертелся, всем надоедая, бездарный Кусиков с неизменной гитарой, на которой он плохо играл, вернее, не умел играть. Тот самый Кусиков, которого язвительно высмеял Маяковский: "На свете много вкусов и вкусиков. Одним нравится Маяковский, другим — Кусиков".

В. Кострова, с. 290.

Александр Кусиков, кавказец, чеченец. Его полное настоящее имя было Сандро Бей Булат Ку... Он всегда искал рецепта, как стать знаменитым...

В. Шершеневич, с. 6.

...Не лишенный сообразительности и заранее предвидя, что его могут уличить в безграмотности, Сандро называл себя черкесом, пишущим на родном языке и переводящим на русский свои творения.

Р. Ивнев, с. 190.

...Пытаясь пробить себе дорогу, Кусиков паразитировал на многих известных поэтах. В свое время он обхаживал Бальмонта и, пользуясь своими материальными возможностями, издал на свои средства сборник, где стихи Бальмонта поместил рядом со своими "изделиями". Потом обхаживал он Василия Каменского, таким же образом связывая с ним свое имя. Он обжегся на Маяковском, но крепко вцепился в Есенина. Начались выступления в печати, где Кусиков шествовал с Есениным под руку. Кусиков считал себя кавказцем и, чтобы усилить свое сходство с Есениным, использовавшим иногда обрядовые и церковные выражения, провозгласил себя мусульманином, поклонником Корана. Якобы объединял он Коран с Евангелием, пытаясь придать себе ложную значительность и внушая, что он и Есенин поэты одних политических вкусов и биографий. Все это делалось очень грубо, но Кусиков обладал деловой предприимчивостью. Он прочно утвердился в имажинизме.

С. Д. Спасский, с. 199.

В ночь на 19 октября 1920 года чекисты арестовали Сандро и Рубена Кусиковых. Они задержали также как подозрительного субъекта и ночевавшего у них Сергея Есенина, который только что вернулся из поездки в Грузию.

А. Велидов.
Похождения террориста, с. 46.

В семье Кусиковых, проживающих по Б. Афанасьевскому пер. (Арбат) в доме № 30, есть один сын по имени Рубен. Он бывший деникинский вольноопределяющийся, служил в деникинской армии в Дикой дивизии, в Черкесском полку. В одном из боев с красными войсками был ранен в руку. Теперь он был привезен в Москву с партией пленных деникинских офицеров и помещен в одном из лагерей. Так как семья Кусиковых имеет большие связи среди старых партийных работников, сын этот, по хлопотам тов. Аванесова, был освобожден и находится ныне на свободе. Этот тип белогвардейца ненавидит Советскую власть и коммунистов, как и вся их семья, и собирается по выздоровлении бежать к Врангелю. Когда он мне это сказал, я попросил его, нельзя ли и мне с ним уехать, на (что) он обещал мне свое содействие, заявив, что на Кавказе у него много родных и что мы можем вместе бежать через Урупский аул.

Теперь он старается заручиться знакомствами с коммунистами, часто пьянствует, по его словам, с т. Потоловским (из ВЧК).

Мне он рассказывал, как их дивизия зверски расправлялась с нашими красноармейцами, когда они имели несчастье попасть к ним в плен, и как он жалеет, что он из-за раны не мог уехать со своими друзьями к Врангелю при приближении наших войск.

Анонимное заявление в ВЧК.
12 сентября 1920 г.

На основании ордера Московской Чрезвычайной Комиссии по борьбе с контрреволюцией, спекуляцией и преступлениям по должности за № 9042 от 18 окт. мес. 1920 г. произведен обыск у гр. Кусикова А. Б. в д. № 30, кв. № 5 по ул. Арбат, Б. Афанасьевский пер., комиссариата...

При обыске присутствовали: председатель домкома Вальд В. Г., тов. Карпович и жилец Фонер.

Согласно данным указаниям задержаны: гражд. Кусиковы Александр и Рубен Борисовичи, Есенин Сергей Александрович.

Оставлена засада.

Взято для доставления в Московскую Чрезвыч. Комиссию следующее (подробная опись всего конфискуемого или реквизируемого):

у гр. Кусикова А. Б. тридцать тысяч советских денег, документы и переписка, у гр. Есенина документы, у гр. Кусикова Бориса Карповича 530000 р. (пятьсот тридцать тысяч руб.) советскими деньгами и 20000 р. (двадцать тысяч руб.) думскими. Обыск производил: комиссар комиссии Шимановский.

Из протокола обыска и задержания
братьев Кусиковых и С. А. Есенина.
(В ночь с 18 на 19 окт. 1920 г.)

Отдел секретный   *г. Москва. 19 октября 1920 г.*
ПРОТОКОЛ №
допроса, произведенного в Московск<ой> Чрезв<ычайной> Ком<иссии>.
По делу за №   Следователь Матвеев.

Я, нижеподписавш<ийся, допрошен<ный> в качестве обвиняемого гражд<анин>, показал следующее:

1) Фамилия	Есенин.
2) Имя и отчество	Сергей Александрович.
3) Возраст	25 лет.
4) Происхождение	Крестьянин Рязанской губ.
5) Местожительство	Б. Афанасьевский, д. 30, кв. 5, гор. Москва.
6) Род занятий	Литератор. Участвую в "Извест<иях> Сов<етов> раб<очих> и кр<естьянских> д<епутатов>". Не регулярно, периодически.
7) Семейное положение	Холост. 2 сестры, мать, отец и дедушка прож<ивают> на родине, в Ряз<анской> губ.
8) Имущественное положение	Среднее крестьянство.
9) Партийность	Беспартийный.
10) Образование общее/специальное	Высшее. Ок<ончил> университ<ет> в гор. Москве. Филолог.
11) Политическое убеждение	Сочувствую Советской вл<асти>
12) Чем занимался и где служил: а) До войны 1914 г.	Учился в г. Москве
б) До Февр<альской> революции	Был призван на воен<ную> службу <в> 1915 г. С 29 августа 1916 по февральскую рев<олюцию> сид<е>л в д<исциплинарном батальоне?>
в) До Октябр<ьской> рев<олюции>	Работал в гор. Петрограде по литерат<урной> деятельности во всех про<и>звед <?>
г) С Октябр<ьской> револ<юции>	С 1928 г. прикоманд<ирован> к Наркомпросу из Всерос<сийского> союза писателей.
д) Сведение о прежней судимости	Отбывал 4 месяца в дисциплинарном батальоне <в> 1916 году.

Протокол допроса в Московской ЧК С. А. Есенина.
19 октября 1920 г.

ПОКАЗАНИЯ ПО СУЩЕСТВУ ДЕЛА

На вопрос: "Известны ли вам причины вашего ареста?" отвечаю: "Нет". На вопрос: "Известно ли вам, в чем обвиняется ваш коллега Кусиков?" отвечаю: "Нет. Но имею предположения, что арест послужил в связи с доносом гр. Бакалейникова, режиссера Бол<ьшого> театра, по личной ненависти к нам, так как мы имели с ним личные счеты". На вопрос: "С какого времени знакомы с гр. Кусиковым?" отвечаю: "Я знаю Кусикова с 1917 г., знаком, как с товар<ищем> по деятельности литературной. Политические убеждения моего товарища вполне лояльны. К Советской власти сочувствие моего тов<арища> выражалось в тех произведениях, которые принадлежат ему. Например, в сборнике "Красный офицер" и книга под заглавием "В никуда", "Коевангелиеран". У меня также имеется ряд произведений в револ<юционной> душе. Я был одним из первых поэтов в современном быте". На вопрос: "Кто может подтвердить о вашей деятельности и благонадежности?" — "Тов. Ангарский и тов. Луначарский и целый ряд других обществ<енных> деятелей". На вопрос: "Как вы смотрите на современную политику Сов<етской> власти?" отвечаю: "Я ко всему проводимому принципу Сов<етской> власти вполне лоялен в переходный момент. К той эпохе, которая насаждится социализм <?>, каковы бы проявления Сов<ет­ской> власти ни были, я считаю, что факты этих проявлений всегда необходимы для той большой цели, какую несет коммунизм. Всякое лавирование Сов<етской> власти я оправдываю, как средство для улучшения военного и гражд<анского> быта Сов<етской> России". На вопрос: "Что для вас кажется лавированием в действиях Сов<етской> власти?" — "Те действия Сов<етской> власти, <которые осуществляются> в области военной политики, я считаю безусловно лавированием. На заключение мира с Польшей я смотрю, как на необходимое явление в данный момент, в момент именно истощенный в экономич<еской> жизни страны". На вопрос: "Кто может вас взять на поруки?" отвечаю: "Может безусловно за меня ручаться, окромя выше сказанных, тов. Устинов, сотр<удник> Прав<итель­ственной> газеты, и другие. Больше показать ничего не могу".

С. Есенин

Опросил Матвеев

Из протокола допроса в Московской ЧК С. А. Есенина.
19 октября 1920 г.

Отдел Секретный   *гор. Москва, 24 октября 1920 г.*

ПРОТОКОЛ № 1

допроса во Всероссийской Чрезвычайной Комиссии по борьбе с контррев<олюцией>, сабот<ажем> и спек<уляцией>

<Следователь>   Девингталь

По делу за №

Я, нижеподписав<шийся>, допрошен<ный> в качестве показываю:

1. Фамилия	Есенин
2. Имя, отчество	Сергей Александрович
3. Возраст	25 лет

4. Происхождение	Крестьян<ин> Рязанской губ. и уезда, Кузь-
5. Местожительство	минской волости, село Константиново
6. Род занятий	Литератор
7. Семейное положение	Холост
8. Имущественное положение	Заработок
9. Партийность	Беспартийный
10. Политические убеждения	Сочувствующий коммунизму
11. Образование общее/специальное	Высшее. Историко-философский факультет унив<ерситета> Шанявского
12. Чем занимался и где служил: а) до войны 1914 года	Ст<анция> Кунцево, село Крылатское, — учился
б) до февральской революции 1917 года	На военной службе нестроевой должности, в дисциплинарном батальоне
в) до октябрьской революции 1917 года	В Петрограде дезертировал и болел
г) с октябрьской революции до ареста	В Петрограде и Москве занимался литературой
13. Сведения о прежней судимости	За оскорбление пре<стола?> был приговорен на 1 год дисциплинарного батальона <в> 1916 году

Лист из протокола допроса в ВЧК С. А. Есенина.
24 октября 1920 г.

ПОКАЗАНИЯ ПО СУЩЕСТВУ ДЕЛА

Я состоял секретарем тов. Колобова, уполномоченного НКПС. 8 июля мы выехали с ним на Кавказ. Были тоже в Тифлисе, по поводу возвращения вагонов и паровозов, оставшихся в Грузии. В Москву я приехал с докладом <к> тов. Громану, пред<седателю> "Трамота". К Кусиковым зашел, как к своим старым знакомым, и ночевал там, где был и арестован.

С. Есенин

Из протокла допроса в ВЧК С. А. Есенина.
24 октября 1920 г.

ПОДПИСКА

О поручительстве за гр. Есенина Сергея Александровича, обвиняемого в контрреволюции по делу гр. Кусиковых, 1920 года октября месяца 25 дня. Я, нижеподписавшийся Блюмкин Яков Григорьевич, проживающий по: гостиница "Савой" № 136, беру на поруки гр. Есенина и под личной ответственностью ручаюсь в том, что он от суда и следствия не скроется и явится по первому требованию следственных и судебных властей.

Подпись поручителя — Я. Блюмкин
25. X. 1920 г.
Москва.
Партбилет ЦК Иранск<ой>
коммунист<ической> партии.

Поручительство Я. Г. Блюмкина за С. А. Есенина.

В ПРЕЗИДИУМ ВЧК

По делу Есенина Сергея Александровича (содержится в комендатуре ВЧК), обвиняемого в контрреволюции.

Произведенным допросом выяснено, что гр. Есенин в последние 3 месяца в Москве не находился, а был командирован НКПС в Кавказ и Тифлис, прибыл в Москву с докладом и был арестован на квартире у гр. гр. Кусиковых. Допросом причастность Есенина к делу Кусиковых не достаточно установлена, и посему полагаю гр. Есенина Сергея Александровича из-под ареста освободить под поручительство тов. Блюмкина.

Уполномоченный СО ВЧК В. Штейнгардт
25/X — 20

Заключение следователя ВЧК от 25 октября 1920 г.

Октяб<ря> 25 дня 1920 г. в дело
ТАЛОН № 193
Начальнику ВЧК тюрьмы
С получением сего немедленно освободить из-под ареста гр. Есенина Сергея Ал<ексан>дров<ича>. С освобожденного взять подписку о ....
....
По освобождении срочно препроводить в ВЧК прикрепленное внизу сего ордера извещение и подписку.
Справка зап<иска> Мещерякова
/Управляющий делами ВЧК Н. Мещеряков
Завед<ующий> Учетно-Регистр<ационным>
отдел<ением> /Подпись/

Распоряжение начальнику внутренней тюрьмы ВЧК
об освобождении С. А. Есенина.
25 октября 1920 г.

Восемь дней ничего не ел. Там даже воскресенья не празднуют, ни кусочка хлеба. Мне дали пол-яблока. Едва-едва вырвался.

Есенин в записи А. Эфрон.
Цитата по книге Куняевых "Сергей Есенин", с. 204.

Не есенинское было дело — рассуждать о политике, но как же избежать этого в разгар революции, когда даже обыденная, повседневная жизнь неизбежно оказывалась политикой, когда в воздухе стоял угар всеобщего безумия, все люди казались ненормальными, вся Россия бредила, и всюду раздавалась проповедь бредовых идей, казавшихся проповедникам легко осуществимыми. Говорили, что для счастья человечества нужно отрубить всего только два миллиона чьих-то голов, и действительно головы валились, и говорили это не только кровожадные люди, а и просто легковерные, легкомысленные мечтатели. Говорили об отмене денежной системы и немедленном введении социализма, о всемирной литературе на международном языке, об электрификации всего мира, о мировой федерации, обо всем — в мировом масштабе. Все казалось возможным, как во сне, в сказке или сумасшедшем доме. В нормальное время даже настоящие сумасшедшие в горячечных рубашках не говорили бы того, что говорилось тогда всюду. Все авторитеты были свергнуты, мания величия свирепствовала, как повальная болезнь. Поэт Маяковский серьезно оскорблялся, когда льстецы сравнивали его с Пушкиным: он считал себя выше. Мудрено ли, что даже от природы скромный и застенчивый, но очень талантливый Есенин тоже считал себя выше Пушкина: поэт мыслит образами, но Есенин, как имажинист, пишет ими: у Пушкина — два-три образа на странице, но у Есенина в каждой строке — образ: кто же выше? Так рассуждал Есенин, повторяя, по-видимому, чьи-то чужие, не свои слова.

"Говорят, я скоро буду самый лучший поэт!"...

И он действительно был лучшим из всех этих имажинистов, футуристов, акмеистов, поголовно считавших себя гениями: ниже гения у них не было ранга.

Скиталец, с. 168—169.

Имажинисты умели шуметь, были у всех на виду, выпускали без конца сборники стихов и статей и вообще не давали отдыха ни себе ни москвичам.

Н. Оцуп, с. 160.

Если футуризм, несмотря на желтую кофту и на лорнетку Бурлюка, был художественным и общественным явлением, то имажинизм мне всегда казался наспех сделанной вывеской для группы литераторов. Есенин любил драки; и как в гимназии "греки" дрались с "персами", так он охотно пошел к имажинистам, чтобы драться с футуристами. Все это даже не страница его биографии, а несколько сносок, способных заинтересовать только литературоведа.

И. Эренбург, с. 594.

Многие, вероятно, слышали о "Суде над имажинистами", инсценированном ими для шума и разговоров.

Н. Оцуп, с. 160.

Упрекали имажинистов, между прочим, и в безграмотности самого их наименования: если оно образовано от латинского imago (образ), то и зваться бы им имагинистами. А "имажинисты" — от французского что ли image, — может лишь означать "воображенцы" — или, если угодно, "воображаки".

Н. Вольпин, с. 380.

"Прокурором" выступал Валерий Брюсов, на "скамье подсудимых" сидели имажинисты... Брюсов, потерявший в то время почву под ногами, порвавший с "беспартийной интеллигенцией" и не сумевший еще пристать к большевикам, представлял зрелище и жалкое и горестное. Он не рассчитал, должно быть, в какое двусмысленное положение ставит себя, выступая всерьез оппонентом бойких, остроумных и легкомысленных молодых людей.

На критику Брюсова имажинисты отвечали развязно, ловко, вполне по вкусу публики. Публика поддержала, конечно, "веселых ребят", голосовала за них, и осужденным оказался сам прокурор Брюсов.

Н. Оцуп, с. 160.

Улыбка у Брюсова напряженная: старается с официального тона перейти на искренний и ласковый тон.

— Да, — отвечает Есенин невнятно.

— Рожайте, рожайте! — ласково продолжает Брюсов.

В этой ласковости Брюсова чувствовалось одобрение и поощрение метра по отношению к молодому поэту.

В этой ласковости Брюсова была какая-то неестественность. Брюсов для Есенина был всегда посторонним. Они были чужды друг другу, между ними никогда не было близости. "Сорокоуст" был первым произведением, которое Брюсов хорошо встретил...

И. Грузинов, с. 366.

Он (Есенин) по обыкновению был одет франтом, но выглядел мрачно. Долго молча слушал "пролетарские" речи и, наконец, попросил слова. Все насторожились: к этому времени за Есениным уже упрочилась слава профессионального скандалиста.

— Здесь говорили о литературе с марксистским подходом! — начал он своим звенящим голосом, — никакой другой литературы не допускается!.. Это уже три года! Три года вы пишете вашу марксистскую ерунду! Три года мы молчали! Сколько же еще лет вы будете затыкать нам глотку? И на кой черт и кому нужен марксистский подход? Может быть, завтра же ваш Маркс сдохнет!..

Кругом засветились улыбки: чего же и было ждать от Есенина, кроме скандала? Это его манера, его конек. К нему относились несерьезно, как к чудаку, или немножко ненормальному.

Скиталец, с. 169.

Вообще имажинисты вели себя как когда-то символисты, с той лишь разницей, что символисты в самом деле сражались за какие-то новые ценности, а имажинисты хотели ослепить и озадачить читателей и слушателей только затем, чтобы вызвать шум вокруг своей непрочной славы...

Н. Оцуп, с. 160.

...слово "имажинизм", которое и вообще говоря, решительно ничего не определяет, а в приложении к Есенину звучит горьким сарказмом: слово это сыграло совершенно роковую роль в жизни автора "Пугачева".

Он поверил в его серьезность и значительность и дал себя затянуть в сектантство, кружевщину, кофейщину, короче, на "Зеленую улицу", где семью цветами радуги расцветают Хлестаковы от Парнаса и чахнет истинный лиризм.

А. Ветлугин.
Воспоминание об Есенине, с. 129.

...Есенина затащили в имажинизм, как затаскивали в кабак. Своим талантом он скрашивал выступления бездарных имажинистов, они питались за счет его имени, как кабацкая голь за счет загулявшего богача.

В. Ходасевич, с. 65.

...удобное для манифеста иноязычное слово придавало само по себе какое-то своеобразие есенинско-мариенгофской группе поэтов. На деле различие между поэзией Есенина и Мариенгофа оставалось таким же большим, как различие между рязанским маковым закатом и режущим глаз электрическим освещением столичных литературных кабачков.

Л. Берман.
В книге В. Кузнецова "Тайна гибели Есенина".
М., "Современник", 1998, с. 248.

В имажинизме же была для Есенина еще одна сторона, не менее важная: бытовая. Клеймом глупости клеймят себя все, кто видит здесь только кафе, разгул и озорство.

Быт имажинизма нужен был Есенину больше, чем желтая кофта молодому Маяковскому.

С. Городецкий, с. 184.

— Почему вы так одеваетесь? — вдруг после паузы бесцеремонно спросил я Есенина. — К чему этот кафтанчик и лаковые с набором сапожки? Святочный маскарад?

— Ты думаешь, только Маяковский может носить желтую кофту?..

Н. Никитин, с. 223.

Конечно, о московском Есенине я могу уже судить по тому, что он писал о Москве. Это была уже не та заутреня, за которой стоял он с Клюевым. Нынче, "как Петр Великий", он рушил под собой твердь. Имажинизм был бунт против этой заутрени.

Л. Клейнборт, с. 267.

...Новая литературная группа, вскоре начавшая конкурировать с футури- стами, оказалась тоже группой поэтов и родилась тоже в Москве. Это были имажинисты, оспаривавшие у футуристов право именоваться самыми ле- выми — и, следовательно, самыми модными. Если футуристы размахивали пролетарской эмблемой нового российского герба — молотом, то имажи- нисты имели все основания взять своим символом еще оставшийся неис- пользованным крестьянский серп, потому что к этому времени, к началу НЭПа, крестьянство уже начинало выступать в качестве новой социальной силы. Так рожден был крупнейший крестьянский лирик — Есенин, начав- ший писать до революции. С таким же правом, как Маяковский, мог ска- зать: "Футуризм это — я!", Есенин мог заявить: "Имажинизм это — я!"

Евг. Замятин, с. 88.

Впрочем, имажинисты были еще и предприимчивыми "хозяйчиками": книжная лавка на Никитской, издательства, гастрольные поездки и кафе "Стойло Пегаса" на Тверской — все эти "доходные предприятия" также входили в программу имажинизма.

И. Шнейдер, с. 298.

Было уже темно, когда я добрел до "Кафе поэтов". Одиночество сковы- вало меня. Блок и Верхоустинский умерли. Единственным близким челове- ком в Москве был Есенин.

Я вошел и, как был в шинели, сел на скамью. Какая-то поэтесса читала стихи. Вдруг на эстраду вышел Есенин. Комната небольшая, людей немно- го, костюм мой выделялся. Есенин что-то сказал, и я вижу, что он увидел меня. Удивление, проверка впечатления (только что была напечатана теле- грамма о моей смерти), и невыразимая нежность залила его лицо. Он со- рвался с эстрады, я ему навстречу — и мы обнялись, как в первые дни. Незабвенна заботливость, с какой он раскинул передо мной всю "роскошь" своего кафе. Весь лед 16-го года истаял. Сергей сам горел желанием согреть меня сердцем и едой. Усадил за самый уютный столик. Выставил целую тарелку пирожных — черничная нашлепка на подошве из картофеля: "Ешь все, и еще будет". Желудевый кофе с молоком — "сколько хочешь". С чудес- ной наивностью он раскидывал свою щедрость. И тут же, между глотков, торопился все сразу рассказать про себя — что он уже знаменитый поэт, что написал теоретическую книгу, что он хозяин книжного магазина, что не- пременно нужно устроить вечер моих стихов, что я получу не менее восьми тысяч, что у него замечательный друг. Мариенгоф. Отогрел он меня и растро- гал. Был он очень похож на прежнего. Только купидонская розовость исчезла. Поразил он меня мастерством, с каким научился читать свои стихи.

С. Городецкий, с. 182.

Озорничал он и в московском "Стойле Пегаса". Странное это было уч- реждение. На эстраде — Есенин, Брюсов. Пред эстрадой — спекулянты, проститутки и — по должности, а может, и по любви к поэзии — агенты уголовного розыска. Поэзией тогда питались многие, благо хлеб по карточкам выдавали очень скупо. Вспоминается разговор с проституткой в "Стойле":

— Вам какие же поэты больше нравятся?

— Пушкин нравятся...

Подумав:

— Сергей Александрович тоже хорошо пишет, только очень уж неприлично.

Мы Сергея долго этим поддразнивали.

Э. Я. Герман.
Из "Книги о Есенине", с. 160.

Тверская. "Стойло Пегаса".

Огромный, грязный сарай, с простоватым, в форменной куртке, швейцаром, умирающими от безделья барышнями и небольшой стойкой, на которой догнивает десяток яблок, черствеет печенье и киснут вина.

Кто знает? Может быть, здесь когда-нибудь и обитала романтика.

В. Эрлих, с. 23.

...Клуб имажинистов "Стойло Пегаса" на Тверской представлял собой довольно тесное помещение с небольшой эстрадой и расписанными декадентской живописью стенами.

Н. Задонский, с. 412.

Обстановка "Стойла Пегаса" — резиденции имажинистов — лидером коих и, так сказать, козырным тузом был Есенин, не производила приятного впечатления. Что-то уж много делячества, дурного тона, воробьиной фанаберии, скандальной саморекламы. И их "теоретик" Анатолий Мариенгоф — циркулеподобно шагающий по эстраде, и Кусиков, что-то бормочущий с сильным акцентом, и какие-то сомнительные девицы с подкрашенными дешевой помадой губами и накокаинившиеся "товарищи" полувоенного и получекистского образца.

Ю. Трубецкой.
Из литературного дневника, с. 153.

В надежде встретиться с Есениным, я зашел в кафе "Стойло Пегаса", где по вечерам выступали поэты имажинисты.

Пришел я рано, было еще светло. Публики в кафе было мало. В буфете мне сказали, что Есенин сейчас в Москве, бывает в кафе каждый вечер, придет и сегодня.

Я стал ждать. Прихлебывая кофе, в двадцатый раз читал надпись на стене:

Веслами огрубленных рук
Мы гребемся в страну грядущего.

Выведенные черной краской эти и другие строки имажинистских стихов, пересекаясь, бежали в разных направлениях по светлым стенам кафе.

Дм. Семеновский, с. 342.

"Стойло Пегаса". Москва, 21-й год.

На потолке ломаными разноцветными буквами изображен "манифест"
имажинистов. Вот он:

> В небе сплошная рвань,
> Облаки — ряд котлет,
> Все футуристы — дрянь,
> Имажинисты — нет.

На стене — среди ряда других цитат из поэзии имажинистов — есенинская строчка:

> Господи, отелись.

Сам Есенин, красный от вина и вдохновения, кричит с эстрады:

> Даже Богу я выщиплю бороду
> Оскалом своих зубов.

В публике слышен ропот. Кто-то свистит. Есенин сжимает кулаки.

— Кто, кто посмел? В морду, морду разобью.

— Читай, Сережа, не обращай внимания.

Есенин не унимается. В публику протискивается молодой человек из свиты Есенина. Вид у молодого человека грозный. Все знают, что он — чекист.

— Эй вы, — кричит он звонким голосом, — если кто посмеет еще раз
пикнуть...

Чекист не договаривает своей угрозы, да этого и не нужно — воцаряется
молчание; Есенин продолжает читать.

Глядя на самоуверенного, отчаянного, пьяного Есенина, мой спутник,
так же как и я приехавший на время из Петербурга, наклоняется к уху
нашего провожатого эстета-москвича:

— Неужели никто не может удержать его от пьянства и от всего этого...
Ведь погибнет. — Москвич, улыбаясь, отвечает:

— Бросьте, сойдет, гениальному Сереже ничто не повредит.

Я слышал уже не раз этот классический ответ, ставший роковым для
Есенина.

Н. Оцуп.
Современники. Париж, 1961, с. 269.

"Стойло Пегаса" находилось на Тверской улице, дом № 37 (приблизительно там, где теперь на улице Горького кафе "Мороженое", дом № 17).
Раньше в этом же помещении было кафе "Бом", которое посещали главным образом литераторы, артисты, художники. Кафе принадлежало одному
из популярных музыкальных клоунов-эксцентриков "Бим-Бом" (Радун-
ский — Станевский). Говорили, что это кафе подарила Бому (Станевско-
му), после Октябрьской революции уехавшему в Польшу, его богатая поклон-

ница Сиротинина, и оно было оборудовано по последнему слову техники и стиля того времени. Когда оно перешло к имажинистам, там не нужно было ничего ремонтировать и ничего приобретать из мебели и кухонной утвари.

Для того, чтобы придать "Стойлу" эффектный вид, известный художник-имажинист Георгий Якулов нарисовал на вывеске скачущего "Пегаса" и вывел название буквами, которые как бы летели за ним. Он же с помощью своих учеников выкрасил стены кафе в ультрамариновый цвет, а на них яркими желтыми красками набросал портреты его соратников-имажинистов и цитаты из написанных ими стихов. Между двух зеркал было намечено контурами лицо Есенина с золотистым пухом волос, а под ним выведено:

> Срежет мудрый садовник осень
> Головы моей желтый куст.

Слева от зеркала были изображены нагие женщины с глазом в середине живота, а под этим рисунком шли есенинские строки:

> Посмотрите: у женщин третий
> Вылупляется глаз из пупа.

Справа от зеркала глядел человек в цилиндре, в котором можно было признать Мариенгофа, ударяющего кулаком в желтый круг. Этот рисунок поясняли его стихи:

> В солнце кулаком бац!
> А вы там, — каждый собачьей шерсти блоха,
> Ползайте, собирайте осколки
> Разбитой клизмы.

В углу можно было разглядеть, пожалуй, наиболее удачный портрет Шершеневича и намеченный пунктиром забор, где было написано:

> И похабную надпись заборную
> Обращаю в священный псалом.

Через год на верху стены, над эстрадой крупными белыми буквами были выведены стихи Есенина:

> Плюйся, ветер, охапками листьев, —
> Я такой же, как ты, хулиган!

М. Райзман, с. 384—385.

Жизнь била ключом. В те дни жизнь была с наганом за поясом, с пулеметной лентой через плечо... С тайным стаканом самогона и с проникновенными речами. В этом кафе родилось молодое поколение поэтов, часто не умевших грамотно писать, но умевших грамотно читать и жить. Голос стал важнее почерка...

Вадим Шершеневич.
Великолепный очевидец. 1932. Рукопись.
ЦГАЛИ, фонд В. Г. Шершеневича, с. 3.

Здесь надо упомянуть (и это очень важно для уяснения некоторых обстоятельств жизни Есенина после его возвращения из Америки), что в ту пору он был равнодушен к вину, то есть у него совершенно не было болезненной потребности пить, как это было у большинства наших гостей. Ему нравилось наблюдать тот ералаш, который поднимали подвыпившие гости. Он смеялся, острил, притворялся пьяным, умышленно поддакивал чепухе, которую несли потерявшие душевное равновесие собутыльники. Он немного пил и много веселился, тогда как другие много пили и под конец впадали в уныние и засыпали...

Р. Ивнев.
Московские встречи, с. 233.

Несколько слов о пресловутом "Стойле Пегаса", наложившем немалый отпечаток как на личность, так и на творчество Есенина. Официально, так сказать, — клуб "Ассоциации вольнодумцев", запросто — "Литературное кафе".

Двоящийся в зеркалах свет, нагроможденные из-за тесноты помещения чуть ли не друг на друге столики. Румынский оркестр. Эстрада. По стенам роспись художника Якулова и стихотворные лозунги имажинистов. С одной из стен бросались в глаза золотые завитки волос и неестественно искаженное левыми уклонами живописца лицо Есенина в надписях: "плюйся, ветер, охапками листьев".

Кого только не перебывало в "Стойле Пегаса"! Просматривая сохранившиеся у меня афиши о выступлениях и заметки о программах вечеров в "Стойле", нахожу имена Брюсова, Мейерхольда, Якулова, Есенина, Шершеневича, Мариенгофа и множество других.

Диспуты об искусстве, диспуты о кино, о театре, о живописи, о танце Дункан, вечера поэзии чередовались изо дня в день под немолчный говор столиков. Публику, особенно провинциалов, эпатировала как сама обстановка кафе, так и имена выступавших в нем поэтов, художников и театральных деятелей. Есенин играл главную роль как председатель "Ассоциации вольнодумцев", как единоличный почти владелец кафе и как лучший из выступавших там поэтов.

И. Старцев.
В сб. "С. А. Есенин в восп. современников".
*М., 1986, с. 409—410.**

...Есть тут кружок имажинистов — так он с ними! Ловкий народ: у Госиздата нет бумаги, а у них — сколько угодно!

Скиталец, с. 167.

Все запасы бумаги в Москве были конфискованы и находились на строжайшем учете и контроле. Есенин все же бумагу добыл. Добыл тем же спосо-

---

* Далее — по этому изданию.

бом, какой он несколько позднее применял в новом своем издательстве "Имажинисты". Способ этот был очень прост и всегда давал желаемые результаты. Он надевал свою длиннополую поддевку, причесывал волосы на крестьянский манер и отправлялся к дежурному члену Президиума Московского Совета. Стоя перед ним без шапки, он кланялся и, старательно окая, просил "Христа ради" сделать "божескую милость" и дать бумаги для "крестьянских" стихов. Конечно, отказать такому просителю, от которого трудно было оторвать восхищенный взор, было немыслимо. И бумагу мы получили.

Л. Повицкий, с. 234.

Он рос. Критик В. П. Полонский уже тогда на докладах в Доме печати называл его великим русским поэтом. Есенин уже не терпел соперников, даже признанных, даже больших.

Н. Полетаев, с. 299.

В эту зиму ему на именины был подарен плакатный рисунок (художника не помню) — сельский пейзаж. На рисунке была изображена церковная колокольня с вьющимися над ней стрижами, проселочная дорога и трактир с надписью "Стойло". По дороге из церкви в "Стойло" шел Есенин, в цилиндре, под руку с овцой. "Картинка" много радовала Есенина. Показывая ее, он говорил:

— Смотри, вот дурной, с овцой нарисовал!

Уезжая за границу, он бережно передал ее на сохранение в числе других архивных мелочей, записок и писем А. М. Сахарову.

И. Старцев, с. 412.

Другой раз, придя в кафе, я увидел Есенина выступающим на эстраде вместе с Мариенгофом и Шершеневичем. Они втроем (коллективная декламация) читали нечто вроде гимна имажинистов. Читали с жаром и пафосом, как бы бросая кому-то вызов. Я запомнил строчки из этого гимна:

> Три знаменитых поэта
> Бьют в тарелки лун...

Было обидно за Есенина: зачем ему эта реклама?..

В. Кириллов, с. 162.

Лето двадцатого. Еще до отъезда Есенина и Мариенгофа на Кавказ. Говорю Грузинову:

— Мне всегда страшно за Есенина. Такое чувство, точно он идет с закрытыми глазами по канату. Окликнешь — сорвется.

— Не у вас одной, — коротко и веско ответил Грузинов.

Н. Вольпин, с. 250.

... Я благодарен всему, что вытянуло мое нутро, положило в формы и дало ему язык. Но я потерял зато все то, что радовало меня раньше от моего здоровья. Я стал гнилее. Вероятно кой-что по этому поводу Вы уже слышали.

Есенин — Иванову-Разумнику.
Москва, 4 декабря 1920 г.

В эту зиму он начал проявлять склонность к вину. Все чаще и чаще, возвращаясь домой из "Стойла", ссылаясь на скуку и усталость, предлагал он завернуть в тот или иной кабачок — выпить и освежиться. И странно, он не столько пьянел от вина, сколько досадовал на чье-нибудь не понравившееся ему в разговоре замечание, зажигая свои нервы, доходя до буйства и бешенства.

И. Старцев, с. 410.

Я удивляюсь, как еще я мог написать столько стихов и поэм за это время. Конечно, перестроение внутреннее было велико.

Есенин — Иванову-Разумнику.
4 декабря 1920 г.

А ведь сложился уже замысел "Страны негодяев". И, знаю, носится с мыслью дать во всю мощь образ Ленина! Не повторить теперь, что Ленин "распластал себя в революции".

Н. Вольпин, с. 285.

Довольно давно уже я согласился быть почетным председателем Всероссийского союза поэтов, но только совсем недавно смог познакомиться с некоторыми книгами, выпускаемыми членами этого союза. Между прочим, с "Золотым кипятком" Есенина, Мариенгофа и Шершеневича.

Как эти книги, так и все другие, выпущенные за последнее время так называемыми имажинистами, при несомненной талантливости авторов, представляют собой злостное надругательство и над собственным дарованием, и над человечеством, и над современной Россией.

Книги эти выходят нелегально, т. е. бумага и типографии достаются помимо Гос. Издательства незаконным образом.

Главполитпросвет постановил расследовать и привлечь к ответственности людей, способствовавших появлению в свет и распространению этих позорных книг.

Так как союз поэтов не протестовал против этого проституирования таланта, вывалянного предварительно в зловонной грязи, то я настоящим публично заявляю, что звание председателя Всероссийского союза поэтов с себя слагаю.

А. В. Луначарский — редакции "Известий".
Москва, 1920 г.

Но если мы действительно не только ненужный, но чуть ли не вредный элемент в искусстве, как это пишут тт. критики и работники, если наше искусство — не только вредно, но даже опасно Советской республике, если нас необходимо лишать возможности печататься и говорить, то мы вынуждены просить Вас о выдаче нам разрешения на выезд из России, потому что мы желаем работать и работать так, как это велит наше искусство, не поступаясь ни одним лозунгом имажинизма, этого поэтического учения, которое для нас является единственно приемлемым.

С. Есенин, В. Шершеневич, А. Мариенгоф
5 марта 1920 г.

Из письма комиссару по просвещению
А. В. Луначарскому.

Анатолий Васильевич! Посылаю Вам письмо имажинистов, которые очень просят напечатать в журнале, задетые Вашим отзывом. Полагаю, что отказать им в этом больших оснований нет, — весь вопрос в том, чтобы редакция дала бы достойный ответ. Подарите им десяток теплых строк — их "Стойло" этого заслуживает. Неполучение Вашего ответа буду считать Вашим нежеланием письмо печатать — и оно останется в таком случае ненапечатанным!

В. П. Полонский — А. В. Луначарскому.
Москва, 15 сентября 1921 г.

...Ни в какой публичной дискуссии критик Луначарский участвовать не желает, так как знает, что такую публичную дискуссию господа имажинисты обратят еще в одну неприличную рекламу для своей группы.

Нарком же Луначарский, во-первых, не имеет права высылать не нравящихся ему поэтов за пределы России, а, во-вторых, если бы и имел это право, то не пользовался бы им. Публика сама скоро разберется в той огромной примеси клоунского крика и шарлатанства, которая губит имажинизм, по его мнению, и от которой, вероятно, вскоре отделятся действительно талантливые члены "банды".

А. В. Луначарский — Есенину, Шершеневичу, Мариенгофу.
Москва, август-сентябрь 1921 г.

Когда в 1921 году я приехал в Москву, она полна была слухов о приключениях и выходках Сергея Есенина. Я тогда свел знакомство с некоторыми сослуживцами моего брата по ВЧК. Мне запомнились рябоватый, с черными крутыми кудрями рабочий из Ижевска — Иванов, интеллигентного вида, болезненный Семенов и Леля Сивицкая — девушка с глазами, полными синего огня. Они-то и рассказывали о Сергее Есенине, так как протоколы милиции, составленные по поводу всяческих его похождений, иногда попадали в ВЧК. В этих протоколах фигурировали четверостишия вроде того, которое было начертано Есениным на стенах Страстного монастыря. Разухабистая антицерковность этих стихов была по душе моим приятелям, они восхищались Есениным, он был для них свой, революционный поэт.

Ю. Либединский, с. 178.

Когда этот "скандалист" работал — трудно было себе представить, но он работал в то время крепко. Тогда были написаны лучшие его вещи: "Соро-коуст", "Исповедь хулигана", "Я последний поэт деревни..."

Н. Полетаев, с. 298.

Маленькое "Стойло Пегаса" теперь было всегда переполнено, и у вход-ной двери пришлось поставить привратника, который, скрепя сердце, должен был останавливать многих, желавших проникнуть в заветный уго-лок:

— Ни столов, ни стульев, ни стоять, ни сидеть нет никакой возможно-сти! Сами видите... Погуляйте по тротуару... Через часик, может, полегче будет.

Р. Березин, с. 242.

Угловой диванчик в "Стойле Пегаса" был предназначен для "своих". Здесь восседали поэты, хозяева кафе, участники выступлений, просто друзья Есе-нина.

Сиживала здесь подолгу и Айседора Дункан. Не сводит, бывало, глаз с бурлящего на эстраде Сергея и твердит, точно выстукивая латинскими бук-вами русскую телеграмму:

— Essenin.

Э. Я. Герман.
Из "Книги о Есенине", с. 166.

...я уже считал себя причастным к литературе и стал интересоваться жизнью писателей. В частности, я расспрашивал о кафе поэтов "Стойло Пегаса", и одна моя новая московская знакомая, также делавшая первые шаги в литературе, предложила вместе с ней сходить в это знаменитое кафе. Я тогда носил еще военную форму, весьма бросавшуюся в глаза: это была форма Высшей военной школы связи — серые обшлага и черно-желтые, по роду войск, петлицы. Такие петлицы, обозначавшие род войск, красноар-мейцы называли "разговор". "Шинель с разговором..." — говорили тогда. Мне казалось, что прийти в "Стойло Пегаса" в военной форме значило бросить на нее какую-то тень. Собеседница моя смеялась, — по ее словам, в "Стойле Пегаса" бывали и военные. Так, весело разговаривая, подошли мы к входу в кафе. Прямо навстречу нам вышли оттуда двое мужчин, оде-тых, как я тогда воспринял, по-буржуазному. Моя спутница познакомила нас. Мы назвались; передо мной были Пильняк и Есенин. Быстро оглядев меня и бросив взгляд на Пильняка, Есенин с каким-то веселым озорством сказал:

— Интересная игра получается...

Он имел в виду то, что Пильняк и я принадлежим к враждующим лите-ратурным направлениям.

Ю. Либединский, с. 178—179.

С некоторых пор в "Стойле Пегаса" появилась ежевечерней посетительницей некая, как мне ее звали, мадам Д., жена преуспевающего дельца. Ей лет тридцать пять. Мало приятное лицо, резкий голос, дурные манеры (плохо понятая свобода богемы!). Однажды она сидела за столиком в "Стойле" и вела игру с приведенными кем-то двумя красивыми борзыми: протягивала и тут же отводила руку с лакомым куском. Гримаса на лице показывала при этом две страсти: жадность и обнаженную похоть... А дня через два я увидела в просторной задней комнате за кухней "Стойла" игравшего с теми же борзыми Есенина. Как естественно красивы были широкие взмахи его руки, сколько человеческой любви и даже, показалось мне, уважения к превосходным породистым животным выявлялось на лице! И почему так оно мне сейчас знакомо, это новое лицо Сергея? На кого он так неожиданно похож? Ну, конечно же: Праксителев Гермес!..

Н. Вольпин, с. 283.

...мы направились в ресторан "Стойло Пегаса". В ресторане посетителей было немного. Есенин и Мариенгоф отвели заведующего рестораном куда-то в сторону и, не стесняясь меня нисколько, приняли от него всю выручку дня. Есенин спокойно положил деньги в карман и сказал:

— А отсюда мы пойдем к Пронину.

Вс. Иванов.
В сб. "С. А. Есенин в восп. современников".
М., 1986, "Худ. лит.". Т. 2, с. 75. *

...Хорошо помню Есенина в пору его увлечения имажинизмом. Имажинизм в то время расцветал тепличным, но довольно пышным цветком. Десятки поэтов и поэтесс были увлечены этим модным направлением. Есенин с видом молодого пророка горячо и вдохновенно доказывал мне незыблемость и вечность теоретических основ имажинизма.

— Ты понимаешь, какая великая вещь и-мажи-низм! Слова стерлись, как старые монеты, они потеряли свою первородную поэтическую силу. Создавать новые слова мы не можем. Словотворчество и заумный язык — это чепуха. Но мы нашли способ оживить мертвые слова, заключая их в яркие поэтические образы. Это создали мы, имажинисты. Мы изобретатели нового. Если ты не пойдешь с нами — крышка, деваться некуда...

В. Кириллов, с. 163.

Как-то раз на Тверском бульваре я видел трех молодых людей, в которых узнал Есенина, Шершеневича и Мариенгофа (основных "имажинистов"). Они сдвинули скамейки на бульваре, поднялись на них, как на помост, и приглашали проходивших послушать их стихи. Скамейки окружила не очень многочисленная толпа, которая, если не холодно, то, во всяком случае, хладнокровно слушала выступления Есенина, Мариенго-

---

* Далее — по этому изданию.

фа, Шершеневича. "Мне бы только любви немножко и десятка два папирос", — декламировал Шершеневич. Что-то исступленно читал Есенин. Стихи были не очень понятны и выступление носило какой-то футуристический оттенок.

И. Ильинский.
По книге Ю. Анненкова "Дневник моих встреч", с. 166.

Вскоре после этого Есенин в пьяном виде пытался броситься с четвертого этажа, с балкона на мостовую, но его удержали друзья-имажинисты.

Скиталец, с. 168—169.

В журнале группы имажинистов "Гостиница для путешествующих в прекрасном" пропагандировался и выдвигался на первый план Таиров и Московский Камерный театр.

Есенин был недоволен таким положением вещей.

На собраниях группы имажинистов и в частных беседах он говорил:

— Во-первых, вы меня ссорите с Мейерхольдом, с которым я ссориться не намерен; во-вторых, я нахожу, что театр Мейерхольда интереснее театра Таирова.

В дальнейшем, когда рознь в группе имажинистов обозначилась отчетливее, он заявлял:

— В журнале, где выдвигают Таирова и нападают на Мейерхольда, я участвовать не желаю. В журнале, который я организую в дальнейшем, будет пропагандироваться театр Мейерхольда.

И. Грузинов, с. 374—375.

Письмо в редакцию

Мы, создатели имажинизма, доводим до всеобщего сведения, что группа "имажинисты" в доселе известном составе объявляется нами распущенной.

Сергей Есенин. Иван Грузинов.

Газета "Правда", 31 августа 1924 г.

В "Правде" письмом в редакцию Сергей Есенин заявил, что он распускает группу имажинистов.

Развязность и безответственность этого заявления вынуждает нас опровергнуть это заявление. Хотя С. Есенин и был одним из подписавших первую декларацию имажинизма, но он никогда не являлся идеологом имажинизма, свидетельством чему является отсутствие у Есенина хотя бы одной теоретической статьи.

Есенин примыкал к нашей идеологии, поскольку она ему была удобна, и мы никогда в нем, вечно отказывавшемся от своего слова, не были уверены как в соратнике.

После известного всем инцидента, завершившегося судом Ц. Б. журналистов над Есениным и К°, у группы наметилось внутреннее расхождение с

Есениным, и она принуждена была отмежеваться от него, что она и сделала, передав письмо заведующему лит. отделом "Известий" Б. В. Гиммельфарбу 15 мая с. г.

Есенин в нашем представлении безнадежно болен физически и психически, и это единственное оправдание его поступков.

Детальное изложение взаимоотношений Есенина с имажинистами будет напечатано в № 5 "Гостиницы для путешествующих в прекрасном", официальном органе имажинистов, где, кстати, Есенин уже давно исключен из числа сотрудников.

Таким образом, "роспуск" имажинизма является лишь лишним доказательством собственной распущенности Есенина.

Рюрик Ивнев, Анатолий Мариенгоф,

Матвей Ройзман, Вадим Шершеневич,

Николай Эрдман.

Групповое письмо в редакцию журнала "Новый зритель".
Сентябрь 1924 г.

...бывали случаи, когда Мариенгоф подписывался за нас при отправлении "исходящих бумаг", связанных с хозяйственной деятельностью по кафе "Стойло Пегаса", но это делалось в исключительных случаях, когда, например, кого-нибудь из нас не было в Москве.

Но, к моему величайшему удивлению, я узнал (почти через полвека!!!): Мариенгоф расширил свои "права подписи" до того, что подписал за нас чудовищно нелепое письмо в редакцию "Зрителя" и "Известия", которое было передано Гиммельфарбу. Я хорошо помню, что никогда не подписывал, да и не мог подписать этого бредового письма, даже если бы был в это время в Москве, а меня как раз в это время в Москве и не было.

Р. Ивнев — М. Д. Ройзману.
Москва, 26 мая 1965 г.

Есенин был захвачен в прочную мертвую петлю. Никогда не бывший имажинистом, чуждый дегенеративным извертам, он был объявлен вождем школы, родившейся на пороге лупанария и кабака, и на его славе, как на спасительном плоту, всплыли литературные шантажисты, которые не брезговали ничем и которые науськивали наивного рязанца на самые экстравагантные скандалы, благодаря которым, в связи с именем Есенина, упоминались и их ничтожные имена. Не щадя своих репутаций, ради лишнего часа, они не пощадили его жизни.

Б. А. Лавренев.
Из статьи "Казненный дегенератами".
"Красная газета", 30 декабря 1925 г.

В страстной статье в "Красной газете" Борис Лавренев обрушился на тогдашнюю компанию Есенина, на имажинистов, называя их "дегенератами", а Есенина "казненным" ими. Это не совсем верная концепция, и даже совсем неверная. Конечно, и тогдашний (и позднейший) быт Есенина сыграл свою роль в его преждевременной гибели. Близоруко видеть в имажинизме и имажинистах только губительный быт. Имажинизм сыграл гораздо более крупную роль в развитии Есенина. Имажинизм был для Есенина своеобразным университетом, который он сам себе строил. Он терпеть не мог, когда его называли пастушком, Лелем, когда делали из него исключительно крестьянского поэта. Отлично помню его бешенство, с которым он говорил мне в 1921 году о подобной трактовке его. Он хотел быть европейцем. Словом, его талант не умещался в пределах песенки деревенского пастушка. Он уже тогда сознательно шел на то, чтобы быть первым российским поэтом. И вот в имажинизме он как раз и нашел противоядие против деревни, против пастушества, против уменьшающих личность поэта сторон деревенской жизни.

С. Городецкий, с. 184.

В публике существует мнение, что поэта сгубили имажинисты. Это неверно. Я с Казиным, Санниковым или Александровским часто заходил к имажинистам и сравнительно хорошо их знаю. Правда, это были ловкие и хлесткие ребята. Они открыли (или за них кто-нибудь открыл) кафе "Стойло Пегаса", открыли свой книжный магазин "Лавка имажинистов" и свое издательство. К стихам они относились чисто с формальной стороны, совершенно игнорируя их содержание. Но повлиять на Есенина они не могли...

Н. Полетаев, с. 298.

Илья Садофьев, человек настойчивого, прямолинейно устремленного характера, продолжал донимать Есенина:

— Нет, ты все-таки скажи, Сергей, что это за штука твой московский имажинизм? С чем его едят? Писал ты о нем разные там статьи, подписывал декларации, а я никак не возьму в толк, для чего все это тебе нужно было. Просвети меня, невежду, пожалуйста.

Есенин досадливо обернулся, хотел, видимо, отделаться какой-то шуткой, но по упрямому тону своего вопрошателя, видимо, понял, что уйти от назойливой любознательности будет ему нелегко.

— Имажинизм? А разве был такой?

Вс. Рождественский, с. 302.

...весь имажинизм был "кабинетной затеей", а Есенину было тесно в любом самом обширном кабинете.

Р. Ивнев.
Московские встречи, с. 234—235.

"Слово о полку Игореве" — вот откуда, может быть, начало моего имажинизма", — говорил Есенин литературоведу Ивану Никаноровичу Розанову.

И. Шнейдер, с. 298.

В это время он долго и упорно работал над "Пугачевым"...

Н. Полетаев, с. 299.

Утро. Вдвоем. Есенин читает драматический отрывок. Действующие лица: Иван IV, митрополит Филипп, монахи и, кажется, опричники. Диалоги Ивана IV и Филиппа. Зарисовка фигур Ивана IV и Филиппа близка к характеристике, сделанной Карамзиным в его "Истории государства Российского". Иван IV и Филипп, если мне не изменяет память, говорят пятистопным ямбом. Два других действующих лица, кажется, монахи, в диалогах описывают тихую лунную ночь. Их речи полны тончайшего лиризма: Есенин из "Радуницы" и "Голубени" изъясняется за них обоих. В дальнейшем, приблизительно через год, Есенин в "Пугачеве" точно так же описывает устами своих героев бурную дождливую ночь. Не знаю, сохранился ли этот драматический опыт Есенина.

И. Грузинов.
В сб. "С. А. Есенин в восп. современников".
М., "Худ. лит.", 1986, с. 352. *

Много раз видаясь с Есениным, наблюдая его вспышки-увлечения, я твердо знал одно: больше всего на свете он любил стихи. Вот и теперь ему захотелось быть там, где читают стихи: "Поедем, Паша, со мной в "Стойло Пегаса". У Сретенских ворот мы нашли извозчика, сели в пролетку и потрусили на Тверскую улицу.

"Стойло Пегаса" — литературный клуб со столовой. На столиках зала под стеклами — стихи, писанные рукою поэтов. Помню, здесь много было рукописных стихов Константина Бальмонта. В конце зала — кафедра, где выступали чтецы. У входа произошел небольшой инцидент. Какой-то посетитель спорил с кассиром: "Почему вчера цена за вход была полтинник, а сегодня рубль?" Есенин вмешался в спор: "Да, сегодня рубль. За это каждый посетитель получает мою поэму "Пугачев". "А зачем мне ваш "Пугачев"!" — неудачно возразил посетитель. Книги Есенина расходились нарасхват, "Пугачев" вышел только накануне, Есенин гордился своей поэмой. И вдруг такой обывательский холод! Есенин мгновенно вспыхнул, бросил резкое слово. Стоявшие рядом с ним, не давая разыграться ссоре, проводили Есенина вниз, в хозяйственную комнату.

П. Радимов, с. 276.

Помню первое выступление Есенина с "Пугачевым". Он читал эту поэму в Доме печати. Я был председателем собрания. Как и всегда, Есенин читал прекрасно, увлекая аудиторию мастерством своего чтения. Поэма имела успех. Все выступавшие с оценкой "Пугачева" отметили художественные достоинства поэмы и указывали на ее революционность. Я сказал, что Пугачев

---

* Далее — по этому изданию.

говорит на имажинистском наречии и что Пугачев — это сам Есенин. Есенин обиделся и сказал:

— Ты ничего не понимаешь, это действительно революционная вещь.

Говорил он очень характерно, подчеркивая слова замедлением их произношения.

В. Кириллов, с. 276.

На "Пугачева" Есенин возлагал большие надежды. Очень хотелось ему увидеть свое первое драматическое произведение на сцене. За это дело взялся Мейерхольд. Помню читку "Пугачева" перед коллективом театра Мейерхольда. Мейерхольд представил своей труппе Есенина, сказал несколько слов о пьесе и предложил начать чтение.

Кто-то из артистов спросил:

— Кто из нас прочтет?

Мейерхольд подчеркнуто произнес:

— Читать будет автор.

И когда Есенин по обыкновению ярко, вдохновенно развертывал перед слушателями ткань своего любимого произведения, я уловил выразительный взгляд Мейерхольда, обращенный к сомневавшемуся артисту:

— Ты прочтешь так, как он?

Из попытки Мейерхольда ничего не вышло. Неудачей с постановкой "Пугачева" Есенин был очень огорчен.

Л. Повицкий, с. 239.

Есенин читал мне "Пугачева", и я почувствовал какую-то близость "Пугачева" с пушкинскими краткодраматическими произведениями. Есенин читал мне пьесу как бы в конкурсном порядке, когда предлагались и другие произведения к постановке. Он читал, так сказать, внутренне собравшись.

В этом чтении, визгливо-песенном и залихватски-удалом, он выражал весь песенный склад русской песни, доведенной до бесшабашного своего удальского выявления. Песенный лад Есенина связан непосредственно с пляской — он любил песню и гармонику. А песня, подобно мистерии, — явление народное.

В. Мейерхольд (в записи П. Кузько), с. 228.

Не увидев "Пугачева" на сцене, он больше не возвращался к драматургическому творчеству. А все данные для работы в этом направлении у него были.

С. Городецкий, с. 185.

Лирика разрешается или в театр или в эпос. Есенин брал и тот и другой путь. Опыт выхода в театр он проделал в "Пугачеве".

На этой книге не написано, что это: драма или поэма в диалоге. Вернее всего, Есенин не до конца продумал форму, когда писал "Пугачева".

С. Городецкий, с. 185.

Пусть в ней, как кто-то говорил, "мало истории". Но ведь и у Шиллера и Шекспира ее было немного.

Н. Никитин, с. 229.

Возвращаюсь через месяц. Есенин читает первую главу "Пугачева".

> Ох, как устал и как болит нога,
> Ржет дорога в жуткое пространство...

С первых строк чувствую в слове кровь и мясо. Вдавив в землю ступни и пятки — крепко стоит стих...

А. Мариенгоф, с. 86.

Я сидел с поэтессой Сусанной Мар и Николаем Прохоровым. Во время читки вошел Брюсов с Адалис, потом Рукавишников, потом Маяковский с Лилей под руку и с пушистой лисой на плече (потом он кормил ее пирожными, держа за золоченую цепочку — у стола). Обычно появление таких имен, как Маяковский, Брюсов, в литературных собраниях вызывало легкий шум, шелест всего зала — теперь даже не обернулись. Есенин скакал на эстраде, отчаянно жестикулируя, но это нисколько не было смешно, — было что-то звериное, единослитное с образами его поэмы, — в этом невысоком странном человеке на эстраде.

В. Мануйлов.
Дневник за январь 1926 г.

И когда пронеслись последние слова Пугачева, задыхающиеся, с трудом выскользающие из стиснутого отчаяньем горла: "А казалось... казалось еще вчера... Дорогие мои... Дор-рогие, хор-рошие..." — зал замер, захваченный силой этого поэтического и актерского мастерства, и потом все рухнуло от аплодисментов. "Да это же здорово!" — выкрикнул Пастернак, стоявший поблизости и бешено хлопавший. И все кинулись на сцену к Есенину.

А он стоял, слабо улыбаясь, пожимал протянутые к нему руки, сам взволнованный поднятой им бурей.

С. Д. Спасский, с. 201.

"Пугачев" доставлял ему самое большое удовлетворение. Он долго ожидал от критики заслуженной оценки и был огорчен, когда критика не сумела оценить значительность этой вещи.

— Говорят, лирика, нет действия, одни описания, — что я им, театральный писатель, что ли? Да знают ли они, дурачье, что "Слово о полку Игореве" — все в природе! Там природа в заговоре с человеком и заменяет ему инстинкт. Лирика! Да знают ли они, что человек человека может зарезать в самом наилиричном состоянии? — негодовал Есенин.

И. Старцев, с. 414.

Поэма Есенина вроде тех старинных православных иконок, на которых образописцы изображали Бога отдыхающим после сотворения мира на полатях под лоскутным одеялом.

A. Мариенгоф, с. 94.

Материал для своих исторических поэм я черпал из двух-трех старинных книжек, Есенин — из академического Пушкина.

Кроме “Истории Пугачевского бунта” и “Капитанской дочки”, так ничего Есенин и не прочел, а когда начинала грызть совесть, успокаивал себя тем, что Покровский все равно лучше Пушкина не напишет...

A. Мариенгоф.
Роман без вранья, с. 94.

Потом разнеслась весть о смерти Блока (Брюсов только что получил телеграмму). Все были потрясены, но разговоры о Пугачеве не прекратились, их даже не заглушила смерть Блока.

В. Мануйлов.
Дневник за январь 1926 г.

В последнюю предсмертную встречу в Москве, на концерте в Политехническом, запомнился мне Блок совсем отрешенным, как бы почившим от всех своих дел. Точно выходец с другой планеты, стоял он на подмостках и пристально всматривался в разношерстную публику. А как раз против него, в первом ряду, развалясь, сидел в цилиндре и лакированных башмаках Сергей Есенин и грозил ему кулаком. Блок закрывал лицо руками...

Пимен Карпов, с. 313.

В тот вечер, едва вступив в зал, я в самом воздухе ощутила дышащую тяжесть. В углу, в ложе имажинистов — одинокий, словно брошенный, сидит Есенин. Одна рука забыта на спинке дивана, другая безжизненно повисла. Подхожу ближе. Мерно катятся слезы, он их не удерживает и не отирает. Но грудь и горло неподвижны. Плачут только глаза. Поднимает взгляд на меня.

— Вам уже сказали? Умер Блок. Блок!

Н. Вольпин, с. 290.

Вспоминается смерть А. Блока. Я ездил на его похороны в Петроград. Возвратившись обратно в Москву, я вместе с моими друзьями — пролетарскими поэтами устроил вечер памяти Блока в только что открытом тогда клубе “Кузница” на Тверской. Народу было очень много. В конце вечера в зале появился Есенин. Он был очень возбужден и почему-то закричал:

— Это вы, пролетарские поэты, виноваты в смерти Блока!

С большим трудом мне удалось его успокоить.

В. Кириллов, с. 164.

Над "Пугачевым" Есенин работал много, долго и очень серьезно. Есенин очень любил своего "Пугачева" и был им поглощен. Еще не кончив работу над поэмой, хлопотал об издании ее отдельной книжкой, бегал и звонил в издательство и типографию и однажды ворвался на Пречистенку торжествующий, с пачкой только что сброшюрованных тонких книжечек темно-кирпичного цвета, на которых прямыми и толстыми буквами было оттиснуто: "Пугачев".

И. Шнейдер, с. 303.

Есенин, между прочим, не один раз говорил мне, что им выкинута из "Пугачева" глава о Суворове. На мои просьбы прочитать эту главу он по-разному отнекивался, ссылаясь каждый раз на то, что он запамятовал ее, или просто на то, что она его не удовлетворяет и он не хочет портить общее впечатление. Рукопись этой главы, по его словам, должна находиться у Г. А. Бениславской, которой он ее якобы подарил.

И. Старцев, с. 414.

Сам Пугачев с ног до головы Сергей Есенин: хочет быть страшным, но не может. Есенинский Пугачев сентиментальный романтик. Когда Есенин рекомендует себя почти что кровожадным хулиганом, то это забавно; когда же Пугачев изъясняется как отягощенный образами романтик, то это хуже. Имажинистский Пугачев немножко смехотворен.

Если имажинизм, почти не бывший, весь вышел, то Есенин еще впереди. Заграничным журналистам он объявляет себя левее большевиков. Это в порядке вещей и никого не пугает...

Л. Троцкий, с. 323.

Ну, а что с Клюевым?

Он с год тому назад прислал мне весьма хитрое письмо, думая, что мне, как и было, 18 лет, я на него ему не ответил, и с тех пор о нем ничего не слышу. Стихи его за это время на меня впечатление производили довольно неприятное. Уж очень он, Разумник Васильевич, слаб в форме и как-то расти не хочет. А то, что ему кажется формой, ни больше ни меньше как манера, и порой довольно утомительная.

Но все же я хотел бы увидеть его. Мне глубоко интересно, какой ощупью вот теперь он пойдет?

Есенин — Иванову-Разумнику.
Москва, 4 декабря 1920 г.

Очень не понравился мне самый маститый друг Есенина — Клюев.

А. Миклашевская, с. 280.

Изумительно сказал про него Сергей Александрович: "Ты душу выпеснил избе (т. е. земным благам), но в сердце дома не построил".

Г. Бениславская, с. 61.

15 Зак. 13538

Позднее Есенин писал о своем бывшем учителе:

> И Клюев, ладожский дьячок,
> Его стихи, как телогрейка,
> Но я их вслух вчера прочел —
> И в клетке сдохла канарейка...

Клюев своеобразно "отомстил" Есенину, создав легенду, которой ввел в заблуждение такого уважаемого и опытного литератора, как Вс. Рождественский.

По словам Клюева, Дункан налила ему из самовара "чаю стакан, крепкого-прекрепкого", Клюев "хлебнул", и у него "глаза на лоб полезли". Оказался коньяк... "Вот, — продолжается повествование со слов Клюева, — думаю, ловко! Это она с утра-то, натощак — из самовара прямо! Что же за обедом делать будут?"

У Дункан не было никогда никакого самовара...

И. Шнейдер, с. 311.

По просьбе Есенина Клюев приехал в Москву повидаться со мной. Когда мы пришли в кафе, Клюев уже ждал нас с букетом цветов. Встал навстречу весь какой-то елейный. Волосы прилизаны, в сюртуке, в сапогах. Весь какой-то ряженый, во что-то играющий. Поклонился мне до земли и заговорил елейным голосом.

Мне было непонятно, что было у Есенина общего с Клюевым, да и с Мариенгофом, которого он очень любил. Такие все они были разные. Оба они почему-то покровительственно поучали Сергея, хотя он был неизмеримо глубже и умнее их.

А. Миклашевская, с. 280—281.

Интересен отъезд Клюева из Москвы. Поняв, что у Есенина нет денег, ни поесть, ни попить вдоволь у нас нельзя, потому что всего было в обрез, — он перебрался окончательно к Дункан, продал книжку стихов за 5 червонцев, получил эти деньги и тихо, не зайдя даже проститься к своему любимому Сереженьке, — уехал снова в Ленинград. После этого Есенин никогда уже не говорил, что Клюев самый близкий ему человек, и не собирался спасать его от голодной смерти. Кажется, переписка между ними тоже прекратилась.

А. Г. Назарова, с. 128—129.

...с Клюевым разошелся.

Есенин — А. В. Ширяевцу.
26 июня 1920 г.

Долго еще, по привычке, критика подливала масла в огонь, величая Есенина "меньшим клюевским братом". А Есенин уже твердо стоял в литературе на своих ногах, говорил своим голосом и носил свою есенинскую "рубашку" (так любил называть он стихотворную форму).

После одной — подобного сорта — рецензии Есенин побежал в типографию рассыпать набор своего старого стихотворения с такими двумя строками:

Апостол нежный Клюев
Нас на руках носил.

Но было уже поздно. Машина выбрасывала последние листы...

А. Мариенгоф.
Роман без вранья, с. 11.

...Подобный случай был с Клюевым — тот отдал свои сапоги в починку. А перед этим получил деньги за стихи. Когда ж принесли сапоги из починки, то Клюев, никуда не тративший денег, потому что тоже был на иждивении Есенина, попросил Есенина заплатить деньги за починку сапог. Есенин заплатил, конечно, чуть ли не последние. И это было как раз в то время, когда Есенин был в "загоне" и жил исключительно на деньги из "Стойла", а там давали и редко, и мало; и, значит, сидел сам он в долгах и без гроша в кармане.

А. Г. Назарова, с. 130—131.

В Петрозаводске в 1922 году я встретил Клюева, проезжавшего вместе со своим новым другом из Вытегры и подарившего мне свой замечательный "Четвертый Рим" с проклятиями цилиндру и лаковым башмакам.

В. Чернявский, с. 222.

И хитрый Клюев очень хорошо понимал значение всех этих чудачеств для внутреннего роста Есенина. Прочтите, какой искренней злобой дышат его стихи Есенину в "Четвертом Риме": "Не хочу укрывать цилиндром лесного черта рога!", "Не хочу цилиндром и башмаками затыкать пробоину в барже души!", "Не хочу быть лакированным поэтом с обезьяньей славой на лбу!". Есенинский цилиндр потому и был страшнее жупела для Клюева, что этот цилиндр был символом ухода Есенина из деревенщины в мировую славу.

С. Городецкий, с. 184.

— Мы разошлись, вы знаете, — сказал он. Теперь он убеждал меня, что Клюев уже во втором томе "Песнеслова" погубил свой голос, а теперь он — гроб.

Это было то же, что доказывал Клюев о нем. И тот же был холод. Вот что было пострашнее и его пудры, и его завитых волос... В самом деле, не Мариенгоф, не Шершеневич, не Дункан же дадут ему теплоту, без которой душа вянет, тускнеет, даже душа поэта...

Л. Клейнборт, с. 271.

Этим своим цилиндром, своим озорством, своей ненавистью к деревенским кудрям Есенин поднимал себя над Клюевым и над всеми остальными поэтами деревни.

С. Городецкий, с. 184.

А Клюев, дорогой мой, — бестия. Хитрый, как лисица, и все это, знаешь, так: под себя, под себя. Слава Богу, что бодливой корове рога не даются. Поползновения-то он в себе таит большие, а силенки-то мало. Очень похож на свои стихи, такой же корявый, неряшливый, простой по виду, а внутри — черт.

Есенин — А. В. Ширяевцу.
26 июня 1920 г.

Расхождение с Клюевым было огромным этапом в жизни Есенина, который оставил неизгладимый след у этого юноши с чуткой и очень нежной душой.

А. Белый, с. 383.

...Вспомнили о поэте Клюеве, нашем общем знакомом и друге. Есенин рассказал о некоторых встречах с Клюевым. Долго и весело смеялись. Я сказал Есенину:
— Мне кажется, что Клюев оказал на тебя некоторое влияние?
— Может быть, вначале, а теперь я далек от него — он весь в прошлом.

В. Кириллов, с. 162.

Всем известно литературное "супружество" Клюева и Есенина. На нем останавливаться не буду.

Уже с 1918 года Есенин начинает отходить от Клюева.

Причины расхождения с Клюевым излагаются в "Ключах Марии".

"Для Клюева, — пишет автор "Ключей Марии", — все сплошь стало идиллией гладко причесанных английских гравюр, где виноград стилизуется под курчавый порядок воинственных всадников". "Сердце его не разгадало тайны наполняющих его образов... он повеял на нас безжизненным кружевным ветром деревенского Обри Бердслея... художник пошел не по тому лугу. Он погнался за яркостью красок и "изрони женьчужну душу из храбра тела, чрез злато ожерелие".

Те же мысли мы находим у Есенина в стихотворении, посвященном Клюеву: "Теперь любовь моя не та".

Однако в последнее время у него были попытки примирения с Клюевым, попытки совместной работы.

Так, в 1923 году, когда обозначился уход Есенина из группы имажинистов, он прежде всего обратился к Клюеву и хотел восстановить с ним литературную дружбу.

— Я еду в Питер, — таинственным шепотом сообщает мне Сергей, — я привезу Клюева. Он будет у нас главный, он будет председателем "Ассоциации Вольнодумцев". Ведь это он учредил "Ассоциацию Вольнодумцев".

Клюева он действительно привез в Москву.

Устроил с ним несколько совместных выступлений. Но прочных литературных взаимоотношений с Клюевым не наладилось. Стало ясно: между ними нет больше точек соприкосновения. (...)

Со стороны Есенина это была последняя попытка совместной литературной работы с Клюевым. Личными друзьями они остались: Есенин, приезжая в Ленинград, считал своим долгом посетить Клюева.

К последним стихам Клюева Есенин относился отрицательно.

Осенью 1925 года Есенин, будучи у меня, прочел "Гитарную" Клюева, напечатанную в ленинградской "Красной газете".

— Плохо! Никуда! — вскричал он и бросил газету под ноги.

И. Грузинов, с. 378—379.

Если не ошибаюсь, в июне или июле 1921-го года, в то самое время, когда Есенин дописывал последние две главы "Пугачева", по целому ряду причин, он находился в крайне нервном и беспокойном состоянии. Некоторое время ему пришлось провести вместе с моим младшим братом. Брат мой, всегда беспечный и ко всем случаям жизни безразличный, на тревожные вопросы Есенина, вместо ответа напевал "ростовские песенки". Одна из них очень нравилась Есенину. И не раз его подавленность расползалась в сияющую улыбку, когда брат ему утешительно баритонил:

> Ах, в жизни живем мы только раз,
> Когда монета есть у нас,
> Думать не годится, завтра что случится,
> В жизни живем мы только раз, аз, аз.

Железное спокойствие брата всегда подбодряло Есенина. Он мне часто говорил: "Знаешь, я навсегда полюбил твоего — этого".

А "ростовские песенки" в гениальной обработке Есенина озарили лучшие две главы "Пугачева".

Уже в августе того же года изжаждданный жить и жить, Есенин, заглатывая слюну восторга, читал мне... не читал, а разрывался, вопил, цепко хватая на каждом слове напряженно-скрюченными пальцами воздух:

> Нет, нет, нет! Я совсем не хочу умереть!
> Эти птицы напрасно над нами вьются.
> Я хочу снова отроком, отряхая с осинника медь,
> Подставлять ладони, как белые скользкие блюдца.
> Как же смерть?
> Разве мысль эта в сердце поместится,
> Когда в Пензенской губернии у меня есть свой дом?
> Жалко солнышко мне, жалко месяц,
> Жалко тополь над низким окном.
> Только для живых ведь благословенны
> Рощи, потоки, степи и зеленя.
> Слушай, плевать мне на всю вселенную,
> Если завтра здесь не будет меня.

Я хочу жить, жить, жить,
Жить до страха и боли,
Хоть карманником, хоть золоторойцем,
Лишь бы видеть, как мыши от радости прыгают в поле,
Лишь бы слышать, как лягушки от восторга поют в колодце,
Яблоневым цветом брызжется душа моя белая,
В синее пламя ветер глаза раздул.
Ради Бога, научите меня,
Научите меня, и я что угодно сделаю,
Сделаю, что угодно, чтоб звенеть в человечьем саду.

Есенин плакал.

A. Кусиков.
"Только раз ведь живем мы, только раз..."
Парижский вестник. 10 января 1926 г.

Отправляемся распить бутылочку за возвращение (Мариенгоф ездил с общим знакомым Григорием Колобовым по кличке Почём-Соль в Крым) и за начало драматических поэм. С нами Почём-Соль.

На Никитском бульваре в красном каменном доме на седьмом этаже у Зои Петровны Шатовой найдешь не только что николаевскую "белую головку", "перцовки" и "зубровки" Петра Смирнова, но и старое бургундское, и черный английский ром.

Легко взбегаем нескончаемую лестницу. Звоним условленные три звонка. Отворяется дверь. Смотрю, Есенин пятится.

— Пожалуйста!.. пожалуйста!.. входите... входите... и вы.... и вы... А теперь попрошу вас документы!.. — очень вежливо говорит человек при нагане.

Везет нам последнее время на эти проклятые встречи.

В коридоре сидят с винтовками красноармейцы. Агенты производят обыск.

— Я поэт Есенин!

— Я поэт Мариенгоф!

— Очень приятно.

— Разрешите уйти...

— К сожалению...

Делать нечего — остаемся.

— А пообедать разрешите?

— Сделайте милость. Здесь и выпивочка найдется... Не правда ли, Зоя Петровна?

Зоя Петровна пытается растянуть губы в угодливую улыбку. А растягиваются они в жалкую испуганную гримасу.

Почём-Соль дергает скулами, теребит бородавочку и разворачивает один за другим мандаты, каждый величиной в полотняную наволочку.

На креслах, на диване, на стульях шатовские посетители, лишенные аппетита и разговорчивости.

В час ночи на двух грузовых автомобилях мы компанией человек в шестьдесят отправляемся на Лубянку.

Есенин деловито и строго нагрузил себя, меня и Почём-Соль подушками Зои Петровны, одеялами, головками сыра, гусями, курами, свиными корейками и телячьей ножкой.

В предварилке та же деловитость и распорядительность. Наши нары, устланные бархатистыми одеялами, имеют уютный вид.

Неожиданно исчезает одна подушка.

Есенин кричит на всю камеру:

— Если через десять минут подушка не будет на моей наре, потребую общего обыска... слышите... вы... граждане... черт вас возьми!

И подушка возвращается таинственным образом.

А. Мариенгоф.
Роман без вранья, с. 80—81.

"Зойкина квартира" существовала в действительности. Есенин, Анатолий Мариенгоф и другие герои "Романа без вранья" знали это. У Никитских ворот, в большом красного кирпича доме на седьмом этаже они посещали квартиру небезызвестной по тому времени содержательницы популярного среди преступного мира, литературной богемы, спекулянтов, растратчиков и контрреволюционеров специального "салона" для "интимных встреч" — Зои Шатовой.

Т. П. Самсонов, ответ. сотрудник ВЧК.

Из записок 1926 года
"Роман без вранья + Зойкина квартира",
с. 184—185.

В очень холодный зимний день я встретил на Тверской С. А. Есенина, он предложил пойти пить настоящий кофе в таинственном месте, которое называл "Кисловкой". Женщина, открывшая нам дверь, радостно защебетала: "Ах, Сергей Александрович! Я вас заждалась..." Судя по безделкам на комоде, по старым английским гравюрам, она была в прошлом состоятельной дамой, а теперь держала "подпольную" столовую для актеров, писателей и спекулянтов. Есенин что-то шепнул ей, и вскоре на столе появились кофейник, сахарница, пирожные, даже графинчик с ликером. Я жил, скорее, по-монашески и не подозревал о существовании подобных заведений. Увидев, что я изумлен, Есенин обрадовался, как ребенок. "Ну чем не парижское кафе?.. "

Е. Шаров, с. 586.

В "салон" Зои Шатовой писатель А. Мариенгоф ходил вдохновляться; некий "Левка-инженер" с другим проходимцем "Почём-Соль" привозили из Туркестана кишмиш, муку и урюк и распивали здесь "старое бургундское и черный английский ром".

Т. П. Самсонов, с. 185.

Летом 1921 я сидела во внутренней тюрьме ВЧК на Лубянке. К нам привели шестнадцатилетнюю девушку, которая приехала к своей тетке из провинции. Тетка содержала нелегальный ресторан. Для обслуживания посетителей она выписала племянницу. Органами ВЧК учреждение это было обнаружено. Устроена засада, всех приходивших задерживали. Задержаны были и Есенин, Мариенгоф и Шершеневич.

М. Свирская.
Минувшее. Т. 7, с. 56.

Но однажды на Зойкиной квартире как из-под земли появился "человек при нагане" с требованием: "Предъявите ваши документы!!"

Т. П. Самсонов, с. 185.

Их привезли на Лубянку. Тетку, эту девушку и еще кого-то поместили в камере, а целую группу держали в "собачнике" и выпускали во двор на прогулку. Я увидела Есенина. Он стоял с Мариенгофом и Шершеневичем довольно далеко от нашего окна.

М. Свирская.
Минувшее. Т. 7, с. 56.

...На мутный огонек квартиры Зойки Шатовой слеталась вся тогдашняя московская слякоть. Ходили туда не только Есенин с Мариенгофом... но и весь "цвет" тогдашней литературной богемы.

Т. П. Самсонов, с. 185—186.

На следующий день их снова вывели на прогулку. Я крикнула громко: "Сережа!" Он остановился, поднял голову, улыбнулся и слегка помахал рукой. Конвоир запретил им стоять. Узнал ли он меня? Не думаю. До этого я голодала десять дней, и товарищи нашли, что я очень изменилась. Окно было высоко и через решетку было трудно разглядеть, хотя щитов тогда еще не было.

М. Свирская.
Минувшее. Т. 7, с. 56.

Надо было сфотографировать всю группу Зойкиной квартиры. Съемка происходила во дворе. Есенин и Анатолий Мариенгоф, не желая быть снятыми на одном снимке с "гостями" Зойки Шатовой, пытались уклониться от заснятия. Они надвигали шляпы на глаза и т. д. Когда им было объяснено, что такого рода противодействие ни к чему не приведет, они согласились. Фотограф быстро снял группу. Снимок вышел удачный.

На прощание я порекомендовал Есенину в присутствии Мариенгофа написать что-нибудь об этом их приключении, но только правдиво.

Т. П. Самсонов, с. 190.

Мне давно разъяснили, что произошло. Есенин пришел пообедать в частную столовую (их было в Москве немало, этих "домашних кухонь") и угодил в засаду. Замели всех подряд, и хозяев и посетителей...

Н. Вольпин, с. 268.

...Распивая с Есениным, Мариенгофом и другими посетителями Зойкиной квартиры "старое бургундское и черный английский ром" и покупая ценности, шпионы соседних держав вместе с тем черпали для себя нужную им информацию о наших делах. Мало этого. В этой слякоти иностранные шпионы вербовали себе "нужных" людей, устанавливали необходимые в шпионском деле связи, нащупывали наши слабые места и делали свое темное дело.

Надо было прекратить это гнусное дело. Для ликвидации этой волчьей берлоги в Зойкину квартиру у Никитских ворот и явились представители ВЧК. Была поставлена засада. В нее и попали Мариенгоф, Есенин и их собутыльники.

Т. П. Самсонов, с. 186.

Ордер на наше освобождение был подписан на третий день.

А. Мариенгоф.
Роман без вранья, с. 80—81.

На следующий день всю эту группу во дворе фотографировали. Хозяйку, матрону очень неприятного вида, усадили в середине. Есенин стоял сбоку. Через некоторое время меня с группой товарищей увезли в Новосибирск. Я рассказала об этом товарищам. И Федорович сказал, что это, видимо, тот случай, о котором начальник следственного отделения ЧК Самсонов сказал: "Думали, открыли контрреволюционную организацию, а оказалась крупная спекуляция". Настолько крупная, что десять лет спустя отметили дату открытия этой спекуляции. Наверное, это был "Огонек", где поместили эту фотографию и фотографию Пиккенена, который этим делом занимался.

М. Свирская.
Минувшее. Т. 7, с. 56.

...И какую-то женщину,
сорока с лишним лет,
Называл скверной девочкой
и своею милою.

МОСКВА. НЕЧАЯННАЯ ВСТРЕЧА

...тебе говорю, Америка,
Отколотая половина земли,
Страшись по морям безверия
Железные пускать корабли.

Америка не устрашилась. На пущенном ею по Атлантическому океану безверия железном корабле прибыла из города Нью-Йорка Айседора Дункан.

Э. Я. Герман.
Из "Книги о Есенине", с. 166.

В конце 1921 года в Москву в погоне за убывающей славой приехала Айседора Дункан.

Г. Иванов, с. 39.

Летом 1921 года знаменитая американская танцовщица Айседора Дункан по приглашению Советского правительства приехала в Москву, чтобы отдать свой труд, опыт и навыки русским детям.

И. Шнейдер.
В книге "Айседора Дункан".
М., Информ. — издат. дом "Профиздат", 1997, с. 262.

Айседора Дункан, талантливейшая возродительница античного танца, приехала в Советскую Россию по приглашению А. В. Луначарского летом 1921 года. Они встретились за границей на одном из дипломатических раутов. Дункан уверила Анатолия Васильевича в том, что танцы Древней Греции, гармония здорового духа и тела возможны, с ее точки зрения, не в дряхлой Европе, а только в молодой России.

Вс. Рождественский, с. 294.

Я не раз задумывался о его романе — уже двадцатых годов — с Айседорой Дункан. Не было ли это позой? Любил ее Есенин или нет? Думаю, любил. Это была великая артистка, разрушавшая ложные, по ее мнению, каноны классического французского балета. И, очевидно, это был большой человек. Об этом говорят последние страницы ее жизни.

Н. Никитин, с. 226.

Но когда в тридцатых годах я прочла книгу воспоминаний Дункан, она предстала иной, незаурядной, много передумавшей и перечувствовавшей женщиной.

Г. Серебрякова, с. 542.

Особенно странной казалась его близость с получившей мировую известность, уже немолодой танцовщицей Айседорой Дункан. Что было общего между ним, рязанским парнем, истинным младенцем по своей непосредственности, и этой прошедшей все соблазны европейской славы и международных скандалов, избалованной и капризной иностранкой?

Вс. Рождественский, с. 294.

Долгий путь прошла эта женщина, прежде чем встретила рокового для нее синеглазого рязанского паренька.

Сан-Франциско, Нью-Йорк. Постоянная нужда и постоянная же экзальтация. Поиски хлеба и не сулящие его, осмеиваемые трезвыми янки проекты возрождения эллинского танца. Париж, Лондон. Шумный успех на сценах Нового Света, деньги, поклонение всего, что есть в Европе отмеченного известностью. И, наконец, вот, после славы и благополучия, — голодная Москва революционного времени, грязное "Стойло Пегаса" и — после Крэга, Д'Аннунцио и других славных — этот, как его — Essenin!

Любители пошлости напишут об этом романе много декоративного. Жизнь проще книг и... сложней.

Э. Я. Герман.
Из "Книги о Есенине", с. 166.

Быть может, и этот роман был одной из его ошибок.

Н. Никитин, с. 228.

В июле, прежде чем покинуть Лондон, Айседора Дункан вместе с несколькими друзьями нанесла визит одной модной гадалке, которая сказала ей:

— Вы собираетесь совершить длительное путешествие в страну под бледно-голубым небом. Вы будете богаты, очень богаты. Я вижу миллионы и миллионы, и даже миллиарды, лежащие вокруг. Вы выйдете замуж...

В этот момент Айседора непочтительно расхохоталась прямо в лицо предсказательнице и отказалась слушать дальше подобный вздор. Она знала, что собирается в длительную поездку, и могла представить себе возможность разбогатеть до положения миллионерши, если уж не миллиардерши, но она не могла всерьез слушать о том, что в этой райской стороне ей суждено выйти замуж...

Ирма Дункан. Алан Росс Макдугалл.
Русские дни Айседоры Дункан.
М., "Московский рабочий", 1995, с. 68.

Я не хочу и слышать о деньгах за мою работу. Я хочу студию для работы, дом для меня и моих учеников, простую еду, простые туники и возможность показывать наши лучшие работы. Я устала от буржуазного коммерческого искусства. Грустно, что я никогда не могла приносить свои работы людям, для которых они были созданы. Вместо этого я была вынуждена продавать мое искусство по пять долларов за место в зале...

Айседора Дункан— А. В. Луначарскому.
Июнь 1921 г.

Приехать совершенно бескорыстно в Советскую Россию, едва оправившуюся от исторических пожаров, нужды и голода... Приехать в "большевистскую" Москву с намерением бескорыстно отдать ей свой талант — это совсем не то, что современные гастроли зарубежных артистов. Поверить в эту Россию мог человек лишь незаурядный. Вспомните те годы... Презреть богатство, свою мировую славу, которая, правда, была уже на закате, все-таки не просто... Но и не в этом дело. Она могла жить в полном довольстве, спокойно. Но она говорила в те годы, что не может так жить. Что только Россия может быть родиной не купленного золотом искусства.

Н. Никитин, с. 226.

Когда Айседора Дункан ступила на борт парохода "Балтаник" 12 июля 1921 года, чтобы со своей ученицей (Ирмой Дункан, ставшей ее приемной дочерью. — *Ред.*) совершить плавание в Советскую Россию, многие ее друзья и поклонники решили, что она лишилась рассудка...

И. Дункан. А. Р. Макдугалл.
Русские дни Айседоры Дункан.
М., "Московский рабочий", 1995, с. 21.

Добряк Анатолий Васильевич наобещал ей в Стране Советов такое, что был не властен дать...

Н. Вольпин, с. 309.

Для танцевальных опытов и обустройства грандиозной школы танца ей поначалу был обещан... храм Христа Спасителя. Святое место для русского человека должно было стать языческим капищем, местом радений босоногих вакханок.

Ст. и С. Куняевы.
"Сергей Есенин", с. 250.

...когда товарищ Луначарский нашел на своем письменном столе записку, говорящую о приезде Дункан, он был в некоторой растерянности и не знал, что делать. Он, оказывается, не верил, что она и вправду решится оставить свою привычную жизнь в столицах Западной Европы и приедет работать и жить в неустроенную Россию. Он не сделал никаких приготовлений к ее размещению.

И. Дункан. А. Р. Макдугалл.
Русские дни Айседоры Дункан.
М., "Московский рабочий", 1995, с. 41.

Приняв за истину россказни об уничтожении денежной системы в Советской России, Дункан решила, что слова "товарищ" будет достаточно, чтобы извозчик отвез ее без всякой оплаты по нужному ей адресу, и, так как у нее не было с собой никаких денег, ей пришлось совершить первый "рейс" в Петрограде пешком.

И. Шнейдер, с. 268.

...с вокзала путешественницы были доставлены в штаб-квартиру Петроградского Совета в гостинице "Англетер"...

И. Дункан, А. Р. Макдугалл, с. 32.

Айседора Дункан любила Россию, по которой она уже совершила три плодотворных турне: в 1905, 1908 и в 1913 годах. О впечатлении, которое она произвела на своих зрителей, на интеллигенцию, на труппу Императорского балета, подробно рассказано Светловым и Бакстом в их истории русского балета.

И. Дункан, А. Р. Макдугалл, с. 26.

Я видел Дункан на сцене давно, еще в 1908 году. Воздушная фигурка в легкой тунике; сцена, декорированная гладкими сукнами и однотонным ковром...
Два слова — "Айседора Дункан" — были для меня синонимами какой-то необычайной женственности, грации, поэзии... А сейчас впечатление было неожиданным: Дункан показалась мне крупной и монументальной, с гордо посаженной царственной головой, облитой красноватой медью густых, гладких, стриженых волос. Одета она была в нечто вроде блестящей кожаной куртки с белым атласным жилетом, отороченным красным кантом. (После того как Дункан, готовившаяся к отъезду в Советскую Россию, заказала себе костюм по этой модели, законодатель парижских мод Поль Пуаре пустил модель в оборот под названием "а-ля большевик").

И. Шнейдер, с. 267.

Но я не люблю, не понимаю пляски от разума, и не понравилось мне, как эта женщина металась по сцене. Помню — было даже грустно, казалось, что ей смертельно холодно, и она, полуодетая, бегает, чтоб согреться, выскользнуть из холода.

М. Горький, с. 6.

В отеле "Савой", где Дункан остановилась, неблагоустроенном и частично даже разрушенном, оказались к тому же клопы и крысы. Дункан и ее спутницы ночью из отеля сбежали и прогуляли до утра по улицам, осматривая Москву.

И. Шнейдер, с. 264—265.

По-русски Дункан знала всего несколько слов: "красный карандаш", "синий карандаш", "яблоко" и "Луначарский", которые произносила, как ребенок, забавно коверкая и заменяя одну букву другой.

М. Бабенчиков, с. 247.

Теперь, когда Айседора пересекла границу социалистического государства, ей претили всякие, даже словесные, атрибуты оставленного "старого мира", ее манило другое созвучие: соединение ее имени со словом "товарищ".

И. Шнейдер, с. 268.

Под школу-студию отвели дом балерины Балашовой на Пречистенке. Дункан поселилась в одной из раззолоченных комнат этого богатого особняка.

С. Конёнков, с. 292.

В Москве она поселилась на Пречистенке, в квартире балерины Балашовой, бежавшей за границу, и открыла занятия ритмической студии. На ее вечера собирались избранные представители художественного мира. Однажды со своими друзьями-имажинистами приехал туда и Есенин, познакомившийся с ней несколько раньше в квартире художника Г. Б. Якулова.

Вс. Рождественский, с. 294.

Захваченная коммунистической идеологией Айседора Дункан приехала, в 1921-м году, в Москву. Малинововолосая, беспутная и печальная, чистая в мыслях, великодушная сердцем, осмеянная и загрязненная кутилами всех частей света и прозванная "Дунькой" в Москве, она открыла школу пластики для пролетарских детей в отведенном ей на Пречистенке бесхозяйном особняке балерины Балашовой, покинувшей Россию.

Ю. Анненков, с. 171.

Прикрытая легким плащом, сверкая пунцовым лаком ногтей на ногах, Дункан раскрывает объятия навстречу своим ученицам: ребятишки в косичках и стриженные под гребенку, в драненьких платьицах, в мятых тряпочках, с веснушками на переносице, с пугливым удивлением в глазах.

Голова Дункан наклонена к плечу, легкая улыбка светит материнской нежностью. Тихим голосом Дункан говорит по-английски:

— Дети, я не собираюсь учить вас танцам: вы будете танцевать, когда захотите, те танцы, которые подскажет вам ваше желание. Я просто хочу научить вас летать, как птицы, гнуться, как юные деревца под ветром, радоваться, как радуется майское утро, бабочка, лягушонок в росе, дышать свободно, как облака, прыгать легко и бесшумно, как серая кошка... Переведите, — обращается Дункан к переводчику и политруку школы, товарищу Грудскому.

— Детки, — переводит Грудский, — товарищ Изидора вовсе не собирается обучать вас танцам, потому что танцульки являются пережитком гниющей Европы. Товарищ Изидора научит вас махать руками, как птицы, ластиться вроде кошки, прыгать по-лягушиному, то есть, в общем и целом, подражать жестикуляции зверей...

Ю. Анненков, с. 171.

Сидели в парке Эрмитажа. Подошел Жорж Якулов.

— Хотите, с Изадорой Дункан познакомлю?

— Где она?.. Где? — Есенин даже привскочил со скамьи. И, как ошалелый, ухватив Якулова за рукав, стал таскать по Эрмитажу из Зеркального зала в Зимний, из Зимнего в Летний. Ловили среди публики, выходящей из оперетты, с открытой сцены.

Есенин не хотел верить, что Дункан ушла. Был невероятно раздосадован и огорчен без меры.

А. Мариенгоф, с. 286.

Об их первой встрече ходило немало легенд. Вот одна из них.

Выступали ученицы знаменитой танцовщицы. В античных туниках, с босыми ногами, они, одна за другой, исполняли ритмические пляски, воспроизводившие рисунки чернофигурных греческих ваз. Есенин глядел равнодушно. Их гибкие и строго ритмизованные движения, казалось, ничего не говорили его душе. Но затем начала свой танец Айседора Дункан. Точный, необычайно легкий полет ее тела и тонкая выразительность жеста захватили присутствующих. Дыхание подлинного искусства прошло над притихшим залом. Есенин широко раскрыл восхищенные глаза. Он, русский человек, в эту минуту и сам почувствовал себя на счастливых берегах древней Эллады, рождавшей богов и героев.

По окончании танца он вскочил с места и на огромном зеркале, идущем во всю стену, острым камешком своего кольца начертил два четких слова: "Люблю Дункан" — и поставил три огромных восклицательных знака. Мировая знаменитость, избалованная непрестанными успехами, очевидно, первый раз в жизни столкнулась с подобным выражением восторга. Она попросила перевести ей есенинские слова. Смысл их поразил ее не менее, чем способ, который избрал Есенин, чтобы выразить свои чувства. Когда же ей стало известно, что перед нею уже прославленный поэт, не так давно бывший (простым деревенским пастухом), Дункан и сама пришла в не меньший восторг. Она тотчас же начала беседу с Есениным (через переводчиков, конечно) и уже весь вечер не отпускала его от себя.

Вс. Рождественский, с. 294—295.

В сближении двух великих людей принимал участие мой большой друг и приятель — С. А. Поляков, когда-то издатель "Весов" и "Скорпионов", которого за это звали "декадентский батька" — он был оригинальный чудак. К нему, как мне передавали, обратилась Айседора Дункан, быстро заприметившая голубоглазого парня — Есенина, — с вопросом: — Кто этот юноша с таким порочным лицом? Их немедленно познакомили. Со стороны Айседоры это был "роман-молния" — злые языки говорили, что их отношения выяснились в тот же вечер, который затянулся до полудня следующего дня...

Л. Сабанеев, с. 24.

Однажды меня остановил прямо на улице известный московский театральный художник Георгий Богданович Якулов. Он был популярен, оформлял в те годы премьеры крупных московских театров.

Кто мог предугадать, что благодаря этой нашей встрече на московской улице в этот же вечер произойдет встреча двух знаменитых людей, о которых вот уже свыше пятидесяти лет пишут и, может, еще долго будут писать газеты и журналы всего мира, создаются поэмы, романы, пьесы, кинофильмы, музыка, картины, скульптуры...

— У меня в студии сегодня небольшой вечер, — сказал Якулов, — приезжайте обязательно. И, если возможно, привезите Дункан. Было бы любопытно ввести ее в круг московских художников и поэтов.

Я пообещал. Дункан согласилась сразу.

И. Шнейдер, с. 293.

Георгий Богданович в 1919 году расписывал стены кафе "Питтореск", вскоре переименованного в "Красный петух", что, впрочем, не помешало этому учреждению прогореть. В этом кафе выступали поэты, артисты, журналисты, и там Есенин познакомился с Якуловым. Георгий Богданович был очень талантливый художник левого направления: в 1925 году на Парижской выставке декоративных работ Якулов получил почетный диплом за памятник 26 бакинским комиссарам и Гран-при за декорации к "Жирофле-Жирофля" (Камерный театр).

М. Ройзман, с. 238.

Студия Якулова помещалась на верхотуре высокого дома где-то около "Аквариума" на Садовой.

И. Шнейдер, с. 293.

Познакомились они, кажется, на вечеринке у художника Якулова. "Фестиваль", как выражался Якулов, был пышный — таким он, по крайней мере, казался по тому разутому и голодному времени.

Это не был "самозабвенный пир во время чумы"... Медлили начинать — кого-то ждали.

Гости скучали, не понимая, что, собственно, происходит.

И вдруг (как пишут в романах) взоры всех обратились в сторону двери.

В студию Якулова и в жизнь Есенина вошла Айседора.

Э. Я. Герман.
Из "Книги о Есенине", с. 165.

Якулов устроил пирушку у себя в студии.

В первом часу ночи приехала Дункан.

А. Мариенгоф, с. 101.

Появление Дункан вызвало мгновенную паузу, а потом начался невообразимый шум. Явственно слышались только возгласы: "Дункан!"

И. Шнейдер, с. 294.

Красный, мягкими складками льющийся хитон, красные с отблеском меди волосы; большое тело, ступающее легко и мягко.

А. Мариенгоф, с. 101.

Вдруг меня чуть не сшиб с ног какой-то человек в светло-сером костюме. Он промчался, крича: "Где Дункан? Где Дункан?"

— Кто это? — спросил я Якулова.

— Есенин... — засмеялся он.

И. Шнейдер, с. 294.

Долгие годы и до самой смерти восторженно относился к ней Станиславский. И разве Есенин не мог не почувствовать ее обаяние? Неоднократно он говорил мне о ее танцах.

Н. Никитин, с. 226.

После первого спектакля на банкете, устроенном в ее честь, знаменитая танцовщица увидела Есенина. Взвинченная успехом, она чувствовала себя по-прежнему прекрасной. И, по своему обыкновению, оглядывала участников банкета, ища среди присутствующих достойного "разделить" с ней сегодняшний триумф...

Г. Иванов, с. 39.

В экзотически яркой, мехом внутрь, сибирской коже, крупная, большеглазая, этакая "волоокая Гера", — она вошла в чужое, новое для нее общество с непринужденностью женщины, всходившей на эстрады всего мира.

Есенина в этот вечер его приятели преподносили торжественно. Именно — преподносили.

В Одессе, над входом в один из многочисленных там кавказских погребков, красовалась вывеска: "Подам шашлык, как клубнику".

Есенина в этот вечер подавали в совершенно несвойственном ему виде. Милый, простой "Сергун" был наспех перекрашен в важного "Сергея Александровича" ("Дорогу Сергею Александровичу"). Хлопотал около него N.

Э. Я. Герман.
Из "Книги о Есенине", с. 165.

Теперь чудится что-то роковое в той необъяснимой и огромной жажде встречи с женщиной, которую он никогда не видел в лицо и которой суждено было сыграть в его жизни столь крупную, столь печальную и, скажу более, столь губительную роль.

Спешу оговориться: губительность Дункан для Есенина ни в какой степени не умаляет фигуры этой замечательной женщины, большого человека и гениальной актрисы...

А. Мариенгоф.
Роман без вранья.
"Худ. лит.", 1988, с. 93.

...Друзей у него тогда было много. Подруги не было.

Завидовал, помню, идиллическому роману своего товарища по комнате:

— Все, видишь, с девочками, а я...

Пустоты природа, как известно, не терпит; эту пустоту вскоре заполнила Айседора Дункан.

Э. Я. Герман.
Из "Книги о Есенине", с. 164—165.

Через несколько месяцев, в марте 1922 года, в письме к поэту Р. В. Иванову-Разумнику Есенин писал: "...живу я как-то по-бивуачному, без приюта и без пристанища, потому что домой стали ходить и беспокоить разные бездельники, вплоть до Рукавишникова. Им, видите ли, приятно выпить со мной! Я не знаю даже, как и отделаться от такого головотяпства, а прожигать себя стало совестно и жалко..."

И. Шнейдер, с. 300.

...Айседора срочно звала меня.

Войдя в комнату Айседоры, я увидел такую картину: на диване с золотыми лебедями сидел в напряженной воинственной позе Есенин, со злым, решительным выражением лица. Рядом тихо сутулился Рукавишников. Есенин крепко держал его за козлиную бородку, целиком зажав ее в кулаке.

— Что же вы не шли, — зашептала Айседора. — Он уже двадцать минут держит его так.

И. Шнейдер, с. 299.

Весь этот период Есенин часто жаловался мне на физическое недомогание — болезнь почек — и угнетенное состояние, вызванное ощущением какой-то пустоты и одиночества. Прежние друзья его уже больше не удовлетворяли, а об имажинистах он прямо так и говорил, что у него нет и никогда не было ничего общего с ними. Новых друзей Есенин так и не приобрел. Поэтому все чаще и чаще он обращался к воспоминаниям о своей молодости, тревожно спрашивая меня: "А я изменился?" Или же с отчаянным азартом и, как казалось, подчеркнутой акцентировкой принимался читать одни и те же строки из своего "Пугачева":

> Юность, юность! Как майская ночь
> Отзвенела ты...

М. Бабенчиков, с. 250.

Очень уж я устал, а последняя моя запойная болезнь совершенно меня сделала издерганным, так что и боюсь тебе даже писать, чтобы как-нибудь беспричинно не сделать больно.

Есенин — Иванову-Разумнику.
Москва, 5 мая 1922 г.

И, как это всегда бывает с натурами цельными, не умеющими дробить себя, он отдался этому увлечению целиком, поступаясь даже многими своими давними привычками и пристрастиями.

Вс. Рождественский, с. 295.

Лаковые полусапожки его источали особенный блеск, и даже на изображающий эстраду стол он вскочил на этот раз не по-обычному театрально.

Не помню, что читал он. Уж не стихи ли о несуществующем "граде Инонии"?

Э. Я. Герман.
Из"Книги о Есенине", с. 165.

— Он читал мне свои стихи, — говорила в тот вечер Айседора, — я ничего не поняла, но я слышу, что это музыка и что стихи эти написал гений!

И. Шнейдер, с. 295.

Она обвела комнату глазами, похожими на блюдца из синего фаянса, и остановила их на Есенине.

Маленький, нежный рот ее улыбнулся.

Изадора легла на диван, а Есенин у ее ног.

Она окунула руку в его кудри и сказала:

— Solotaia golova!

Было неожиданно, что она, знающая не больше десятка русских слов, знала именно эти два.

Потом поцеловала его в губы.

И вторично ее рот, маленький и красный, как ранка от пули, приятно изломал русские буквы:

— Anguel!

Поцеловала еще раз и сказала:

— Tschort!

А. Мариенгоф, с. 101.

Я смотрел на Дункан. Передо мной сидела пожилая женщина, как я понял впоследствии — образ осени. На Изадоре было темное, как будто вишневого цвета, тяжелое бархатное платье. Легкий длинный шарф окутывал ее шею. Никаких драгоценностей. И в то же время мне она представлялась похожей на королеву Гертруду из "Гамлета". Есенин рядом с ней выглядел мальчиком...

Н. Никитин, с. 135.

Немного позже мы с Якуловым подошли к Айседоре. Она полулежала на софе. Есенин стоял возле нее на коленях, она гладила его по волосам, скандируя по-русски:

— За-ла-тая га-ла-ва...

(Это единственный верно описанный Анатолием Мариенгофом эпизод из эпопеи Дункан — Есенин в его нашумевшем "Романе без вранья".). Трудно было поверить, что это их первая встреча, — казалось, они знают друг друга давным-давно, так непосредственно они себя вели в тот вечер.

И. Шнейдер, с. 294.

Дункан подошла к Есенину своей "скользящей" походкой и, недолго думая, обняла его и поцеловала в губы. Она не сомневалась, что ее поцелуй осчастливит этого "скромного простачка". Но Есенина, уже успевшего напиться, поцелуй Айседоры привел в ярость. Он оттолкнул ее — "Отстань, стерва!" Не понимая, она поцеловала Есенина еще крепче. Тогда он, размахнувшись, дал мировой знаменитости звонкую пощечину. Айседора ахнула и в голос, как деревенская баба, зарыдала.

Сразу протрезвившийся Есенин бросился целовать ей руки, утешать, просить прощения. Так началась их любовь. Айседора простила. Бриллиантом кольца она тут же на оконном стекле выцарапала:

Esenin is a huligan,
Esenin is a angel!

Есенин — хулиган, Есенин — ангел.

Г. Иванов, с. 40.

Когда Есенин как-то грубо в сердцах оттолкнул прижавшуюся к нему Изадору Дункан, она восторженно воскликнула:

— Ruska lubow!

Есенин, хитро пожевав бровями свои серые глазные яблоки, сразу хорошо понял, в чем была для той лакомость его чувства.

А. Мариенгоф.
Роман без вранья, с. 34.

Потом, указывая на грудь Сергея, она сказала:
— Здесь у него Христос. — И, хлопнув по лбу, добавила:
— А здесь у него дьявол...

С. Б. Борисов, с. 142.

...”Это черт и ангел вместе”, — сказала мне о нем Дункан. “Чертом” я его не знал.

Б. М. Зубакин — М. Горькому.
Москва, 1926 г.

...Так они “проговорили” весь вечер на разных языках буквально (Есенин не владел ни одним из иностранных языков, Дункан не говорила по-русски), но, кажется, вполне понимая друг друга.

И. Шнейдер, с. 295.

Пил он в последние годы плохо. Хмелел сразу, как хмелеют непривыкшие к алкоголю. Так вот и захмелел от Дункан.

Э. Я. Герман.
Из “Книги о Есенине”, с. 161.

В четвертом часу Изадора Дункан и Есенин уехали...

А. Мариенгоф.
Роман без вранья, с. 101.

...в то первое утро ни Айседора, ни Есенин не обращали никакого внимания на то, что мы уже в который раз объезжаем церковь. Дремлющий извозчик тоже не замечал этого.
— Эй, отец! — тронул я его за плечо. — Ты что, венчаешь нас, что ли? Вокруг церкви, как вокруг аналоя, третий раз едешь.
Есенин встрепенулся и, узнав, в чем дело, радостно засмеялся.
— Повенчал! — раскачивался он в хохоте, ударяя себя по коленям и поглядывая смеющимися глазами на Айседору.
Она захотела узнать, что произошло, и, когда я объяснил ей, со счастливой улыбкой протянула:
— Свадьба...

И. Шнейдер, с. 296—297.

Была мимолетная встреча с Есениным в начале февраля 1922 года в Ростове-на-Дону в квартире поэтессы Нины Грацианской, выпустившей вскоре сборник стихов “Сейф сердец”...
...Есенин ехал на Кавказ, но почему-то раздумал и чуть ли не в тот же день вечером отправился обратно в Москву.

За несколько месяцев до того Есенин познакомился в Москве с Айседорой Дункан. Вероятно, разлука тяготила его, и он отказался от дальнейшей поездки, чтобы скорее быть снова вместе с этой необыкновенной и роковой для него женщиной.

В. Мануйлов, с. 466—467.

Дункан пленились Есениным, что совершенно естественно: не только моя Настя считала его "красавчиком". Роман был ураганный и столь же короткий, как и коммунистический идеализм Дункан.

Ю. Анненков, с. 171.

Припоминаю еще одно посещение Айседорой Есенина при мне, когда он был болен. Она приехала в платке, встревоженная, со сверточком еды и апельсином, обмотала Есенина красным своим платком. Я его так зарисовал, он называл этот рисунок — "В Дунькином платке". В эту домашнюю будничную встречу их любовь как-то особенно стала мне ясна.

С. Городецкий, с. 183.

Есенин почти перебрался на Пречистенку.

А. Мариенгоф, с. 96.

А нам приятель Саша Сахаров, завзятый частушечник, уже горланил:

Толя ходит неумыт,
А Сережа чистенький —
Потому Сережа спит
С Дуней на Пречистенке.

Э. Я. Герман, с. 179.

Нехорошая кутерьма захлестнула дни...

А. Мариенгоф.
Роман без вранья, с. 94.

С появлением Есенина в доме на Пречистенке здесь стали бывать поэты-имажинисты.

И. Шнейдер, с. 297.

С Есениным, Мариенгофом, Шершеневичем и Кусиковым проводил оргийные ночи в особняке Дункан, ставшем штаб-квартирой имажинизма. Снабжение продовольствием и вином шло непосредственно из Кремля.

Ю. Анненков, с. 171.

Был здесь и Клюев, жаждавший познакомиться со знаменитой Дункан и, как позже нам стало ясно, ничего не имевший против того, чтобы устроиться и... заменить для Дункан Е. (он никак не мог понять, чем же он хуже С. А.: тоже русский, тоже поэт, тоже крестьянский — за чем же дело стало?)

Г. А. Бениславская.
Материалы..., с. 56—57.

Обращался Есенин к этому времени с Клюевым не по-сыновьи, снисходительно и скрытно-враждебно... Да и Клюев, хоть и елейничал с Есениным и даже лебезил перед ним, иногда вдруг огрызался. Помню, как однажды Есенин сказал Клюеву:

— Старо! Об этом уже и собаки не лают! Не съедите нас!

Клюев сначала ощетинился, потом, глянув на Айседору, слащаво улыбнулся и, тыча в сторону Есенина большим пальцем, ядовито пропел:

— В Рязани пироги с глазами, их ядять, а они глядять!

Дункан, конечно, ничего не поняла. (Позднее я встретил эту же фразу, кажется, в одном из писем Клюева к Есенину.)

Есенин рывком поднялся из-за стола. В потемневших глазах его была ненависть. Клюев смиренно остался сидеть. Айседора теребила меня: "О чем они?"...

И. Шнейдер, с. 310—311.

...Молю Вас, как отца родного, потрудитесь, ради великой скорби моей, сообщите Есенину, что живу я, как у собаки в пасти, что рай мой осквернен и разрушен, что Сирин мой не спасся и на шестке, что от него осталось единое малое перышко. Все, все погибло. И сам я жду гибели неизвестной и беспесенной. Как зиму переживу, один Бог знает. Солома да вода — нет ни сапог, ни рубахи. На деньги в наших краях спички горелой не купишь. Деревня стала чирьем-недотрогой, завязла в долгах по горло. Вы упоминаете про масло, но коровы давно съедены, молока иногда в целой деревне не найти младенцу в рожок...

Н. Клюев — В. С. Миролюбову.
Вытегра, осень 1919 г.

Позднее, когда Клюев оказался в Вытегре, Есенин получал от него большие письма, написанные при "огарке" карандашом, на длинных узких листочках бумаги, и раза два отправлял ему посылки с продуктами.

— Он должен был кончить этим... — сказал как-то Есенин.

И. Шнейдер, с. 311—312.

Я погибаю, брат мой, бессмысленно и безобразно. Госиздат заплатил мне за "Песнослов" с "Медным китом" около 70-ти тысяч. Если же Ионов говорил тебе о 15-ти миллионах, будто бы посланных мне, то их надо поискать в его карманах, а не в моем бедном кошельке.

Н. Клюев — Есенину.
Вытегра, 28 января 1922 г.

И наваждение — уверение твое, что я все "сердце выпеснил избе". Конечно, я во многом человек конченый. Революция, сломав деревню, пожрала и мой избяной рай. Мамушка и отец в могиле, родня с сестрой во главе забрали себе все. Мне досталась запечная Мекка — иконы, старые книги, — их благоухание — единственное мое утешение.

Но я очень страдаю без избы, это такое уродство, не идущее ко мне положение. Я несчастен без своего угла. Теперь я живу в Вытегре — городишке с кулачок, в две улицы с третьей поперек, в старом купеческом доме. Спас Нерукотворный, огромная Тихвинская, Знамение, София краснокрылая, татарский Деисус смотрят на меня слезно со стен чужого жилья. И это так горько — неописуемо.

Сестра и зять вдобавок обокрали меня; я уезжал в Белозерский уезд, они вырезали замок в келье, взломали дубовый кованый сундук и выкрали все, что было мною приобретено за 15-ть лет, — теперь я нищий, оборванный, изнемогающий от постоянного недоедания полустарик. Гражданского пайка лишен, средств для прожития никаких. Я целые месяцы сижу на хлебе пополам с соломой, запивая его кипятком, бессчетные ночи плачу одинодинешенек и прошу Бога только о непостыдной и мирной смерти.

Н. Клюев — Есенину.
Вытегра, 28 января 1922 г.

О Клюеве: Клюев два года был коммунистом, получил мандат на реквизицию икон по церквам, набрал себе этих икон полную избу, вследствие чего был исключен из партии.

И. Оксенов.
Дневник, 26 апреля 1924 г.

Брат мой, пишу тебе самые чистые слова, на какие способно сердце мое. Скажу тебе на ушко: "Как поэт я уже давно кончен", ты в душе это твердо сам знаешь. Но вслух об этом пока говорить жестоко и бесполезно.

Н. Клюев — Есенину.
Вытегра, 28 января 1922 г.

...Клюев засыхает совершенно в своей Баобабии. Письма мне он пишет отчаянные. Положение его там ужасно, он почти умирает с голоду.

Я встормошил здесь всю публику, сделал для него что мог с пайком и послал 10 миллионов руб. Кроме этого, послал еще 2 миллиона Клычков и 10 — Луначарский.

Есенин — Иванову-Разумнику.
Москва, 6 марта 1922 г.

Есенин получил письмо от Клюева — "умираю с голоду, болен. Хочу посмотреть еще раз своего Сереженьку, чтоб спокойней умереть"*. С. А. взволнованно и с большой любовью говорил, какой Клюев чудный, хороший, как он его любит. Решил, что поедет и привезет его в Москву. Просил Яну уступить комнату для Клюева. Яна уступила, Есенин собирался уезжать. Назначили день отъезда: воскресенье. Без осложнений дело, конечно, не обошлось. Не получил Есенин денег, не на что ехать, пришлось занять 20 р. у

---

* Записать, как писал. *(Приписка на полях Г. Бениславской.)*

Александра (швейцар "Стойла"). Приехали на вокзал. Есенин пьяный, едет с Приблудным. Билеты взял Сахаров — вместо мягкого вагона — жесткий, вместо спальных мест — сидеть*. Есенин обозлился, но все-таки уехал. Через неделю, может быть меньше, вернулся с Клюевым. В 1-й момент, когда Клюев вошел в комнату — и я увидела — сытое, самодовольное и какое-то нагло-услужливое лицо, — что-то упало у меня внутри. По рассказам С. А. не таким представляла и любила Клюева. Но это был один момент. Тут же отогнала это, и обе мы, я и Галя, радушно и приветливо поздоровались с Клюевым. Рассказывали про поездку. Клюев читал стихи. Есенин слушал и все посматривал на нас, словно хотел узнать, какое впечатление производит Клюев. Когда Клюев ушел, он начал говорить, какой он хороший, и вдруг, как-то смотря в себя: "Хороший, но... чужой. Ушел я от него. Нечем связаться. Не о чем говорить. Не тот я стал. Учитель он был мой, а я его перерос..."

А. Г. Назарова.
Воспоминания, с. 124—126.

Никто не вправе сомневаться в том, что Есенина и Дункан связывало искреннее и большое чувство, но столь же несправедливо было бы сказать, что сближение с этой знаменитой танцовщицей, высоким искусством которой поэт искренне восхищался, не только не увело его из круга богемных привычек, но еще более укрепило в нем навыки бездумной, беспорядочной среды.

Вс. Рождественский, с. 297.

...в притче сказано: "У кого вой? У кого стон? У кого раны без причины? У кого багровые глаза? У тех, которые долго сидят за вином."
В те, дункановские, годы Есенин тоже сидел за вином долго. И у него были багровые глаза, и вой, и стон...

А. Мариенгоф.
Мой век..., с. 364.

...я неоднократно слышал о его частых кутежах и нашумевшем романе с Дункан. Но прошло некоторое время, прежде чем мне удалось самому навестить его и проверить воочию доходившие до меня слухи. Жил Есенин тогда в особняке на Пречистенке, 20, принадлежавшем когда-то балерине Балашовой. Поднявшись по широкой мраморной лестнице и отворив массивную дверь, я очутился в просторном холодном вестибюле. Есенин вышел ко мне, кутаясь в какой-то пестрый халат. Меня поразило его болезненно-испитое лицо, припухшие веки глаз, хриплый голос, которым он спросил:
— Чудно? — и тут же прибавил: — Пойдем, я тебя еще не так удивлю.
Сказав это, Есенин ввел меня в комнату, огромную, как зал. Посередине

---

* Сахаров и Аксельрод оба ехали в мягком. *(Приписка на полях Г. Бениславской.)*

ее стоял письменный стол, а на нем среди книг, рукописей и портретов Дункан высилась деревянная голова самого Есенина, работы Конёнкова. Рядом со столом помещалась покрытая ковром тахта. Все это было в полном беспорядке, точно после какого-то разгрома.

Есенин, видя мое невольное замешательство, еще больше возликовал:

— Садись, видишь, как живу — по-царски! А там, — он указал на дверь, — Дункан. Прихорашивается. Скоро выйдет.

Проговорил он все это скороговоркой, будто сыпал горох, и потом начал обстоятельно рассказывать, как выступал в модном кабаре и как его восторженно принимала публика.

Вошла Дункан. Я ее видел раньше очень давно и только издали, на эстраде, во время ее гастролей в Петербурге. Сейчас передо мной стояла довольно уже пожилая женщина, пытавшаяся, увы, без особенного успеха, все еще выглядеть молодой. Одета она была во что-то прозрачное, переливавшееся, как и халат Есенина, всеми цветами радуги и при малейшем движении обнажавшее ее вялое и от возраста дряблое тело, почему-то напомнившее мне мясистость склизкой медузы. Глаза Айседоры, круглые, как у куклы, были сильно подведены, а лицо ярко раскрашено, и вся она выглядела такой же искусственной и нелепой, как нелепа была и крикливо обставленная комната, скорее походившая на номер гостиницы, чем на жилище поэта.

М. Бабенчиков, с. 246—247.

Дункан всецело подчинила Есенина своим вкусам. Прежде всего она позаботилась о том, чтобы придать ему ультраевропейский вид. Есенин стал появляться на улицах Москвы в широкополом пальто и щегольской фетровой шляпе. Ботинки носил — как он выражался — “самого сказочного фасона”. И все это удивительно шло к нему — так же, как и прежний стилизованный наряд оперного Леля.

Вс. Рождественский, с. 295.

В один из последующих вечеров Айседора принимала несколько друзей в своей студии. В мягко освещенной комнате, синие занавески которой казались реющими далеко в пространстве, царила полная, почти религиозная тишина, ибо Айседора танцевала мазурку Шопена. На глазах у зрителей одно прекрасное движение таяло, сменяясь другим, не менее завершенным. И когда последние звуки фортепиано замерли и Айседора вышла к своим безмолвным, потрясенным друзьям, чьи увлажнившиеся глаза говорили об их благодарности, возвышенное настроение было внезапно нарушено топотом дюжины ног по лестнице и полудюжиной нетрезвых голосов, приближавшихся с хриплым хохотом и пьяными шутками.

В комнату — безмолвный храм Айседоры — ворвалась орава поэтов-имажинистов во главе с Есениным и Кусиковым с его неизменной балалайкой. Верховная жрица, которая в любом подобном случае выгнала бы незваных гостей вон со словами, хлещущими не хуже бича, приветствовала этих шумных последователей Бахуса и Аполлона.

С помощью друга-переводчика она сказала Есенину, которого была счастлива увидеть:

— Я сейчас буду танцевать только для вас!

Она поднялась с дивана и попросила пианиста сыграть вальс Шопена, который, как она полагала, должен был привлечь лирическую душу златокудрого поэта. И восторженно, радостно, с обольстительной грацией, она погрузилась в ритмы танца! Когда музыка смолкла, она подошла с простодушной улыбкой, сияющими глазами и протянутыми руками к Есенину, громко говорившему что-то своим товарищам, и спросила его, как ему понравился ее танец. Переводчик перевел. Есенин сказал что-то грубое и непристойное, что вызвало столь же грубый и непристойный хохот его пьяных приятелей. Друг, игравший роль переводчика, сказал с явным смущением Айседоре:

— Он говорит, что это все ужасно... и что он сам может сделать это лучше!

И даже не дождавшись, пока вся эта реплика была переведена ошарашенной и оскорбленной Айседоре, поэт вскочил на ноги и заплясал посреди студии, как ненормальный. Балалайка бренчала, и его собратья по богеме издавали крики одобренья.

Музыка, Покой, Грация и Красота бежали стремглав из храма, где продолжала бесчинствовать разгульная орава, а вскоре за ними последовали и приглашенные друзья, успевшие все же вкусить в начале вечера их благословение...

Ирма Дункан. Алан Росс Макдугалл.
Русские дни Айседоры Дункан.
М., "Московский рабочий", 1995, с. 70—74.

Их внезапно вспыхнувшая любовь изумила всю Москву.

Вс. Рождественский, с. 295.

...Она была на семнадцать лет старше его, но он обрадовался ее любви, как мировому признанию.

И. Эренбург, с. 589.

Бурный роман королевича с великой американкой на фоне пуританизма первых лет революции воспринимался в московском обществе как скандал, что усугубилось довольно значительной разницей лет между молодым королевичем и босоножкой бальзаковского возраста. В совсем молодом мире московской богемы она воспринималась чуть ли не как старуха. Между тем люди, ее знавшие, говорили, что она была необыкновенно хороша и выглядела гораздо моложе своих лет, слегка по-англосакски курносенькая, с пышными волосами, божественно сложенная.

В. Катаев, с. 431.

Меня глубоко интересовало искусство Айседоры Дункан, и я часто приезжал в студию на Пречистенку во время занятий. Несколько раз я принимался за работу. "Танцующая Айседора Дункан" — это целая сюита скульптурных портретов прославленной балерины.

С. Конёнков, с. 292.

Есенин дружил с Конёнковым. Они были знакомы с 1918 года. Вечерами Есенин иногда тормошил всех:
— Едем на Красную Пресню! Изадора — Конёнков!
На Красной Пресне помещалась маленькая студия-мастерская Конёнкова, насквозь промороженная, несмотря на установленные там печи.
На Красной Пресне нас встречали выточенные из дерева русские Паны — лесные божки с добренькими проницательными глазками. Конёнков представлял их нам, называя "лесовичками". В мастерской лежали пни и чурбаны и пахло свежим деревом и лесом.

И. Шнейдер, с. 312.

Его постоянно тянуло ко мне на Пресню.

С. Конёнков, с. 290.

...частенько бываем на Пресне, у Сергея Тимофеевича Конёнкова. Маленький, ветхий, белый домик — в нем мастерская и кухонька. В кухоньке живет Конёнков. В ней же Григорий Александрович (Конёнковский дворник, Конёнковская нянька и верный друг) поучает нас мудрости. У Григория Александровича лоб Сократа.
Конёнков тычет пальцем:
— Ты его слушай да в коробок свой прячь — мудро он говорит: кто ты есть? А есть ты человек! А человек есть чело века. Понял?

А. Мариенгоф.
Роман без вранья, с. 49.

...Есенину очень нравилась моя пресненская обитель. Во ржи и васильках, с поленницей дров возле сарая, с дневавшими и ночевавшими тут знаменитыми музыкантами и мудрыми слепцами. Он всегда появлялся неожиданно и бесшумно: старался застать живую песню. Мои знакомые передавали изустный рассказ Есенина про то, как однажды он, пройдя в калитку, не замеченный дядей Григорием, сквозь кусты сирени наблюдал и слушал, как Конёнков, сидя на пеньке возле сарайчика в глубине двора и подыгрывая себе на гармошке-двухрядке, пел очень печальную песню...

С. Конёнков.
Из книги "Мой век...", с. 286.

О творчестве своем распространяться не любил, но обижался, когда его вещи не нравились. Случалось, люди, скверно о нем отзывавшиеся, делались его врагами. Не обижался он только на одного Конёнкова, которому считал обязанностью прочитывать все свои новые вещи. Конёнков, хватаясь за бороду, подчас обрушивался на него криком, — и к поучениям его Есенин всегда прислушивался.

И. Старцев, с. 412.

С Есениным мы ходили на журавлиную охоту. Завидя нас, когда мы были за версту от них, журавли поднимались. А баб, которые жали рожь в подмосковном поле в пятидесяти шагах от них, не боялись. Какие догадливые птицы — журавли! А мы, хоть и издалека их увидели, и тому рады. Не зря десять верст прошагали.

С. Конёнков, с. 292.

В один из вечеров Есенин повез меня в мастерскую Конёнкова. Конёнкова в мастерской не было. Была его жена. Мы вошли в студию. Сергей сразу затих и весь засиял.

Про него часто говорили, что он грубый, крикливый, скандальный... Потом я заметила, что он всегда радовался, когда сталкивался с настоящим искусством. Иногда очень бурно, а иногда очень тихо, почти благоговейно, но всегда радостно. И когда потом прочитала его стихотворение "Пушкину", я вспомнила этот вечер.

А. Миклашевская, с. 275—276

...перед дверью Есенин услышал звучание лиры и поющие голоса и придержал своего провожатого.

— Стой, Сережа. Конёнков поет и играет на лире.

С. Конёнков, с. 289.

Конёнков в Америке...

Дворник и друг Конёнкова — Василий Григорьевич — показывает нам оставшиеся работы, рассказывает о самом Конёнкове и наконец вручает нам глинянный бюст Есенина — то, за чем мы пришли.

В. Эрлих, с. 44.

Конёнковым была выстругана из дерева голова Есенина. Схватившись рукой за волосы, с полуоткрытым ртом, был он похож, особенно в те моменты, когда читал стихи. В свое время она была выставлена в витрине книжного магазина "Артели художников слова" на Никитской. Есенин не раз выходил там на улицу — проверять впечатление — и умилительно улыбался.

И. Старцев, с. 412.

Узнаю: Есенин разбил, сбросив с балкона, Конёнковский бюст.

В. Эрлих, с. 47.

Через 25 лет, случайно разговорившись с артистом Дарским... я узнал, что бюст Есенина находится у него. В ту ночь Есенин встретился с ним в какой-то компании и подарил ему "свою голову".

И. Шнейдер, с. 401.

Выяснилось, что бюст С. А. работы Конёнкова не сгорел, он у Фореггера, каковой находится в Ленинграде. По непроверенным сведениям, бюст этот был потерян С. А. где-то в пивной, подобран фореггеровскими студийцами и прибран самим Фореггером к рукам.

Д. Д. Благой — С. А. Толстой-Есениной.
Москва, 17 апреля 1926 г.

В ответ на Ваш запрос относительно того, кто является собственником деревянного бюста покойного С. Есенина — работы С. Т. Конёнкова, считаю долгом заявить следующее.

В 1921 году скульптор С. Т. Конёнков предложил Сергею Александровичу позировать для бюста-портрета, который и подарил ему после окончания своей работы. Кажется, какие-то небольшие суммы Есенин платил Конёнкову, но суммы эти, конечно, не являлись для Конёнкова нормальным гонораром, т. к. они были большими приятелями и Конёнков не смотрел на свою работу, как на заказ. После того, как бюст был вырезан, Есенин, которому он очень нравился, привез его в книжную лавку Художников Слова (ул. Герцена, 15), где я с ним вместе работал. Долго бюст украшал витрину книжной лавки, а затем перешел внутрь магазина, где был водружен на большом столе среди книг.

Когда Есенин летом 1922 года уехал за границу, бюст оставался в магазине вплоть до того, когда последний был продан А. М. Сахарову, передавшему его впоследствии Кооперативному Издательству. Во время пребывания Есенина за границей кто-то из его приятелей забрал бюст Есенина из магазина и перенес его в студию Фореггера на Арбате, где устраивался вечер, посвященный не то Есенину, не то группе имажинистов, к которой С. А. принадлежал.

По возвращении в Москву Есенин жаловался, что распорядились приятели его собственностью и что теперь ему приходится заботиться о том, чтобы взять от случайного владельца тяжелый бюст. Если Есенин не взял этого бюста, то, по-видимому, только по свойственной ему безалаберности.

Д. С. Айзенштат — музею Есенина.
Москва, 3 марта 1928 г.

Прославленную балерину-босоножку я видела на сцене Большого театра в пору ее любви к Есенину. Уже тогда это была тучная, немолодая женщина. Мне не понравился ее танец. Раздражали пыльные голые широкие пятки и раскачивающаяся большая грудь.

Г. Серебрякова, с. 542.

Она была уже очень немолода, раздалась и отяжелела. От "божественной босоножки", "ожившей статуи" — осталось мало. Танцевать Дункан уже почти не могла. Но это ничуть не мешало ей наслаждаться овациями битком набитого московского Большого театра. Айседора Дункан, шумно дыша, выбегала на сцену с красным флагом в руке. Для тех, кто видел прежнюю Дункан, зрелище было довольно грустное. Но все-таки она была Айседорой, мировой знаменитостью, и, главное, танцевала в еще неизбалованной знатными иностранцами "красной столице". И, вдобавок, танцевала с красным флагом! Восторженные аплодисменты не прекращались. Сам Ленин, окруженный членами Совнаркома, из царской ложи подавал к ним сигнал.

Г. Иванов.
В сб. "Русское зарубежье о Есенине".
М., Инкон, 1992, с. 39.

...Этот ее "Интернационал" был так успешен, что его смотрела даже сама "гениальная горилла" — Ленин.

Р. Гуль, с. 206.

Бросалась в глаза и значительная разница в возрасте (Сергей годился Дункан в сыновья) и полнейшее несоответствие их вкусов и привычек. Но они были неразлучны. Очевидно, их связывало сильное и подлинное чувство — что бы ни говорили досужие недоброжелатели.

Вс. Рождественский, с. 295.

Ей тогда было, как мне сказал Есенин, 42 года, а ему 28. Но это была, по моим наблюдениям, конгениальная пара — ни на момент не закрадывалась мысль об их несоответствии.

Вен. Левин, с. 220.

Ей было лет сорок пять. Она была еще хороша, но в отношениях ее к Есенину уже чувствовалась трагическая алчность последнего чувства.

Н. Крандиевская-Толстая, с. 18.

...Айседора страстно любила юношу-поэта, и я понял, что эта любовь с самого начала была отчаянием.

Франц Элленс, с. 22.

Дункан любила Есенина сентиментальной и недоброй любовью увядающей женщины.

Э. Я. Герман.
Из "Книги о Есенине", с. 167.

У нее не было никаких иллюзий, она знала, что время тревожного счастья будет недолгим, что ей предстоит пережить драматические потрясения, что рано или поздно маленький дикарь, которого она хотела воспитать, снова станет самим собой и сбросит с себя, быть может, жестоко и грубо, тот род любовной опеки, которой ей так хотелось его окружить.

Франц Элленс, с. 21—22.

Айседора любила Есенина большой любовью большой женщины.

Жизнь была к ней и щедра и немилосердна. Все дала и все отняла — славу, богатство, любимого человека, детей... Детей, которых она обожала...

А. Мариенгоф.
Мой век..., с. 377.

— А какая нежная была со мной, как мать. Она говорила, что я похож на ее погибшего сына. В ней вообще очень много нежности.

Г. Бениславская, с. 65.

...Я думаю, что ни одна женщина на свете не понимала свою роль вдохновительницы более по-матерински, чем Айседора.

Франц Элленс, с. 21—22.

Он был капризным, упрямым маленьким ребенком, а она была матерью, любящей его до такой степени, что прощала все и смотрела сквозь пальцы на его вульгарные ругательства и мужицкое рукоприкладство. И сцены любви и счастья обычно следовали за сценами пьянства и побегов с Пречистенки...

И. Дункан, А. Р. Макдугалл.
Русские дни Айседоры Дункан, с. 86.

Отношение Дункан ко всему русскому было подозрительно восторженным. Порой казалось: пресыщенная, утомленная славой женщина, не воспринимает ли и Россию, и революцию, и любовь Есенина, как злой аперитив, как огненную приправу к последнему блюду на жизненном пиру?

Н. Крандиевская-Толстая, с. 18.

Для нее Россия была экзотикой.

Русская студентка из Монпелье мне как-то рассказывала: пришел в гости француз. Просит накормить, но обязательно чем-нибудь типически русским. Накормили кислой капустой. Кряхтел, бедняга, но — ел!

Солоно пришелся Айседоре русский роман. Терпела, не жаловалась. Ti pique!

Э. Я. Герман.
Из "Книги о Есенине", с. 162.

Есенин влюбился не в Айседору Дункан, а в ее мировую славу

А. Мариенгоф.
Мой век..., с. 365.

Как-то Есенин сказал Айседоре:

— Ты — имажинист.

Она поняла, но, подняв на него свои "синие брызги", недоумевающе спросила:

— Па-чи-му?

— Потому что в твоем искусстве главное — образ!

— Was ist "обрасс"? — повернулась Айседора ко мне.

Я перевел...

И. Шнейдер, с. 323—324.

С пьяных глаз женился на старой женщине.

А. Яблоновский, с. 53.

Скажу наперед, что по всем моим позднейшим впечатлениям это была глубокая взаимная любовь. Конечно, Есенин был влюблен столько же в Дункан, сколько в ее славу, но влюблен был не меньше, чем вообще мог влюбляться.

С. Городецкий, с. 183.

...И еще добавлю: не последним было здесь и то, что Есенин ценил в Изадоре Дункан яркую, сильную личность.

Н. Вольпин, с. 310.

Было в есенинском увлечении знаменитой танцовщицей и нечто от привычного ему тщеславия и стремления "удивлять неожиданностями", а вместе с тем и большая доля настоящего чувства; человек большой искренности, Есенин никогда не мог бы лгать самому себе.

Вс. Рождественский, с. 295.

Кое-что, пожалуй, шло и от тщеславия. Возлюбленная Крэга, Д'Аннунцио. После ванной комнаты на Богословском — безвкусно пышный особняк на Пречистенке. После фамильярно ворчливой Эмилии — чопорная горничная в переднике и чепце. После "Дома Сергун?" — "Доложите Сергею Александровичу".

Выбегал навстречу, не дождавшись "доклада". На лице невысказанный вопрос — ведь вот как у нас пышно! — и та же знакомая застенчивая улыбка Сережи.

Э. Я. Герман.
Из "Книги о Есенине", с. 162.

Ему было приятно и лестно ходить с этой мировой славой под руку вдоль московских улиц, появляться в Кафе Поэтов, в концертах, на театральных премьерах, на вернисажах и слышать за своей спиной многоголосый шепот, в котором сплетались их имена: "Дункан — Есенин... Есенин — Дункан..."

А. Мариенгоф.
Мой век..., с. 365.

Есенин, думается, сам себе представлялся Иванушкой-дурачком, покоряющим заморскую царицу. Если и был он влюблен, то не так в нее, как во весь антураж: тут и увядающая, но готовая воскреснуть слава, и мнимое огромное богатство Дункан (он получает о нем изрядно перевранный отчет!), и эти чуть не ежевечерние банкеты на Пречистенке для всей театрально-литературной братии... море разливанное вина... И шумные романы в ее недавнем прошлом. И мужественно переносимая гибель (насильственная, если верить молве) двух ее детей...

Н. Вольпин, с. 309.

Есенин к жизни своей отнесся как к сказке. Он Иван-царевичем на сером волке перелетел океан и, как жар-птицу, поймал за хвост Айседору Дункан.

Б. Пастернак, с. 125.

В страстную искреннюю любовь Изадоры я поверила безоглядно. А в чувство к ней Есенина? Сильное сексуальное влечение? — да, возможно.

Н. Вольпин, с. 309.

Однако Есенин не владел английским языком, а его жена — русским. Как эти люди узнавали мысли друг друга? Что их свело?

Г. Серебрякова, с. 542.

Дункан не владела русской речью, а Есенин в те времена не знал ни одного иностранного слова. Как они понимали друг друга — остается загадкой. Во всяком случае — понимали.

Вс. Рождественский, с. 295.

Сложность заключалась в том, что он говорил только по-русски, а она по-английски, французски и немецки, и всего десятка два слов по-русски. Но она — была танцовщица, она понимала его без слов, каждый жест его. А он восторгался ее танцами и жестами (отнюдь не речами) и ее изумительно добрым сердцем...

Вен. Левин, с. 220.

Занятно, верно, было слушать со стороны наши с ней разговоры в "Стойле".

С английским и французским мы были равно не в ладах. Русская грамота ей удавалась туго.

Выручал немецкий. По-немецки она говорила свободно, с английским акцентом. Владел им, с грехом пополам, и кое-кто из нас.

Так вот и сговаривались.

Есенину улыбка заменяла слова.

А то, не задумываясь, заговаривает с ней по-русски:

— Понимаешь ведь, Айседора?

Она его действительно понимала.

Э. Я. Герман.
Из "Книги о Есенине", с. 167.

В московской школе сохранилась вырванная из блокнота страничка, на которой написано ее размашистым характерным почерком:

"Моя последняя любовь". Далее следует русский перевод, выписанный большими печатными латинскими буквами.

"Я готова целовать следы твоих ног!!!" Затем идут две другие фразы по-русски, выписанные печатными латинскими буквами переводчиком первых двух.

"Я тебя не забуду и буду ждать! А ты?"

"Ты должен знать, что, когда ты вернешься, ты можешь войти в этот дом так же уверенно, как входил вчера и вошел сегодня".

Можно предположить, что эти две последние написанные большими буквами фразы содержали не все, что Айседора сказала и тем более, как догадывался переводчик, она хотела бы сказать. Вот так начались странствия Айседоры по извилистым лабиринтам русского языка. Позже они продолжились при помощи самого поэта. Правда, фразы, которым он учил Айседору, были не всегда из рода "вполне по-русски пристойных"...

И. Дункан, А. Р. Макдугалл.
Русские дни Айседоры Дункан, с. 82—83.

...Поэтому и разговор наш, начатый таким образом, велся ощупью, пока мы не догадались, наконец, перейти на французский язык. Дункан говорила вяло, лениво цедя слова, о совершенно различных вещах. О том, что какой это ужас, что она пятнадцать минут не целовала Есенина, что ей нравится Москва, что она не любит снег, что один русский артист обещал ей подарить настоящие petit traineau и еще что-то, все в том же кокетливо-наивном тоне стареющей актрисы. Говоря, она полулежала на широкой тахте, усталая, разморенная заботами прошедшего дня...

М. Бабенчиков, с. 247.

Айседора садится на диван рядом со мной и заводит разговор — о себе и обо мне. Очень женский, очень интимный разговор.

— Как хорошо, что с вами можно говорить по-английски. Ведь друзья Есенина ни слова, кроме как на своем языке, не знают. Это страшно тяжело. И надоело. Ах, до чего надоело! Он самовлюбленный эгоист, ревнивый, злой. Никогда не выходите замуж за поэта, — неожиданно советует она мне.

Я смеюсь:

— Я уже жена поэта. — Она неодобрительно качает головой:

— Пожалеете, и как еще, об этом! Вот увидите. Поэты — отвратительные мужья и плохие любовники. Уж поверьте мне. Хуже даже, чем актеры, профессора, цирковые борцы и спортсмены. Недурны военные и нотариусы. Но лучше всех — коммивояжеры. Вот это действительно любовники, — и она начинает восхвалять качества и достоинства коммивояжеров.

— А поэты, — продолжает она, — о них и говорить не стоит — хлам! Одни словесные достижения. И большинство из них к тому же пьяницы, а алкоголь, как известно, — враг любовных утех.

И. Одоевцева, с. 194.

...я посетил Есенина и Дункан в их особняке на Пречистенке (ныне ул. Кропоткина), где помещалась студия Дункан (во время отсутствия Дункан студией руководила Ирма). Айседора и Есенин занимали две большие комнаты во втором этаже.

Образ Айседоры Дункан навсегда останется в моей памяти как бы раздвоенным. Один — образ танцовщицы, ослепительного видения, которое не может не поразить воображения, другой — образ обаятельной женщины, умной, внимательной, чуткой, от которой веет уютом домашнего очага.

Это было первое впечатление от первых встреч, от разговоров простых, задушевных (мы обыкновенно говорили с ней по-французски, так как английским я не владел, а по-русски Айседора говорила плохо) в те времена, когда не было гостей и мы сидели за чашкой чая втроем — Есенин, Айседора и я. Чуткость Айседоры была изумительной. Она могла улавливать безошибочно все оттенки настроения собеседника, и не только мимолетные, но и все или почти все, что таилось в душе... Это хорошо понимал Есенин, он в ту пору не раз во время общего разговора хитро подмигивал мне и шептал, указывая глазами на Айседору:

— Она все понимает, все, ее не проведешь.

Рюрик Ивнев, с. 341—342.

На высоком, от пола до потолка, узком зеркале, стоявшем в комнате Айседоры, виднелся нестертый след нашей шутки над Айседорой: пучок расходившихся линий, нанесенных кусочком мыла, давал иллюзию разбитого трюмо. Мыло так и осталось лежать на мраморном подоконнике. Однажды Айседора взяла его и неожиданно для нас написала: "Я лублу Есенина".

Взяв у нее этот мыльный карандашик, Есенин провел под надписью черту и быстро написал: "А я — нет".

Айседора отвернулась, печальная. Я взял у Есенина карандашик, который он с затаенной улыбкой продолжал держать в руке, и, подведя новую черту, нарисовал тривиальное сердце, пронзенное стрелой, и подписал: "Это время придет".

Сколько раз потом, когда Есенин был уже во власти какой-то распаленной, поглощавшей его любви к Айседоре, он вспоминал эти оправдавшиеся слова.

Айседора не стирала эти надписи, и они еще долго оставались на зеркале. И лишь накануне отъезда в Берлин Есенин стер все три фразы и написал: "Я люблю Айседору".

И. Шнейдер, с. 314.

...Мое недоверчивое удивление по поводу его близости с Айседорой Дункан вызывало с его стороны целый ряд теплых и почти умиленных слов об этой женщине. Ему хотелось защитить ее от всякой иронии. В его голосе звучало и восхищение, и нечто похожее на жалость. Его еще очень трогала эта любовь и особенно ее чувствительный корень — поразившее Дункан сходство его с ее маленьким погибшим сыном.

— Ты не говори, она не старая, она красивая, прекрасная женщина. Но вся седая (под краской), вот как снег. Знаешь, она настоящая русская женщина, более русская, чем все там. У нее душа наша, она меня хорошо понимала...

В. Чернявский, с. 222.

Вообще с Дункан, как я имел возможность не раз убедиться, он бывал резок. Говорил о ней в раздраженном тоне, зло, колюче: "Пристала. Липнет, как патока". И вдруг тут же, неожиданно, наперекор сказанному вставлял: "А знаешь, она баба добрая. Чудная только какая-то. Не пойму ее".

М. Бабенчиков, с. 249.

Если Есенин позволял себе пренебречь ее банкетом, Дункан, как правило, сажала рядом с собой кого-нибудь из гостей, кто ей приглянулся (так у Гомера Ахиллес заменял Бризеиду другой рабыней). Когда же гости станут расходиться, она пригласит избранника остаться разделить с нею ложе. Это делалось смело, в открытую!

Двухспальное царственное ложе ждало здесь же, в банкетном зале, застланное алым покрывалом.

"Египетские ночи" по-американски!

Н. Вольпин, с. 312.

... Узнав, что я пишу, она усмехнулась недоверчиво:
— Есть ли у вас любовник, по крайней мере? Чтобы писать стихи, нужен любовник.

Н. Крандиевская-Толстая, с. 18.

Слава портит. Равно венчая мыслителей, актеров и беговых лошадей, она тем самым часто стирает разницу между ними.

В Айседоре не чувствовалось театральной "звезды", и смеющейся, и плачущей в расчете на фотографический аппарат. Она жила для себя.

Придет, бывало, к нам, не предупредив, заберется с ногами на сымитированную из покрытой ковром рухляди тахту и сидит — простая, неторопливая.

Не было в ней и хваленого американского практицизма. Деньгам и дням она не вела счета, и в ее особняке на Пречистенке бывало иногда столь же пышно, сколь и голодно.

Такою, думается мне, была мать Уайльда — мило-взбалмошная, эксцентричная женщина, беззаботно читавшая роман в то время, когда судебный пристав вывозил ее описанное за долги имущество.

Э. Я. Герман.
Из "Книги о Есенине", с. 168.

Айседора вообще была женщина со странностями. Несомненно умная, по-особенному, своеобразно, с претенциозным уклоном удивить, ошарашить собеседника. Эту черту словесного озорства я наблюдала позднее у другого ее соотечественника, блестящего Бернарда Шоу.

Н. Крандиевская-Толстая, с. 17.

Странно было видеть эту забалованную миром женщину в неприглядной обстановке московского ночного кафе, где спекулянты с Сухаревки искали любви, проститутки с Тверской — удачи, а поэты читали стихи за стакан кофе с пирожным.

Обстановки этой она словно не замечала. Сидит в уголку, распахнув манто, — как сидела, верно, в барах Нью-Йорка или в кафе парижских Больших Бульваров, — и смотрит влажными, ласковыми глазами на специфическую, полуголодную чернь тех неповторимых ночей.

Это безразличие к внешним формам было в ней трогательно.

Как-то, в "Стойле Пегаса" же, Мариенгоф полушутя предложил ей:

— Спляшешь, Айседора? — И указал на эстраду.

Она взглянула на Есенина — если он-де этого хочет... — и решительно шагнула к узенькому помосту, где рыдало, жалуясь на тесноту его, потное музыкальное трио.

Мы запротестовали. Стало попросту жаль ее. Себя мы в те годы не жалели.

Э. Я. Герман.
Из "Книги о Есенине", с. 167.

Между прочим, все близкие Дункан, и Есенин тоже, всегда называли ее Изадорой... Это было ее настоящее имя.

Н. Никитин, с. 135.

...Женщина красивая, величественная одиноко сидела в левом углу, в "ложе имажинистов". Видно, что рост у нее не малый. На длинной полной шее (нет, не лебяжьей — скорее, башня колокольни), как на колокольне луковка купола, подана зрителю маленькая, в ореоле медных волос голова. Мелкие правильные черты, если что и выражают, то разве что недовольство и растерянность.

Н. Вольпин, с. 310.

Айседора Дункан довольно часто выступала перед московской публикой, и вечера ее неизменно имели шумный успех. Но после нескольких месяцев пребывания в Москве ей уже стала приедаться экзотика новой для нее жизни. Ее потянуло назад, в Европу, в шумный мир сенсаций и привычного успеха.

Вс. Рождественский, с. 297.

Есенин впоследствии стал ее господином, ее повелителем. Она, как собака, целовала его руку, которую он заносил для удара, и глаза, в которых чаще, чем любовь, горела ненависть к ней.

А. Мариенгоф.
Роман без вранья, с. 93.

С Есениным было иногда трудно, тяжело.

Вспоминаю, как той, первой их весной я услышал дробный цокот копыт, замерший у подъезда нашего особняка, и, подойдя к окну, увидел Айседору, подъехавшую на извозчичьей пролетке.

Дункан, увидев меня, приветливо взмахнула рукой, в которой что-то блеснуло. Взлетев по двум маршам мраморной лестницы, остановилась передо мной вся такая же сияющая и радостно взволнованная.

— Смотрите, — вытянула руку. На ладони заблестели золотом большие мужские часы. — Для Езенин! Он будет так рад, что у него есть теперь часы!

Айседора ножницами придала нужную форму маленькой фотографии и, открыв заднюю крышку пухлых золотых часов, вставила туда карточку...

И. Шнейдер, с. 335—336.

Изадора Дункан подарила ему золотые часы. Ей казалось, что с часами он перестанет постоянно куда-то торопиться, не будет бежать от ампировских кресел, боясь опоздать на какие-то загадочные встречи и неведомые дела.

А. Мариенгоф.
Роман без вранья, с. 96.

Есенин был в восторге (у него не было часов). Беспрестанно открывал их, клал обратно в карман и вынимал снова, по-детски радуясь.

— Посмотрим, — говорил он, вытаскивая часы из карманчика, — который теперь час? — И, удовлетворившись, с треском захлопывал крышку, а потом, закусив губу и запустив ноготь под заднюю крышку, приоткрывал ее, шутливо шепча: — А тут кто?

И. Шнейдер, с. 336.

...часы не сыграли предназначенной им роли.

А. Мариенгоф, с. 96.

...через несколько дней, возвратившись как-то домой из Наркомпроса, я

вошел в комнату Дункан в ту секунду, когда на моих глазах эти часы, вспых-
нув золотом, с треском разбились на части.

Айседора, побледневшая и сразу осунувшаяся, печально смотрела на
остатки часов и свою фотографию, выскочившую из укатившегося золотого
кружка.

И. Шнейдер, с. 336.

... Однажды ночью, после того, как друзья немилосердно дразнили его
по поводу "обручального подарка" — аристократических золотых часов, он
пришел в комнату Айседоры и отдал их ей назад. Он отказывался принять
их. Она сказала ему, что если он действительно ее любит, он должен взять
часы, не взирая на глупых друзей и их эксцентричные богемные идеи. И не
просто взять, но он должен также вставить в корпус ее фото. Она дала ему
одну из фотографий для паспорта.

"Не часы. Изадору. Снимок Изадоры!"

Он был простодушно восхищен этой мыслью и положил часы со сним-
ком обратно к себе в карман. Но спустя несколько дней, в приступе яро-
сти по поводу чего-то ему не понравившегося, он запустил часами в другой
конец комнаты с концентрированной силой тренированного дискобола.
Когда он в бешенстве покинул комнату, Айседора медленно побрела в
противоположный угол и горестно смотрела на осколки разлетевшегося
стекла и раздавленный корпус с его поломанным, безмолвным механиз-
мом. Из груды хрупких осколков она подняла свое улыбающееся изобра-
жение...

Ирма Дункан, Алан Росс Макдугалл.
Русские дни Айседоры Дункан.
М., "Московский рабочий", 1995, с. 86—87.

Есенин никак не мог успокоиться, озираясь вокруг и крутясь на месте. На
этот раз и мой приход не подействовал. Я пронес его в ванную, опустил перед
умывальником и, нагнув ему голову, открыл душ. Потом хорошенько вытер
ему голову, отбросив полотенце, увидал улыбающееся лицо и совсем синие,
но ничуть не смущенные глаза.

— Вот какая чертовщина... — сказал он, расчесывая пальцами волосы, —
как скверно вышло... А где Изадора?

Мы вошли к ней. Она сидела в прежней позе, остановив взгляд на белом
циферблате, докатившемся до ее ног. Неподалеку лежала и ее фотография.
Есенин рванулся вперед, поднял карточку и приник к Айседоре. Она опус-
тила руку на его голову с еще влажными волосами.

— Холодной водой? — Она подняла на меня испуганные глаза. — Он не
простудится?

Ни он, ни она не могли вспомнить и рассказать мне, с чего началась и
чем была вызвана вспышка Есенина.

И. Шнейдер, с. 336—337.

Все это продолжалось до февраля, когда Айседора получила предложение одного импрессарио из Ленинграда приехать и дать там несколько представлений. Она спросила Сергея Александровича, не хочет ли он поехать туда вместе с ней. Он, будучи в одном из своих благодушных периодов, с радостью принял предложение, и они вместе отправились на север....

Прибыв в Петроград, они пошли в гостиницу "Англетер", где Айседора, по своему обыкновению, сняла лучший номер. (Именно в спальне этого номера поэт через несколько лет покончил с собой.)...

Винные погреба в гостинице "Англетер" славились и торговали всеми лучшими довоенными марочными винами в неисчислимых полулитровых и двухлитровых бутылках. Есенин скоро обнаружил этот факт и скоро обнаружил так же, что за путешествие с Айседорой он имеет как бы некий куш: он был волен заказывать все, что он хотел и когда хотел. В результате Айседора, возвращаясь с концертов, заставала его перед богатой коллекцией пустых винных бутылок. И не один раз за время их пребывания в "Англетере" его приходилось силком тащить в его комнату с помощью коридорных, которые заставали его разгуливающим совершеннно голым или буйствующим в холлах гостиницы...

И. Дункан, А. Р. Макдугалл, с. 86—88.

Жизнь Есенина была на виду. Для многих он стал любимым поэтом. Журналов с его стихами ждали.

О Есенине время от времени писал мне Колоколов. А Сергей Клычков, работавший секретарем журнала "Красная новь", говорил при встрече:

— За Сережей не угонишься, он обскакал нас всех. Вчера прочитал нам стихотворение, которое мы поместим в журнале. Стихотворение такое, что сразу запомнилось мне от первого до последнего слова. Вот оно. И Клычков начал читать:

Не жалею, не зову, не плачу...

Это говорилось накануне отъезда Есенина за границу.

Дм. Семеновский, с. 340.

Живу, Ваня, отвратно. Дым все глаза сожрал, Дункан меня заездила до того, что я стал походить на изнасилованного...

Есенин — И. И. Старцеву (?)
Москва, 19 ноября 1921 г.

Иногда он прибегал на Богословский с маленьким сверточком.

В такие дни лицо его было решительно и серьезно. Звучали каменные слова:

— Окончательно... так ей и сказал: "Изадора, адьо!"

В маленьком сверточке Есенин приносил две-три рубашки, пару кальсон и носки...

А. Мариенгоф.
Роман без вранья, с. 96.

...[Если] существует опьянение от вина, то существует еще и другое — я сегодня была пьяна от того, что ты подумал обо мне. Если Бахус окажется не сильнее Венеры, то приходи сегодня со всеми твоими друзьями ко мне на спектакль, а затем домой — ужинать. Мой сердечный привет Мариенгофу.
Изадора.

А. Дункан — Есенину.
Москва, ноябрь 1921 г.

...Близость срывает драгоценную вуаль таинственности, за которой женщина может казаться иной, чем она есть на самом деле. Несмотря на сумасбродные выходки и поэтическую душу, Айседора была созданием среднего духовного достатка, падкой на все наружно-сентиментальное. Под влиянием момента она способна была на все. Но не думаю, чтобы ее переживания носили глубокий и длительный характер.

П. Моргани, с. 255.

Помню, как однажды, лежа на диване рядом с Дункан, Есенин, оторвавшись от ее губ, обернулся ко мне и крикнул:
— Осточертела мне эта московская Америка! Смыться бы куда!
И, диким голосом, Мариенгофу:
— Замени ты меня, Толька, Христа ради!
Ни заменить, ни смыться не удалось. Через несколько дней Есенин улетел с Дункан за границу.

Ю. Анненков, с. 172.

Его обычная фраза: "Пей со мной, паршивая сука", — так и вошла неизменной в знаменитое стихотворение...

А. Мариенгоф.
Мой век..., с. 367.

Сережа был по-прежнему красив, но волосы его потускнели, глаза не сверкали, как прежде, задором; он был грустен, казался в чем-то разочарованным, угнетенным; мне подумалось, что виной этому его нелепый брак с немолодой, чуждой Айседорой Дункан.
Подтверждения этим мыслям я нашла позднее в стихах:
> Излюбили тебя. Измызгали.
> Невтерпеж.
> Что ж ты смотришь синими брызгами?
> Или в морду хошь?
> В огород бы тебя на чучело,
> Пугать ворон.
> До печенок меня замучили
> Со всех сторон...

Конец этих стихов нежен и грустен:
> Дорогая, я плачу.
> Прости, прости.

В. Кострова, с. 291.

И можно было подумать, что он смотрит на свою подругу, как на кошмар, который уже привычен, не пугает, но все-таки давит. Несколько раз он встряхнул головой, как лысый человек, когда кожу его черепа щекочет муха.

Потом Дункан, утомленная, припала на колени, глядя в лицо поэта с вялой, нетрезвой улыбкой. Есенин положил руку на плечо ей, но резко отвернулся. И снова мне думается: не в эту ли минуту вспыхнули в нем и жестоко и жалостно отчаянные слова:

> Что ты смотришь так синими брызгами?
> Иль в морду хошь?
> ...Дорогая, я плачу,
> Прости... прости...

М. Горький, с. 7.

...считаю необходимым заявить, что стихи "Сыпь, гармоника. Скука... Скука..." и "Пой же, пой. На проклятой гитаре...", якобы посвященные А. Дункан, написаны братом моим в 1923 году и не раз читались им на литературных вечерах. Эти стихотворения входят в цикл "Москвы кабацкой", и никогда никому не посвящались.

Е. А. Есенина — редакциям газет Москвы.
Март 1926 г.

Однако ей не хотелось расставаться с Есениным да и он не был склонен отпускать ее — они привязались друг к другу. Решено было ехать вместе. И для того чтобы получить визу для Есенина, Дункан официально, в посольстве, объявила его своим мужем. И Есенин зарегистрировал свой брак в загсе Хамовнического райсовета.

Вс. Рождественский, с. 297.

Она увезла Есенина в Европу, она, дав ему возможность покинуть Россию, предложила ему жениться на ней. Это был поистине самоотверженный поступок, ибо он был чреват для нее жертвой и болью.

Франц Элленс, с. 21—22.

...Вскоре роман танцовщицы и годившегося ей в сыновья "крестьянского поэта" завершился "законным браком". Айседора и Есенин, зарегистрировавшись в московском ЗАГСе, уехали за границу — в Европу, в Америку, из Америки обратно в Европу. Брак оказался недолгим и неудачным.

Г. Иванов, с. 40.

2 мая 1922 года Сергей женился на американской балерине Айседоре Дункан, приехавшей в Россию по приглашению А. В. Луначарского и организовавшей в Москве балетную школу. 10 мая 1922 года Сергей и Дункан уехали за границу, где они пробыли до августа 1923 года.

А. Есенина, с. 105.

На следующий день после майского праздника “Айседора Дункан, артистка, и Сергей Александрович Есенин, литератор”, как гласило официальное свидетельство, сочетались браком в Московском отделе записи актов гражданского состояния. Для всех, кто был знаком с танцовщицей и ее идеями о браке, эта новость, которая была немедленно передана на весь остальной мир, явилась ошеломляющей. Но если бы они знали, до чего простой и свободной была эта церемония — чистейшая формальность...

И. Дункан, А. Р. Макдугалл, с. 91.

Перед отъездом за границу Дункан расписалась с Есениным в ЗАГСе.

А. Мариенгоф.
Мой век..., с. 374.

Загс был сереньким и канцелярским.

И. Шнейдер, с. 341.

Айседора хотела вывезти Есенина из России. Она хотела показать ему всю Европу с ее красотами и всю Америку с ее чудесами. Но, зная, что она может поехать в Германию, во Францию или Италию со своим белокурым поэтом, снимать лучшие номера в разных “Адлонах” и “Ритцах”, принимать элиту интеллектуального мира и не опасаться, что кто-то когда-нибудь задаст неуместный вопрос о наличии или отсутствии свидетельства о браке, она знала также по своему прошлому опыту, что жизнь не столь идеально проста в Американских штатах, где хозяева отелей более склонны к вмешательству в личную жизнь. Она слишком хорошо помнила варварскую травлю другого великого русского — Максима Горького. Он осмелился — о, бедный, нерасчетливый гений! — приехать в Нью-Йорк в сопровождении женщины-друга, связанной с ним лишь одной любовью, а не респектабельным золотым кольцом на пальце левой руки, освященном церковью.

И. Дункан, А. Р. Макдугалл, с. 92.

— Свадьба! Свадьба!.. — веселилась она. — Пишите нам поздравления... Принимаем подарки — тарелки, кастрюли и сковородки!.. Первый раз в жизни у Изадоры законный муж!

— А Зингер? — спросил я.

Это тот самый — “швейные машины”. Крез нашей эпохи. От него были у Дункан дети, погибшие в Париже при автомобильной катастрофе.

— Зингер?.. Нет! — решительно тряхнула она темно-красными волосами до плеч, как у декадентских художников и поэтов.

— А Гордон Крэг?

— Нет!

— А д‘Аннунцио?

— Нет!

— Нет!.. Нет!.. Нет!.. Сережа первый законный муж Изадоры. Теперь Изадора — толстая русская жена! — ответила она по-французски, прелестно
картавя...

А. Мариенгоф.
Мой век..., с. 374.

Когда их спросили, какую фамилию они выбирают, оба пожелали носить двойную фамилию — "Дункан-Есенин".

И. Шнейдер, с. 341.

Итак, ради плодотворного турне по стране Свободы... Айседора Дункан
прошла через формальность советского бракосочетания и подписалась в
официальных бумагах, как Айседора Есенина-Дункан... Двойную фамилию
Есенин-Дункан взял и С. Есенин.

И. Дункан. А. Р. Макдугалл, с. 92.

Накануне Айседора смущенно подошла ко мне, держа в руках свой французский "паспорт".
— Не можете ли вы тут немножко исправить? — еще более смущаясь,
попросила она.
Я не понял. Тогда она коснулась пальцем цифры с годом своего рождения. Я рассмеялся — передо мной стояла Айседора, такая красивая, стройная, похудевшая и помолодевшая, намного лучше той Айседоры Дункан,
которую я впервые, около года назад, увидел...
Но она стояла передо мной, смущенно улыбаясь и закрывая пальцем
цифру с годом своего рождения, выписанную черной тушью...
— Ну, тушь у меня есть... — сказал я, делая вид, что не замечаю ее
смущения. — Но, по-моему, это вам и не нужно.
— Это для Езенин, — ответила она. — Мы с ним не чувствуем этих
пятнадцати лет разницы, но она тут записана... и мы завтра дадим наши
паспорта в чужие руки. Ему, может быть, будет неприятно... Паспорт же мне
вскоре будет не нужен. Я получу другой.
Я исправил цифру.

И. Шнейдер, с. 342.

У Айседоры это был первый и последний в ее жизни зарегистрирован-
ный брак, который она сохранила формально до самой смерти; Есенин
был женат до нее на З. Райх и после нее на С. А. Толстой...

И. Дункан. А. Р. Макдугалл, с. 92.

— Теперь я — Дункан! — кричал Есенин, когда мы вышли из загса на
улицу.

И. Шнейдер, с. 342.

Это мое последнее желание и завещание. В случае моей смерти я оставляю всю свою собственность и имущество моему мужу, Сергею Есенину. В

случае нашей одновременной смерти это имущество остается моему брату Августину Дункану.

Написано с чистой совестью.

Айседора Есенина-Дункан.

Засвидетельствовано:

И. И. Шнейдером

Ирмой Дункан

9 мая 1922 г., Москва.

Из "Завещания", составленного
в Хамовническом районном нотариате.

Наутро после свадьбы Сергея и Айседоры, уходя из ее (теперь — их) особняка, я столкнулся с движущейся к умывальной комнате вереницей белых детских хитонов. В свете раннего утра они показались мне призраками.

В этом призрачном американско-эллинском мире жил Сергей. Трудно было не улыбнуться при этой мысли.

Э. Я. Герман, с. 169.

О свадьбе Есенина я узнал едва ли не в самый день ее.

Забежал ко мне на минутку, даже не разделся, и сказал, улыбаясь, торопливей, чем обычно:

— Я, Мишки (он любил давать прозвища, и меня с женой окрестил, по моему домашнему имени, "Мишками"), — женюсь. Приходите обязательно. Будут только свои.

Чужих на Пречистенке в этот вечер действительно не было.

Сергей показался мне необычно торжественным — может быть, потому, что был совершенно трезв.

Гостеприимным домохозяином он умудрялся быть и на Богословском, в своей тесной, приспособленной под жилье, ванной комнате. Здесь, на Пречистенке, он был еще внимательней и ласковей. Ему самому, кажется, импонировал его новый, на этот раз как будто всамделишный "дом".

Помнится, он совсем не пил. Мы, как полагается в таких случаях, пили шампанское.

Пили. Чокались. Поздравляли "молодых", Сергея Есенина и Айседору... Дункан?

— Нет, нет — Есенину.

Она сердилась, когда я из озорства пил за Дункан.

Н. Никитин, с. 128.

Вот только не помню, в каком веке был этот разговор:

— Почему, друг мой, ты не женился на этой знаменитой и богатой женщине?

— Да потому, — ответил мужчина, — что не хотел стать женой своей жены.

А. Мариенгоф.
Мой век..., с. 355.

...У каждого из нас была затаенная в глубине надежда, что Есенин останется. Расставаясь с нами накануне, считаясь уже официально мужем Дункан, Есенин терялся и не находил нужных слов.

И. Старцев, с. 416.

Соединение имени Есенина и Дункан, которой я восхищался еще будучи подростком, казалось непостижимым и неприятным парадоксом.

В. Чернявский, с. 223.

Вид этой высокой, полной, перезрелой, с красным грубоватым лицом женщины, вид бывшего барского особняка — все вызывало у меня глухое раздражение. Как это все не похоже на обычную есенинскую простоту и скромность...

Л. Повицкий, с. 242.

Их недолгая совместная жизнь оказалась горькой. Но какая полынь отравила этот роман, я не знаю...

Н. Никитин, с. 226.

Потом Есенин уехал в Америку и еще куда-то и вернулся с ясной тягой к новому.

В. Маяковский, с. 359.

...Однажды вечером, когда у нее не было ни шумных нетрезвых имажинистов, ни каких-либо других визитеров, она предложила секретарю школы поиграть в доску "да-да" (популярная в то время настольная игра для получения спиритических посланий. — *Ред.*). Доску принесли, и они провели целый вечер за усердным записыванием по буквам "потусторонних посланий". Когда кончики их пальцев слегка касались указателя, стрелка начинала быстро бегать вокруг доски; и вот она указала, одну за другой, буквы Д, О, Р, А и остановилась.

— Что там получилось? — спросила Айседора своего партнера.

— Часть вашего имени, — ответил тот, — Дора.

Айседора побледнела. Она объяснила молодому человеку, что Дора — это имя ее матери, которая жила в... Париже и была больна. В ту ночь Айседора не могла уснуть: ее взволнованный мозг был полон плохих предчувствий. В ее воображении оживали часы, проведенные в обществе замечательного человека — ее матери. А утром в ее комнату принесли телеграмму из Парижа. Она быстро пробежала ее красными опухшими глазами. Но слова, которые увидели глаза, сказали уму то, что ее сердце уже знало: Дора Грей Дункан умерла в Париже в квартире своего сына 12 апреля 1922 года.

С этого момента Айседора стала испытывать в Москве нарастающее беспокойство. Она почувствовала, что на какое-то время должна уехать из

России. Это было необходимо по двум причинам: состояние ее здоровья и финансовое положение школы. Она чувствовала, что единственным способом достать деньги в необходимом количестве было турне по другим странам, и, если возможно, с участием группы лучших учениц, чтобы показать свои новые работы. Об этом замысле она телеграфировала одному импрессарио в Нью-Йорк, предложив ему подготовить ее турне по Соединенным Штатам...

Ирма Дункан, Алан Росс Макдугалл.
Русские дни Айседоры Дункан, с. 90.

"Можете ли организовать мои спектакли участием моей ученицы Ирмы, двадцати восхитительных русских детей и моего мужа, знаменитого русского поэта Сергея Есенина. Телеграфируйте немедленно. Айседора Дункан".

Пришел ответ из Нью-Йорка:

"Интересуюсь, телеграфируйте условия и начало турне. Юрок".

Это тот самый импрессарио Юрок, постоянный организатор гастролей Айседоры Дункан.

И. Шнейдер, с. 340.

Предлагаю турне на 12 недель или дольше я Ирма великий русский поэт Есенин и двадцать учениц. Минимум четыре представления в неделю Вы гарантируете 1200 долларов за представление Вы оплачиваете все театральные расходы в том числе переезд больших городах оркестр малых пианиста — Isadora Duncan.

А. Дункан — С. Юроку.
Москва, 18 апреля 1922 г.

Предлагаем чистых 40 тысяч долларов за пятьдесят выступлений оплачиваем все расходы пароход из Риги железнодорожные билеты здесь помещение объявления оркестр Нью-Йорке Бостоне Чикаго и пианиста других городах Турне начинается в октябре Телеграфируйте о согласии Пришлите фотографии и сведения для рекламы — Hurok.

С. Юрок — А. Дункан.
Нью-Йорк, 19 апреля 1922 г.

Принимаю ваше предложение Подразумевается что турне будет продолжаться три месяца Вы оплачиваете все расходы и переезд из Риги меня Есенина секретаря Ирмы 20 учениц двух гувернанток Если хотите я могу выступать в маленьких городах одна с Есениным и пианистом Реклама и фото отправлены — Isadora Duncan.

А. Дункан — С. Юроку.
Москва, 20 апреля 1922 г.

Harle мне телеграфирует что вы можете устроить специально утреннее выступление для меня Ирмы и двадцати учениц мае или июне Телеграфируйте мне непосредственно Москва Пречистенка 20 — Isadora Duncan.

А. Дункан — Оттуа.
Москва, 20 апреля 1922 г.

Подтверждаем официально договор и просим продлить поездку на один месяц с тем чтобы она не превышала 4 месяца в целом — Hurok.

С. Юрок — А. Дункан.
Нью-Йорк, 21 апреля 1922 г.

Буду телеграфировать результаты относительно Лондона Парижа с приветом — Hottois.

Оттуа — А. Дункан.
Париж, 26 апреля 1922 г.

Изадора в клетчатом английском костюме, в маленькой шляпочке, улыбающаяся и помолодевшая.

Есенин передает букетик Никритиной.

Наш поезд на Кавказ отходит через час. Есенинский аэроплан отлетает в Кенигсберг через три дня.

А. Мариенгоф.
Роман без вранья, с. 98.

— Скоро в Америку уезжаю. Баста. Или не слыхал?
Я шутливо спросил его:
— Навсегда?
Он безнадежно махнул рукой и попробовал через силу улыбнуться:
— Разве я где могу...

М. Бабенчиков, с. 249.

Перед отъездом за границу Есенин спрашивает А. М. Сахарова:
— Что мне делать, если Мережковский или Зинаида Гиппиус встретятся со мной? Что мне делать, если Мережковский подаст мне руку?
— А ты руки ему не подавай! — отвечает Сахаров.
— Я не подам руки Мережковскому, — соглашается Есенин. — Я не только не подам ему руки, о, я могу сделать и более решительный жест... Мы остались здесь. В трудные для родины минуты мы остались здесь. А он со стороны, он издали смеет поучать нас!

И. Грузинов, с. 371—372.

Он хотел поглядеть мир и одним из первых пронесся по всей Европе, увидел Америку.

И. Эренбург, с. 590.

Айседоре хотелось вывезти Есенина из России: во-первых, потому, что он был очень болен, нуждался в осмотре и помощи специалистов; во-вторых, потому, что он был поэтом, которому, как она полагала, необходимы новые горизонты. (Ах, если бы она только знала, сколь неразумно было вырывать с корнем этого мужика из его почвы — из той земли, над которой он рыдал и которую целовал после возвращения из путешествия по западному миру!)...

И. Дункан, А. Р. Макдугалл, с. 91.

Так или иначе, она влюбила в себя рязанского поэта, сама в него влюбилась без памяти, и они улетели за границу из Москвы на дюралевом "юнкерсе" немецкой фирмы "Люфтганза". Потом они совершили турне по Европе и Америке.

В. Катаев, с. 431.

Они были первыми пассажирами открывавшейся в этот день новой воздушной линии "Дерулуфта" Москва — Кенигсберг.

И. Шнейдер, с. 343.

10 мая 1922 года была открыта первая международная линия только что родившегося Аэрофлота.

Ст. и С. Куняевы.
"Сергей Есенин", с. 279.

Они улетели вместе на почтово-пассажирском самолете сперва в Берлин, а потом в Париж.

Вс. Рождественский, с. 297.

Вместе с Айседорой Дункан они вылетели на самолете в Германию. Дункан руководила детской хореографической школой, и дети должны были прибыть за границу вслед за ними.

И. Рахилло, с. 518.

Есенин летел впервые и заметно волновался. Дункан предусмотрительно приготовила корзинку с лимонами: его может укачать, если же он будет сосать лимоны, с ним ничего не случится.

И. Шнейдер, с. 343.

Аппарат с виду точно игрушечка. Каюта, в которую ведет дверь с каретным окном, похожа на вместилище старых дилижансов: друг против друга два мягких дивана на шесть мест. Вес аппарата 92 пуда. Грузоподъемность 56 пудов... Путь от Москвы до Кенигсберга приходится в 11 часов с остановками в Смоленске и Полоцке.

Из газетного отчета.

Точно в девять пропеллеры завертелись и двери были закрыты. Айседора смотрела на детей своей школы из окна салона и прощально махала рукой. Самолет плавно поехал по дорожке. Неожиданно дверь вновь открылась. Испуганное бледное лицо появилось и спросило о корзине с едой. Есенин бешено размахивал руками. Кто-то помчался вдогонку и ухитрился передать корзинку в тот момент, когда самолет уже отрывался от земли. Через минуту он уже был маленькой точкой, и они улетели...

Из репортажа в журнале
"Рабочий зритель" за май 1922 г.

Наконец, супруги Дункан-Есенины сели в самолет, и он, оглушая нас воем мотора, двинулся по полю. Вдруг в окне (там были большие окна) показалось бледное и встревоженное лицо Есенина, он стучал кулаком по стеклу. Оказалось, забыли корзинку с лимонами. Я бросился к машине, но шофер уже бежал мне навстречу. Схватив корзинку, я помчался за самолетом, медленно ковылявшим по неровному полю, догнал его и, вбежав под крыло, передал корзину в окно, опущенное Есениным.

И. Шнейдер, с. 344.

...он улетел на аэроплане со старухой Дункан в Берлин и с этого времени началась его скандальная слава "в мировом масштабе". Пил и скандалил во всех столицах мира.

Скиталец, с. 170.

Один из больших остряков того времени пустил по этому поводу эпиграмму, написанную в нарочито архаической форме александрийского шестистопника: "Такого-то куда вознес аэроплан? В Афины древние, к развалинам Дункан".

Это было забавно, но несправедливо. Она была далеко не развалина, а еще хоть куда!

В. Катаев, с. 431.

...свадебная поездка Есенина и Дункан превратилась в хулиганское "турне" по Европе и Америке, закончившееся разводом.

В. Ходасевич, с. 65.

Уехал. Вернее, улетел с Айседорой. Сначала, первые два дня, было легче — как зуб вырвали — болела только ранка, но не зуб. Но, видно, зуб очень больной — ранка не заживает, а наоборот, началось воспаление, боюсь гангрены. Никакие средства не помогают. И что ужасно — вставить обратно нельзя, органического зуба больше не будет, можно заменить искусственным... и только. "Сильней, чем смерть, любовь" — есть потери не меньшие и не менее непоправимые, чем смерть. Страшно писать об этом, но это так: смерть Е. была бы легче для меня — я была бы вольна в своих действиях. Я не знала бы этого мучения — жить, когда есть только воля к смерти. Невыносимо знать, что есть один выход и что как раз этот путь тебе отрезан. Ведь что бы ни случилось с Е. и Айседорой, но возврата нет.

Г. А. Бениславская.
Дневник..., с. 113—114.

Когда Е. уехал, Бениславская заболела — неврастения в острой форме. Была в санатории в Покровском-Стрешневе, осенью же 22 г. поступила помсекретаря редакции на службу в "Бедноту".

Из неоконченной биографии Г. Бениславской.
РГАЛИ (ф. 190, оп. 1, ед. хр. 151).

Хотела бы я знать, какой лгун сказал, что можно быть не ревнивым! Ей-богу, хотела бы посмотреть на этого идиота! Вот ерунда! Можно великолепно владеть, управлять собой, можно не подать вида, больше того — можно разыграть счастливую, когда чувствуешь на самом деле, что ты — вторая; можно, наконец, даже себя обманывать, но все-таки, если любишь так по-настоящему — нельзя быть спокойной, когда любимый видит, чувствует другую. Иначе значит — мало любишь. Нельзя спокойно знать, что он кого-то предпочитает тебе, и не чувствовать боли от этого сознания. Как будто тонешь в этом чувстве. Я знаю одно — глупостей и выходок я не сделаю, а что тону и, захлебываясь, хочу выпутаться, это для меня ясно совсем. И если бы кроме меня была еще, это ничего. Если на то — очень, очень хорошо. Но т. к. она передо мной — и все же буду любить, буду кроткой и преданной, несмотря ни на какие страдания и унижения.

Г. А. Бениславская.
Дневник..., с. 103.

Всю ночь было мучительно больно. Несмотря на усталость, на выпитое, не могла спать. Как зуб болит — мысль, что Е. любит эту старуху, и что здесь не на что надеяться.

Г. А. Бениславская.
Дневник..., с. 105.

"Она вернется?" — "Через год, сейчас в Бельгии, детей на год везут за границу!" — так ответили по телефону студии Дункан. Значит, и он тоже. А год — иногда длиннее жизни. Как же ждать, когда внутри такая страшная засуха? Что же делать? Надо идти в школу авиации, это единственное, что может заполнить жизнь, иначе велик соблазн и мало сил для борьбы с ним; и в школу нельзя — не выдержу физически. Но что же, куда же, зачем — ничего не знаю. Страшно, очень страшно. О-чень!

Г. А. Бениславская.
Дневник..., с. 109.

Если внешне Е. и будет около, то ведь после Айседоры — все пигмеи, и, несмотря на мою бесконечную Преданность, — я ничто после нее (с его точки зрения, конечно). Я могла быть после Лидии Кашиной, Зинаиды Николаевны, но не после Айседоры. Здесь я теряю.

Г. А. Бениславская.
Дневник..., с. 108.

Человека я еще пока не встречал,
и не знаю, где им пахнет...

ЕВРОПА И АМЕРИКА. КРУШЕНИЕ ЛЮБВИ

Из Москвы Есенин и Дункан проаэропланили на Берлин в начале мая с. г. С 10 мая до июня прожили в Германии. "Там тесно, — сказал нам Есенин, — вообще от Европы дышит мертвенностью музея — впечатление отвратительное".

Д. Бурлюк, с. 236.

Изредка доносились слухи о скандалах, которые время от времени учинял русский поэт в Париже, Берлине, Нью-Йорке, о публичных драках с эксцентричной американкой, что создало на Западе громадную рекламу бесшабашному крестьянскому сыну, рубахе-парню, красавцу и драчуну с загадочной славянской душой.

В. Катаев, с. 431.

Ему за границей не понравилось, в Париже в ресторане его избили русские белогвардейцы, он потерял тогда цилиндр и перчатки, в Берлине были скандалы, в Америке тоже. Да, он выпивал от скуки, — почти ничего не писал, не было настроения...

А. Воронский, с. 68.

— Ты вот спрашиваешь, что делал я за границей? Что я там видел и чему удивился? Ничего я там не видел, кроме кабаков да улиц. Суета была такая, что сейчас и вспомнить трудно, что к чему. Я уже под конец и людей перестал запоминать. Вижу — улыбается рожа, а кто он такой, что ему от меня надо, так и не понимаю. Ну и пил, конечно. А пил я потому, что тоска загрызла. И, понимаешь, началось это с первых же дней. Жил я сперва в Берлине, и очень мне там скучно было...

Вс. Рождественский, с. 307.

Одиннадцатого мая Айседора со своим поэтом приехали прямо с аэродрома Темильхоф в Берлине в отель Адлон. Там они отпраздновали: одна — свое возвращение, а он — свое вступление в цивилизованную жизнь с ее роскошью, элегантностью и дорогостоящим комфортом. Корреспонденты различных американских и английских газет толпились в отеле, чтобы взять интервью у четы молодоженов, и вскоре воздух в их "свадебном номере" был вконец отравлен чадом от постоянных вспышек магниевых ламп...

И. Дункан, А. Р. Макдугалл, с. 97.

Сергей Александрович о России вообще говорит кратко:
— Я люблю Россию. Она не принимает иной власти, кроме Советской. Только за границей я понял совершенно ясно, как велика заслуга русской революции, спасшей мир от безнадежного мещанства.

"Накануне".
Берлин. 12 мая 1922 г.

Возвратился он из-за границы в августе 1923 года. В личной беседе редко вспоминал про свое европейское путешествие (ездил в Берлин, Париж, Нью-Йорк). Рассказывал между прочим о том, как они приехали в Берлин, отправились на какое-то литературное собрание, как там их приветствовали и как он, вскочив на столик, потребовал исполнить "Интернационал" ко всеобщему недоумению и возмущению.

И. Старцев, с. 338.

Вспоминаю свою последнюю встречу с ними в Берлине (1922—23). Я уже был тогда эмигрантом и работал в редакции "Русского универсального издательства". Вспомнил ли Есенин наши встречи с Клычковым или он попал случайно, либо по указанию Кусикова, в лучший, "Книжный салон" РУИ на Мартин Лютерштрассе, вблизи двух злачных мест ("Скала" и ресторан Хорхера) — неудобно было мне об этом спросить, но он явился к нам вместе с Айседорой Дункан и с Кусиковым через несколько часов после приезда в Берлин и бурно меня приветствовал, рассказал, что они остановились в гостинице "Адлон" на Унтер ден Линден. Я очень удивился, потому что это была самая шикарная и самая дорогая гостиница в столице. На обычный вопрос издателей — "над чем вы теперь работаете?" — Есенин ответил, что заканчивает большую поэму "Пугачев". Узнав, что поэт останется в Берлине несколько недель, я предложил моим коллегам попробовать получить эту рукопись для нашего издательства. Предложение было сделано и к моему удовольствию принято под условием — вести переговоры с Кусиковым: сам Есенин в Берлине беспросыпно пьянствовал и избегал встреч.

Гр. Забежинский.
В сб. "Русское зарубежье о Есенине".
Т. 1, с. 75—76.

Сергей Есенин — в берлинском Доме искусств. Он, вместе с А. Дункан, прилетел из России на аэроплане.

Евг. Лундберг, с. 141.

Я сказал ему, что русские писатели, живущие в Берлине, собираются в одном кафе, чтоб послушать новые произведения, поговорить, обменяться словом.

— А барахло тоже налезает? — спросил он, улыбаясь.

— Тоже.

— Мы в Москве с этим покончили! У нас это строго. Обидел Бог, так молчи, грязными руками не лапай...

Г. Алексеев, с. 177.

Есенин довольно быстро сориентировался в этом новом русском городе (так авторы называют Берлин, который к тому времени стал крупнейшим центром российской эмиграции. — *Ред.*) и наладил контакты с соотечественниками.

И. Дункан, А. Р. Макдугалл, с. 98.

Для редакторов РУИ (Русского универсального издательства), только за год до того приехавших из Москвы, имя Есенина звучало не менее громко, чем имя Р. М. Рильке, Стефана Георге и Гофмансталя, которых они издавали в серии "Всемирный Пантеон", тиражом в 5000 экземпляров. Естественно, что они читали "Пугачева" только для очистки совести, никому из них и в голову не могло прийти возражать против издания этой поэмы. В спешном порядке ее набрали и напечатали отдельным изданием (вне серий). Эта книга, как и последовавшее затем ленинградское издание, долго была библиографической редкостью...

Гр. Забежинский, с. 46.

...в Берлине Шрейдер доказывал, что призыв Есенина "Господи, отелись" потрясет буржуазную Европу.

И. Эренбург, с. 588.

Вскоре после приезда он не только стал общаться с великим Горьким и не столь великим Кусиковым, но и устроил публичное чтение своих стихов, которое произвело сильное впечатление даже на белогвардейцев, которым случилось на нем присутствовать...

И. Дункан, А. Р. Макдугалл, с. 98.

"Граф Ал. Ник. Толстой скажет вступительное слово: "О трех каторжниках"; крестьянин Сергей Есенин: трагедия "Пугачев" (полностью), "Страна негодяев" и "Нежное против шерсти"; черкес Александр Кусиков: "То, чего нет в Коране" и "Привет эмиграции"; кандидат прав А. Ветлугин выскажется о "голых людях" и "о сентиментальных убийцах".

Программа, объявленная берлинской газетой "Накануне".
25 мая 1922 г.

В Берлине я слышал Сережу читающим в компании с Ал. Толстым, Кусиковым и Ветлугиным. Вечер назывался, если я не ошибаюсь, "Вечер четырех негодяев". Конечно, была публика, и все четыре "негодяя" показали свои отличные дарования. Ал. Толстой благородно аттестовал "негодяйство" каждого... Но мне было очень грустно. Все очень даровитые люди ломают дурака только для того, чтобы о них шумели. И когда стал читать Сережа, странно искажая лицо и сорванным от крика голосом, и когда он бросал какие-то нарочито ужасные слова о Руси, я опять подумал: нехорошо кончит этот большой талант...

А он, увидевши меня, тоном мудрого старца, стал меня корить:

— Почему вы не в России? Что, у вас голубая кровь? Ведь вы же наш брат, Ерема!..

Он даже братски хлопнул меня по плечу и предложил пойти со всеми вместе в какой-то ресторан. Но я свои "негодяйские" заслуги считал для этой чести недостаточными и скромно отказался.

Г. Гребенщиков, с. 99.

Это было летом 1922 года. В Доме искусств все уже знали, что в Берлин прилетел Сергей Есенин с Айседорой Дункан, и они придут в Дом искусств. Народу собралось много. Шла обычная программа, но все явно ждали Есенина.

Р. Гуль, с. 198.

Впрочем, в Доме искусств заблаговременно предупредили, что прилетевший из Москвы в Берлин Сергей Есенин с женой Айседорой Дункан "обещали быть" на очередном собрании в пятницу. И пятница эта была едва ли не самой многолюдной и шумной. Все те же безукоризненные проборы, а под ними печать, о которой еще Гейне обмолвился: "это надолго", необыкновенно стильные девицы, издатели — пестрая, жадно высматривающая лава в ловких пиджаках, меценаты, просто родственники — едва уместясь, все это шумело, сдержанно волновалось, пыхтело сигарами, пахло дорогими духами и человеческим потом. А лицо у всех было одно — захватывающее, жадное, молчаливое от волнения — вот в Севилье так ждут, чтобы бык пропорол брюхо неловкому тореадору. Жизнь упростилась, "тонкости", полутень, нюанс ушли из нее — зрелище должно быть грубо и ярко, как бабий цветастый платок в июньский воскресный день под праздничным звоном. И в эту толпу для чего-то читал А. Ремизов о земной жизни святителя, читал я "Чашу Св. Девы", гр. А. Толстой о Гумилеве, о его последних днях. Кому это было нужно? Снисходительно послушали, похлопали, позевали, встали, чтоб расходиться, когда председатель Дома искусств поэт Н. Минский объявил, что долгожданные гости, Есенин и Айседора Дункан, наконец, приехали.

Г. Алексеев.
Из очерка "Сергей Есенин".
"Сполохи". Берлин, 1922.

И действительно, эти знаменитости приехали, но почти к концу вечера. По залу пробежали голоса: "Есенин, Есенин приехал".

Р. Гуль, с. 198.

Вечер отходил. Ал. Толстой дочитывал превосходные свои воспоминания о Гумилеве. В них хорошее — приподнятость и отрешенность от обычных мерил, юмор, глаз художника — глядящего на художника же. И вдруг — аплодисменты. Минский радостно возвестил: пришел Есенин. Хотя следовало бы сказать: прилетел. Ибо на юношеском дерзком лице и в растрепанных ветром кудрях нескрываемо сквозило выражение: "Вы ходите, а я вот летаю. Хотя бы на аэроплане".

Евг. Лундберг, с. 140—141.

И тотчас оба вошли в зал. Женщина в фиолетовых волосах, в маске-лице — свидетеле отчаянной борьбы человека с жизнью. Слегка недоумевающая, чуть-чуть извиняющая — кого?, но ведь людям, так много давшим другим людям, прощается многое. И рядом мальчонка в вихорках, ловкий парнишка из московского трактира Палкина с чижами под потолком, увертливый и насторожившийся. Бабушка, отшумевшая большую жизнь, снисходительная к проказам, и внук — мальчишка-сорванец. Кто-то в прорвавшемся азарте крикнул: "Интернационал!", — пять хриплых голосов неверно ухватили напев, и тогда свистки рванулись, а робкие... будто свистали пробуя. Склеенная жидким гуммиарабиком "любви к искусству" толпа раскололась — намотавшиеся в кровь политические комья оказались сильнее крохотных шариков этого самого искусства, а ими жонглировать не умели. Еще какой-то армянин, сгибаясь к чужому лицу, сказал "сволочь", — потные лица дам, фиолетовые от пудры, и настороженные лица мужчин сдвинулись ближе к столу, за которым сидели Дункан и Есенин, белый, напряженный до звона в голове, готовый броситься — еще мгновение. И вот я видел, как он победил.

— Не понимаю, — сказал он громко, — чего они свистят... Вся Россия такая. А нас...

Он вскочил на стул.

— Не застращаете! Сам умею свистать в четыре пальца...

И толпа подалась, еще захлопали, у вешалки столпились недовольные, но Есенин уже успокоился: оставшиеся жадно били в ладоши, засматривая ему в глаза своими, рыбьими и тупыми, пытаясь приблизиться, пожать ему руку... Уходя, я вспомнил его словечко.

Г. Алексеев, с. 181.

Температура поднялась мгновенно. Заходил по залу Минский, уплотнился Эренбург, засияли лица издателей, одного толстого и белокурого, и одного черного и худого. Черносотенный фон Д. И. почернел еще пуще. Вошла Айседора Дункан, улыбнулась и села. Волоокая, спокойная, такая чужая здесь — в этих клубах эмигрантского дыма — "Интернационал!" — крикнул кто-то. — "Интернационал!" — сгрудились около Дункан белокурый Есенин, черный издатель, Кусиков и группа сочувствующих. А в ответ свистки. Благонамеренность была оскорблена. Благонамеренность отправилась свидетельствовать вешалки и пути отступления. И только Минский приветливо смеялся с выражением доброго старого кота, которого щекочут за ухом. Свистки нарастали, кто-то тупой и мрачный наступал на Кусикова, предлагая единоборство. И тут только проявилось, каким европейцем может быть этот черкес. Он не протянул руки вперед, а спрятал их за спину и мрачно промолвил: "Убери руки. Застрелю как щенка". Есенин вскочил на стол и стал читать о скитальческой верной душе. Свистки смолкли. Оправдан был ответ поэта свистунам. "Не пересвистите. Как засуну четыре пальца в рот — тут вам и конец. Лучше нас никто свистеть не умеет".

Евг. Лундберг, с. 140—141.

...у меня в Берлине создалось впечатление, что адъютантом Есенина был Кусиков.

Гр. Забежинский, с. 80.

Его сопровождали Айседора Дункан и Кусиков.
— Тоже поэт, — сказал о нем Есенин, тихо и с хрипотой.

М. Горький, с. 6.

...С имажинистом Кусиковым, одним из спутников Есенина, я познакомился при обстоятельствах, довольно своеобразных.

Было это в дни НЭПа, в Петербурге. В особняке, принадлежавшем раньше Елисееву, ярко горели люстры. Бывший лакей Елисеева, Ефим, в белых нитяных перчатках, стремительно сновал взад и вперед, разнося чай на подносе, в залах, где зеркала отражали петербургских писателей и их дам.

Все были принаряжены, т. е. вместо валенок надели туфли и ботинки. Это был вечер Дома искусств, разрешенный властью по случаю НЭПа.

Веселость была такая, какая только и могла быть в те дни: смеялись не потому, что было весело, а потому что хотелось сделать вид, что веселиться еще все-таки можно. Выходило это довольно плохо, шумно и бестолково, но скандала в воздухе не чувствовалось.

Почувствовалось и даже очень, когда каким-то образом в зале появился пренеприятного вида военный. Он подошел к одной из дам и отпустил ей какую-то грубую шутку.

Муж дамы, П. — ударил обидчика.

Тот спокойно принял пощечину и заявил еще спокойнее:
— Будьте любезны следовать за мной.

Я был рядом, и когда военный схватил П. за руку, я вступился за П.
— И вы будьте любезны следовать за мной, — обратился ко мне военный.

Так как ни П., ни я и не думали идти за неприятным незнакомцем, он вышел на лестницу, кликнул кого-то и вернулся в зал с тремя красноармейцами.

— Теперь, я надеюсь, вы последуете за мной.

Поняв, с кем мы имеем дело, ни П., ни я не могли сопротивляться. Мы готовились следовать за чекистом, который пылал жаждой мести и, конечно, имел полную возможность эту месть утолить.

Никто из наших собратьев, терроризированных, как и мы, не посмел вступиться за нас.

На счастье наше в зале случился московский имажинист Кусиков. Он сделал то, что казалось нам невозможным. Кусиков сумел в две минуты запугать чекиста какими-то своими московскими связями, пригрозил ему, что подаст на него жалобу куда-то и, к удивлению всех нас, чекист с красноармейцами исчезли.

Таковы были связи и сноровка московских имажинистов. О них писали, будто они эти связи умели направлять не только на пользу кому-либо, но и во вред. Этого я не знаю. В нашем случае Кусиков выступил в роли защитника.

Н. Оцуп, с. 162—163.

В 1922 году мы встретились с ним (Есениным — *Ред.*) за границей. Но запад и заокеанские страны ему не понравились. Вернее, он сам не хотел, чтобы все это, виденное им впервые, понравилось ему. Безграничная, порой слепая, есенинская любовь к России, как бы запрещала ему влюбляться. "А, знаешь, здесь, пожалуй, все лучше, больше, грандиознее... Впрочем, нет! — давит. Деревья подстриженные, и птахе зарыться некуда; улицы, только и знай, что моют, и плюнуть некуда"...

А. Кусиков, с. 174.

Н. М. Минский неистово звонил, маша председательским колокольчиком. Есенин почему-то вскочил на стул, что-то крича об Интернационале, о России, о том, что он русский поэт, что он не позволит, что он умеет и не так свистать, а в три пальца. И заложив в рот три пальца, действительно засвистал как разбойник на большой дороге. Свист. Аплодисменты. Покрывая все, Минский прокричал:

— Сергей Александрович сейчас прочтет нам свои стихи!

Свист прекратился, аплодисменты усилились. Стихли. А Есенин, спрыгнув со стула, подошел к председательскому месту и встал, ожидая полного успокоения зала. Оно воцарилось не сразу. Айседора села в первом ряду, против Есенина. И Есенин зачитал. Читал он не так хорошо, как Маяковский. Во-первых, голос не тот. Голос у Есенина был скорее теноровый и не очень выразительный. Но стихи захватили зал. Когда он читал: "Не жалею, не зову, не плачу / Все пройдет, как с белых яблонь дым..." — зал был уже покорен. За этим он прочел замечательную "Песнь о собаке". А когда закончил другое стихотворение последними строками: "Говорят, что я скоро стану / Знаменитый русский поэт!" — зал, как говорится, взорвался общими несмолкающими аплодисментами. Дом искусств Есениным был взят приступом.

Г. Руль, с. 198—199.

...придя в Дом искусств, Есенин, Дункан и "группа сочувственников" вдохновенно профальшивили "Интернационал". В ответ раздались свистки. В ответ раздраженные лица... Есенин вскочил на стол и стал читать... На исконную русскую тему — о скитальческой озорной душе. И свистки смолкли. Оправдан был вызов поэта, брошенный свистунам: "Все равно не пересвистите. Как засуну четыре пальца в рот и свистну — тут вам и конец. Лучше нас никто свистеть не умеет".

Газета "Накануне".
Берлин, 14 мая 1922 г.

Он вошел в зал впереди Айседоры. Она — за ним. Это пустяк. И все-таки характерный, муж с женой так не ходят. Есенин был в светлом костюме и белых туфлях. Айседора в красноватом платье с большим вырезом. Есенина встретили аплодисментами. Но далеко не все. Произошло какое-то замешательство, в публике были поклонники и противники Есенина. Во время этого замешательства и общего шума один больше чем неуравновешенный (умопомешанный) эмигрант (крайне правых настроений) вдруг ни с того ни с сего заорал во все горло, маша рукой Айседоре Дункан: "Vive L'International!". Это было совершенно неожиданно для всех присутствовавших, да, наверное, и для Айседоры. Тем не менее она с улыбкой приветственно помахала рукой в сторону закричавшего полупомешанного и крикнула: "Chantonsla!" Общее замешательство усилилось. Часть присутствовавших запела "Интернационал" (тогда официально гимн РСФСР), а часть начала свистать и кричать: "Долой! К черту!"

Р. Гуль.
"Сергей Есенин за рубежом".
"Новый журнал". Нью-Йорк, 1979, с. 93—94.

...Вчера мы были свидетелями, до какой мрази и пошлости дошла в настоящее время "Русская революция". Прилетел на аэроплане вместе с Дункан поэт Есенин и остановился в лучшей гостинице. В "Доме искусств" был устроен в их честь вечер. Есенин долго не шел, наконец в 12 ч. ночи явился под ручку с Дункан в белых туфельках. Дункан уже 55 лет, стерва! Живет с ним и очень афиширует это. Какой-то жиденок крикнул: "Интернационал!". Публика начала свистать. Тогда Есенин, стоя на стуле, крикнул: "А мы в России в четыре кулака свистим эмиграции", и затем вместе с Дункан — "Интернационал". Одни поддерживали, другие скандалили...

П. П. Сувчинский — Н. С. Трубецкому.
Берлин, 14 мая 1922 г.

Глядя на танцевальный "Интернационал" Айседоры, я чувствовал какую-то неловкость за эту в былом большую артистку. Тяжеловесная, с трясущимися под туникой грудями, Айседора, выделывая какие-то па, бегала по сцене, принимала какие-то позы: и все это долженствовало "выявить мощь пролетариата". Бедный пролетариат! И бедная Айседора, как все артисты, не могшая вовремя уйти со сцены...

Р. Гуль, с. 207.

Я равнодушен к эмигрантской грызне — слишком мало за границей нелавочников (авантюристов — громко). Но и меня взбудоражила звонкая пощечина Есенина (Дому искусств), настоящая, здоровая, сочная, русская.

Мое имя ничего не скажет ни Вам, ни Есенину. Я просто хочу пожать здоровую, буйную руку поэта и Вашу (сильновольный жизненник).

С. Платонов — редактору газеты "Накануне".
Прага, 17 мая 1922 г.

О загранице, об эмигрантах Есенин отзывался очень резко:

— Сволочь вся там... В Берлине, когда я выступал, эмигранты стали свистать и кричать... Я вскочил на стул и, всунув два пальца в рот, заглушил их своим свистом. И когда стало тише, я им крикнул, что мы скандалисты сильнее их и им нас не перескандалить.

С. Б. Борисов.
Встречи с Есениным, с. 139.

Опять в Доме искусств. Он пришел туда с Александром Кусиковым. В зале было много народа. Был перерыв. Все стояли. Я стоял с М. А. Осоргиным. И когда Есенин (а за ним Кусиков) протискивались сквозь публику, Есенин прямо наткнулся на Осоргина.

— Михаил Андреич! Как я рад! — воскликнул он, пожимая двумя руками руку Осоргина.

— Здравствуй, Сережа, здравствуй, — здоровался Осоргин, — рад тебя видеть!

— И я рад, очень рад, — говорил Есенин, — только жаль вот мне, что я красный, а ты — белый!

— Да какой же ты красный, Сережа? — засмеялся Осоргин. — Посмотри на себя в зеркало, ты же — лиловый!

Верно, Есенин был лиловат от сильной напудренности. И Кусиков был "припудрен", но не так обильно. Конечно, в те времена парикмахеры после бритья слегка пудрили ваше лицо, но потом обтирали салфеткой. Имажинисты же почему-то оба были не только не обтерты, но сами, видно, брились и пудрились. Это производило не очень приятное впечатление. Почему они этого не понимали — не ведаю.

Р. Гуль, с. 199—200.

В те дни в Берлине были Горький и Алексей Толстой. Толстой пригласил Дункан и Есенина на обед. На обеде был Горький.

И. Шнейдер, с. 351.

...Впервые я увидал Есенина в Петербурге в 1914 году, где-то встретил его вместе с Клюевым. Он показался мне мальчиком пятнадцати — семнадцати лет. Кудрявенький и светлый, в голубой рубашке, в поддевке и сапогах с набором, он очень напомнил слащавенькие открытки Самокиш-Судковской, изображавшей боярских детей, всех с одним и тем же лицом.

М. Горький.
В сб. "С. А. Есенин в восп. современников".
М., "Худ. лит.", 1986. Т. 1, с. 5.*

В этот год Горький жил в Берлине.
— Зовите меня на Есенина, — сказал он однажды, — интересует меня этот человек.

Н. Крандиевская-Толстая, с. 14.

Позднее, когда я читал его размашистые, яркие, удивительно сердечные стихи, не верилось мне, что пишет их тот самый нарочито картинно одетый мальчик, с которым я стоял ночью, на Симеоновском и видел, как он, сквозь зубы, плюет на черный бархат реки стиснутой гранитом.

М. Горький, с. 5—6.

Через шесть-семь лет я увидел Есенина в Берлине, в квартире А. Н. Толстого. От кудрявого, игрушечного мальчика остались только очень ясные глаза, да и они как будто выгорели на каком-то слишком ярком солнце. Беспокойный взгляд их скользил по лицам людей изменчиво, то вызывающе и пренебрежительно, то вдруг, неуверенно, смущенно и недоверчиво. Мне показалось, что в общем он настроен недружелюбно к людям. И было видно, что он — человек пьющий. Веки опухли, белки глаз воспалены, кожа на лице и шее — серая, поблекла, как у человека, который мало бывает на воздухе и плохо спит. А руки его беспокойны и в кистях размотаны, точно у барабанщика. Да и весь он встревожен, рассеян, как человек, который забыл что-то важное и даже неясно помнит — что именно забыто им.

М. Горький, с. 6.

— Когда мы встретились в Берлине, я при нем чего-то смущался, — сказал однажды Есенин. — Мне все время казалось, что он вдруг заметит во мне что-нибудь нехорошее и строго прищыкнет на меня, как, бывало, цыкал на меня дед. Да еще каблуком стукнет о пол... От Горького станется!

Н. Вержбицкий, с. 229.

---

* Далее — по этому изданию.

...Читая, он побледнел до того, что даже уши стали серыми.

М. Горький, с. 18.

Я передал Есенину отзыв о нем А. М. Горького, как о "колоссальном таланте". Он ответил:

— В Германии я видел Алексея Максимовича. Когда я читал там свои стихи, он заплакал и сказал: "Откуда такие берутся".

Дм. Семеновский, с. 344.

Но вскоре я почувствовал, что Есенин читает потрясающе, и слушать его стало тяжело до слез.

М. Горький, с. 18.

Позднее пришел поэт Кусиков, кабацкий человек в черкеске, с гитарой. Его никто не звал, но он, как тень, всюду следовал за Есениным в Берлине.

Н. Крандиевская-Толстая, с. 14.

Около Есенина Кусиков, весьма развязный молодой человек, показался мне лишним. Он был вооружен гитарой, любимым инструментом парикмахеров, но, кажется, не умел играть на ней.

М. Горький, с. 6.

На столе стояли вербы. Есенин взял темно-красный прутик из вазы.

— Что мышата на жердочке, — сказал он вдруг и улыбнулся.

Мне понравилось, как он это сказал, понравился юмор, блеснувший в озорных глазах, и все в нем вдруг понравилось. Стало ясно, что за простоватой его внешностью светится что-то совсем не простое и не обычное.

Н. Крандиевская-Толстая.
В сб. С. А. Есенин в восп. современников".
М., "Худ. лит.", 1986. Т. 2, с. 12.*

Дункан я видел на сцене за несколько лет до этой встречи, когда о ней писали как о чуде, а один журналист удивительно сказал: "Ее гениальное тело сжигает нас пламенем славы".

М. Горький, с. 6.

Айседора пришла, обтекаемая многочисленными шарфами пепельных тонов, с огненным куском шифона, перекинутым через плечо, как знамя. В этот раз она была спокойна, казалась усталой. Грима было меньше, и увядающее лицо, полное женственной прелести, напоминало прежнюю Дункан.

Н. Крандиевская-Толстая, с. 14.

У Толстого она тоже плясала, предварительно покушав и выпив водки.

---

* Далее — по этому изданию.

Пляска изображала как будто борьбу тяжести возраста Дункан с насилием ее тела, избалованного славой и любовью. За этими словами не скрыто ничего обидного для женщины, они говорят только о проклятии старости.

М. Горький, с. 6.

Айседора пожелала танцевать. Она сбросила добрую половину шарфов своих, оставила два на груди, один на животе, красный накрутила на голую руку, как флаг, и, высоко вскидывая колени, запрокинув голову, побежала по комнате, в круг. Кусиков нащипывал на гитаре "Интернационал". Ударяя руками в воображаемый бубен, она кружилась по комнате, отяжелевшая, хмельная менада. Зрители жались по стенкам. Есенин опустил голову, словно был в чем-то виноват. Мне было тяжело. Я вспоминала ее вдохновенную пляску в Петербурге пятнадцать лет тому назад. Божественная Айседора! За что так мстило время этой гениальной и нелепой женщине?

Н. Крандиевская-Толстая, с. 14.

Пожилая, отяжелевшая, с красным, некрасивым лицом, окутанная платьем кирпичного цвета, она кружилась, извивалась в тесной комнате, прижимая ко груди букет измятых, увядших цветов, а на толстом лице ее застыла ничего не говорящая улыбка.

М. Горький, с. 6.

...Приласкав Дункан, как, вероятно, он ласкал рязанских девиц, похлопав ее по спине, он предложил поехать:

— Куда-нибудь в шум, — сказал он.

Решили: вечером ехать в Луна-парк.

Когда одевались в прихожей, Дункан стала нежно целовать мужчин.

— Очень хороши рошен, — растроганно говорила она. — Такой — ух! Не бывает...

Есенин грубо разыграл сцену ревности, шлепнул ее ладонью по спине, закричал:

— Не смей целовать чужих!

Мне подумалось, что он сделал это лишь для того, чтоб назвать окружающих людей чужими.

М. Горький, с. 9—10.

... мы встретились снова, в Берлине, на тротуарах Курфюстендама.

На Есенине был смокинг, на затылке — цилиндр, в цилиндре — хризантема. И то, и другое, и третье, как будто бы безупречное, выглядело на нем по-маскарадному. Большая и великолепная Айседора Дункан, с театральным гримом на лице, шла рядом, волоча по асфальту парчовый подол.

Ветер вздымал лиловато-красные волосы на ее голове. Люди шарахались в сторону.

Н. Крандиевская-Толстая, с. 13.

В тот вечер я понял, что эти два столь несхожих человека не смогут расстаться без трагедии.

Франц Элленс, с. 23.

...Несомненно, бредовая фантазия какого-то мрачного мизантропа изобрела этот железный аттракцион, гордость Берлина! В другом углу сада бешено крутящийся щит, усеянный цветными лампочками, слепил глаза до боли в висках. Странный садизм лежал в основе большинства развлечений. Горькому они, видимо, не очень нравились.

Его узнали в толпе, и любопытные ходили за ним, как за аттракционом. Он простился с нами и уехал домой.

Н. Крандиевская-Толстая, с. 16—17.

Торопливость, с которой Есенин осматривал увеселения, была подозрительна и внушала мысль: человек хочет все видеть для того, чтоб поскорей забыть.

М. Горький, с. 10.

Вечеру этому не суждено было закончиться благополучно. Одушевление за нашим столиком падало, ресторан пустел. Айседора царственно скучала. Есенин был пьян, невесело, по-русски пьян, философствуя и скандаля. Что-то его задело и растеребило во встрече с Горьким.

— А ну их к собачьей матери, умников! — отводил он душу, чокаясь с Кусиковым. — Пушкин что сказал? "Поэзия, прости господи, должна быть глуповата". Она, брат, умных не любит! Пей, Сашка!

Н. Крандиевская-Толстая, с. 17.

Я его не расспрашивал о заграничных его впечатлениях, но однажды он сам заговорил:

— Мы сидели в берлинском ресторане. Прислуживали мужчины. Почти все они были русские, с явно офицерской выправкой. Один из них подошел к нам.

— Вы Есенин? — обратился он ко мне. — Мне сказали, что это вы. Как я рад вас видеть! Как мне хочется по душе поговорить с вами! Вы ведь бежали из этого большевистского пекла, не выдержали? А мы, русские дворяне, бывшие русские офицеры, служим здесь лакеями. Вот наша жизнь, вот до чего довели нас большевики.

Я нежно поглядел на него и ответил:

— Ах, какая грусть! Плакать надо... Но знаете что, дворянин! Подайте мне, мужику, ростбиф по-английски, да смотрите, чтоб кровь сочилась!

Офицер позеленел от злости, отошел и угрожающе посмотрел в нашу сторону. Я видел, как он шептался с двумя рослыми официантами. Я понял, что он собирается взять меня в работу. Я взял Дункан под руку и медленно прошел мимо них к выходу. Он не успел или не посмел меня тронуть.

Л. Повицкий, с. 242—243.

В Берлине я наделал, конечно, много скандала и переполоха. Мой цилиндр и сшитое берлинским портным манто привели всех в бешенство. Все думают, что я приехал на деньги большевиков, как чекист или как агитатор. Мне все это весело и забавно...

Есенин — А. Б. Мариенгофу.
Остенде, 9 июля 1922 г.

Компания наша разделилась по машинам. Голова Айседоры лежала на плече у Есенина, пока шофер мчал нас по широкому Курфюрстендаму.

— Mais dis-moi souka dis-moi ster-r-rwa...* — лепетала Айседора, ребячась, протягивая губы для поцелуя.

— Любит, чтобы ругал ее по-русски, — не то объяснял, не то оправдывался Есенин, — нравится ей. И когда бью — нравится. Чудачка!

— А вы бьете? — спросила я.

— Она сама дерется, — засмеялся он уклончиво.

— Как вы объясняетесь, не зная языка?

— А вот так: моя — твоя, моя — твоя... — И он задвигал руками, как татарин на ярмарке. — Мы друг друга понимаем, правда, Сидора?

Н. Крандиевская-Толстая, с. 16.

В Берлине несколько раз я встречал его с Айседорой Дункан. Она понимала, что ему тяжело, хотела помочь и не могла. Она обладала не только большим талантом, но и человечностью, нежностью, тактом; но он был бродячим цыганом; пуще всего его пугала сердечная оседлость.

И. Эренбург, с. 594.

...Из моментов этой эпопеи мне ярко запомнился один. Есенин и Дункан в Берлине. Айседора задумывает большую поездку по Греции, выписывает учениц своей школы, находившейся в это время, кажется, в Брюсселе. Те приезжают — веселой большой компанией — с места до места в автомобилях. Наутро — завтрак. За столом Сергей пытается поговорить с одной из хорошеньких учениц: легонький флирт. Айседора, заметив это, встает, вся красная, и объявляет повелительно: "В Афины не едем. Все — в автомобили, едете назад". Так Сергей и не побывал в Греции.

В. Чернявский, с. 222—223.

Однажды ночью к нам ворвался Кусиков, попросил взаймы сто марок и сообщил, что Есенин сбежал от Айседоры.

— Окопались в пансиончике на Уландштрассе, — сказал он весело, — Айседора не найдет. Тишина, уют. Выпиваем, стихи пишем. Вы смотрите не выдавайте нас.

Но Айседора села в машину и объехала за три дня все пансионы Шарлотенбурга и Курфюрстендама. На четвертую ночь она ворвалась, как амазон-

---

* Скажи мне — сука, скажи мне — стерва... *(смесь фр. с русск.).*

ка, с хлыстом в руке в тихий семейный пансион на Уландштрассе. Все спали. Только Есенин в пижаме, сидя за бутылкой пива в столовой, играл с Кусиковым в шашки. Вокруг них в темноте буфетов на кронштейнах, убранных кружевами, мирно сияли кофейники и сервизы, громоздились хрустали, вазочки и пивные кружки. Висели деревянные утки вниз головами. Солидно тикали часы. Тишина и уют, вместе с ароматом сигар и кофе, обволакивали это буржуазное немецкое гнездо, как надежная дымовая завеса, от бурь и непогод за окном. Но буря ворвалась и сюда в образе Айседоры. Увидя ее, Есенин молча попятился и скрылся в темном коридоре. Кусиков побежал будить хозяйку, а в столовой начался погром.

Айседора носилась по комнатам в красном хитоне, как демон разрушения. Распахнув буфет, она вывалила на пол все, что было в нем. От ударов ее хлыста летели вазочки с кронштейнов, рушились полки с сервизами. Сорвались деревянные утки со стены, закачались, зазвенели хрустали на люстре. Айседора бушевала до тех пор, пока бить стало нечего. Тогда, перешагнув через груды черепков и осколков, она прошла в коридор и за гардеробом нашла Есенина.

— Quitter ce bordee immédiat... — сказала она ему спокойно, — et suivez-moi.*

Есенин надел цилиндр, накинул пальто поверх пижамы и молча пошел за ней. Кусиков остался в залог и для подписания пансионного счета. Этот счет, присланный через два дня в отель Айседоре, был страшен. Было много шума и разговоров. Расплатясь, Айседора погрузила свое трудное хозяйство на два многосильных "мерседеса" и отбыла в Париж, через Кельн и Страсбург, чтобы в пути познакомить поэта с готикой знаменитых соборов.

Н. Крандиевская-Толстая, с. 18—19.

Айседора рассказывала мне, что Есенин разговаривал в Веймаре шепотом, с благоговением взирая на свидетелей жизни великих поэтов, — старые грабы, мощно растущие среди молодых фруктовых деревьев. Долго смотрел на недописанную Гете страничку, лежащую на его письменном столе.

И. Шнейдер, с. 356.

... Благодаря Айседоре он позже вступил в переговоры с одним бельгийским поэтом о возможности отбора своих стихов для перевода на французский язык и публикации, за счет Айседоры, в русском издательстве в Париже. Сборник должен был иметь довольно подходящее название: "Исповедь хулигана".

(Как необыкновенно поэтично мог бы исповедаться этот хулиган в том, как в один прекрасный день в Берлине, придя в гостиничный номер и найдя свою жену рыдающей над альбомом, в котором были портреты ее незабвенной Дейдре и Патрика, он безжалостно выхватил его у нее и, швыр-

---

* Покиньте немедленно этот бордель... и следуйте за мной *(фр.)*.

нув в огонь, заорал в пьяной злобе, держа ее сзади и не давая спасти драгоценную память: "Ты слишком подолгу думаешь об этих... детях!").

И. Дункан. А. Р. Макдугалл, с. 98.

Как-то часа в четыре я зашел в один из русских ресторанов на Моц-
штрассе поговорить по телефону. В этот час в ресторане не бывает никого,
кроме швейцара и двух-трех скучающих кельнеров. Телефон был занят. Пришлось ждать. Из обеденного зала вышел, чуть-чуть спотыкаясь, средних лет
человек. Я с трудом узнал Есенина. У него были припухшие глаза и затекшее
лицо. Руки его дрожали. Он был одет щеголевато, но держался с какой-то
"осанкою заботной". Видно было, что модный костюм и новенький галстук
стесняют его не меньше, чем в свое время маскарадная поддевка и вышитая
рубаха с пояском. Он остановился на пороге и стал звать швейцара. Тот
явился на зов.

— Послушай, швейцар, у меня шуба была.

— Так точно, была.

— Тогда посмотри, пожалуйста, нет ли у меня денег в карманах.

Швейцар подал странному клиенту богатую бобровую шубу. Тот принялся выворачивать карманы, наткнулся на бумажник, обрадовался. Встретив-
шись со мной глазами, Есенин молодцевато выпрямился, весело со мной
поздоровался и стал звать в ресторан выпить чего-нибудь, Я отговорился.

— Ну, завтра тогда. В то же время. Хорошо?

— Почему же в это время, а не раньше?

— Раньше я не встану. Сплю очень поздно.

Н. Оцуп, с. 162.

Знаете ли вы, милостивый государь, Европу? Нет. Вы не знаете Европы.
Боже мой, какое впечатление, как бьется сердце... О, нет, вы не знаете
Европы.

Во-первых, Боже мой, какая гадость, однообразие, такая духовная ни-
щета, что блевать хочется. Сердце бьется, бьется самой отчаяннейшей ненавистью, но к горю моему один ненавистный мне в этом случае, но прекрасный поэт Эрдман сказал, что почесать его нечем. Почему нечем? Я готов
просунуть для этой цели в горло сапожную щетку, но рот мой мал и горло
мое узко. Да, прав он, этот проклятый Эрдман, передай ему за это тысячу
поцелуев...

Есенин — А. Мариенгофу.
Июль, 9, 1922.

Мать его (Эрдмана. — *Ред.*) — Валентина Борисовна — была почти нем-
кой, а отец — Роберт Карлович — самым чистейшим немцем со смешным
милым акцентом. Из тех честных трудолюбивых немцев-мастеров, о которых так любовно писал Лесков в своих повестях и рассказах.

А. Мариенгоф.
Мой век..., с. 316.

Мы идем по тихим улицам Вестена. Есенин, помолчав, говорит: — А признайтесь, — противен я был вам, петербуржцам. И вам, и Гумилеву, и этой осе Ахматовой. В "Аполлоне" меня так и не напечатали. А вот Блок — тот меня сразу признал. И совет мне отличный дал: "Раскачнитесь посильнее на качелях жизни". — Я и раскачнулся! И еще раскачнусь! Интересно, что бы сказал Александр Александрович, если бы видел мою раскачку, а?

Я молчу, но Есенин как будто и не ждет от меня ответа. Он продолжает о Блоке: — Ах, как я любил Александра Александровича. Влюблен в него был. Первым поэтом его считал. А вот теперь, — он делает паузу. — Теперь многие, Луначарский там, да и другие, пишут, что я первый. Слыхали наверно? Не Блок, а я. Как вы находите? Врут, пожалуй? Брехня?

Г. Иванов, с. 41.

Пусть мы азиаты, пусть дурно пахнем, чешем, не стесняясь, у всех на виду седалищные щеки, но мы не воняем так трупно, как воняют они... Все зашло в тупик, спасет и перестроит их только нашествие таких варваров, как мы.

Есенин — И. Шнейдеру.
Висбаден. Июнь, 21. 1922.

... Все эти люди, которые снуют быстрее ящериц — не люди, а могильные черви, дома их — гроба, а материк — склеп. Кто здесь жил — давно умер, и помним его только мы. Ибо черви помнить не могут.

Есенин — А. Мариенгофу.
Июль, 9, 1922 г.

Пусть мы нищие, пусть у нас голод, холод и людоедство, зато у нас есть душа, которую здесь сдали за ненадобностью в аренду под смердяковщину...

Есенин — А. Сахарову.
Дюссельдорф. Июль 1922 г.

Сейчас сижу в Остенде. Паршивейшее Бель-Голландское море и свиные тупые морды европейцев. От изобилия вин в сих краях я бросил пить и тяну только сельтер...

Есенин — А. Мариенгофу.
Июль, 9, 1922 г.

— А, между прочим, взял я как-то комок земли — и ничем не пахнет. Да и лошади все стриженые, гладкие. Нет того, чтобы хоть одна закурчавилась и репейник в хвосте принесла! Думаю, и репейника-то у них там нет.

Вс. Рождественский, с. 114.

Если бы Вы меня сейчас увидели, то Вы, вероятно, не поверили бы своим глазам. Скоро месяц, как я уже не пью. Дал зарок, что не буду пить до октября.

Есенин — И. Шнейдеру.
Брюссель. 13 июля 1922 г.

Там, из Москвы, нам казалось, что Европа — это самый обширный район распространения наших идей в поэзии, а отсюда я вижу: Боже мой, до чего богата и прекрасна Россия в этом смысле. Кажется, нет такой страны еще и быть не может...

Есенин — А. Мариенгофу.
Июль, 9, 1922 г.

Что сказать мне вам об этом ужаснейшем царстве мещанства, которое граничит с идиотизмом? Кроме фокстрота, здесь почти ничего нет, здесь жрут и пьют, и опять фокстрот. Человека я еще пока не встречал и не знаю, где им пахнет. В страшной моде Господин доллар, а на искусство начихать, самое высшее мюзик-холл. Я даже книг не захотел издавать здесь, несмотря на дешевизну бумаги и переводов. Никому это здесь не нужно...

Есенин — А. Сахарову.
Дюссельдорф. Июль 1922 г.

... Так хочется мне отсюда, из этой кошмарной Европы, обратно в Россию, к прежнему молодому нашему хулиганству и всему нашему задору, такая бездарнейшая северянинщина жизни.

Есенин — А. Мариенгофу.
Остенде. Июль, 9, 1922 г.

Из Берлина приехали в Париж.

А. Кусиков, с. 174.

— Видел ли ты Пикассо? Анатоля Франса?
— Видел какого-то лысого. Кажется, Анри де Ренье... Как только мы приехали в Париж, я стал просить Изадору купить мне корову. Я решил верхом на корове прокатиться по улицам Парижа. Вот был бы смех! Вот было бы публики! Но пока я собирался это сделать, какой-то негр опередил меня. Всех удивил: прокатился на корове по улицам Парижа. Вот неудача! Плакать можно, Ваня!

И. Грузинов, с. 354—355.

Он на минуту замолкает.
— Вот еще животные. Лошади, коровы, собаки. С ними я всегда, с самого детства, дружил. Вы хорошо сделали, что ввели свою обмызганную лошадь в рай. Крестьяне животных совсем не понимают. Как они грубы и жестоки с ними. Ужас. А я их всегда любил и жалел. В десять лет я еще ни с одной девушкой не целовался, не знал, что такое любовь, и целуя коров в морду, просто дрожал от нежности и волнения. Ноздри мягкие и губы такие влаж-

ные, теплые, и глаза у них до чего красивые! И сейчас еще, когда женщина мне нравится, мне кажется, что у нее коровьи глаза. Такие большие, бездумные, печальные. Вот как у Айседоры. А шампанское, — перебивает он себя, — вы непременно должны выпить. За нашу встречу! Хоть один бокал.

И я чокаюсь с ним и пью.

И. Одоевцева, с. 191.

О встречах с соотечественниками в Париже Есенин рассказал такой случай:

— Прихожу после театра в какое-то русское кафе. Сажусь за столик. Подходит ко мне официант — бывший гвардейский офицер — и стал поздравлять меня с тем, что я наконец ушел от большевиков... Я его молча слушал и, когда он, показывая мне на свой наряд лакея, сказал: "Вот до чего меня большевики довели", — я попросил подать мне бокал вина. Офицерик подал, я встал и провозгласил тост "за здоровье Советской власти"... Тут поднялась кутерьма... Меня чуть не убили...

Есенин показал мне небольшой шрам на ухе.

— Вилкой проткнули...

С. Б. Борисов, с. 140.

Когда Есенин и Дункан заканчивали ужин и мирно сидели под большим торшером, официант наклонился к нему:

— Вот, господин Есенин... Я флигель-адъютант свиты его императорского величества, а теперь вот прислуживаю вам.

Есенин не терпел этих гвардейских лакеев и в ответ ему сказал что-то дерзкое. Произошел скандал...

И. Шнейдер, с. 369.

В Париже он устроил скандал русским белогвардейским офицерам, за что якобы тут же был жестоко избит.

И. Старцев, с. 338.

— ...а в Париже... сижу это в кабаке... подходит гарсон... говорит: "Вы вот, Есенин, здесь кушать изволите, а мы, гвардейские офицеры, с салфеткой под мышкой..." — "Вы, спрашиваю, лакеями?.." — "Да, лакеями!.." — "Тогда извольте, говорю, подать мне шампань и не разговаривать!.." Вот!..

А. Мариенгоф.
Роман без вранья, с. 106.

Я никогда не видел Есенина обряженным в мужицкую одежду, назвать его "мужиковствующим" никак нельзя было — его социальная природа проявлялась непроизвольно и порой неожиданно. Так, в разговоре о впечатлениях своей заграничной поездки он рассказал вдруг о встрече с русским белоэмигрантом, служившим официантом в ресторане и на вопрос Есенина чванливо назвавшим свой полный титул и тот гвардейский полк, где он в царское время служил офицером. И Есенин, в самом тоне этого ответа почувствовавший оскорбление своего плебейского чувства собственного достоинства, назвался: "А я поэт Сергей Есенин, рязанский мужик, и ты мне сейчас прислуживаешь!"

Ю. Либединский, с. 194.

В Париже, в кафе видел русских белогвардейцев, видел в одном кафе бывших высокопоставленных военных, они прислуживали ему в качестве официантов. Стал он читать при них революционные стихи, обозлились, напали на него. Хотели бить. Едва-едва убежал.

— До революции я был вашим рабом, — сказал Есенин белогвардейцам, — я служил вам. Я чистил вам сапоги. Теперь вы послужите мне...

И. Грузинов, с. 354.

— Один из них — рыхлый такой толстяк — спрашивает меня: "А правда, что вы пастухом были?" — "Правда, говорю, что же тут удивительного? Всякий деревенский парнишка в свое время пастух". — "Ну, тогда понятно, что вы большевиком стали. Вы, значит, их действия одобряете?" — "Одобряю", говорю. И взяла меня тут такая злость, что наговорил я ему такого...

Вс. Рождественский, с. 114.

— Ну, а как насчет того, что ты будто бы сказал официанту из офицеров, что, мол, вот ты, сукин сын, дворянин, а мне, мужику, служишь и на чай ждешь?

— Вот как? Не думаю, чтобы я говорил это. Во всяком случае домой я пришел довольно быстро и без одной туфли...

В. Эрлих, с. 13.

И вообще скажу тебе — где бы я ни был и в какой бы черной компании ни сидел (а это случалось!), я за Россию им глотку готов был перервать. Прямо цепным псом стал, никакого ругательства над Советской страной вынести не мог. И они это поняли. Долго я у них в большевиках ходил.

Вс. Рождественский, с. 307—308.

Беседа с С. Есениным о "тоске". Он пьет и мечется.

Чтение "Пугачева" у проф. Ключникова. Есенин лицом к стене, хрипло читает; лицо нарочито искажено. Спокойное самодовольство А. Дункан. Французские парламентарии. Подчеркнутое уважение к Дункан, Есенин же для них вроде юного дикаря, вывезенного прихотливой принцессой.

У меня — вспышка ненависти к Дункан, к иностранцам, к корректным хозяевам.

Я тяну Есенина за рукав. Мы входим в другую комнату и садимся в углу. Он полупьян. Мне тошно и страшно. Машина западной культуры и русское талантливое беспутство.

Разговор рвется.

— Мне скверно, — говорит Есенин.

Я и сам вижу, что скверно.

Дункан мешает нам разговаривать. Я слышу невероятный на фоне парижских смокингов и украшенного цветами стола диалог. Он произносится вполголоса; парламентарии его не слышат.

— Ты — сука, — говорит Есенин.

— А ты — собака, — отвечает Дункан.

Она ревнует — ко всякому и ко всякой. Она не отпускает его от себя ни на шаг. Есенин прогоняет ее — взглядом.

— Проклятая баба, — произносит он вполголоса.

Минуту спустя Дункан ласково отвлекает его от меня. Он уже беззлобен. Тих и кроток — да, печально кроток. Я ухожу.

Евг. Лундберг, с. 140—141.

С ним обращаются, как с ребенком. Кажется, что иначе и нельзя. У него такой нерешительный, неуверенный вид. Если его хорошенько встряхнуть, он развалится на составные части. Поистине русский человек. В то же время в нем много хитрецы. Но главное, основное — безволие. Кажется, что из него вынут хребет. Вероятно, он сам сознает свою слабость, сознает, что с ним обращаются, как с ребенком, но привык к этому, может быть, поверил.

Вл. Познер, с. 238.

...Я все яснее читал на лице танцовщицы отчаяние, которое обычно она умела скрывать под спокойным и улыбающимся видом. Отчаяние выражалось и в чисто физическом упадке ее сил.

Франц Элленс, с. 22.

Есенин и Айседора беседовали как-то об искусстве. Есенин сказал:

— Танцовщица не может быть великим человеком, ее слава живет недолго. Она исчезает, как только умирает танцовщица.

— Нет, — возразила Айседора. — Танцовщица, если это выдающаяся танцовщица, может дать людям то, что навсегда останется с ними, может навсегда оставить в них след, ведь настоящее искусство незаметно для людей изменяет их.

— Но ведь они умерли, Айседора, те люди, кто видел ее, и что? Танцовщики, как и актеры: одно поколение помнит их, следующее читает о них, третье — ничего не знает.

Я переводила, а Айседора слушала, как всегда полная внимания и симпатии к Есенину. Он медленно поднялся, прислонился к стене и, сложив руки — была у него такая привычка при разговоре, — нежно посмотрел на нее и сказал:

— Ты — просто танцовщица. Люди могут приходить и восхищаться тобой, даже плакать. Но когда ты умрешь, никто о тебе не вспомнит. Через несколько лет твоя великая слава испарится. И — никакой Айседоры!

Все это он сказал по-русски, чтобы я перевела, но два последних слова произнес на английский манер и прямо в лицо Айседоре, с очень вырази-тельным насмешливым жестом — как бы развеивая останки Айседоры на все четыре стороны...

— А поэты — продолжают жить, — продолжал он, все еще улыбаясь. — И я, Есенин, оставлю после себя стихи. Стихи тоже продолжают жить. Такие стихи, как мои, будут жить вечно.

В этой насмешке и поддразнивании было что-то слишком жестокое. По лицу Айседоры пробежала тень, когда я перевела его слова. Неожиданно она повернулась ко мне, и голос ее стал очень серьезен:

— Скажите ему, что он не прав, скажите ему, что он не прав. Я дала людям красоту. Я отдавала им душу, когда танцевала. И эта красота не уми-рает. Она где-то существует... — У нее вдруг выступили на глаза слезы, и она сказала на своем жалком русском: — Красота ни умирай!

Но Есенин, уже полностью удовлетворенный эффектом своих слов — оказывается, у него часто появлялось нездоровое желание причинять Айсе-доре боль, унижать ее, — стал сама мягкость. Характерным движением он притянул к себе кудрявую голову Айседоры, похлопал ее по спине, пригова-ривая:

— Эх, Дункан...

Айседора улыбнулась. Все было прощено.

Лола Кинел.
В книге Куняевых "Сергей Есенин", с. 289—290.

Кусиков улыбнулся (дело происходит в Версале. — *Ред.*)

— А я тебе, Анатолий, кажется, еще не рассказывал, как мы сюда в прошлом году с Есениным съездили... неделю я его уламывал... уломал... двинулись... добрались до этого самого ресторанчика... тут Есенин зая-вил, что проголодался... сели завтракать, Есенин стал пить, злиться и пить... до ночи... а ночью уехали обратно в Париж, не взглянув на Вер-саль; наутро, трезвым, он радовался своей хитрости и увертке... так про-ехал Сергей по всей Европе и Америке, будто слепой, ничего не желая знать и видеть...

А. Мариенгоф.
Роман без вранья, с. 102.

Завтра из Венеции еду в Рим, а потом экспрессом в Париж.

Есенин — Е. А. Есениной.
Венеция, 10 августа 1922 г.

По дороге домой мы с Есениным пели русские песни, и гондольер, изумленный соперничаньем в занятии, которое было его работой, все же аплодировал от всего сердца. Спустя некоторое время Есенин, будучи все еще в разговорчивом настроении, снова завел беседу о России. Но теперь это был другой Есенин. Поэт, который казался простоватым, наивным и вместе с тем мудрым, поэт, с которым я общалась на протяжении часа, а может быть, и двух, — исчез. Теперь это был обычный, хорошо знакомый мне Есенин: вежливый, уклончивый, строящий из себя дурачка, но достаточно скрытный, с лукавинкой в уголках глаз. Он говорил о большевизме, и я спросила его, знал ли он Ленина.

— Ленин умер, — ответил он мне шепотом.

Я чуть не подпрыгнула от удивления. Шел 1922 год. Ленин был очень болен. Он был окружен известными немецкими врачами: время от времени в газетах можно было прочитать их официальные бюллетени.

— Зачем вы так шутите, Сергей Александрович? — Мы говорили шепотом, будто боялись, что кто-нибудь подслушивает.

— Я не шучу. Уже год, как он умер, — послышался ответный шепот. — Но мы не можем допустить, чтобы это стало известно, потому что большевизм сразу бы тогда потерял силу. Нет на его место достаточно сильного руководителя. Неужели вам это непонятно?

— Но, Сергей Александрович, такую вещь трудно скрыть. Даже невозможно. Можно это скрывать в течение нескольких дней, может быть, недель, но не больше.

— Нам это удалось. Пришлось скрыть. Никто об этом не знает. Только несколько надежных людей. — Он говорил голосом заговорщика, и только тут я начала понимать его подвох. Но вместо того, чтобы протестовать, я притворилась обманутой. Я хотела послушать дальше. Это казалось таким интригующим.

— Видите ли, — продолжал он тихим голосом, — если спустя некоторое время кто-нибудь попытается дознаться, врачи впустят его на минуту и покажут, что Ленин спит. А он не спит. Он набальзамирован. Умер! Искусно набальзамирован. Это сделали немцы. На бальзамирование у них ушло несколько недель. И вот так откладывается извещение с недели на неделю, пока мы не сумеем найти сильного руководителя. Большевизм не может существовать без сильного человека. Тем временем они продолжают публиковать бюллетени о "постепенном ухудшении". Неужели вы этого не заметили? Неужели вы не обратили внимания, как мало людей допущено к нему? Что нет интервью?

Я была в восторге. Что за выдумка! Даже если это просто подвох, как здорово придумано! Он возбудил мое воображение.

Тихий голос продолжал:

— Но если вы хоть слово пророните — умрете! Известно, как это делается. У нас повсюду шпионы!

Я не сказала ни слова. По спине у меня побежали мурашки. Я была восхищена, и в то же время мне хотелось смеяться. Есенин сидел, не скрывая улыбки удовлетворения...

В ту ночь я так и не смогла уснуть — рассказ, столь фантастический и вместе с тем вполне правдоподобный, волновал мое воображение. До сих пор мне это кажется вероятным. Какая интрига, будь она правдой!

Лола Кинел.
В книге Куняевых "Сергей Есенин", с. 291—292.

— ...в Венеции архитектура ничего себе... только воня-я-ет! — и сморщил нос пресмешным образом.

А. Мариенгоф.
Роман без вранья, с. 106.

Но взволновала его, кажется, больше всего Америка. К ней была в нем ненавидящая зависть.

В. Чернявский, с. 222.

Он уехал в Америку, я остался в Париже. Вскоре я получил от него письмо, датированное 23 февраля 1923 года. Целиком его приводить и не к месту и не время: "...тоска смертельная, невыносимая, чую себя здесь чужим и ненужным, а как вспомню про Россию... Не могу! Ей-богу, не могу! Хоть караул кричи, или бери нож, да становись на большую дорогу. Напиши мне что-нибудь хорошее, теплое и веселое, как друг. Сам видишь, как матерюсь. Значит, больно и тошно..."

А. Кусиков, с. 174.

"Целиком его приводить и не к месту и не время" — А. Кусиков опускает политически наиболее острые фразы: "Тошно мне, законному сыну российскому, в своем государстве пасынком быть. Надоело мне это блядское снисходительное отношение власть имущих, а еще тошней переносить подхалимство своей же братии к ним..." "Теперь, когда от революции остались только клюнь да трубка, теперь, когда там жмут руки тем... кого раньше расстреливали, теперь стало очевидно, что ты и я были и будем той сволочью, на которой можно всех собак вешать... Я перестаю понимать, к какой революции я принадлежал. Вижу только одно, что ни к февральской, ни к октябрьской. По-видимому, в нас скрывался и скрывается какой-нибудь ноябрь."

Цит. по С. и Ст. Куняевым, с. 395.

В октябре на гигантском пароходе "Париж" они отплыли из Гавра в Нью-Йорк.

И. Шнейдер, с. 357.

Итак, Есенин с Айседорой из Берлина — через Париж — отправились в Америку, взяв с собой, как переводчика "между ними" А. Ветлугина (В. И. Рындзюка), ибо Есенин ни слова не говорил по-английски, а Айседора коверкала два-три слова по-русски. Приехали "молодые" в Америку в конце октября 1922 года, в Нью-Йорк.

Р. Гуль, с. 201.

Вчера прибыла в Нью-Йорк известная танцовщица Айседора Дункан в сопровождении поэта Сергея Есенина. Представители иммиграционного ведомства запретили Дункан и Есенину сойти на берег и распорядились об отправке путешественников на Эллис-Айленд, где будет произведено дознание в связи с полученными сведениями, что оба прибыли в Америку для коммунистической пропаганды.

Дункан резко протестовала, категорически опровергая слухи о ее близости к Советскому правительству. Танцовщица указывала, что она не раз критиковала коммунистический режим. Она ссылалась на то, что, как урожденная американка, она, согласно недавно принятому конгрессом закону, сохраняет права американского гражданства и по выходе замуж за иностранца... Протестовал и Есенин. Чета оставлена была на пароходе, где провела ночь. Сегодня ожидается окончательное решение властей о судьбе московских гостей.

"Последние новости".
Нью-Йорк. 4 окт. 1922 г.

С четой Есенин — А. Дункан прибыл журналист Ветлугин.

Д. Бурлюк, с. 236.

Ярмолинский (он долгое время заведовал славянским отделением центральной нью-йоркской библиотеки) написал в 50-х годах, что Ветлугин — это псевдоним некоего Рындзюка, автора двух-трех книг.

По словам Ярмолинского, Рындзюк состоял чем-то вроде переводчика при Айседоре Дункан, он помогал ей объясняться с мужем...

М. Мендельсон, с. 492.

Другой нью-йорский приятель Есенина был беллетрист по фамилии Рындзюк, который в начале двадцатых годов написал под псевдонимом А. Ветлугина две-три книги, вышедшие в Берлине и Париже. Он состоял чем-то вроде переводчика при Айседоре, помогая ей объясняться с мужем.

А. Ярмолинский, с. 231.

Автору "Записок мерзавца" (А. Ветлугину. — *Ред.*) вообще и всегда все было смешно. А еще и потому, вероятно, что по-английски он и сам не смыслил и, значит, опять надул, а доехать в каюте первого класса до недосягаемых берегов Америки, да за чужой счет, да еще в теплой, хотя и противоестественной компании, это, согласитесь, не каждый день и не со всеми случается.

Дон-Аминадо.
Цитата по книге Ст. и С. Куняевых "Сергей Есенин", с. 287.

...О тебе вспоминать буду всегда хорошо, с искренним сожалением, что меряешь на столетия и проходишь мимо дней.

А. Ветлугин — Есенину.
В океане, 6 октября 1923 г.

...Остановились — как и должно знаменитостям — в самом фешенебельном отеле Валдорф-Астория на Пятом авеню.

Р. Гуль, с. 201.

...Потом мне рассказали, что гостиница эта все еще оставалась для американцев символом приобщения к кругу людей удачливых и респектабельных. Да, многие американцы все еще считали, что в самом большом городе США нужно останавливаться только в подобном, широко разрекламированном обиталище для приезжих. Однако даже я не мог не заметить, что интерьер огромного вестибюля уже покрылся довольно заметной сетью старческих морщин. Следы долгих лет беспрерывного кружения посетителей на первом этаже отеля как будто въелись в стены вестибюля, в покрытые не очень свежими коврами полы и как будто захватанные множеством рук занавеси на огромных окнах.

Коридор, в который выходили двери лифта на том этаже, где я должен был ждать Бурлюка, тоже не отличался привлекательностью. И тут было множество людей, и почти все они куда-то торопились. Сам темп передвижения обитателей гостиницы, конечно, говорил о царящей здесь атмосфере деловитости. Впрочем, это была не просто деловитость, а упорное влечение к чему-то такому, что считали необходимым прибрать к рукам. Едва ли все это могло порадовать поэта и актрису.

М. Мендельсон, с. 490—491.

С Есениным А. Дункан привезла в Америку кусок и показательный, России, русской души народной.

Д. Бурлюк, с. 235.

С пьяных глаз поехал в Америку, но из американских впечатлений помнил только один эпизод: как его били.

— Какие-то, понимаете, два джентльмена в тугих воротниках и с перстнями на пальцах... Пришли за кулисы и стали мне накладывать... Очень здоровы драться эти американцы! Шею так накостыляли, что лучше быть не может!..

— А правда ли, что ты жену бил в Америке и что полиция даже прибежала?

— Вот уж не помню... Но едва ли, впрочем, ножкой от стула...

А. Яблоновский, с. 53.

Сергей Есенин был первым большим советским поэтом, который посетил Америку.

М. Мендельсон, с. 489.

Поэт предполагает пробыть в Америке три месяца. Своей внешностью, манерой говорить С. А. Есенин очень располагает к себе. Среднего роста, пушисто-белокур, на вид хрупок.

Д. Бурлюк, с. 236.

...чаще мне случалось видеть в Америке Есенина, глубоко ушедшего в свои тайные и какие-то очень горькие думы. И желание понять их суть, как и узнать причины столь активного стремления поэта, — которое я заметил во время первой встречи с ним, — подчеркнуть, что у него нет никакого интереса к Америке, не давало мне покоя.

М. Мендельсон, с. 33.

Курьезно, что американская пресса величает С. А. Есенина украинским поэтом — это его-то — беляка-русака!

Д. Бурлюк, с. 236.

...Есенин рассказывал мне, что он ходил в Нью-Йорке специально посмотреть знаменитую нью-йоркскую биржу, в огромном зале которой толпятся многие тысячи людей и совершают в обстановке шума и гама сотни и тысячи сделок. "Это страшнее, чем быть окруженным стаей волков, — говорил Есенин. — Что значат наши маленькие воришки и бандюги в сравнении с ними? Вот где она — страна негодяев".

С. Толстая-Есенина.
Комментарий, с. 263.

В чикагские "сто тысяч улиц" можно загонять только свиней. На то там, вероятно, и лучшая бойня в мире.

Есенин — А. Б. Мариенгофу.
Нью-Йорк, 12 ноября 1922 г.

Об Америке же говорил мне:
— Это, Миша, большая Марьина Роща.
За московской Марьиной Рощей, как известно, установилась репутация района фальшивомонетчиков и вообще всякого рода грязных дельцов.

Э. Герман.
"Из книги о Есенине", с. 161.

За границей он работал мало, написал несколько стихотворений, вошедших потом в "Москву кабацкую". Большей частью пил и скучал по России.
— Ты себе не можешь представить, как я скучал. Умереть можно. Знаешь, скука, по-моему, тоже профессия, и ею обладают только одни русские.

И. Старцев, с. 416.

Есенин приехал в Америку во второй половине 1922 года и вместе с Изадорой уже успел побывать во многих штатах и городах, где Изадора выступала со своими балетными представлениями, под симфонический оркестр. Она танцевала одна и только в моменты восторгов публики произносила несколько слов благодарности и приглашала Есенина показаться вместе с нею на сцене, как знак ее счастья. Он покорно и смиренно выходил — ведь он привык в Москве к шумным одобрениям в Политехническом институте, где выступали поэты по разным поводам, а также в литературных кафе и на фабриках и заводах. Это вызывало еще более шумный восторг — появление юного русского мужа знаменитой американской танцовщицы-босоножки.

Вен. Левин, с. 220.

...Разумеется, мне трудно было понять тогда, что отношение Есенина к Америке отчасти объяснялось двусмысленностью его положения в этой стране. Большинство американцев, если они и узнали из газет о приезде русского поэта, думали о нем лишь как о муже их соотечественницы. А сколько тягостного и даже оскорбительного было для Есенина в его тщетных попытках добиться издания его стихов на английском языке, в провале надежд на то, что наконец-то он предстанет перед американцами человеком творческим, а не просто молодым спутником Айседоры Дункан, неизвестно на что расходующим свои дни.

М. Мендельсон, с. 33.

Была и еще одна причина "взрывчатого" состояния Есенина (об этом мне рассказывала Дункан): он считал, что Америка не приняла и не оценила его как поэта.

И. Шнейдер, с. 361.

Однажды Айседора Дункан выступала перед рабочими в убогом театрике, вернее, жалком клубном помещении. Перед состоятельными зрителями, которые могли ходить на дункановские вечера в обширном зале "Карнеги-холл", танцовщица куда полнее сумела раскрыть свое дарование. Но в этом клубе (обычно здесь проводились собрания членов прогрессивных организаций), куда пришли нью-йоркские труженики, танцовщице выступать было трудно — слишком тесна была сцена. Зато рабочие лучше уловили присущее искусству Дункан революционное начало, связь творчества этой актрисы с духом Октября.

По поручению газеты "Новый мир" я присутствовал в клубе — был за кулисами. Здесь же бродил Есенин. Из зала доносились музыка и восторженные аплодисменты.

Поэт показался мне даже более возбужденным, чем в тот день, когда я видел его в отеле. Он не мог спокойно ни сидеть, ни стоять. Меж тем место за сценой, остававшееся в распоряжении Есенина, было совсем маленьким — еще шаг, другой, и его увидели бы из зрительного зала. От немногих людей, которые, как и поэт, находились за кулисами, он не мог (да, видимо, и не хотел) скрыть свои чувства. А лицо Есенина говорило о том, что на душе у него было тяжело.

М. Мендельсон, с. 496—497.

Есенин объездил ряд городов в восточных и центральных штатах, сопровождая Айседору в ее турне. Иногда она его выводила на сцену и произносила экспромтом коротенькую речь, в которой он упоминался как "второй Пушкин". Если верить газетной заметке, на ее первом выступлении (7 октября в Карнеги-Холл в Нью-Йорке) Есенин был в высоких сапогах, русской рубашке и шея его была обмотана длиннейшим шарфом. Но вряд ли роль "мужа своей жены" была по душе Есенину. К тому же во время поездки по Америке ему почти не с кем было обменяться словом. Как известно, с женой у него буквально не было общего языка. Это, может быть, тоже способствовало его злоупотреблению спиртными напитками.

А. Ярмолинский.
"Есенин в Нью-Йорке".
"Новый журнал". Нью-Йорк, 1954, с. 113.

...У Айседоры был контракт — танцевать в ряде городов восточных и центральных штатов. А Есенину оставалось ее "сопровождать", что было, конечно, несколько унизительно, ибо возила его Айседора, как некую "неговорящую знаменитость", после своих выступлений выводя на сцену и представляя публике как "второго Пушкина".

Р. Гуль, с. 201.

...поэт устроился в кресле перед нами, чтобы не видеть площади за окнами.

Постепенно возникло впечатление, что, расположившись подобным образом, Есенин проявил какой-то умысел. Вскоре я почувствовал, что поэт как будто сознательно стремился не задерживаться взглядом — хоть на одно мгновение — на открывавшейся перед нами панораме уличной жизни Нью-Йорка... Я снова и снова замечал, что, даже мечась по комнате, Есенин попрежнему старался не бросить даже мимолетного взгляда на окна. Он точно хотел доказать самому себе, что ему и впрямь нет никакого дела ни до толпы на улицах Нью-Йорка, ни до потоков машин, ни до небоскребов, каких он не мог видеть в Париже или Берлине. Ни до чего решительно... Поэт проявлял непонятное мне беспокойство. И оно росло с каждой минутой. Есенин вставал и тут же снова садился, сохраняя — я не мог этого не заметить — все ту же позицию. Он глядел на нас, но ни разу не обернулся к окнам. Снова и снова поэт как будто заставлял нас понять: то, что происходит за стенами гостиницы, его совершенно не интересует. Сидя в кресле или нервно бродя по комнате-клетке, Есенин все время находился как будто далеко от Нью-Йорка. Это был своего рода вызов тому миру, в котором он очутился. И, наконец, вопрос Бурлюка, повторенный бог знает в который раз ("Так что же желал бы Сергей Александрович увидеть в своеобразнейшем городе Нью-Йорке?"), вызвал у Есенина особенно резкую вспышку. Он вскочил с места, пробежал по комнате, а затем в неожиданно категорической форме — от первоначальной куртуазности не осталось почти следа — объявил: никуда он здесь не хочет идти, ничего не намерен смотреть, вообще не интересуется в Америке решительно ничем... Я, конечно, понимал, что Бурлюк ведет себя очень странно, что он теряет контроль над собой. А все же я не сомневался в том, что он искренне хотел бы сделаться чем-нибудь полезным Есенину. И мне стало жаль Давида Давидовича, который, став эмигрантом, уже не был в состоянии разговаривать с гражданином Советской страны как равный с равным. Мне даже показалось, что в единственном глазу Бурлюка блеснула слезинка... Неужели вам не хочется понять, сказал я Сергею Есенину, как живут люди в этом многомиллионном городе, что они делают, например, там, на площади? Неужели вас не занимает, в каком настроении американцы возвращаются домой после целого дня изматывающей работы?

Своего рода вызов, который прозвучал в этих словах, не рассердил Есенина. Он внимательно меня выслушал. А затем улыбнулся — впервые, пожалуй, за все это время.

Только позднее, много позднее мне удалось понять, что за есенинскими словами о полном отсутствии у него интереса ко всему, что он увидел в Америке, таилось нечто иное. Однако у поэта не возникало желания раскрыть душу перед незнакомыми людьми. Да, он вдруг подобрел, и на лице его сохранилась обрадовавшая меня улыбка. Но затем, обращаясь ко мне, повторил, что ему нет дела до того, что творится там... И он показал рукой на окна.

На этом встреча пришла к концу. Бурлюк и я попрощались и ушли...

М. Мендельсон.
В сб. "С. А. Есенин в восп. современников".
М., "Худ. лит.", 1986, с. 30.*

Нужно напомнить, что было это в 1923 году, когда Леф прославлял красоту нью-йоркских небоскребов, когда был в моде НОТ (научная организация труда) — за два года до поездки в Америку Маяковского.

И. Эренбург, с. 588.

Но все же не в обстоятельствах личной жизни Есенина таились главные причины столь удивившего меня вызывающего отсутствия интереса поэта к Америке. Да и точно ли это было равнодушие?

Ответить на мучивший меня вопрос я не имел возможности на протяжении долгого времени. Я мог только удрученно строить догадки, которые сам же был вынужден позднее признать не вполне обоснованными. Но все же в ощущении, создавшемся у меня еще во время первой встречи с Есениным, что из этой страны он хочет бежать без оглядки, была доля правды.

Всю правду я понял только позднее. Но это уж не моя заслуга — вскоре после возвращения из США Есенин опубликовал в "Известиях" цикл очерков, дав ему поразительное по глубине и силе мысли название — "Железный Миргород". Читая их, я понял, что поэт был далек от безразличия к

---

* Далее — по этому изданию.

самой крупной на земном шаре арене собственнических страстей. Скорее, наоборот, он был потрясен увиденным — и вовсе не просто как вчерашний крестьянин, попавший в царство машин (бытовала в свое время и такая версия). Нет, это было иное чувство — яростная неприязнь к миру буржуазной бездуховности, где человек становится жертвой индустриального кризиса и вызывающей рекламы. Конечно, это ясно всякому читателю “Железного Миргорода”. Но я, смею думать, ощутил пафос этой книги с особенной остротой — ведь я видел Есенина в Америке.

М. Мендельсон, с. 498—499.

— Я дальше соседнего угла и не ходил. Думаю — заблудишься тут к дьяволу, и кто тебя потом найдет? Один раз вижу — на углу газетчик, и на каждой газете моя физиономия. У меня даже сердце екнуло. Вот это слава! Через океан дошло.

Купил я у него добрый десяток газет, мчусь домой, соображаю — надо тому, другому послать. Я прошу кого-то перевести подпись под портретом. Мне и переводят:

“Сергей Есенин, русский мужик, муж знаменитой, несравненной, очаровательной танцовщицы Айседоры Дункан, бессмертный талант которой...” и т. д. и т. д.

Злость меня такая взяла, что я эту газету на мелкие клочки изодрал и долго потом успокоиться не мог. Вот тебе и слава! В тот вечер спустился я в ресторан и крепко, помнится, запил. Пью и плачу. Очень уж мне назад, домой, хочется. И тут подсаживается ко мне какой-то негр. Участливо так спрашивает меня. Я ни слова не понял, но вижу, что жалеет. Хорошая у нас беседа пошла.

— Постой, как же вы с ним говорили? Ведь ты же английского языка не знаешь.

— Ну уж так, через пятое в десятое. Когда человек от души говорит, все понять можно. Он мне про свою деревню рассказывает, я ему про село Константиново. И обоим нам хорошо и грустно. Хороший был человек, мы с ним потом не один вечер так провели. Когда уезжать пришлось, я его все в Москву звал: “Приедешь, говорю, родным братом будешь. Блинами тебя русскими накормлю”. Обещал приехать.

В Америке только он мне и понравился...

Вс. Рождественский, с. 115.

...Айседора Дункан, оставленная Есениным, рассказывала мне со слезами на глазах:

— О, это было такое несчастье!.. Вы понимаете, у нас в Америке актриса должна бывать в обществе — приемы, балы... Конечно, я приезжала с Сережей... Вокруг нас много людей, много шума... Везде разговор... Тут, там называют его имя... Ему казалось всегда, что над ним смеются, издеваются, что его оскорбляют... мы немедленно уезжали... А как только мы входили в свой номер... я еще в шляпе, в манто... он хватал меня за горло и, как мавр, начинал душить... "Правду, сука!.. Правду!.. Что говорила обо мне твоя американская сволочь?" А я могу уже только хрипеть: "Хорошо говорили, очень хорошо"... Но он никогда не верил... Никогда!.. Ах, это был такой ужас, такое несчастье!.."

А. Мариенгоф.
Мой век..., с. 376—377.

— Когда приехали мы в Америку, — рассказывал он, — закатили нам обед роскошный. Ну, блестели там скатерти, приборы. От вина, блюд и хрусталя всякого стол ломился, а кругом все хари толстые, с крахмальными грудями сидели — смотреть было тошно. И так это мне скучно стало, и поделать ничего не могу. "Интернационал" — и то спеть не стоит, — не поймут, не обозлятся даже. Я это с тоски взял да и потянул скатерть со стола. Все на пол поехало, да им на манишки. Вот дело-то было! Ха-ха-ха!

Это рассказано было мимоходом, когда к слову пришлось...

С. Виноградская.
Как жил Есенин.
М., Б-ка "Огонек",1926, № 201, с. 14.

Есенин — анархист, он обладает "революционным пафосом", — он талантлив. А — спросите себя: что любит Есенин? Он силен тем, что ничего не любит, ничем не дорожит. Он, как зулус, которому бы француженка сказала: ты — лучше всех мужчин на свете! Он ей поверил, — ему легко верить, — он ничего не знает. Поверил и закричал на все и начал все лягать. Лягается он очень сильно, очень талантливо, а кроме того, — что? Есть такая степень опьянения, когда человеку хочется ломать и сокрушать, ныне в таком опьянении живут многие. Ошибочно думать, что это сродственно революции по существу, это настроение соприкасается ей лишь формально, по внешнему сходству.

М. Горький — Е. К. Феррари.
Сааров, 10 октября 1922 г.

— Да, я скандалил, — говорил он мне однажды, — мне это нужно было. Мне нужно было, чтобы они меня знали, чтобы они меня запомнили. Что, я им стихи читать буду? Американцам стихи? Я стал бы только смешон в их глазах. А вот скатерть со всей посудой стащить со стола, посвистеть в театре, нарушить порядок уличного движения — это им понятно. Если я это делаю, значит, я миллионер, мне, значит, можно. Вот и уважение готово, и слава и честь! О, меня они теперь лучше помнят, чем Дункан.

Л. Повицкий, с. 243.

Пил он и в Америке, стране "сухого закона". С этим законом он, конечно, сразу же вступил в конфликт.

— Понимаешь,— рассказывал он мне с полусерьезным возмущением, — привязался ко мне ихний шпик: зачем спирт в номере держу? Взятки требовал.

— Так ведь он по-английски требовал. Как же ты понял?

Улыбается.

— Как не понять! "Money", — говорит, — и пальцами показывает. Пришлось.дать.

Э. Я. Герман.
Из "Книги о Есенине", с. 161.

Не случайностью является и то, что Есенин не изучил ни одного иностранного языка.

Как-то в разговоре он сказал мне, что ему "это мешало бы". В одном письме из Америки Есенин писал: "...Кроме русского, никакого другого не признаю и держу себя так, что ежели кому-нибудь любопытно со мной говорить, то пусть учатся по-русски".

И. Шнейдер, с. 305—306.

...Кроме русского, никакого другого не признаю и держу себя так, что ежели кому-нибудь любопытно со мной говорить, то пусть учится по-русски.

Есенин — А. Б. Мариенгофу.
Нью-Йорк, 12 ноября 1922 г.

... И правда, на кой черт людям нужна эта душа, которую у нас в России на пуды меряют. Совершенно лишняя штука эта душа, всегда в валенках, с грязными волосами и бородой Аксенова. С грустью, с испугом, но я уже начинаю учиться говорить себе: застегни, Есенин, свою душу, это так же неприятно, как расстегнутые брюки.

Есенин — А. Б. Мариенгофу.
Нью-Йорк, 12 ноября 1922 г.

Он промчался по Европе, по Америке и ничего не заметил.

И. Эренбург, с. 591.

Европы он, путешествуя по ней, не замечал. Не нужна она была его русским стихам! А глаза у него были зоркие. Вернувшись из Америки, рассказывал:

— Германия, Миша, серьезней. В Америке все грандиозно, но на живую нитку. Вот — Рур...

Говорил я как-то на ту же тему с нашим крупным хозяйственником. Побывавший и в Америке и в Германии, он выразил свои впечатления от этих двух стран теми же словами, что Есенин.

Э. Я. Герман.
Из "Книги о Есенине", с. 160.

Я спросила Сережу, понравилась ли ему Америка? В ответ он пожал плечами:

— Громадные дома, дышать нечем, кругом железобетон, и души у них железобетонные.

— А как же вы объяснялись, говорили с ними? Ведь вы английским не владеете?

— Я никаким (иностранным) языком не владею и не хочу, пусть они по-русски учатся, — да и говорить не с кем и не о чем. Кругом лица хитрые и все бормочут: "Бизнес, бизнес..."

Мы дружно рассмеялись, потом Сережа опять помрачнел:

— Не хочу вспоминать, приеду домой, в Россию, и все и всех забуду — начисто забуду.

Мне показалось, что, говоря, "всех забуду", он подумал о Дункан...

В. Кострова, с. 293.

Затем дошли до стихотворения, в котором было слово "Бог". Вспомнив что-то смешное, Есенин усмехнулся и сказал:

— Большевики, вы знаете, запретили использовать в печати слово "бог". Они даже издали декрет по этому поводу. Раз, когда я показал свои стихотворения, редактор вернул их мне, требуя всех "богов" заменить другими словами. — Другими словами!

Я засмеялась и спросила, как же он поступил.

— О, я просто взял револьвер, пошел к этому человеку и сказал ему, что декрет или не декрет, а ему придется печатать вещи как они есть. Он отказался. Тогда я поинтересовался, случалось ли ему получать по морде, и сам пошел в наборный цех и поменял шрифт. Вот и все.

Услышав наши голоса и смех, Айседора вернулась с балкона и захотела узнать, в чем дело. Она с минуту помолчала и к моему удивлению сказала по-русски:

— А большевики прав. Нет бога. Старо. Глупо.

Есенин усмехнулся и сказал с иронией, как бы разговаривая с ребенком, который старается казаться взрослым и умным:

— Эх, Айседора! Ведь все от Бога. Поэзия и даже твои танцы.

— Нет, нет, — убежденно ответила Айседора по-английски. — Скажите ему, что мои боги — Красота и Любовь. Других — нет. Откуда ты знаешь, что есть бог? Греки это поняли давно. Люди придумывают богов себе на радость. Других богов нет. Не существует ничего сверх того, что мы знаем, изобретаем или воображаем. Весь ад на земле. И весь рай.

В это мгновение Айседора, прекрасная и яростная, была сама похожа на Кариатиду. И вдруг она простерла руки и, указывая на кровать, сказала:

— Вот бог!

Лола Кинел.
В книге Куняевых "Сергей Есенин", с. 289.

В Бостоне ее выступление вызвало сканадал. В партер была введена конная полиция. Вдобавок ко всему Есенин, открыв за сценой окно, собрал целую толпу бостонцев и с помощью какого-то добровольного переводчика рассказывал правду о жизни новой России.

И. Шнейдер, с. 360.

Я сейчас русская. Я родилась в Америке. И если я "красная", как они говорят, тогда те, кто суетятся столь деловито, чтобы извлечь побольше алкоголя из вина, красоты — из театра и удовольствий — от жизни, они — серые...

Айседора Дункан.
Отрывки из интервью американским газетам.
1922— 1923 гг.

Публика галерки, прослышавшая о том, что на предыдущих концертах Дункан танцевала под музыку "Интернационала", хлынула в партер, требуя исполнения этого номера. Тут произошел единственный в истории театра случай: распахнулись двери огромного павильона, в партер... въехала конная полиция и начала разгонять публику.

И. Шнейдер, с. 274.

Люди в этой стране психически не в порядке. Они уверены, что они лучше во всем. А мы обязаны России весьма многим в нашей музыке, литературе и культуре...

Айседора Дункан.
Отрывки из интервью американским газетам.
1922— 1923 гг.

— Для танцовщицы, — говорила она обычно со смехом своим близким друзьям, пытавшимся отговорить ее от высказывания своих взглядов после каждого выступления, — для танцовщицы я в самом деле великий оратор!..

И. Дункан, А. Р. Макдугалл, с. 110.

Я ненавижу танец. Я — выразитель красоты. Я пользуюсь своим телом как медиум, как писатель пользуется словами. Не называйте меня танцовщицей.

Айседора Дункан.
Отрывки из интервью американским газетам.
1922— 1923 гг.

Ужасно, что мы привыкли считать зрелый возраст чем-то, что нужно скрывать. Женщины, если хотите, могут доказать власть духа над материей.

Айседора Дункан.
Отрывки из интервью американским газетам.
1922—1923 гг.

Многие, очевидно, полагают, что жизнь есть совокупность чрезвычайно скучных привычек, которые они называют добродетелями. Я не верю в смысл навешивания цепей и висячих замков на жизнь. Жизнь — это опыт, это приключение. Это экспрессия. Большинство американцев находятся под гипнозом неправильных представлений о жизни, принесенных в эту страну пуританами...

Айседора Дункан.
Отрывки из интервью американским газетам.
1922—1923 гг.

Эту большевистскую шлюху, которая носит недостаточно одежды, костыль ей вместо подстилки... я бы послал назад в Россию...

Билли Санди, проповедник.
По книге Куняевых "Сергей Есенин", с. 306.

Речи Айседоры, газетный шум привели к тому, что Дункан была лишена американского гражданства — за "красную пропаганду". Ей и Есенину было предложено покинуть Соединенные Штаты.

И. Шнейдер, с. 362.

Менеджер турне, встревоженный требованиями прервать выступления Дункан, дал ей телеграмму с предписанием не говорить больше никаких заключительных речей. Но ее не так легко было отговорить от одного из ее основных наслаждений в общественной жизни. Энтузиазм чикагской публики побудил ее выйти после исполнения на бис и сказать им с самой простодушной улыбкой:

— Мой менеджер говорит мне, что если я снова буду говорить речи, то мое турне погибнет. Я вернусь назад в Москву, где есть водка, музыка, поэзия — и танец. — Ах да, и свобода!

И. Дункан, А. Р. Макдугалл, с. 114.

Лучше всего, что я видел в этом мире, это все-таки Москва.

Есенин — А. Б. Мариенгофу.
Нью-Йорк, 12 ноября 1922 г.

Потом в журналах стали появляться фотографии: Есенин и Дункан в Берлине, в Париже, в Нью-Йорке. Краткие заметки сообщали о его выступлениях за рубежом. И только самые близкие друзья из редких писем узнавали о мучительных метаниях Есенина, о том, как тяготила его эта кочевая, неприкаянная жизнь, как рвался он домой.

В. Мануйлов, с. 467.

Милый мой Толя! Как рад я, что ты не со мной здесь в Америке, не в этом отвратительнейшем Нью-Йорке. Было бы так плохо, что хоть повеситься.

Есенин — А. Б. Мариенгофу.
Нью-Йорк, 12 ноября 1922 г.

Неудивительно, что именно тут, в Америке, произошли самые буйные и безобразные сцены сего кратковременного брака. О них есть два рассказа — Вен. Левина, журналиста, стихотворца, левого эсера, имажиниста, ставшего в Америке эмигрантом, и Абрама Ярмолинского, переводчика на английский и литератора. Я бы обошел их, если б они не приоткрывали некую серьезную страшную подробность из жизни Есенина.

Р. Гуль, с. 201.

Нашел Есенин и еще одного знакомого, русского эмигранта, приехавшего в Нью-Йорк из Шанхая в середине января 1923 года. Это был Вениамин Левин, пописывавший стихи журналист, вращавшийся в эсеровских кругах. Их познакомил Иванов-Разумник в Петрограде в 1917 году, и они были дружны в Москве в 1918—20 гг.

А. Ярмолинский, с. 115—116.

Уже завтра я как-то разузнал имя отеля на Пятом авеню, где остановились Есенин и Изадора, и Митя соединил меня с ним в телефонном разговоре. Оба мы были счастливы узнать голоса друг друга. Сергей Александрович захотел немедленно приехать ко мне, но трудность объяснения адреса толкнула нас поехать к нему: Митя хорошо знал, где расположен отель "Вашингтон", возле Вашингтон-Плейс. И через час мы втроем: Фаля, Митя и я уже входили в огромную комнату Есенина и Изадоры. Есенин был в шелковом темном халате, так же как и Изадора в утреннем халатике. Мы горячо обнялись, оба были несказанно рады чудесной встрече в Нью-Йорке, после Москвы 1918 и 1920 годов. Я был так счастлив, что едва заметил его новую подругу, которая, насколько помню, удивлялась горячему выражению наших дружеских чувств. Помню, что ей было это и радостно и немного завидно, что у юного ее друга такие горячие друзья. Сердце у Изадоры было прекрасное, и я знаю, что она вскоре полюбила нас, как собственных своих друзей.

Вен. Левин.
В сб. "Русское зарубежье о Есенине", с. 212.

Очень интересен скандал у еврейского поэта Манилейба, у меня имеется подробная запись очевидца.

Д. Д. Бурлюк — С. А. Толстой-Есениной.
Нью-Йорк, октябрь 1929 г.

Мы почти каждый день встречались в его отеле и в общей беседе склонялись, что хорошо бы создать свое издательство чистой поэзии и литературы без вмешательства политики — в Москве кричали "вся власть Советам", а я предложил Есенину лозунг: "вся власть поэтам". Он радостно улыбался, и мы рассказали об этом Изадоре. Она очень обрадовалась такому плану и сказала, что ее бывший муж Зингер обещал ей дать на устройство балетной школы в Америке шестьдесят тысяч долларов — половину этой суммы она определила нам на издательство на русском и английском языках. Мы были полны планов на будущее, и Есенин уже смотрел на меня как на своего друга-компаньона. И понимая, что у меня, как у вновь прибывшего в новую страну, с деньгами не густо — он выскочил на момент из комнаты и вдруг пришел с бумажкой в сто долларов.

— Это я вам пока... Я ведь вам должен много.

— Вы ничего не должны.

— Нет, должен, вы мне не раз давали.

— Я решительно не помню, чтобы я вам давал, но сто долларов от вас возьму с радостью. Они и нужны, а кроме того они от Вас, Сергей Александрович.

Он был тронут моим решением и тут же успокоительно сказал:

— Если у нас ничего не выйдет в Америке — вы мне их вернете в виде посылок в Россию.

Из этого я понял, что у него было не так уж много надежд на жизнь в Америке без России. Он был исключительно русским и на мое замечание, почему он не занимается английским языком, ответил, что боится испортить и забыть русский.

Вен. Левин, с. 221.

В Нью-Йорке, думается, он чувствовал себя лучше. Тут у него было несколько русских друзей. Одним из них был Леонид Гребнев (псевдоним Леонида Файнберга), который одно время входил в состав группы имажинистов. В Америке он начал писать на идиш и стал видным еврейским литератором... Гребнев свел Есенина с еврейским поэтом Брагинским, тоже выходцем из России, который печатался под псевдонимом Мани-Лейб (он скончался в 1953 году в преклонном возрасте). Почитатель Есенина, Мани-Лейб перевел несколько его стихотворений на идиш. Несмотря на разницу лет (Брагинскому было под сорок), Есенин довольно близко сошелся с ним и его женой, которая тоже писала стихи.

А. Ярмолинский, с. 231.

...В поэзии сейчас на мировой рынок выдвигается с весьма крупным талантом Мани-Лейб.

Мани-Лейб уроженец Черниговской губ. Россию он оставил лет 20 назад. Сейчас ему 38. Он тяжко пробивал себе дорогу в жизни сапожным ремеслом и лишь в последние годы стал иметь возможность существовать на оплату за свое искусство.

Он ознакомил [в] американских евреев [г] переводами на жаргонный язык с русской поэзией от Пушкина до наших дней и тщательно выдвигает молодых жаргонистов с [д] довольно красивыми талантами, от периода Гофштейна до Маркиша. Здесь есть стержни и есть культура.

Есенин.
Железный Миргород.
Материалы..., с. 309.

Однажды (кажется, это было в феврале 1923 года) я пришел к Есенину в отель и он сказал мне, что собирается на вечеринку к еврейскому поэту Мани-Лейбу, переведшему многие его стихи на еврейский язык. Он собирался туда с Изадорой и просил меня его сопровождать. Мне было неудобно по двум причинам — я был без Евфалии и не знал Мани-Лейба, значит должен был ехать в незнакомый дом. Есенин объяснил, что это не имеет никакого значения, что соберутся немногие его друзья и так как это формальный визит — он долго не продлится, и Евфалия этим не будет обижена. Я согласился.

Изадора оделась в легкое платье из розового тюля, напоминавшего ее балетные туники, скорее облако, чем платье, поверх которого было красивое меховое манто. Есенин был в новой пиджачной паре, так же как и Файнберг, один я был в будничном наряде. Я заметил это Сергею Александровичу, но он пояснил, что это не имеет никакого значения — мы едем к поэтам. И мы вышли из отеля, сели в такси вчетвером и отправились в далекий Бронкс.

Впервые в моей жизни ехал я в одном автомобиле с знаменитой танцовщицей, о которой только слышал в детстве, с нею рядом мой молодой друг, — ее муж, русский поэт; едем мы по неизвестному мне волшебному городу, Нью-Йорку, к каким-то неизвестным поэтам.

Вен. Левин, с. 222.

По окончании турне Айседоры, Есенину в Нью-Йорке удалось "разговориться". Он встретил прежнего приятеля Леонида Гребнева (Файнберга), который в Москве "ходил в имажинистах", а в Америке стал писать на идиш, сделав себе имя в еврейской печати. Встретил и другого "корешка", Вениамина Левина, бывшего левого эсера, с которым Есенин дружил в Москве 1918 — 20 годов. У еврейского поэта Брагинского, писавшего на идиш под псевдонимом Мани-Лейб, в скромной квартире, собрались еврейские поэты приветствовать Айседору Дункан и Сергея Есенина. Ну, разумеется, пили. А что же собравшимся вместе поэтам делать? Конечно, пить и читать свои стихи. Так и было...

Р. Гуль, с. 201.

Как-то раз они пригласили Есенина на вечеринку. Дело было в конце января. Обычно Есенин приезжал к ним один, но на этот раз он приехал в их скромную квартиру (на шестом этаже дома без лифта, в Бронксе) вместе с Айседорой в сопровождении Левина и Гребнева. Русский поэт и знаменитая танцовщица, конечно, немедленно стали центром внимания как хозяев, так и их многочисленных гостей. Спиртные напитки были тогда запрещены, но, как известно, незаконная торговля ими процветала. В тот вечер у Брагинских было много выпито и чета Есениных в этом усердно участвовала.

А. Ярмолинский, с. 231.

...сравнительно небольшая квартира еврейского рабочего-поэта была до отказа набита людьми, мужчинами и женщинами разного возраста, хорошо, но просто одетыми. Все собрались поглядеть на танцовщицу Изадору и ее мужа, поэта русской революции. Конечно, Изадора выделялась среди них своим совсем другого тона платьем и каждым поворотом своего тела, но она была исключительно проста и элегантна. Есенин сразу почувствовал, что попал на зрелище. Его не смутила богемная обстановка, выражавшаяся в том, что некоторые из гостей принесли с собой вино, целые колбасы, кондитерские пироги — для всеобщего угощения. Это все было понятно и ему и, вероятно, видавшей виды Изадоре. Собрались выходцы из России, большей частью из Литвы и Польши, рабочие, как-то связанные интересами с литературой.

Сам Мани-Лейб, высокий, тонкий, бледный, симпатичный, несомненно, даровитый поэт, и жена его, Рашель, тоже поэтесса, встретили гостей добродушно и радостно. Видно было, что все с нетерпением ждали нашего приезда. И как только мы вошли, начался вечер богемы в Бронксе. Какие-то незнакомые мужские фигуры окружили Изадору. Она улыбалась всем мило и радостно. Сразу же пошли по рукам стаканы с дешевым вином, и винные пары с запахом человеческого тела скоро смешались. Я слышал фразочки некоторых дам:

— Старуха-то, старуха-то — ревнует!..

Это говорилось по-еврейски, с наивной простотой рабочего народа, к которому они принадлежали, и говорилось это об Изадоре: это она была "старуха" среди них, лет на десять старше, но главное, милостью Божьей великая артистка, и ей нужно было досадить. При всем обществе Рашель обняла Есенина за шею и говорила ему что-то на очень плохом русском языке. Всем было ясно, что все это лишь игра в богему, совершенно невинная, но просто неразумная. Но в той бездуховной атмосфере, в какой это имело место, иначе и быть не могло.

Вен. Левин, с. 222—223.

Вечеринка с Есениными закончилась скандалом, описанным в упомянутых воспоминаниях Левина. Некоторые подробности этого печального инцидента рассказали мне Леонид Файнберг и его жена.

А. Ярмолинский, с. 231.

В "Новом журнале" рассказывается, что за год до приезда Есенина в Америку Ярмолинский совместно со своей женой, поэтессой и переводчицей Баббет Дейч, издал в переводе на английский язык сборник стихов русских поэтов. Эта антология включала и переводы нескольких есенинских произведений. Узнав об этом, поэт обратился к Ярмолинскому с просьбой издать отдельной книжкой его стихи на английском языке.

По признанию Ярмолинского, это предложение Есенина он "не принял всерьез". Его просто удивила просьба поэта. И переданные ему Есениным рукописи стихов остались лежать без движения.

Между тем Ярмолинский имел возможность привлечь к работе над стихами Есенина многих американских переводчиков, включая ту же Дейч. Осуществить желание поэта было вполне возможно. Видимо, изданию сборника есенинских стихов на английском языке помешало прежде всего то, что творчество советского поэта было чуждо супругам Ярмолинским. Когда несколько лет спустя в США приехал Маяковский, такое же безразличие, даже враждебность проявили эти люди и к нему, другому великому поэту, связавшему свою жизнь со Страной Советов.

М. Мендельсон, с. 498.

Скоро раздались голоса с просьбой, чтоб Есенин прочел что-нибудь. Он не заставил себя просить долго и прочел монолог Хлопуши из еще неизвестного мне тогда "Пугачева". Начинался монолог так:

> Проведите, проведите меня к нему.
> Я хочу видеть этого человека.

Вряд ли в Бронксе поняли Хлопушу из "Пугачева", несмотря на изумительное чтение автора. Но все же впечатление было большое. Мани-Лейб прочел несколько своих переводов из Есенина на идиш. Я спросил Сергея Александровича, нет ли у него возражения, чтоб я читал его "Товарища". Он одобрил, но, как мне кажется, без особого восторга. И я прочел довольно длинную поэму о мальчике Мартине и о Иисусе, который сидел на иконе "на руках у Матери".

"Товарищ" был принят слушателями хорошо, но и он, конечно, "не дошел" до них, наполовину иностранцев, как не дошел он и до нас — не иностранцев.

Вен. Левин, с. 222—223.

Есенин читал охотно. Иногда, правда, спотыкался.

Ю. Трубецкой, с. 154.

До известной степени это был литературный вечер. Хозяин продекламировал свои переводы из Есенина, Левин прочел его "Товарища", а сам Есенин монолог Хлопуши из "Пугачева" и разговор Чекистова с Замарашкиным, которым открывается "Страна негодяев". Выбор этой сцены для чтения был крайне бестактен. "Я знаю, что ты еврей", — говорит Замарашкин своему собеседнику. Так в печатном тексте. Из воспоминаний Левина, напечатанных в газете "Новое русское слово" от 9 — 13 августа 1953 г., явствует, что в прочитанном отрывке фигурировало слово "жид". Легко представить себе впечатление, которое это произвело на публику, состоявшую сплошь из евреев.

А. Ярмолинский, с. 231.

Есенина снова просили что-нибудь прочесть из последнего, еще неизвестного. И он начал трагическую сцену из "Страны негодяев". Продовольственный поезд шел на помощь голодающему району, а другой голодающий район решил этот поезд перехватить и для этого разобрал рельсы и спустил поезд под откос. И вот на страже его стоит человек с фамилией Чекистов... Из утреннего тумана кто-то пробирается к продовольствию, и Чекистов кричит, предупреждая, что будет стрелять:

— Стой, стой! Кто идет?

— Это я, я — Замарашкин.

Оказывается, они друг друга знают. Чекистов — охранник, представитель нового государства, порядка, а Замарашкин — забитый революцией и жизнью обыватель, не доверяющий ни на грош ни старому, ни новому государству и живущий по своим неосмысленным традициям и привычным страстям. Между ними завязывается диалог. Вряд ли этот диалог был полностью понят всеми или даже меньшинством слушателей. Одно мне было ясно, что несколько фраз, где было "жид", вызвали неприятное раздражение.

Вен. Левин, с. 222—223.

Пьяный Есенин прочел отрывок из "Страны негодяев". По рассказу В. Левина, Есенин, читая, будто бы изменил одну строку в устах своего героя Замарашкина — "Я знаю, что ты еврей" — прочел не "еврей", а "жид". Думаю, что Левин говорит правду, ибо все последующее это подтверждает. Этой "переменой" евреи возмутились.

Р. Гуль, с. 201—202.

А новые люди все прибывали в квартиру, уже невозможно было сидеть — все стояли, чуть-чуть передвигаясь, со стаканами вина в руках. И, оказавшись на минуту в стороне от четы Есениных, я услышал, как стоявший у камина человек среднего роста в черном пиджаке повторил несколько раз Файнбергу, угощавшему вином из бутылки:

— Подлейте ему, подлейте еще...

Позже я узнал и имя этого человека, автора нескольких пьес и романов — ему хотелось увидеть Есенина в разгоряченном состоянии. Обойдя кой-как комнату и прихожую, до отказа набитую разными пальто и шляпами, я снова очутился возле Есенина и Изадоры. Есенин был в мрачном настроении. Изадора это заметила и постаралась освободиться от рук нескольких мужчин, налегавших на нее. Она придвинулась к нему и очень мило оттерла от него Рашель. А он разгорался под влиянием уже вина. И огромная неожиданная толпа, которая пришла глазеть на них, и невозможность высказать все, что хотелось, и вольное обращение мужчин с его Изадорой, и такое же обращение женщин с ним самим, а главное — вино: и вдруг он, упорно смотревший на легкое платье Изадоры, схватил ее так, что ткань затрещала и с матерной бранью не отпускал... На это было мучительно смотреть — я стоял рядом: еще момент, и он разорвет ткань и совершится какое-то непоправимое оскорбление женщины в нашем присутствии, в моем присутствии. И кем? Любимым мною Есениным... Момент, и я бросился к нему с криком:

— Что вы делаете, Сергей Александрович, что вы делаете? — и я ухватил его за обе руки.

Он крикнул мне:

— Болван, вы не знаете, кого вы защищаете!..

И он продолжал бросать в нее жуткие русские слова, гневные. А она — тихая и смиренная, покорно стояла против него, успокаивая его и повторяя те же слова, те же ужасные русские слова.

— Ну хорошо, хорошо, Сережа, — и ласково повторяла эти слова, вряд ли понимая их значение: ать, ать, ать... ать...

И все-таки он выпустил ее платье и продолжал выкрикивать: кого защищаете, кого защищаете?

Изадора продолжала ласкаться к нему. Сзади где-то послышались женские голоса (скорей один голос): "Старуха-то ревнует". На Изадоре что-то оказалось порванным и ее оттерли от Есенина, увели в соседнюю комнату. Мы не заметили, как это совершилось, мужчины и женщины стали его уговаривать, успокаивать, оттерли и меня от него.

Вся квартира загудела, словно улей, Изадора не показывалась — может быть, платье на ней было сильно порвано, может быть, ее не выпускали женщины из другой комнаты. Есенин стал нервно кричать:

— Где Изадора? Где Изадора?

Он не заметил, что она в другой комнате. Ему сказали, что она уехала домой. Он бросился в прихожую, шумел, кричал. Еще момент — и я увидел Есенина бегущего вниз, в одном пиджачке. За ним неслись Мани-Лейб и еще несколько человек, Есенина втащили обратно, он упирался и кричал. Я не вернулся в квартиру и ушел. Было уже за полночь.

Вен. Левин, с. 224—225.

А когда Айседора согласилась танцевать и начала танец, это привело пьяного Есенина в такое дикое бешенство, что, ругаясь матерной бранью, он бросился на нее с кулаками, грозя убить. Все пришли Айседоре на помощь, стали Есенина унимать. Но это было нелегко. В этой достаточно безобразной сцене Есенин будто бы пытался выброситься из окна, а Айседора дала понять, что он подвержен "припадкам" и посоветовала для его же пользы его связать. Но когда присутствовавшие начали вязать Есенина веревкой для сушки белья, он, естественно, пришел в еще большее бешенство, дрался, сопротивлялся, крыл схвативших его евреев — "проклятыми жидами", кричал — "распинайте меня, распинайте!" Обруганный "жидом" Брагинский будто бы дал Есенину пощечину, а тот плюнул ему в лицо. Вообще поэтическая вечеринка оказалась мало "поэтичной".

Р. Гуль, с. 201—202.

После поэзии настала очередь хореографии. Уступая просьбе, Айседора согласилась танцевать. Для нее расчистили место, и один из гостей сел за рояль. Почему-то это привело в бешенство Есенина, который к тому времени сильно охмелел. Он бросился на Айседору с кулаками, пытался сорвать с нее платье, ругался матерно, поносил ее отборными словами, грозил убить. Все попытки унять его были тщетными. Наконец, Айседору удалось увести в другую комнату. Не видя ее и решив, что она уехала, Есенин выбежал из дому. Хозяин и несколько гостей бросились за ним и убедили его вернуться. Он вернулся, потом опять убежал, но его опять вернули. Есенин пытался выброситься из окна на лестничной площадке. Айседора дала понять окружающим, что он подвержен такого рода припадкам, и посоветовала смочить ему голову холодной водой. Когда это не помогло, по ее совету, Есенина связали веревкой для сушки белья. Здесь разыгралась безобразная сцена. Есенин сопротивлялся, обзывал старавшихся его урезонить "проклятыми жидами", кричал, что пожалуется на них Троцкому, кричал: "Распинайте меня! Распинайте меня!" Левин, который уехал после того, как Есенин убежал из дому, рассказывает со слов Брагинского, что, обруганный "жидом", Брагинский дал Есенину пощечину, а тот плюнул ему в лицо.

А. Ярмолинский, с. 231—232.

...Но вот что случилось после моего ухода.

Есенин вторично бежал из квартиры. Мани-Лейб еще с некоторыми (с ними и Файнберг) нагнали его. Их остановил полицейский, и они должны были объяснить ему всю историю — человек выпил лишнего. Ирландец-полицейский сразу это понял и велел вести его домой. Снова пришли на квартиру Мани-Лейба. Есенин сделал попытку выброситься в окно пятого этажа. Его схватили, он боролся.

— Распинайте меня, распинайте меня! — кричал он.

Его связали и уложили на диван. Тогда он стал кричать:

— Жиды, жиды, жиды проклятые!

Мани-Лейб ему говорил:

— Слушай, Сергей, ты ведь знаешь, что это оскорбительное слово, перестань!

Сергей умолк, а потом повернувшись к Мани-Лейбу, снова сказал настойчиво:

— Жид!

Мани-Лейб сказал:

— Если ты не перестанешь, я тебе сейчас дам пощечину.

Есенин снова повторил вызывающе:

— Жид!

Мани-Лейб подошел к нему и шлепнул его ладонью по щеке. (Он с улыбкой показал мне, как это он сделал).

Есенин в ответ плюнул ему в лицо. Но это разрядило атмосферу. Мани-

Лейб выругал его. Есенин полежал некоторое время связанный, успокоился и вдруг почти спокойно заявил:

— Ну, развяжите меня, я поеду домой.

Вен. Левин, с. 226.

Кончилось все это тем, что Есенин все-таки уехал. По одной версии, его отвезли в гостиницу, по другой, несмотря на свое невменяемое состояние, он умудрился один нанять такси и благополучно добрался до отеля. Айседора предпочла остаться ночевать у Брагинских.

А. Ярмолинский, с. 232.

Что всего ужаснее — назавтра во многих американских газетах появились статьи с описанием скандального поведения русского поэта-большевика, "избивавшего свою жену-американку, знаменитую танцовщицу Дункан". Все было как будто правдой и в то же время Есенин был представлен "антисемитом и большевиком", переводили содержание статей в английской и я сам читал их в европейско-американской печати. Стало ясно, что в частном доме Мани-Лейба на "вечеринке поэтов" присутствовали представители печати — они-то и предали "гласности" всю эту пьяную историю, происшедшую в пятницу. Не будь скандала в газетах, об этом не стоило бы и вспоминать, но история эта имела свое продолжение.

Вен. Левин, с. 225.

Вечеринка происходила в пятницу. Суббота прошла без инцидентов — я был целый день дома, разбираясь в происшедшем накануне. В воскресенье утром меня вызвала к телефону Изадора и трогательно просила приехать к Есенину — он лежит, болен. Я, конечно, тотчас же обещал. Она предупредила, что находится теперь в другом отеле — Трейд Нортерн на 57-й улице. Через час я уже был у них и нашел Есенина в постели. Изадора ушла к стенографу, и мы были наедине. Есенин был немножко бледней обычного и очень учтив со мною и деликатен. И рассказал, что с ним произошел эпилептический припадок. Я никогда прежде не слышал об этом. Теперь он рассказал, что это у него наследственное, от деда. Деда однажды пороли на конюшне и с ним приключилась падучая, которая передалась внуку. Я был потрясен. Теперь мне стало понятно его поведение у Мани-Лейба накануне припадка, мрачное и нервное состояние. Мы мирно и дружески беседовали. Он с досадой рассказывал о газетных сплетнях, будто он "большевик и антисемит".

— У меня дети от еврейки, а они обвиняют меня в антисемитизме, — сказал он с горечью.

Вен. Левин, с. 225—226.

На другой день Брагинские навестили виновника скандала и восстановили с ним дружеские отношения. Есенин счел нужным также послать им письменное извинение. Оно без даты и написано на почтовой бумаге гостиницы "The Great Northern Hotel" на 57-й улице, в которую Дункан и Есенин перебрались из фешенебельного Walfdorf-Astoria...

А. Ярмолинский, с. 232.

Но на другой день поэты, разумеется, помирились. Мани-Лейб с женой приехали к Есенину в отель восстановить дружбу. А душевно и физически разбитый Есенин написал Мани-Лейбу письмо, которое Ярмолинский приводит в подлинном его написании (со всеми ошибками и недописками):

"Милый Милый Монилейб!

Вчера днем Вы заходили ко мне в отель, мы говорили о чем-то, но о чем я забыл потому что к вечеру со мной повторился припадок. Сегодня я лежу разбитый морально и физически. Целую ночь около меня дежурила сест. милосердия. Был врач и выпрыснул морфий.

Дорогой мой Мони Лейб! Ради Бога простите и не думайте обо мне, что я хотел что-нибудь сделать плохое или оскорбить кого-нибудь. Поговорите с Ветлугиным, он Вам больше раскажет. Это у меня та самая болезнь, которая была у Эдгара По, у Мюссе. Эдгар По в припадках разб. целые дома.

Что я могу сделать мой Милый Милый Монилейб, дорогой мой Монилейб! Душа моя в этом невинна, а пробудившийся сегодня разум повергает меня в горькие слезы, хороший мой Монилейб! Уговорите свою жену чтоб она не злилась на меня. Пусть постарается понять и простить. Я прошу у Вас хоть немного ко мне жалости.

Любящий Вас Всех

Ваш С. Есенин.

Передайте Гребневу все лучшие чувства к нему. Все ведь мы поэты братья. Душа у нас одна, но по-разному она бывает больна у каждого из нас. Не думайте, что я такой маленький что-бы мог кого-нибудь оскорбить. Как получите письмо передайте всем мою просьбу простить меня".

Что в письме идет речь об эпилепсии — ясно. И Левин пишет, что, когда он пришел к Есенину через два дня после вечеринки, тот ему сказал, что все это буйство на вечеринке кончилось припадком эпилепсии, которую Есенин унаследовал от деда. Мы знаем, что в одном из своих стихотворений Есенин писал — "одержимый тяжелой падучей". Но я всегда думал, что это только "стилистическая фигура", а никак не самая настоящая "медицина".

Р. Гуль, с. 202—203.

Что в письме речь идет об эпилепсии — это ясно так же, как и из воспоминаний Левина. Когда он наведался к Есенину через два дня после вечеринки, тот ему объяснил, что дебоширство его закончилось припадком эпилепсии, которую он унаследовал от деда. В одном из его стихотворений, датированном 1923-м годом, Есенин говорит о себе: "Одержимый тяжелой падучей." По-видимому, он считал По и Мюссе эпилептиками, хотя с этим и не вяжется замечание, что По в своих припадках "разбивал целые дома".

А. Ярмолинский, с. 233.

Радуйтесь, идиоты!.. Да, человек Есенин болен тою же болезнью, от которой погибли Магомет, Достоевский. "Священная болезнь" — падучая.

Да, у него периодические припадки...

Да, первый встречный искатель навоза может, напоив Есенина пьяным, вызвать его буйный припадок, спровоцировать его на самый ужасный поступок.

Да, в таких встречных не было недостатка ни в Париже, ни в Нью-Йорке, ни в Венеции, ни в Москве. В каждом городе, где был Есенин, находились садисты — любители созерцать падение высокой личности...

А. Ветлугин.
Нью-Йорк. "Русский голос". (1923, 26 ноября).

...На мой вопрос, есть ли интерес к поэзии в Москве, он с горечью заметил:

— Кто интересуется поэзией в Москве? Разве только девушки... (И подумав несколько секунд, добавил) — да и то — еврейские.

Это было так неожиданно. В его устах это звучало жалобно и нежно.

Вен. Левин, с. 217.

По-видимому, евреи самые лучшие ценители искусства, потому ведь и в России, кроме еврейских девушек, никто нас не читал.

Есенин — А. Б. Мариенгофу.
Нью-Йорк, 12 ноября 1922 г.

Еще до того, как в комнату вошел Мани-Лейб, я предложил Есенину, чтоб он написал мне своей рукой тот отрывок о Чекистове и Замарашкине, который он читал в Бронксе, и который, по-моему мнению, и вызвал обвинения в "антисемитизме". Я объяснил ему, что на всякий случай я буду третьим лицом, с документом в руках опровергну этот просто невежественный выпад, основанный на незнании языка и духа его. Он обещал и обещание свое выполнил. В день отъезда из Нью-Йорка, когда я его провожал, он передал мне эти страницы, исписанные его четким бисерным почерком, точно так, как он читал, но не так, как это место было опубликовано позже в России. Там было кой-что изменено, и место это стало менее ярким. К сожалению, страницы эти погибли через много лет во Франции, в Ницце, где уничтожен был детьми целый чемодан моих рукописей, среди них и эта. Но перед отъездом из Нью-Йорка в 1929 году, предчувствуя, что подобное может произойти, я сделал два фотостата с этих страниц и передал их: 1) в русский отдел нью-йоркской Публичной библиотеки, и 2) в отдел авторских манускриптов той же библиотеки.

Вен. Левин, с. 227.

Замарашкин
Слушай, Чекистов!..
С каких это пор
Ты стал иностранец?
Я знаю, что ты настоящий жид.
Ругаешься ты, как ярославский вор,
Фамилия твоя Лейбман,
И черт с тобой, что ты жил
За границей...
Все равно в Могилеве твой дом.

Чекистов
Ха-ха!
Ты обозвал меня жидом.
Нет, Замарашкин!
Я гражданин из Веймара
И приехал сюда не как еврей,
А как обладающий даром
Укрощать дураков и зверей.

Текст поэмы "Страна негодяев", прозвучавший на вечере у Мани-Лейба.*

Левин рассказывает, что Есенин собственноручно написал для него прочитанный им на вечере диалог и что в 1929 году Левин "передал" два фотостата этой рукописи в нью-йоркскую публичную библиотеку, но что подлинник ее позже погиб. По-видимому, память изменила покойному Левину. Могу сказать с уверенностью, что снимки эти в библиотеку не поступали.

А. Ярмолинский, с. 231.

...Чекистов объясняет всю нелепость акта против поезда помощи голодающим. Замарашкин явно не доверяет идеологии Чекистова, уличая его в личных интересах, и даже в том, что он — не русский, Замарашкин откровенен:

— Ведь я знаю, что ты — жид, жид пархатый, и что в Могилеве твой дом.

— Ха-ха! Ты обозвал меня жидом. Но ведь я пришел, чтоб помочь тебе, Замарашкин, помочь навести справедливый порядок. Ведь вот даже уборных вы не можете построить... Это меня возмущает... Оттого, что хочу в уборную, а уборных в России нет.

Странный и смешной вы народ,
Весь век свой жили нищими,
И строили храмы Божии.
А я б их давным-давно
Перестроил в места отхожие.

Вен. Левин.
Из машинописного текста,
хранящегося в РГАЛИ. Ед. хр. 299.

_____

* Курсивом выделены строки, не публиковавшиеся в изданиях Есенина.

Как раз после истории в Бронксе Есенин получил пачку авторских экземпляров своей книжки, вышедшей в Берлине в издательстве Гржебина.
Одну такую книжку он подарил мне с трогательной надписью — "с любовью".

Другой экземпляр он подарил Мани-Лейбу, с надписью: "Дорогому
другу — жиду Мани-Лейбу". И, многозначительно посмотрев на него,
сказал: "Ты меня бил". Значит он помнит события в Бронксе. Мани-Лейб
мне признался, что он молча взял книжку, но, выйдя из отеля, зачеркнул
слово "жиду" — не выдержал этой дружеской шутки.

Вен. Левин, с. 227—228.

Одно скажу: у Есенина не было антисемитских настроений, у него была
влюбленность в народ, из которого вышел Спаситель Мира. <...> Есенинский "жид" — ласковое слово любимому человеку. Но такова русская душа,
что любит "ласкать и карябать." ...Так что не нужно пугаться его горячих
слов, как это многие делают. На канве жизни Есенина расшита ткань тро-
гательных взаимоотношений русского и еврейского народа. Во всяком случае нужно сохранить его слова, впрочем, как найдете нужным. Все равно
тема не исчерпана и только начинается. Любовь и ненависть идут бок о
бок...

В. Левин — С. Маковскому,
редактору газеты "Русская мысль".
15 января 1953 г., Нью-Йорк.

Я видел, что причина трудности лежит не в стране, а в людях. Я так
всегда думал. Америка — страна, нелегкая для культуры. Но что удиви-
тельней всего, так это то, что именно в Америке удалось ошельмовать
самого яркого представителя русского антиматериализма, антибольше-
визма, ошельмовать до такой степени, что ему стало невозможно самое
пребывание здесь. На него приклеили ярлык большевизма и антисеми-
тизма — он возвратился в Советский Союз, где хорошо знали его "как
веруеши", все его слабые человеческие места, и на них-то и построили
"конец Есенина"...

Вен. Левин, с. 226—227.

Можно себе представить, до каких размеров вырастали эти слухи в Москве, еще с грибоедовских времен сохранившей славу первой сплетницы
матушки России.

В. Катаев, с. 431.

...Позже я несколько раз встречался с одной молодой матерью-еврей-
кой, не помню ее фамилии — она тоже присутствовала на том вечере в
Бронксе. Ее русский язык был далеко не идеальным, но она каким-то чутьем поняла и Есенина, и Дункан — и сказала:

— Какие они изумительные и какие большие! И какие все другие оказались незначительными и "маленькими".

Вен. Левин, с. 39.

Есенин рассказывает:

— Искусство в Америке никому не нужно. Настоящее искусство. Там можно умереть душой и любовью к искусству. Там нужна Иза Кремер и ей подобные. Душа, которую у нас в России на пуды меряют, там не нужна. Душа в Америке — это неприятно, как расстегнутые брюки.

И. Грузинов, с. 354.

Почти каждый день я продолжал встречаться с Есениным и с Изадорой. Настроение у них было грустное. Через несколько дней они уже должны были сесть на пароход. Провожающих было всего несколько человек. Изадора жаловалась, что никто даже цветов не прислал. Мы попрощались дружески, но было грустно.

Вен. Левин, с. 227.

... Материализм — проклятие Америки. Последний раз вы видите меня в Америке. Лучше я буду жить в России на черном хлебе и водке, чем здесь в лучших отелях. Вы ничего не знаете о любви, пище духовной и об искусстве... Я не анархистка и не большевичка. Мой муж и я — мы революционеры. Все гении, достойные так называться, таковы. Каждый артист сегодня должен быть таков, если хочет оставить след...

*Запись слов Айседоры репортерами
перед отъездом из Нью-Йорка.*

Дни пребывания Есенина и Изадоры в Америке были сочтены. После истории в Бронксе им только и оставалось скорей сесть на пароход и ехать в Европу. "Друзья" отвернулись, за исключением очень немногих, газеты тоже. Кто-то сделал свое дело блестяще, причислив Есенина в лагерь большевиков. Какая была бы это сила, если б удалось сохранить ее для борьбы за свободу России!

Вен. Левин, с. 227.

Про Нью-Йорк говорил:
— Там негры на положении лошадей!

И. Старцев, с. 338.

— А в Нью-Йорке мне больше всего понравилась обезьяна у одного банкира... Стерва, в шелковой пижаме ходит, сигары курит и к горничной пристает...

*А. Мариенгоф.
Роман без вранья, с. 106.*

Есенин пробыл в Америке ровно четыре месяца, с 3-го октября 1922 по 3 февраля 1923 года, когда вместе с Айседорой отплыл в Европу.

А. Ярмолинский, с. 233.

...Да мы недолго там и пробыли. Скоро нас вежливо попросили обратно, и все, должно быть, потому, что мы с Дунькой не венчаны. Дознались какие-то репортеры, что нас черт вокруг елки водил.

Есенин — в передаче Вс. Рождественского, с. 308.

Когда через год в Нью-Йорк приехал Маяковский и выступил на нескольких литературных вечерах и кто-то подал ему записку с вопросом — какое течение представляет собою в России Есенин? — он, со свойственной ему грубостью, ответил, что Есенин представляет собою не течение, а "истечение водкой"... Сам Маяковский в своем отеле в Нью-Йорке не расставался с бутылкой вина — он был крепкого сложения, не чета слабому Есенину, и мог выпить много. Но и это ему не помогло. Мы знаем, что он не намного пережил Есенина и так же оказался жертвой не только диктатуры, но и собственной грубости ("ломовой извозчик поэзии", как назвал его Иванов-Разумник).

Вен. Левин, с. 227.

А когда вернулись в Европу, тут уж новый туман пошел. Я прямо с ума спятил. Не могу смотреть на все иностранное. С души воротит. Домой хочу. Хоть бы березу корявую, думаю, увидеть. Так бы ее в грудь и поцеловал, так бы и обнял покрепче!

Вс. Рождественский, с. 308.

Непривычный к суматошной артистической жизни и частым переездам из одного города в другой, Есенин уставал от этого путешествия.

— Поверишь, минуты не мог уделить работе, — с горечью вздыхал он, хмуря лоб, — чтобы сесть за стол, за стихи. То гости мешают, то встречи и банкеты. А останешься с Изадорой — и поговорить не о чем. Она по-русски ни бельмеса, я по-английски — тоже ни слова.

— Неужели ни слова?

— Понимать-то понимал, но разговаривал только на русском языке. Разве наш язык по богатству можно сравнить с любым иностранным? Там все — вундербар, или — о-кэй. "Как вам нравится наш русский лес?" — "О-кэй!" — "А наша русская зима?" — "О-кэй!" — "А наши девушки?" Все равно "о-кэй". В Берлине один немецкий драматург, собиравшийся в Москву, попросил меня найти такое слово, чтоб оно могло годиться в разговоре на любой случай. Подыскал я такое слово — чудесно. "Как вам русский лес?" — "Чудесно!" — "А девушки?" — "Чудесно!" Но он почему-то каждый раз забывал и отвечал: "Чедузно". Бывало спросишь: "Как вам наша русская зима?" — "Чедузно". Решил он всерьез русским языком овладеть. Читает по самоучителю: "Я поехал в Украину". Поправляю его: "По-русски надо сказать — на Украину". — "Понял: не "в", а "на". "Я поехал на Крым..." — "Не на Крым, а в Крым". — "Ага, понял. Я поехал в Кавказ..." — "В Кавказ не говорят. Правильно: на Кавказ". — "Ясно. Я поехал на Сибирь". "На Сибирь —

нельзя. В Сибирь". Рассвирепел он: "Доннер-веттер, когда — на, когда — в, какие же здесь правила?" — "А нет правил. Просто — на Кавказ и в Сибирь, на Украину и в Крым. Без всяких правил!" Нет, брат, ни одному иностранцу никогда не выучиться настоящему русскому языку! Это все запоминается с детства. У них — о-кэй, вундербар, а у нас на это двадцать слов с различными оттенками найдется: чудесно, обворожительно, прекрасно, великолепно, волшебно, восхитительно, сказочно, бесподобно, дивно, и бог знает еще сколько...

И так мне там тоскливо и тошно стало, просто невмоготу. Каждый день во сне вижу — то деревню, засыпанную снегом, то деда, то бабку с черным котом...

Напротив телеграфа мы спустились в подвальчик. Здесь за столом Есенин продолжил свой рассказ:

— По радио там с утра до вечера музыка, можешь слушать ее в любом городе, на любом расстоянии, сидя в собственной квартире. Но меня грызла тоска. Нестерпимо тянуло домой! На родину. Где так хорошо. Так сказочно. Дивно. Прекрасно. Обворожительно. Бесподобно. Волшебно. Восхитительно...

— И чедузно, — добавил Славянский, разливая по бокалам светлое цинандали.

И. Рахилло, с. 518—519.

— Париж — город зеленый, только дерево у французов какое-то скучное. Уж и так и сяк за ним ухаживают, а оно стоит, надув губы...

Вс. Рождественский, с. 114.

Еще более невероятное буйство произошло в Париже, когда Есенин и Айседора, вернувшись из Америки, остановились в фешенебельном Hotel Grillon. Здесь в своем пьяном безумии Есенин перебил зеркала, переломал мебель, Айседора спаслась бегством: бросилась вызвать доктора. Но когда вернулась, Есенина не застала, его арестовала французская полиция. Только с помощью каких-то влиятельных друзей Айседоре удалось освободить Есенина, тут же уехавшего в Германию, в Берлин, по пути в Москву.

Р. Гуль, с. 203.

"Если сомневаешься, где остановиться, — гласит один из любимых афоризмов Айседоры, — всегда иди в лучший отель". Прибыв в Париж с тем, что осталось от суммы, взятой взаймы у Л., она и Есенин отправились прямиком в отель "Крийон"...

И. Дункан, А. Р. Макдугалл, с. 120.

— Было это, мой друг, в Париже, в ресторане русском. С чего началось — неизвестно. На этот счет, впрочем, разные варианты имеются, но который из них верней, ей-богу, не помню! Факт тот, что я вскочил на стол и начал петь "Интернационал". Вот и все...

В. Эрлих, с. 13.

Возвращение в Париж, в Европу, — это было уже слишком для Есенина. Он сразу же попытался утопить все свои воспоминания об Америке в вине, или, скорее, в водке. Но алкоголь, поглощаемый с его славянской неумеренностью, вместо того, чтобы приносить забвение, пробуждал всех его демонов. Подобно маньяку, он ворвался однажды в свою спальню в отеле "Крийон" и сокрушил вдребезги все зеркала, рамы и двери. С трудом он был усмирен полицией и доставлен в ближайший участок... С каким ликованием американские газеты в Париже ухватились за эту сенсацию...

И. Дункан, А. Р. Макдугалл, с. 121.

Пятнадцатого февраля в "Hotel Grillon", где чета остановилась в Париже, он перебил зеркала и мебель в их номере. Во время этого буйства Айседора поспешила за доктором, но, вернувшись с ним в гостиницу, уже не застала Есенина: его арестовала полиция.

А. Ярмолинский, с. 233.

— Расскажите, как и почему вы там перебили зеркала в парижской гостинице?

Бил не он, уверяет Сергей, била Дункан. Приревновала, ну и вошла в раж. На шум явилась администрация. Я как джентльмен взял вину на себя...

Н. Вольпин, с. 332.

...всю ночь разговаривали. Говорили на самые разные темы. Я стала спрашивать о Дункан, какая она, кто и т. д. Он много рассказывал о ней. Рассказывал, как она начинала свою карьеру, как ей пришлось пробивать дорогу. Говорил так же о своем отношении к ней:

— Была страсть, и большая страсть. Целый год это продолжалось, а потом все прошло и ничего не осталось, ничего нет. Когда страсть была, ничего не видел, а теперь... Боже мой, какой же я был слепой, где были мои глаза. Это, верно, всегда так слепнут.

Рассказывал, какие отношения были. Потом говорил про скандалы, как он обозлился, хотел избавиться от нее и как однажды он разбил зеркало, а она позвала полицию.

Г. Бениславская, с. 65.

После своего первого выступления в "Прокадеро" 27 мая (1923 г. Париж. — *Ред.*) Айседора устроила прием для нескольких своих близких друзей — небольшой группы артистов и поэтов. Русскому поэту это общество пришлось не по вкусу, и он удалился наверх в свою комнату. Позже, когда кто-то играл сонату Бетховена, он ворвался туда с дикими глазами и взъерошенными золотыми волосами и заорал по-русски: "Банда надутых рыб, грязные половики для саней, протухшие утробы, солдатское пойло, вы разбудили меня!"

И, схватив канделябр, он швырнул его в зеркало, которое посыпалось на пол...

И. Дункан, А. Р. Макдугалл, с. 127.

... Вы утверждаете, что мой муж Сергей Александрович Есенин вернулся в наш номер в отеле "Крийон" и затем, перебив все в номере, швырял предметами в туалетный столик и в меня. Это неправда, как может подтвердить ночной портье в "Крийоне". Я вышла из отеля сразу же после прихода Есенина в сопровождении моей подруги мадам Говард Перч с тем, чтобы позвать для оказания помощи Есенину доктора Жюля Маркуса. Припадки бешенства, которыми страдает Есенин, обусловлены не одним лишь алкоголем, но частично являются результатом контузии, полученной во время войны...

Айседора Дункан.
Из письма в парижское отделение "Нью-Йорк геральд".
17 февраля 1923 г.

Был ли Есенин действительно контужен.
Снова вопрос?

А. Ветлугин, с. 135.

Из "Крийона", где управляющий с холодной вежливостью объявил ей, что присутствие ее печально известного спутника является нежелательным, Айседора и ее подруга миссис Перч перебрались в "Рейнский отель". Затем с помощью нескольких влиятельных друзей им удалось вырвать буйного и несчастного поэта из лап полиции. Освободив Есенина, Айседора решила скрыться от надоедливых репортеров, уехав с ним в Версаль и остановившись там в отеле "Трианон". Но американских газетчиков с их острым нюхом было не так легко сбить со следа, и их газеты все продолжали заполнять свои страницы возней вокруг танцовщицы и ее мужа...

И. Дункан, А. Р. Макдугалл, с. 123.

Ведь знала, что у Есенина визы нет, что въезд во Францию ему невозможен, да еще прицепился к ним какой-то длинный русский поэт в красной рубахе, с всклокоченными волосами и... с балалайкой.

И. Шнейдер, с. 367.

... На другой день ко мне прибежал взлохмаченный Кусиков и предложил купить большой гранатовый крест Айседоры, говоря: "Эта пьяница с утра коньяк хлещет, а ночью — шампанское, и Сережу споила"...

В. Кострова, с. 293.

Задолго до их отъезда в парижской газете "Эклер" появилась клеветническая статья писателя-эмигранта Мережковского об Есенине и Дункан...

который в своей статье назвал Есенина "пьяным мужиком" и обвинил Дункан, что она "продалась большевикам".

И. Шнейдер, с. 368.

Господин Мережковский осмеливается утверждать, что мой "юный супруг" бьет меня. Счастье для господина Мережковского, что его защищает его преклонный возраст, иначе Есенин заставил бы его проглотить эти слова. Есенин говорит: "Он старый, старый. А не то он у меня ответил бы за свои слова"... Я прекрасно понимаю, что г-н Мережковский никогда не смог бы существовать вблизи подобных людей, — талант всегда возмущается гением. Во всяком случае, я желаю г-ну Мережковскому весьма мирной старости в буржуазном приюте и почетных похорон с черными плюмажами и наемными плакальщицами в черных перчатках...

Айседора Дункан.
Из ответа на статью Д. Мережковского
во французской газете "Л'Эклер"
от 16 июня 1923 г.

Сейчас немного начинаю собираться уже в дорогу. После скандалов (я бил Европу и Америку, как Гришкин вагон) хочется опять к тишине с какой-нибудь Эмилией и Ирмой и нашими Гусаками.

Есенин — А. Б. Мариенгофу.
Париж, весна 1923 г.

Иногда он говаривал по поводу своих заграничных скандалов: "Ну, да, скандалил, но ведь я скандалил хорошо, я за русскую революцию скандалил". И повторял рассказ о том, как в Берлине на вечере белых писателей он требовал "Интернационал", а в Париже стал издеваться над врангелевцами и деникинцами, в отставке ставшими ресторанными "шестерками". И там и здесь его били.

А. Воронский, с. 72.

— Париж — совсем другое дело. В Париже жизнь веселая, приветливая. Идешь по бульварам, а тебе все улыбаются, точно и впрямь ты им старый приятель. Париж — город зеленый, только дерево у французов какое-то скучное. Уж и так и сяк за ним ухаживают, а оно стоит, надув губы. Поля за городом прибранные, расчесанные — волосок к волоску. Фермы беленькие, что горничные в наколках. А между прочим, взял я как-то комок земли — и ничем не пахнет. Да и лошади все стриженые, гладкие. Нет того, чтобы хоть одна закурчавилась и репейник в хвосте принесла! Думаю, и репейника-то у них там нет.

Вс. Рождественский, с. 307.

Господи! даже повеситься можно от такого одиночества. Ах, какое поганое время, когда Кусиков и тот стал грозить мне, что меня не впустят в Россию.

Есенин — А. Б. Мариенгофу.
Париж, весна 1923 г.

Выпил рюмку, другую; опять выпил. И заговорил о Берлине, о Лондоне, о Нью-Йорке. Никакого впечатления, казалось, не произвели на него мировые центры. Что-то зловещее, враждебное было для него в исчадиях техники, индустрии. Тоска пряталась под асфальтом, тоска по первозданному, по тому, что душу облекает в плоть, но что забываешь под этот лязг, под этот грохот, под этот выдуманный свет. Чем эффектнее были эти центры, тем милее становился ему родительский дом, поля снежные, тишина древняя, что царит и ввысь, и вдаль...

— Придешь с праздника бывало, — вспомнил он вдруг и замолчал... — Кругом снега, а ночи черные-черные, кажется, конца и нет, и не будет... Заснешь как убитый. И вдруг... Проснешься среди ночи. Прислушаешься. Тишина такая... Кажется, ты один на всем свете... Нет, не один... Что-то дышит еще, что-то бродит под окнами, не оставляя следа; что-то живет в этой жути, но жизнью не нашей, чужой человеку. И вместе с тем и над всем этим что-то звенит, звенит, звенит...

Опять выпил рюмку. Я попросил убрать водку.

Л. Клейнборт, с. 271.

1923 г. Есенин в Италии занимался гимнастикой, упал с трапеции, получил сильные ушибы, лечился несколько недель.

И. Грузинов, с. 354.

Прошлую субботу выражение Вашего лица мне показалось таким жалостно-болезненным, что я пожелала Вам еще горячей вернуться на милую Вам родину...

Г. Марллон — Есенину.
Гранд-отель-Пурвиль на море.
19 июня 1923 г.

Но его давно уже тянуло на Родину.

И. Шнейдер, с. 364.

Наконец было решено, что Есенину лучше вернуться в Россию, чем подвергаться риску попасть в непотребном виде во французскую полицию, которая была не слишком склонна видеть в русском буяне поэта или гражданина...

И. Дункан, А. Р. Макдугалл, с. 123.

С помощью влиятельных друзей Айседоре удалось выручить Есенина и через несколько дней он уехал через Германию в Россию.

А. Ярмолинский, с. 233.

...Весной 1923 года я был в берлинском ресторане Ферстера на Мотцштрассе. Кончив обедать, я шел к выходу. Вдруг меня окликнули по-русски из-за стола, где сидела большая шумная компания. Обернувшись, я увидел

Есенина. Я не удивился. Что он со своей Айседорой в Берлине, я уже слышал на днях от М. Горького.

Г. Иванов, с. 40.

Вторично я увидел Есенина (уже разорвавшего свой брак с Айседорой) в Берлине перед отъездом в Москву. В Шубертзале был устроен его вечер. Но это его выступление было мрачно. Кусиков рассказывал мне, что Есенин пьет в мертвую, что он "исписался", что написанные им стихи ничего не стоят. Когда Кусиков мне это говорил, я подумал: Моцарт и Сальери. Так оно и было.

Р. Гуль, с. 203—204.

... Есенин вышел "подышать воздухом", а Кусиков присел к столу.
— Он теперь все время такой, — начал Кусиков с грустью. — Пьет без просыпу, нервничает, плачет. Слова ему не скажи наперекор.

Н. Оцуп, с. 164.

Я видел Есенина в Берлине в начале 1923 года. С 1918 года я не встречал его. Есенина трудно было узнать. Не европейский лоск изменил его. Исчезла его бойкость, его веселье. Есенин был печален и как будто болен. Он растерянно, виновато улыбался и на самые обычные, пустые вопросы отвечал испуганно.

Г. Адамович, с. 90.

Шубертзал был переполнен. Тут уж привлекал не только Есенин — поэт, но и разрыв и скандал с Дункан. Это было размазано в газетах. Когда, встреченный аплодисментами, Есенин вышел на эстраду Шубертзала — я обмер. Он был вдребезги пьян, качался из стороны в сторону, и в правой руке держал фужер с водкой, из которого отпивал. Когда аплодисменты стихли, вместо стихов Есенин вдруг начал ругать публику, говорить какие-то пьяные несуразности и почему-то, указывая пальцем на Марию Федоровну Андрееву, сидевшую в первом ряду, стал ее "крыть" не совсем светскими словами. Все это произвело гнетущее впечатление. В публике поднялся шум, протесты, одни встали с мест, другие кричали: "Перестаньте хулиганить! Читайте стихи!" Какие-то человеки, выйдя на эстраду, пытались Есенина увести, но Есенин уперся, кричал, хохотал, бросил, разбив об пол свой стакан с водкой. И вдруг закричал: "Хотите стихи?!. Пожалуйста, слушайте!.."
В зале не сразу водворилось спокойствие. Есенин начал "Исповедь хулигана". Читал он криком, "всей душой", очень искренне, и скоро весь зал этой искренностью был взят. А когда он надрывным криком бросил в зал строки об отце и матери:

> Они бы вилами пришли вас заколоть
> За каждый крик ваш, брошенный в меня!

— ему ответил оглушительный взрыв рукоплесканий. Пьяный, несчастный Есенин победил. Публика устроила ему настоящую овацию (вероятно, к вящему неудовольствию Сальери).

Р. Гуль, с. 204.

Швейцар подает ему пальто необычайного фасона. Таких в Берлине никто не носит. Где только он раздобыл его? Он почему-то называет его "пальмерстон".

И. Одоевцева, с. 191—192.

Я не встречался с Есениным несколько лет. На первый взгляд, он почти не изменился. Те же васильковые глаза и светлые волосы, тот же мальчишеский вид. Он легко, как на пружинах, вскочил, протягивая мне руку. — Здравствуйте! Сколько лет, сколько зим. Вы что же, проездом или эмигрантом заделались? Если не торопитесь, присоединяйтесь, выпьем чего-нибудь. Не хотите? Ну, тогда давайте я вас провожу...

Швейцар подал ему очень широкое, короткое черное пальто и цилиндр. Поймав мой удивленный взгляд, он ухмыльнулся: — Люблю, знаете, крайности. Либо лапти, либо уже цилиндр и пальмерстон... — Он лихо нахлобучил цилиндр на свои кудри. — Помните, как я когда-то у Городецкого в плисовых штанах, подпоясанный золотым ремешком, выступал. Не забыли?

Г. Иванов, с. 40.

Потом был вечер, на котором я познакомился с Есениным. Это было в зале Союза немецких летчиков. Уж не помню, кто устраивал вечер, кажется, газета "Накануне". Народу была тьма. Все сидели за столиками. Кто-то выступал: кажется, Толстой, Кусиков, кто-то еще. Последним выступил Есенин, впервые прочтя "Москву кабацкую". И что там ни говори, но в его чтьи была настоящая сила искусства.

Р. Гуль, с. 204.

Кусиков рассказал мне о печальных этапах заграничной жизни Есенина. Начиная от пения, совместно с Дункан, "Интернационала" в русском эмигрантском клубе в Берлине и кончая побоищами в Париже и Америке. Все это теперь ни для кого не секрет.

— Ну а как же Дункан, — спросил я, — умела она как-нибудь влиять на Есенина?

Кусиков только рукой махнул:

— Какое. Он избивал ее, а она говорила: "Я прощаю Сереже, потому что он — гений".

Увы, этот припев, жестокий и лживый, до последней минуты следовал за Есениным.

Н. Оцуп, с. 164.

После выступлений все занялись едой и питьем. Наш столик (со мной был Коровин-Пиотровский, актриса Оля Протопопова, кто-то еще) был напротив столика, за которым сидели — Толстой, Крандиевская, Кусиков с какой-то очередной брюнеткой и Есенин. В зале играл оркестр, Есенин — по виду — был уже пьян, вскидывал головой, чему-то улыбался, смотрел в пьяное пространство. Потом вдруг встал с стаканом в руке, пошел нетвердой походкой. Подойдя к нашему столику, остановился и, обращаясь ко мне, проговорил с пьяной расстановкой:

— У вас очень хорошее лицо. Давайте познакомимся. Я — Есенин.

Я был тоже нетрезв, но, конечно, не так.

— Давайте, познакомимся.

Мы пожали друг другу руки, и Есенин также пьяно пошел куда-то в коридор с фужером в руке. Здесь я уже совсем близко разглядел Есенина: мелкие черты несколько неправильного лица с низким лбом, лицо приятно-крестьянское, очень славянское с легкой примесью мордвы в скулах. В отрочестве и юности Есенин, вероятно, был привлекателен именно так, как пишут о нем знавшие его в те времена. Сейчас лицо это было больное, мертвенно-бледное с впалыми щеками. Честно говоря, мне было его жаль, в нем было что-то жалостливое, невооруженным глазом было видно, что этот человек несчастен самым настоящим несчастьем. Когда он вернулся в зал, кто-то заказал оркестру трепак. Трепак начался медленно, "с подмывом". Мы все, окружив Есенина, стали просить его проплясать. Есенин стоял, глядя в пол, потом улыбнулся. Но темп был хорош, подмывист, и вдруг Есенин заплясал. Плясал он, как пляшут в деревне на праздник — с коленцем, с вывертом. Окружив его кольцом, мы кричали:

— Вприсядку, Сережа! Вприсядку!

И вдруг смокинг Есенина легко и низко опустился, и он пошел по залу присядкой. Мы подхватили Есенина — под гром аплодисментов — под руки. И все пошли за общий стол. Тут, помню, почему-то заговорили о советских поэтах. Я похвалил В. Казина за его "Рабочий май" ("Почтальон пришел и, зачарованный, / Пробежав глазами адреса, / Увидал, что письма адресованы / Только нивам да лесам"). Но Есенин вдруг недовольно замахал рукой:

— Да что вы, да что это за поэты! Да это все мои ученики. Я же учил их писать! Да нет же, они вовсе не поэты...

И я понял, что Есенин тоже болен профессиональной дурной болезнью "публичных мужчин": не выносит похвал другим "публичным мужчинам".

Р. Гуль, с. 204—205.

...Темнело. В сероватых сумерках, держась руками за голову и раскачиваясь, Есенин читал мне стихи. Мы были одни за столиком. Кусиков ушел куда-то на полчаса.

Почему-то я обратил внимание на стриженую голову Есенина. Она больше не походила "на клен", и поэт больше не мог сказать про себя:

> Голова моя, словно август,
> Льется бурливых волос вином.

Вообще весь тон и вид Есенина говорил о крушениях и разочарованиях. Он читал стихи голосом, задыхавшимся от накипевшей злобы и слез. Эту странную манеру читать он усвоил себе давно. Иногда она очень гармонировала с горечью его стихов и завывающим тревожным ритмом их. Так было и тогда.

Н. Оцуп, с. 163—164.

Толстой с Крандиевской уехали. Уставшие злые лакеи умышленно громко собирали посуду, звеня тарелками. Я шел в подпитии по пустому залу. И вместо того, чтобы попасть к нашему столику, вошел в коридор, где лакеи составляли посуду. Тут на столе сидел Есенин и сидя спал. Сидел по-турецки, подвернув под себя ноги, как сидят у костра крестьянские мальчики в ночном. Рядом с ним стоял фужер с водкой и сидел Глеб Алексеев.

— Алексеев, — сказал я, — его надо увести.

— Он спит, — сказал Алексеев.

— Ну, разбуди его, ведь скоро же запрут зал...

Есенин не слышал. Лица его не было видно. Висели только волосы, Алексеев разбудил его, Есенин спрыгнул со стола, потянулся и сказал как в просоньи:

— Я не знаю, где мне спать.

— Пойдем ко мне, — сказал Алексеев.

И мы вышли втроем из Дома немецких летчиков. Было часов пять утра. Фонари уж не горели, Берлин был коричнев. Где-то в полях, вероятно, уже рассветало. Мы шли медленно. Алексеев держал Есенина под руку. Но на воздухе он быстро трезвел, шел тверже и вдруг пробормотал:

— Не поеду в Москву... не поеду туда, пока Россией правит Лейба Бронштейн...

— Да что ты, Сережа? Ты что — антисемит? — проговорил Алексеев.

И вдруг Есенин остановился. И с какой-то невероятной злобой, просто с яростью, закричал на Алексеева:

— Я — антисемит?! Дурак ты, вот что! Да я тебя, Белого, вместе с каким-нибудь евреем зарезать могу... и зарежу... понимаешь ты это? А Лейба Бронштейн, это совсем другое, он правит Россией, а не должен ей править... Дурак ты, ничего этого не понимаешь...

Алексеев старался всячески успокоить его, и вскоре раж Есенина прошел. Идя, он бормотал:

— Никого я не люблю... только детей своих люблю. Дочь у меня хорошая... — блондинка, топнет ножкой и кричит: я — Есенина!... Вот какая у меня дочь... Мне бы к детям... а я вот полтора года мотаюсь по этим треклятым заграницам...

— У тебя, Сережа, ведь и сын есть? — сказал я.

— Есть, сына я не люблю... он жид, черный, — мрачно отозвался Есенин.

Такой отзыв о сыне, маленьком мальчике, меня как-то резанул по душе, но я решил "в прения не вступать"... А Есенин все бормотал:

— Дочь люблю... она хорошая... и Россию люблю... всю люблю... она моя, как дети... и революцию люблю, очень люблю революцию, а вот ты, Алексеев, ничего-то во всем этом не понимаешь... ничего... ни хрена...

Уже начало рассветать. Берлин посветлел. Откуда-то мягко зачастили автомобили. Мы остановились на углу Мартин-Лютерштрассе. Я простился с Есениным и Алексеевым, и повернул к себе — к Мейнингерштрассе. Идя, я все еще слышал голос Есенина, что-то говорившего Алексееву.

Р. Гуль, с. 205—206.

Я останавливаюсь у подъезда дома, где меня ждут. — Как? Уже? — удивляется Есенин. — А я только разоткровенничался с вами. Жаль, жаль, как говорит заяц в сказках Афанасьева. Ну, все равно. Со мной ведь всегда так. Только разоткровенничаюсь — сейчас что-нибудь и заткнет глотку. И в жизни и в стихах — всегда. Скучно это. Завидуют мне многие, а чему завидовать, раз я так скучаю. И хулиганю я и пьянствую — все от скуки. Правильно я как-то сам себе сказал:

> Проплясал, проплакал день весенний,
> Замерла гроза.
> Скучно мне с тобой, Сергей Есенин,
> Поднимать глаза.

Ах, до чего скучно! До черта. Ну... А я уж со скуки этой закачусь куда-нибудь. Пущу дым коромыслом. Раскачнусь.

Взмах цилиндра, широкая пола "пальмерстона", мелькнувшая в дверцах такси...

Г. Иванов, с. 42.

Потом я видел Есенина раз у Кусикова. Там — пилось и елось. Кусиков пел цыганское под гитару, свой собственный романс "Обидно, досадно, до слез, до мученья / Что в жизни так поздно мы встретились с тобой!" И рассказывал, что когда он приходит в русский ресторан "Медведь" (недалеко от Виттербергпляц), то оркестр сразу же мажорно встречает его этим романсом "Обидно, досадно." Есенин под балалайку пел частушки собственного сочинения:

> У бандитов деньги в банке.
> Жена, кланяйся Дунканке!

Это было совсем уже перед его отлетом в Москву. В сентябре 1923 года Есенин туда улетел. А в декабре 1925 года в Ленинграде повесился. ("До свиданья, друг мой, до свиданья...").

Р. Гуль, с. 205—206.

— Поедем, право, в Адлон. — Не хотите? — Ну, как-нибудь в другой раз. Следует вам все-таки с ней познакомиться. Посмотреть, как она с шарфом танцует. Замечательно. Оживает у ней в руках шарф. Держит она его за хвост, а сама в пляс. И кажется, не шарф, а хулиган у нее в руках. Будто не она одна, а двое танцуют. Глазам не веришь, такая, — как это? — экспрессия получается... Хулиган ее и обнимает, и треплет, и душит... А потом вдруг — раз! и шарф у ней под ногами. Сорвала она его, растоптала — и крышка! — Нет хулигана, смятая тряпка на полу валяется... Удивительно она это проделывает. Сердце сжимается. Видеть спокойно не могу. Точно это я у нее под ногами лежу. Точно это мне крышка.

Г. Иванов, с. 41—42.

Слушай, душа моя! Ведь и раньше, еще там, в Москве, когда мы к ним приходили, они даже стула не предлагали нам присесть. А теперь — теперь злое уныние находит на меня. Я перестаю понимать, к какой революции я принадлежал. Вижу только одно, что ни к февральской, ни к октябрьской, по-видимому, в нас скрывался и скрывается какой-нибудь ноябрь.

Есенин — А. Б. Кусикову.
Атлантический океан, 7 февраля 1923 г.

И чего бы это так вспоминать о Троцком Есенину, собирающемуся возвращаться в Россию? Но не выдержал, видимо, память о нью-йоркской вечеринке занозой сидела в душе...

Р. Гуль, с. 314—315.

Сандро, Сандро! Тоска смертная, невыносимая, чую себя здесь чужим и ненужным, а как вспомню про Россию, вспомню, что там ждет меня, так и возвращаться не хочется. Если б я был один, если б не было сестер, то плюнул бы на все и уехал бы в Африку или еще куда-нибудь. Тошно мне, законному сыну российскому, в своем государстве пасынком быть. Надоело мне это блядское снисходительное отношение власть имущих, а еще тошней переносить подхалимство своей же братии к ним. Не могу! Ей-Богу, не могу, хоть караул кричи или бери нож да становись на большую дорогу.

Теперь, когда от революции остались только клюнь да трубка, теперь, когда там жмут руки тем, кого раньше расстреливали, теперь стало очевидно, что ты и я были и будем той сволочью, на которой можно всех собак вешать.

Есенин — А. Б. Кусикову.
Атлантический океан, 7 февраля 1923 г.

Лакей уставляет стол передо мной всевозможными закусками. Но у меня пропал аппетит, как всегда, когда мне очень интересно, мне есть не хочется. Есенин наливает мне рюмку водки. Я качаю головой:

— Не пью.

— Напрасно! Вам необходимо научиться. Водка помогает.

— От чего помогает?.. — спрашиваю я.

— От тоски. От скуки. Если бы не водка и вино, я уже давно смылся бы с этого света! Еще девушки, конечно. Влюбишься, и море по колено! Зато потом как после пьянки, даже еще хуже. До ужаса отвратительно.

И. Одоевцева.
На берегах Сены.
Париж, 1983, с. 193.

Он вдруг останавливается: — Хотите махнем к нам в Адлон? Айседору разбудим. Она рада будет. Кофе нам турецкий сварит. Поедем, право? И мне с вами удобней без извинений, объяснений... Я ведь оттого сегодня один обедал, потому что опять поругался с ней.

Г. Иванов, с. 41—42.

Есенин — радушный, слишком радушный хозяин. От его гостеприимства делается не по себе. Впрочем, люди, искренние с незнакомыми, всегда производят не совсем приятное впечатление. Конечно, это дело темперамента.

Вл. Познер, с. 237—238.

Ресторан совсем опустел. Пора уходить. Лакеи подают ему на тарелке сложенный счет с отогнутым уголком, в нем написано многозначное число. Есенин обрывает на полуслове начатую фразу и, совершенно переменившись, деловито и сосредоточенно начинает проверять счет.

— Э, нет, врешь! Не проведешь! Никакого омара не требовал. Не было омара, — заявляет он лакею.

— Извиняюсь. В конце стола тот господин, кажется, заказали-с, — оправдывается неуверенно лакей.

— Врешь! Шашлык они заказали-с, — отчеканивает Есенин, — шашлык-с! И он тут помечен. — Есенин достает из кармана карандаш и вычеркивает омара. — И шампаней не семь, а шесть бутылок. — Он снова вычеркивает что-то, затем усердно подсчитывает и, вынув из кармана пиджака толстую пачку кредиток, рассчитывается. Должно быть, он хорошо, даже очень хорошо, оставил на чай. И метрдотель, и лакей провожают нас с поклонами.

И. Одоевцева, с. 191.

Я тороплюсь, меня ждут. Описание танца с шарфом оставляет меня холодным. Мне представляется запыхавшаяся Дункан, тяжело прыгающая с красным флагом по сцене Большого московского театра. Волнение, с которым говорит Есенин, не передается мне. Волнения испытаю потом, когда прочту, как Есенин повесился на ремне одного из тех самых чемоданов, которые сейчас лежат в его номере Адлона — самой шикарной гостиницы Берлина. И еще потом, года два спустя узнав, что Айседору Дункан в Ницце, на Promenade des Anglias, задушил ее собственный шарф...
Да:

...Бывают странными пророками поэты иногда...
Как не согласиться — бывают...

Г. Иванов, с. 42.

Мы едем в такси втроем. Я посередине, слева Оцуп, справа Есенин. Они переговариваются через меня. Есенин говорит:

— Как хорошо, что вы сегодня пришли к Ферстеру, ловко вышло. Я ведь и сам не собирался туда, хотел с Айседорой в какой-нибудь шикарный немецкий Wienstube — она это любит — пообедать, да перед самым выходом поругался с ней. Часто мы с ней ругаемся. Вздорная баба, к тому же иностранная — не понимает меня, ни в грош не ставит.

— Может быть, тогда нам лучше к ней не ехать? Неудобно, раз она сердится, — начинает тянуть Оцуп.

— Вздор, — перебивает его Есенин. — Я вас только предупреждаю: не обращайте внимания, а вклейте ей какой-нибудь комплимент позабористее по женской части. Сразу растает. Она ведь, в сущности, неплохая и даже очень милая иногда.

И. Одоевцева, с. 192.

Ругаемся мы часто. Скверно это, сам знаю. Злит она меня. Замечательная баба, знаменитость, умница, а недостает чего-то, самого главного. Того, что мы, русские, душой зовем...

Есенин в передаче Г. Иванова, с. 41—42.

Он ухарски надевает шляпу набекрень. На его пушистой, светловолосой голове шляпа, криво посаженная, кажется до смешного неуместной. Он говорит:

— Айда! Едем в Аделон, к Айседоре! Она рада будет — заждалась меня. Едем! Не все, конечно, — и он начинает отбирать тех членов кувырк-коллегии, которых он удостоит чести взять с собой сегодня в Аделон, к Айседоре.

И. Одоевцева, с. 193.

Как-то я попросил у Изадоры Дункан стакан воды.
— Qu' est — ce que c'est "vodi"?
— L' eau (вода. — *фр.*).
— L' eau?
Изадора забыла, что вода также может утолять жажду.
Шампань, коньяк, водка...

А. Мариенгоф.
Роман без вранья, с. 96.

Мы входим в Аделон. Остальные члены кувырк-коллегии уже тут и ждут в холле, не решаясь без Есенина подняться к Айседоре. Есенин окидывает их взглядом.

— Все тут? Ну, пошли, — командует он.

Он первый входит в широкий лифт, остальные за ним. Потом, под его же предводительством, по обитому бобром коридору все чинно, попарно следуют за ним.

Он останавливается перед одной из дверей и, не постучавшись, открывает ее и входит через прихожую в нарядную гостиную с большим роялем в углу.

— Вот и мы! — провозглашает он. — Принимай гостей, Айседора.

Айседора Дункан — я узнаю ее по портретам — сидит в глубоком кресле, обитом розовым шелком. На ней похожее на хитон сиреневое платье без рукавов. Светлые волосы уложены “улитками” на ушах. На плечах длинный шарф.

У нее бледное, ничего не выражающее, слегка опухлое лицо и какой-то неподвижный, отсутствующий взгляд.

— Эсенин! — не то с упреком, не то с радостью вскрикивает она и сразу встает из кресла, разогнувшись, как спираль.

Есенин бросает прямо на ковер свой пальмерстон и садится в ее кресло, далеко протянув перед собой ноги в модных плоских ботинках “шимми”.

Она с полуулыбкой поднимает его шляпу и пальто, вешает их в прихожей и любезно здоровается с Оцупом и со мной. Есенин не нашел нужным нас с ней познакомить, но это, по-видимому, ее не удивляет.

Я смотрю на нее. Нет, она не такая, как ее описывали еще в Петербурге — грузная, дряблая. Напротив, она стройна и похожа на статую. Не только телом, но и лицом. Кажется, что она, как статуя, смотрит — по Гегелю — не глазами, а всем телом.

И. Одоевцева, с. 193—194.

...спрашиваю, считает ли он, если по совести, свою Изадору крупной величиной в искусстве.

Он отвечает охотно и обстоятельно. Видно, давно сам это обдумал.

— Поначалу, — говорит, — искренно считал. Но потом, когда увидел танец другой тамошней плясуньи (имени он не сказал), недавно вошедшей в славу, я понял, что почем... Дункан в танце себя не выражает. Все у нее держиться на побочном. Отказ от тапочек балетных — босоножка, мол; отказ от трико — любуйтесь естественной наготой. А самый танец у ней не свое выражает, а только иллюстрация к музыке. Ну, а та, новая — ее танец выражает свое, сокровенное: музыка же только привлечена на службу...

Н. Вольпин, с. 332.

Есенин подходит к дивану, неуверенно ставя ноги, будто идет по скользкому льду. Пьян он или только притворяется? Его васильковые глаза неестественно блестят, точно стеклянные. Он тяжело садится рядом с Айседорой.

— Ну, что, как у вас тут? Вздоры да уморы — бабьи разговоры? — насмешливо спрашивает он меня. — Жалуется на меня? А вы уши развесили? Так! Так! А лучше бы она сплясала. Любопытно, занятно она пляшет. Спляши, Айседора! — обращается он уже не ко мне, а к ней. — Спляши, слышь! — Он резким движением сдергивает с ее плеч длинный шарф и протягивает его ей. — Ну, allez! good! Валяй!

Она, вся по-птичьи встрепенувшись, растерянно смотрит на него.

— Пляши! — уже не просит, а приказывает он. — Айда! Живо! — И он начинает наяривать на гармонике.

Она встает. Неужели она будет танцевать перед этой полупьяной кувырк-коллегией? И разве она может танцевать под эти ухарские, кабацкие раскаты?

Она прислушивается к ним, будто соображая что-то, потом, кивнув Есенину, выходит на середину комнаты какой-то развязной походкой.

Нет, это уже не статуя. Она преобразилась. Теперь она похожа на одну из тех уличных женщин, что "любовь продают за деньги". Она медленно движется по кругу, перебирая бедрами, подбоченясь левой рукой, а в правой держа свой длинный шарф, ритмически вздрагивающий под музыку, будто и он участвует в ее танце.

В каждом ее движении и в ней самой какая-то тяжелая, чувственная, вульгарная грация, какая-то бьющая через край, неудержимо влекущая к себе пьянящая женственность.

Темп все ускоряется. Шарф извивается и колышется. И вот я вижу — да, ясно вижу, как он оживает, как шарф оживает и постепенно превращается в апаша. И вот она уже танцует не с шарфом, а с апашем.

Апаш, как и полагается, сильный, ловкий, грубый хулиган и господин этой уличной женщины. Он, а не она, ведет этот кабацкий, акробатический танец, властно, с грубой животной требовательной страстью подчиняя ее себе, то сгибает ее до земли, то грубо прижимает к груди, и она всецело покоряется ему. Он ее господин, она его раба. Они кружатся все быстрей и быстрей.

Но вот его движения становятся менее грубыми. Он уже не сгибает ее до земли и как будто начинает терять власть над ней. Он уже не тот, что в начале танца.

Теперь уже не он, а она ведет танец; все более и более подчиняя его себе, заставляя его следовать за ней. Выпрямившись, она кружит его, ослабевшего и покорного, так, как она хочет. И вдруг резким и властным движением бросает апаша, сразу превратившегося снова в шарф, на пол и топчет его ногами. Музыка сразу обрывается.

И вот женщина стоит, вся вытянувшись и высоко подняв голову, застыв в торжественной, победоносной позе.

Гром и грохот восторженных криков и аплодисментов. Один из членов кувырк-коллегии кидается перед ней на колени:

— Божественная, дивная Айседора! Мы, все мы недостойны даже ножку вашу целовать. — И он в каком-то пьяном упоении действительно целует ковер под ее ногами.

Но она как будто даже не замечает его. Есенин смотрит на нее. По его исказившемуся лицу пробегает судорога.

— Стерва! Это она меня!.. — громко отчеканивает он.

Он подходит к столу, уставленному стаканами и никелированными ведрами с шампанским. Трясущейся рукой наливает себе шампанское, глотает его залпом и вдруг с перекосившимся восторженно-яростным лицом бросает со всего размаха стакан о стену.

Звон разбитого стекла. Айседора по-детски хлопает в ладоши и смеется:

— It's for good luck!·

Есенин вторит ей лающим смехом:

— Правильно! В рот тебе гудлака с горохом! Что же вы, черти, не пьете, не поете: многая лета многолетней Айседоре, тудыть ее в качель! Пляшите, пейте, пойте, черти! — кричит он хрипло и надрывно, наполняя стаканы. — И чтобы дым коромыслом, чтобы все ходуном ходило! Смотрите у меня!

Оцуп берет меня за локоть:

— Пора. Ведь вам завтра рано вставать. И вообще пора. Дальнейшего вам видеть не полагается.

Я согласна:

— Да, пора. Надо только проститься с ними.

— Нет, не надо, незачем, — решает Оцуп. — Начнут уговаривать, не пускать. Просто улизнем. Они и не заметят.

И они действительно не замечают.

И. Одоевцева, с. 194—196.

...Есенин знал один ночной приют, работавший всю ночь. Там выпили мы две бутылки шампанского и — по домам. Но дорогой пьяный Есенин затеял ссору с еще более пьяной Дункан. Он ее крыл вовсю трехэтажными словами, она же отвечала на языке, непонятном ни самому Есенину, ни благородным свидетелям в нашем лице. Все это производило омерзительное впечатление, но уже совсем невмоготу стало, когда пролетарский поэт в цилиндре замахнулся на свою подругу, смело годившуюся ему в маменьки.

— Ах ты, шкура барабанная, туда и сюда тебя! Пошла вон, вылезай! — И, остановив шофера, распахнув дверцу, он стал выталкивать Дункан на пустынную, предрассветную улицу.

Не дождавшись окончания этой безобразной сцены и воспользовавшись этой остановкой автомобиля, покинул его вместе с Бэлочкой. Такова моя вторая и последняя встреча с Есениным...

Ю. Морфесси, с. 185.

И тем не менее, несмотря на такой образ жизни, успел подготовить к изданию книгу "Стихи скандалиста", написать к ней вступление, еще раз прочесть стихи в конце марта на прощальном вечере в Klindworth-Scharwenka-Saal. И опять, несмотря на перепалку с публикой, которую поэт затеял в начале своего выступления, "Пугачевым" и "Москвой кабацкой" он уже в который раз покоряет ее. Да и было чем покорять. С июня 1922 по август

1923 года в Европе и Америке он написал 9 или 10 стихотворений. И в каждом из них Россия, Москва, деревня, земля обетованная. Для тех, кто слушал его, Москва и Россия тоже были такой землей. "Я люблю этот город вязовый, пусть обрюзг он и пусть одрях. Золотая дремотная Азия опочила на куполах...", "На московских изогнутых улицах умереть, знать, судил мне Бог...", "Снова пьют здесь, дерутся и плачут под гармоники желтую грусть. Проклинают свои неудачи, вспоминают московскую Русь..."

Р. Гуль, с. 314—315.

Есенин в Лондоне, скоро должен вернуться в Россию.

А. В. Ширяевец — С. Д. Фомину.
Москва, 24 февраля 1923 г.

"Уважаемый т. Литвинов!
Будьте добры, если можете, то сделайте так, чтоб мы выбрались из Германии и попали в Гаагу. Обещаю держать себя корректно и в публичных местах "Интернационал" не петь.
Уважающие Вас
С. Есенин,
Айседора Дункан.

Есенин. Т. 6, с. 122.

Взяли с меня подписку не петь "Интернационала", как это сделал я в Берлине.

Есенин.
Железный Миргород. Т. 5, с. 146.

...С каким патриотическим пылом говорил он о том, сколь отвратительным показался ему Новый Свет. Он отдавал должное комфорту, который вошел в быт зажиточного американца, с горечью отмечал, что русская деревня все еще убога и даже иногда жалка по сравнению с фермерскими поселками за океаном, но духовная культура мелкого и крупного буржуа вызывала в нем омерзение. Он бежал прочь от бизнесменов, их запросов и дикости на родину, которую любил до боли.

Г. Серебрякова, с. 541.

Запил Есенин. Пребывание за границей сделалось для него невыносимым. Нужно было возвращаться домой. Он уехал.

А. Кусиков, с. 175.

Есенин вернулся в Россию. Начался его последний период.

В. Ходасевич, с. 65.

...Айседоре оставалось всего четыре года прожить в этом мире, а Есенину и того меньше — всего два с половиной...

И. Шнейдер, с. 370.

...С того и мучаюсь, что не пойму,
куда несет нас рок событий.

МОСКВА. ОКОНЧАНИЕ РОМАНА

В начале августа 1923, а точнее пятого, Айседора Дункан и Сергей Есенин прибыли в Москву. Они были в отъезде около пятнадцати месяцев... она привезла назад своего поэта, как обещала себе, туда, откуда он был родом и где он был своим. Предмет ее внимания и забот нетвердой поступью вышел из вагона. Он был пьян, и, возможно, в такой же степени от чрезмерного эмоционального возбуждения, вызванного возвращением в Россию, как и от действия непрерывного потока водки, который лился в его патриотическую глотку с момента пересечения границы его родной страны. В своей буйной радости он перебил все окна в вагоне...

И. Дункан, А. Р. Макдугалл, с. 133.

...Спустившись со ступенек на платформу, Айседора, мягко взяв Есенина за запястье, привлекла к себе и, наклонившись ко мне, серьезно сказала по-немецки: "Вот, я привезла этого ребенка на его Родину, но у меня нет более ничего общего с ним..."

И. Шнейдер, с. 371.

...Он был счастлив, что вернулся домой, в Россию. Радовался всему как ребенок. Трогал руками дома, деревья. Уверял, что все, даже небо и луна, у нас другие, чем там. Рассказывал, как ему трудно было за границей. И вот он "все-таки удрал"! "Он в Москве!"

А. Миклашевская, с. 276.

...они отъехали от вокзала, сопровождаемые подводой, заполненной ошеломляющим количеством кофров, чемоданов с блестящими латунными замками и застежками, а так же тяжелыми кожаными сумками. Большинство из них, причем наиболее новые, были собственностью того самого молодого человека, который еще не так давно постоянно убегал из дома

двадцать по Пречистенке с двумя своими рубашками и туалетными принадлежностями, завернутыми в газету "Правда".

И. Дункан, А. Р. Макдугалл, с. 133.

Есенин буквально с какой-то нежностью любил коров. Это отражается в
его лирике.

И. Грузинов, с. 354—355.

По дороге нам попалось коровье стадо. Есенин, увидав стадо, вытянул
шею:
— Коровы...

И. Шнейдер, с. 371.

1921 г. Лето. Богословский пер., д. 3.
Есенин, энергично жестикулируя:
— Кто о чем, а я о корове. Знаешь ли, я оседлал корову. Я еду на корове.
Я решил, что Россию следует показать через корову. Лошадь для нас не так
характерна. Взгляни на карту — каждая страна представлена по-своему:
там осел, там верблюд, там слон... А у нас что? Корова! Без коровы нет
России.

И. Грузинов, с. 353.

На другой день Есенин перевез на Богословский свои американские
шкафы-чемоданы. Крепкие, желтые, стянутые обручами; с полочками,
ящичками и вешалочками внутри. Негры при погрузках и разгрузках с ними
не очень церемонятся — швыряют на цемент и асфальт чуть ли не со второго этажа.
В чемоданах — дюжина пиджаков, шелковое белье, смокинг, цилиндр,
шляпа, фрачная накидка...

А. Мариенгоф.
Роман без вранья, с. 109.

...в залитом солнцем номере "Новой Европы" он показывал "американские штуки", радуясь им, как дикарь радуется бусам, презирая их, как
легко покорившегося врага.

В. Мануйлов.
Дневник за январь 1926 г.

— Ха!.. — горько улыбается он. — Вот все, что нажил великий русский
поэт за всю жизнь! — и скашивает глаз на бестолковую, неряшливую кучу
в чемодане.
Он говорил неправду, зная это: жалкое содержимое чемодана куплено на деньги Дункан, которая и десять тысяч долларов считала мусо-
ром...

А. Мариенгоф.
Мой век..., с. 380.

Он стал рассказывать об Америке, показывая вывезенные оттуда вещи. Обязательно называлась цена, которая "была плачена" за "эту штуку", — в этом было какое-то детски-наивное хвастовство. Сергея все еще забавляли игрушки цивилизации, подаренные ему жизнью.

В. Мануйлов.
Дневник за январь 1926 г.

Не упоминая об Айседоре Дункан и разрыве с ней, он стал рассказывать об американских и европейских впечатлениях, иногда показывая то одну, то другую вещь, купленную за границей. При этом непременно называлась цена в долларах, франках или марках: "Плачено столько-то!" В этом было какое-то наивное хвастовство, чуть-чуть высокомерное и пренебрежительное любование игрушками современной цивилизации Запада.

В. Мануйлов.
Из другой редакции воспоминаний, с. 468.

Это был август... ранняя золотая осень... Под ногами сухие желтые листья. Как по ковру бродили по дорожкам и лугам. И тут я узнала, как Есенин любит русскую природу. Как он счастлив, что вернулся на родину. Я поняла, что никакая сила не могла оторвать его от России, от русских людей, от русской природы, от русской жизни, какой бы она не была трудной.

А. Миклашевская, с. 276.

Я вернулся в Москву к моменту приезда Есенина и Дункан из-за границы и отправился к нему на свидание в отведенный Дункан особняк на Пречистенке. Я его застал среди вороха дорожных принадлежностей, чемоданов, шелкового белья и одежды.

Мы обнялись, и он крикнул Дункан. Она вышла из соседней комнаты в каком-то широчайшем пестром пеньюаре. Он меня представил ей:

— Это мой друг Повицкий. Его брат делает Bier! Он директор самого большого в России пивоваренного завода.

Я с трудом удержался от смеха: вот так рекомендация. Позднее я понял смысл этих слов. Для Дункан человек, причастный к производству алкоголя, представлял, по мнению Есенина, огромный интерес. И он, по-видимому, не ошибался. Она весело потрясла мне руку и сказала:

— Bier очень хорошо! Очень хорошо!..

Л. Повицкий, с. 242.

Есенин вынимает из кармана всякие ключи, звенящие на металлическом кольце, и, присев на корточки перед чемоданом, с каким-то притаенным восторгом, отпирает сложные замки.

— В Америке эти мистеры — хитрые, дьяволы, умные!.. В Америке, Толя, понимаешь, что человек — то вор...

А. Мариенгоф.
Мой век..., с. 380.

Когда она ушла, я зло проговорил:

— Недурно ты устроился, Сергей Александрович...

Он изменился в лице. Глаза потемнели, брови сдвинулись, и он глухо произнес:

— Завтра уезжаю отсюда.

— Куда уезжаешь? — не понял я.

— К себе на Богословский.

— А Дункан?

— Она мне больше не нужна. Теперь меня в Европе и Америке знают лучше, чем ее.

Л. Повицкий, с. 242.

1923 г. По возвращении из-за границы Есенин перевез свое небольшое имущество в Богословский переулок, в комнату, где он обитал раньше. Здесь он в первый раз читал своим друзьям "Москву кабацкую".

И. Грузинов, с. 372.

В то время, когда Сергей был за границей, Мариенгоф женился на актрисе Камерного театра — А. Б. Никритиной. Вместе с ними жили мать Никритиной и их ребенок.

А. Есенина, с. 105.

С Никритиной мы работали в Московском камерном театре. Помню, как Никритина появилась у нас в театре. Она приехала из Киева. Она очень бедно была одета. Черная юбочка, белая сатиновая кофточка-распашонка, на голове белый чепчик с оборочкой, с пришитыми по бокам локонами (после тифа у нее была обрита голова). В таком виде она читала у нас на экзамене. Таиров и Якулов пришли от нее в восторг. Называли ее "Бердслеевской Соломеей". Она уже тогда очень хорошо читала стихи. И эта "Бердслеевская Соломея" очаровала избалованного, изысканного Мариенгофа. Он прожил с ней всю жизнь, держась за ее руку.

А. Миклашевская, с. 275.

Вернувшись из-за границы, Сергей разошелся с Дункан, но жить ему было негде, стеснять Мариенгофа он не хотел.

А. Есенина, с. 105.

Уезжая за границу, Есенин попросил Мариенгофа позаботиться о Кате и в письмах просил о том же. Когда, вернувшись, узнал, что Кате трудно жилось, он обиделся. А может, и еще какая-то причина была, — не знаю. Они поссорились.

А. Миклашевская, с. 282.

Уехав в 1922 году за границу, почти в каждом письме к своим друзьям, оставшимся в Москве, он просит о том, чтобы ей помогли. Ровно через месяц после отъезда из России он просит Шнейдера в письме из Висбадена найти Катю и помочь ей. 13 июля 1922 года он пишет Шнейдеру из Брюсселя: "К Вам у меня очень и очень большая просьба: с одними и теми же словами, как и в старых письмах, когда поедете, дайте, ради бога, денег моей сестре. Если нет у Вас, у отца Вашего или еще у кого-нибудь, то попросите Сашку и Мариенгофа, узнайте, сколько дают ей из магазина.

Это моя самая большая просьба. Потому что ей нужно учиться, а когда мы с Вами зальемся в Америку, то оттуда совсем будет невозможно помочь ей…"

В этом письме речь идет о книжной лавке художников слова, открытой осенью 1919 года группой имажинистов на кооперативных началах на Б. Никитской улице (ныне ул. Герцена), рядом с консерваторией, в доме № 15.

А. Есенина, с. 108.

Трудно представить, но я хорошо знаю, что в разрыве С. А. с Мариенгофом (которого С. А. очень любил) она сыграла главную роль, хотя С. А. почти не говорил об этом. А корни были вот в чем. Когда С. А. был за границей, денежные дела у Мариенгофа были очень плохи. "Стойло" закрылось, магазин ничего не давал, и Мариенгоф с Мартышкой, ждавшей тогда ребенка, форменным образом голодали. Я это знаю от лиц, живших в одной квартире с ними. Катя, по ее словам, не знавшая нужды при С. А., неоднократно обращалась к Мариенгофу, зная, что часть денег из магазина принадлежит С. А., но денег не получала. Не зная, а может быть, по легкомыслию не желая вникнуть в положение Мариенгофа, она возмущалась и, кажется, даже писала С. А. о том, что Мариенгоф не дает денег. Во всяком случае, по возвращении Есенина из-за границы она говорила об этом С. А., который, как и следовало ожидать, страшно обозлился на Мариенгофа. Как оказалось, Сахаров, во время пребывания С. А. за границей, купил у Мариенгофа их книжный магазин, кстати сказать, уплатив только небольшую часть денег. Вскоре после возвращения С. А., за что-то ругая Мариенгофа, добавил: "А вы не знаете, как его не любит моя сестра, терпеть его не может". Тогда я еще не видела и не знала Катю. Позже эта фраза многое мне уяснила в резкой перемене отношения С. А. к Мариенгофу. Навело на эти размышления письмо Мариенгофа к Старцеву. С. А. как-то раз, возмущенный, показывал мне фразу из письма Мариенгофа: "Из-за границы Сергей пишет о сестре. Придется и ей уделять кое-что". Вот это "придется" С. А. не мог переварить, понимая его как нежелание, а не как невозможность "уделять".

Г. А. Бениславская.
Материалы…, с. 79.

После разрыва с Мариенгофом не пожелал оставаться в общей квартире и перекочевал временно ко мне на Оружейный.

У него не было квартиры. Мы с женой предлагали ему окончательно перебраться в нашу большую и светлую комнату, где бы он мог спокойно работать и отдыхать. Отнекивался. То собирался ехать в санаторий поправлять нервы, то говорил:

— Пойду, попрошу себе жилье. Что такое, хожу, как бездомный!

И. Старцев, с. 417.

То ворчал, что Мариенгоф ходит в шубе, в бобровой шапке, а жена ходит в короткой кофтенке и открытых прюнелевых туфельках. Возмущался, что Мариенгоф едет в Ленинград в мягком вагоне, а Никритина в жестком... Он любил Мариенгофа, и потому и волновали его недостатки.

А. Миклашевская, с. 283.

Разрыв между Есениным и Мариенгофом прошел как-то мимо меня. Или он не хотел меня впутывать в свои "распри", или не хотел оказывать на меня давление, чтобы я последовал его примеру и отстранился от Мариенгофа. Есенин не был ни мелочным, ни мстительным. Большое благородство души не позволяло ему искать союзников для борьбы с бывшими друзьями.

Р. Ивнев.
Московские встречи, с. 242.

И все-таки, когда Мариенгоф и Никритина были за границей и долго не возвращались, Есенин пришел ко мне и попросил: "Пошли этим дуракам денег, а то им не на что вернуться. Деньги я дам, только чтобы они не знали, что это мои деньги". Кажется, послала эти деньги Галя (Бениславская)...

А. Миклашевская, с. 282.

...надвигает на самые брови высокую бобровую шапку с черным бархатным донышком.

— Поеду на свою Пречистенку клятую. Дунканша меня ждет.

— Может, останешься? Ночуй с нами, Сережа... В старых Пенатах.

— Нет, поеду.

И нехотя надевает шубу.

— Поеду... Будь она неладна!..

А. Мариенгоф.
Мой век..., с. 354.

Есенин продолжал бывать на Пречистенке, но интервалы между его приходами становились все более длительными.

И. Шнейдер, с. 401.

...Ей стихи мои — тарабарщина... И не разубеждай, не разубеждай. Я по глазам ее вижу, — сипел он, сжимая кулаки. — Слов-то русских плясунья не понимает!

А. Мариенгоф.
Мой век..., с. 367.

Теперь о разрыве с Дункан. Она вернулась в Москву. Начались бесконечные сплетни, которые услужливые прихлебатели С. А. и Дункан передавали им обоим. С. А. это дергало и озлобляло. Тогда "приятели" стали уговаривать его поехать к ней "объясниться" и расстаться "по-хорошему". Несколько дней тянулись эти уговоры. Всегда разговоры начинались в моем отсутствии. С. А. дома рассказывал обо всем этом мне, но я тогда не учла расшатанность его нервов, не придавала этому значения и старалась только перевести разговор с этой больной для него темы. Центром тяжести были слухи, что С. А. разбогател на ее деньгах. Каким он богатым был после заграницы, это знаем я, Аня и Катя. Были одни долги, дико возраставшие благодаря тому, что он сам пил и поил неисчислимое множество поденных и постоянных прихлебателей. Утром сплошь и рядом не на что было не только завтракать, но и хлеба купить. Спасала булочная в нашем доме, где нас давно знали и теперь стали давать в долг. Правда, С. А., из ложного ли самолюбия или, быть может, из правильного расчета (и) знания всей этой братии, пускал пыль в глаза, и о безденежье почти никто не догадывался. С. А. добросовестно менял каждый день костюмы — единственное богатство, привезенное из Парижа. Вот эти-то костюмы и вызвали молву о нажитых миллионах. Кроме того, фигурировали в сплетнях о Дункан и С. А. всякие небылицы о том, что он про нее или она про него в том или ином месте говорили. Кончилось это все плачевно...

Г. А. Бениславская.
Материалы..., с. 56.

И самое страшное, что в трехспальную супружескую кровать карельской березы, под невесомое одеяло гагачьего пуха, он мог лечь только во хмелю, мутном и тяжелом...

А. Мариенгоф.
Мой век..., с. 367.

...Я стала спрашивать о Дункан, какая она, кто и т. д. Он много рассказывал о ней, рассказывал, как она начинала свою карьеру, как ей пришлось пробивать дорогу. Говорил также о своем отношении к ней: "Была страсть, и большая страсть, целый год это продолжалось, а потом все прошло — и ничего не осталось, ничего нет. Когда страсть была, ничего не видел, а теперь... боже мой, какой же я был слепой. Где были мои глаза? Это, верно, всегда так слепнут". Рассказывал, какие отношения были. Потом говорил про скандалы, как он обозлился, хотел избавиться от нее и как однажды он разбил зеркало, а она позвала полицию. "Это с тех пор пьяным мне кажется, что меня преследуют. Это она так напугала". Рассказывал, как он убегал от нее. Не мог без дрожи вспоминать, как она поместила его в "сумасшедший дом", где к нему никого не пускали, а она приходила на ночь. Этого "сумасшедшего дома" он не мог ей забыть. "Я там в самом деле чуть с ума не сошел. Вы, Галя, не знаете, это ведь ужас, когда кругом сумасшедшие.

Один больной все время кричал, а другой все время повторял одни и те же фразы. Я думал, что я сам сойду с ума". Я пробовала объяснить, что она, очевидно, растерялась и сам он довел ее до такого поступка. "Да, она меня очень любила, и я знаю — любит. А какая она нежная была со мной, как мать. Она говорила, что я похож на ее погибшего сына. В ней вообще очень много нежности".

Г. А. Бениславская.
Материалы..., с. 87— 88.

Помню, что в первый же день мы так искренне, так глубоко сошлись, что я не стесняясь спросил королевича, какого черта он спутался со старой американкой, которую, по моим понятиям, никак нельзя было полюбить, на что он, ничуть на меня не обидевшись, со слезами на хмельных глазах, с чувством воскликнул:

— Богом тебе клянусь, вот святой истинный крест! — Он поискал глазами и перекрестился на старую трактирную икону. — Хошь верь, хошь не верь: я ее любил. И она меня любила. Мы крепко любили друг друга. Можешь ты это понять? А то, что ей сорок, так дай бог тебе быть таким в семьдесят!

Он положил свою рязанскую кудрявую голову на мокрую клеенку и заплакал, бормоча: — ...и какую-то женщину сорока с лишним лет... называл своей милой...

Вероятно, это были заготовки будущего "Черного человека".

В. Катаев, с. 436.

Как-то незаметно наступил полный разрыв.

И. Шнейдер, с. 401.

...повторяю есенинские слова: "Клятая Пречистенка!"
Ах, Дункан, милая дорогая Изадора, и надо же было тебе повстречаться на его пути!

А. Мариенгоф.
Мой век..., с. 355.

...Есенин исчез.
Айседора затихла и безропотно подчинилась взбунтовавшейся Ирме, которая настойчиво потребовала от меня, чтобы мы втроем немедленно отправились в Кисловодск: "Айседора серьезно больна, и ей необходимо курортное лечение".

И. Шнейдер, с. 374.

Местом, куда направлялась Айседора, был Кисловодск, курорт, знаменитый в России, как Виши во Франции...

И. Дункан, А. Р. Макдугалл, с. 138.

Комната долгое время оставалась неприбранной: в беспорядке были разбросаны его американские чемоданы, дорожные ремни, принадлежности туалета, части костюма.

И. Грузинов, с. 372.

Укладывая разные вещи, необходимые для поездки, Ирма, к своему удивлению, обнаружила удручающую бедность гардероба своей учительницы: у нее не было даже ночной сорочки... В ответ на вопрос, Айседора печально улыбнулась и сказала:

— Да, у меня ничего нет. Все новые вещи, приобретенные в Нью-Йорке и Париже, исчезали вскоре после того, как я их покупала. Сначала я подумала, что это Жанна (служанка. — *Ред.*). Затем однажды я случайно обнаружила, что новое черное платье от "Фортюн", которое доставили за несколько дней до того на улицу де-ля-Помп, оказалось в одном из новых чемоданов Есенина...

И. Дункан, А. Р. Макдугалл, с. 135.

Жил Есенин в это время в Брюсовском переулке в большом доме на восьмом этаже.

Р. Березин, с. 248.

В 24 г. осенью, когда Е. вернулся из-за границы и остался без комнаты, он поселился в комнате Бениславской на Никитской, а вскоре туда же переехали и его сестры Катя и Шура. Е. жил на Никитской до июня 1925 г.

Из неоконченной биографии Г. Бениславской.
РГАЛИ (ф. 190, оп. 1, ед. хр. 151).

С переездом в деревню отца Сергею пришлось взять на свое иждивение Катю, которая в это время училась в Москве, быть ее наставником. А ведь этому "наставнику" и самому-то было двадцать три — двадцать пять лет. Но он исключительно добросовестно о ней заботился.

А. Есенина, с. 108.

...друзья Айседоры вскоре подобрали ключ к самому большому чемодану (Есенина. — *Ред.*), он был в момент открыт — со всем своим пестрым содержимым. Пока разнообразные ключи и всякие острые инструменты безуспешно подбирали к прочим чемоданам и сумкам (и кого-то уже послали за опытным слесарем), Ирма, сидя на полу студии, наскоро вырезала выкройки для ночных рубашек из отреза толстого парашютного шелка, который был извлечен из открытого чемодана. Кроме этого полезного материала там был так же целый арсенал для коммивояжера по парикмахерским принадлежностям: дорогое мыло в коробках и отдельными кусками, флаконы с туалетной водой, лосьонами, бриллиантином, тюбики зубной пасты и мыльного крема, большие и малые флаконы всевозможных духов, пакеты с лезвиями для безопасной бритвы. Это все были, без сомнения, будущие подарки, которые должны были поразить семью и друзей поэта...

И. Дункан, А. Р. Макдугалл, с. 135.

Поехал в мировое путешествие с Дункан — теперь его знают там и пишут во французских и немецких газетах о том, что спутник танцовщицы теперь медленно спивается в Москве.

Г. А. Бениславская.
Дневник..., с. 117.

...содержимое всех остальных драгоценных чемоданов осталось навсегда неизвестным, потому что как раз в то время, когда слесарь трудился над необычными замками, с какими он никогда ранее не сталкивался, Есенин ворвался в комнату. Айседора, забыв свою решимость прекратить с ним отношения, бросилась к двери с распростертыми объятиями, крича:

— Сергей! Сергей! Где ты был? Изадоре грустно, грустно!..

Есенин свирепо оглядел комнату. Затем, оттолкнув от себя Айседору, он бросился к своей бесценной собственности, заревев, как сумасшедший:

— Мои чемоданы! Кто совал нос в мои чемоданы? Не смей трогать мои чемоданы. Я убью любого, кто тронет мои чемоданы...

Он несколько успокоился только тогда, когда они уверили его, что только хотели вынести чемоданы из комнаты... Потом он подошел к одному из них и, вынув из кармана свой главный бумажник с ключами и подобрав подходящий, открыл кофр для одежды. Пока он доставал из него то, что было ему нужно, подошедшая Айседора быстро вытащила что-то.

— Гляди-ка! Платье Изадоры! — воскликнула она.

Он вскочил и попытался вырвать его...

— Это мое! Это моей сестре. Ты мне его дала в Париже. Это мое!

И. Дункан, А. Р. Макдугалл, с. 137—138.

Это была последняя встреча с Дункан. Один узел был распутан, или разрублен — не знаю, как верней.

Г. А. Бениславская,
Материалы..., с. 65.

Тогда Галя предложила Сергею поселиться временно у нее, хотя в это время с ней жила ее подруга — Назарова Аня.

А. Есенина, с. 105.

С Есениным Г. Бениславская познакомилась осенью 1920 года [на одном из вечеров в Политехническом музее. Одновременно познакомилась с Есениным и я. В 1924 году мы вместе жили в одной квартире в доме "Правды" на Брюсовском переулке (д. 2/14, кв. 27). В той же квартире жила тогда писательница С. Виноградская и Е. Кононенко, а также редактор "Бедноты"

Грандов.] После возвращения Есенина из-за границы он, не имевший в то время квартиры, поселился у нас в комнате, а вскоре после того, как я переехала с Брюсовского переулка, сюда же переехала сестра Сергея Александровича Катя, которая училась в Москве в средней школе и жила у кого-то на квартире, а затем и младшая его сестра Шура, приехавшая из Константинова...

А. Назарова — Г. Бебутову. 6 окт. 1969.
ГЛМ (ф. 1604, оп. 1, ед. хр. 1221, л. 23).

Вот так оказались и мы с Катей в Брюсовском переулке.

А. Есенина, с. 105.

У нас теперь семья целая получилась: Шура, Катя, Оля и я и еще наша соседка (Вы ее не знаете).

Г. А. Бениславская — Есенину.
Москва, 20 января 1925 г.

Есенин жил в Брюсовском переулке, во дворе, против дома, в котором живут сейчас работники Большого театра, в небольшой квартирке из двух комнат, принадлежавшей Гале Бениславской, которая потом, позже, застрелилась на могиле Есенина. Он вставал рано, ровно в девять. На стол ему подавали самовар и белые калачи, которые он очень любил.

— Потчую по-приятельски, а гоню по-неприятельски. Теперь, после нашего рязанского чая, попробуй-ка кавказского, — и он доставал из-под стола бутылку с красным вином.

Вс. Иванов, с. 76.

После возвращения из Америки Галя стала для него самым близким человеком: возлюбленной, другом, нянькой. Нянькой в самом высоком, благородном и красивом смысле этого слова, почти у каждого из нас дорогого по далекому детству. А в войну взрослые измученные люди переделали няню в "нянечку"...

А. Мариенгоф.
Мой век..., с. 382.

Оглядываю комнату. Письменный столик. У стены старый диванчик. Сюзане. Висячий абажур. Этажерка с книгами.

И. Рахилло, с. 522.

Есенин встретился с Бениславской еще до знакомства с Дункан, но никогда не говорил нам о ней.

И. Шнейдер, с. 393.

Галина Артуровна Бениславская, или просто Галя, как звали ее мы, была молодая, среднего роста, с густыми длинными черными косами и черными сросшимися бровями над большими зеленовато-серыми глазами.

А. Есенина, с. 104.

Я, пожалуй, не встречал в жизни большего, чем у Гали, самопожертво-
вания, большей преданности, небрезгливости и, конечно же, — любви...

А. Мариенгоф.
Мой век..., с. 382.

...началась сказка. Тянулась она до июля 1925 года. Несмотря на все трево-
ги, столь непосильные моим плечам, несмотря на все раны, на всю боль —
все же это была сказка. Все же это было такое, чего можно не встретить не
только в такую короткую жизнь, но и в очень длинную и очень удачную
жизнь.

Г. Бениславская, с. 52.

Осоргин заговорил со мною, как со старой знакомой.
— Я не налюбуюсь этой парой! — кивнув на Есенина и Бениславскую. —
Да и как не любоваться! Столько преданной, чистой любви в глазах юной
женщины! (Юной шел тогда двадцать пятый год.)

Н. Вольпин, с. 284—285.

Квартира, в которой жила Галя, находилась на седьмом этаже. Из широ-
кого венецианского окна Галиной комнаты в солнечные дни вдалеке виднелся Нескучный сад, лесная полоса Воробьевых гор, синевой отливала
лента реки Москвы и золотились купола Ново-Девичьего монастыря. От
домов же, расположенных на ближайших узких улицах и переулках, мы
видели лишь одни крыши.

А. Есенина, с. 103.

Однажды в воскресенье я и Елена В. пришли к Есенину. Моя спутница
хотела узнать о бывшем своем муже, эсере Левине.
Я был очарован комнатой на восьмом этаже. Приятные светлые обои.
Ничего кричащего на стенах, кроме изящных застекленных гравюр. На письменном столе, у окна, порядок. На обеденном, посреди комнаты, — темная
скатерть. Ваза с фруктами. У одной из стен — кушетка с красивыми подушками. У другой — кровать, застеленная шелковым самаркандским покрывалом. На полу ковер. Нигде — ни окурка, ни соринки. Гали нет дома. Воскресенье — любимый день Есенина. В воскресенье он творит. Галя не хочет ему
мешать и с утра уезжает за город. Она ходит одна по полям и рощам и
думает о том, что в эти минуты из-под его пера выливаются на бумагу
проникновенные строки.

Р. Березин, с. 248—249.

Живя в одиночестве, Галя мало беспокоилась о домашнем уюте, и обстановка у нее была крайне бедна. Вместо обеденного — стоял кухонный
столик, письменный — заменял ломберный, на котором была бронзовая,
на черной мраморной подставке настольная лампа. Стояла еще покрытая
плюшем василькового цвета тахта с провалившимися пружинами, за что

получила прозвище "одер", шведская железная кровать с сеткой, две тумбочки, два старых венских стула и табуретка. Но чистота всегда была идеальная.

А. Есенина, с. 107.

Из окна комнаты открывался вид на Кремль. Комната принадлежала Гале Бениславской, которая стала женою Есенина по его возвращении из-за границы. Красоте этой женщины завидовали многие москвичи. Жгучая брюнетка, с густо сросшимися бровями и двумя косами почти до пят, стройная, с бархатистым голосом и большими печальными глазами, всегда одетая со вкусом, — эта полька была ненавидима многими собутыльниками Есенина за то, что всеми мерами боролась с их растлевающим влиянием на поэта.

Р. Березин, с. 248.

После заграницы Дункан вскоре уехала на юг (на Кавказ и в Крым). Не знаю, обещал ли Сергей Александрович приехать к ней туда. Факт тот, что почти ежедневно он получал от нее и Шнейдера телеграммы. Она все время ждала и звала его к себе. Телеграммы эти его дергали и нервировали до последней степени, напоминая о неизбежности предстоящих осложнений, объяснений, быть может, трагедии. Все придумывал, как бы это кончить сразу...

Г. Бениславская, с. 59.

Дарлинг очень грустно без тебя надеюсь скоро приедешь сюда навеки люблю — Изадора.

А. Дункан — Есенину.
Кисловодск, 24 августа 1923 г.

Москва, Пречистенка, 20. Есенину.
Поражаюсь молчанием чего нервируете нам поездку телеграфируйте Баку Новая Европа выезжаем — Шнейдер.

И. И. Шнейдер — Есенину.
Кисловодск, 3 сентября 1923 г.

Выезжаем понедельник Тифлис приезжай туда телеграфируй выезде Ориант навеки люблю — Изадора.

А. Дункан — Есенину.
Баку, 15 сентября 1923 г.

Дорогой Анатолий, мы с Вами говорили. Галя моя жена.
С. Есенин.

Есенин — А. Б. Мариенгофу.
Сентябрь 1923 г.

...В одно утро проснулся, сел на кровати и написал телеграмму: "Я говорил еще в Париже, что в России я уйду. Ты меня очень озлобила. Люблю тебя, но жить с тобой не буду. Сейчас я женат и счастлив. Тебе желаю того же. Есенин."

Дал прочесть мне. Я заметила — если кончать, то лучше не упоминать о любви и т. п. Переделал: "Я люблю другую. Женат и счастлив. Есенин." И послал.

Г. Бениславская.
Там же, с. 59.

Ялта, гостиница Россия. Айседоре Дункан. Я люблю другую женат и счастлив.
Богословский пер., 3, кв. 46.
Сергей Александрович Есенин.

Есенин — А. Дункан.
Москва, 13 октября 1923 г.

Телеграмма: Ялта Гостиница Россия Айседоре Дункан
Я люблю другую женат и счастлив
Есенин.
Черновик той же телеграммы:
Я говорил еще в Париже что в России я уйду жить с тобой не буду Сейчас я женат и счастлив тебе желаю того же Есенин.

А. Мариенгоф.
Мой век..., с. 379.

...Конечно, Дункан винить абсолютно не в чем. Она любила Е. до безумия. Жизнь без него казалась ей немыслимой, и она всеми силами старалась его вернуть.

Г. А. Бениславская.
Материалы..., с. 49.

Так как телеграммы, адресовавшиеся на Богословский переулок (а Сергей Александрович жил уже на Брюсовском), не прекращались, то я решила послать телеграмму от своего имени, рассчитывая задеть чисто женские струны и этим прекратить поток телеграмм из Крыма...

Г. Бениславская.
Там же, с. 59.

Она телеграфировала своему блудному поэту-мужу, прося его присоединиться к ней в Ялте. Ответ не заставил себя долго ждать. Он гласил:
"Москва, 9 — X — 23
Не шлите больше писем, телеграмм Есенину, он со мной и не приедет, вы должны понять, что он не вернется к вам.
Галина Бениславская".

И. Дункан, А. Р. Макдугалл, с. 153—154.

Писем телеграмм Есенину не шлите он со мной к вам не вернется никогда надо считаться — Бениславская.

Г. А. Бениславская — А. Дункан.
Москва, до 11 октября 1923 г.

Этот ответ привел Айседору в бешенство. Она хотела было мчаться прямо назад в Москву. Ее друзья, однако, убедили ее спокойно отдыхать на Черноморском побережье и послать другую телеграмму следующего содержания:

"Твоя прислуга сообщает мне, что ты съехал со своей прежней квартиры. Телеграфируй новый адрес немедленно.

Изадора".

И. Дункан, А. Р. Макдугалл, с. 153—154.

...телеграмма, по рассказам, вызвала целую бурю и уничтожающий ответ: "Получила телеграмму, должно быть, твоей прислуги Бениславской. Пишет, чтобы телеграмм и писем на Богословский больше не посылать. Разве переменил адрес? Прошу объяснить телеграммой. Очень люблю. Изадора."

Г. Бениславская, с. 59.

Получила телеграмму должно быть твоей прислуги Бениславской пишет чтобы письма телеграммы на Богословский больше не посылать разве перемени[л] адрес прошу объяснить телеграммой очень люблю — Изадора.

А. Дункан — Есенину.
Ялта, 11 октября 1923 г.

Сергей Александрович сначала смеялся и был доволен, что моя телеграмма произвела такой эффект и вывела окончательно из себя Дункан настолько, что она ругаться стала. Он верно рассчитал, что это последняя телеграмма от нее. Но потом вдруг испугался, что она по приезде в Москву ворвется к нам на Никитскую, устроит скандал и оскорбит меня.

— Вы ее не знаете, она на все пойдет, — повторял он.

Г. Бениславская, с. 59.

Период сожительства Есенина с Бениславской — самый трезвый и самый благоприятный в творческом отношении. Никогда Есенин не писал так много, как в это время. А творил он всегда только в трезвом виде. Галя создала ему уют в квартире. Она знала признаки приближающегося прилива вдохновения своего друга и спешила в этот момент куда-нибудь удалиться, потому что Есенин не мог работать, когда был не один.

Р. Березин, с. 248.

Оставшись один в комнате, он принимался за "уборку": вытаскивал откуда-то школьные рисунки и развешивал их по стенам, а на карниз оконной занавески усаживал кошку, которая там нещадно мяукала. Все это он делал в ожидании прихода родных; они же, как нарочно, долго не приходили, и кошку приходилось снимать с карниза, к большой досаде Есенина...

С. Виноградская, с. 29.

Очень трудно нам было жить в одной комнате. Особенное неудобство доставляла я. Мне нужно было готовить уроки, а заниматься негде, да и вечерами ежедневное мое присутствие при гостях было неуместно.

В одной квартире с нами жила молодая женщина-врач — Надежда Дмитриевна Юдина. Она была одинокая, вечерами редко уходила из дому и часто звала меня к себе.

Вначале я готовила у нее уроки, а затем она занималась со мной раскрашиванием картинок. Рисовать мы с ней обе не умели и обычно сводили контуры с какой-либо картинки из книги или журнала и затем раскрашивали красками. Но раскрашивали мы довольно неплохо.

Из нашей комнаты в комнату соседей была дверь. Эта дверь была завешена огромным шелковым шарфом. Однажды, придя из школы, я увидела, что к шарфу, висевшему на двери, приколоты все мои рисунки и длинный лист бумаги с надписью синим карандашом: "Выставка А. Есениной", а ниже на другом листе красным карандашом извещалось: "Все продано".

Оказалось, что, пока я была в школе, Сергей нашел все мои рисунки и устроил эту выставку. Я была очень удивлена и смущена от сознания, что обманула его: ведь он, вероятно, счел эти картинки не переведенными, а рисованными мною. Я хотела разъяснить это Сергею, но он ходил по комнате такой довольный своей выдумкой, что мне жаль было разочаровывать его.

Надпись к этой "выставке" сохранилась.

А. Есенина, с. 112.

В том же 1924 году Сергей взял из деревни в Москву и нашего двоюродного брата Илью. Илья был сыном брата нашего отца. Ему было лет двадцать, родители у него умерли. Теперь Илья учился в рыбном техникуме, жил в общежитии, но больше всего находился у нас, был привязан к Сергею и стал, в сущности, членом нашей семьи. В общежитие он уходил ночевать, да и то только потому, что у нас в Брюсовском уже негде было лечь.

Е. Есенина, с. 109.

Словом, все мы являлись для Сергея обузой, и немалой. Но он безропотно нес этот крест. И если, случалось, срывался, то в таких случаях, как правило, роль громоотвода выполняла Катя.

А. Есенина, с. 109.

С лета 1924 года он поселился на Брюсовском пер., у Г. А. Бениславской. С Дункан он больше не встречался. Иногда в разговоре упоминал лишь о том, что она умная и талантливая женщина, или посмеивался над шалью, которую она ему прислала с Кавказа, так как эта шаль напоминает ей его голову. Вдруг он исчез, неизвестно куда, на 3 дня. На четвертый день вернулся, как оказалось, от Дункан. Он был совершенно разбит, плакал и при мысли, что она может прийти, испытывал животный страх, еще пуще плакал и просил не пускать ее...

С. Виноградская, с. 26.

А через два-три дня Сусанна Мар прибежала ко мне с очередной новостью:

— Надя! Галин муж заявился к Есенину, кидался на него — с бритвой, что ли, — норовил резануть по лицу, по глазам. А когда пришел домой, застрелился.

Н. Вольпин, с. 306.

Когда я сказала, что, быть может, он, сам того не понимая, любит Дункан и, быть может, оттого так мучается, что ему в таком случае не надо порывать с ней, он твердо, прямо и отчетливо сказал: "Нет, это вовсе не так. Там для меня конец. Совсем конец. К Дункан уже ничего нет и не может быть". Повторил опять: "Да, страсть была, но все прошло. Пусто, понимаете, совсем пусто". Я рассказала ему все свои сомнения. "Галя, поймите же, что вам я верю и вам не стану лгать. Ничего там нет для меня. И спасаться оттуда надо, а не толкать меня обратно".

Г. А. Бениславская.
Материалы..., с. 88—89.

...самым ценным, самым преданным другом последних лет была Г. Бениславская. С невиданной самоотверженностью, с редким самопожертвованием посвятила она себя ему. В ней он нашел редкое соединение жены, любящего друга, родного человека, сестры, матери. Без устали, без упрека, без ропота, забыв о себе, словно выполняя долг, несла она тяжелую ношу забот о Есенине, о всей его жизни — от печатания его стихов, раздобывания денег, забот о здоровье, больницы, охраны от его назойливых кабацких "друзей" до розысков его ночами в милиции. Этого редкого и, нужно сказать, единственного настоящего друга Есенин недостаточно ценил.

С. Виноградская, с. 31.

Она отдала Есенину всю себя, ничего для себя не требуя. И уж если говорить правду — не получая.

А. Мариенгоф.
Мой век..., с. 382.

Я знала, что есть Галя (Бениславская), которая, как, усмехаясь говорил Мариенгоф, "спасает русскую литературу..." Галя... Она была красивая, умная. Когда читаешь у Есенина:

> Шаганэ ты моя, Шаганэ!
> Там, на севере, девушка тоже,
> На тебя она очень похожа,
> Может, думает обо мне,
> Шаганэ ты моя, Шаганэ...

— вспоминается Галя... Темные две косы. Смотрит внимательными глазами, немного исподлобья. Почти всегда сдержанная, закрытая улыбка. Сколько у нее было любви, силы, умения казаться спокойной. Она находила в себе силу устранить себя, если это нужно Есенину. И сейчас же появляться, если с Есениным стряслась какая-нибудь беда. Когда он пропадал, она умела находить его. Последнее время он все чаще походил на очень усталого человека.

А. Миклашевская, с. 283.

В дальнейшей истории с Дункан немалую роль сыграл опять тот же Клюев...

Г. Бениславская, с. 60.

Ему не нравился союз Есенина с Айседорой Дункан.

Н. Браун, с. 395.

Клюев не любил Дункан и не скрывал этого. Он называл ее дьяволицей и считал "виновницей многих бед в жизни Сереженьки".

В. Мануйлов, с. 467.

Осенью 1924 года Айседора сказала мне:

— В подвале берлинского полпредства еще осталась часть моей нотной библиотеки и другие вещи. Я бы хотела слетать за ними, и было бы хорошо, если бы вы организовали там несколько моих спектаклей.

Я телеграфировал в концертное бюро в Берлине, и Айседора стала готовиться к отъезду. Но у нее не было никакого паспорта: за границей она, как жена Есенина, была вписана в его паспорт, а он остался у Есенина. Я позвонил ему. Паспорт не нашелся...

И. Шнейдер, с 402.

Заведующий Иностранным Отделением Административного отдела Моссовета сообщил мне, что Айседора въехала последний раз в пределы СССР, будучи вписанной в Ваш паспорт, и что паспорт этот необходимо немедленно предъявить, дабы выдать Айседоре отдельный. Через неделю Айседора уезжает за границу, и поэтому нас просили непременно завтра утром паспорт этот предъявить. Я посылал к Вам в "Стойло Пегаса", чтобы узнать — когда бы я мог с Вами завтра увидаться, но узнал там, что Вы завтра в 11 ч. утра уезжаете на Кавказ. Поэтому очень Вас прошу дать подателю сего ответ — где мы сможем увидаться до отхода поезда (если Вы уезжаете), или, может, Вы сможете дать на пару часов этот паспорт, который органы милиции думали у Вас затребовать и без чего, конечно, мы сможем обойтись с Вами, уговорившись просто, как я пишу выше...

И. Шнейдер — Есенину.
Москва, 2 сентября 1924 г.

Хорошо еще, что задолго до этого Айседора подала заявление о желании принять гражданство Советского Союза. На этом основании ей было выдано удостоверение, подтверждающее получение такого заявления. С этим документом она и улетела.

И. Шнейдер, с 402.

В красном тумане особого, русского пьянства он пишет, он орет, он женится на "знаменитой" иностранке, старой Дункан, буйствует в Париже, буйствует в Америке. Везде тот же туман и такое же буйство, с обязательным боем, — кто под руку попадет. В Москве — не лучше: бой на улицах, бой дома. Знаменитая иностранка, несмотря на свое увлечение "коммунизмом", покинула, наконец, гостеприимную страну. Интервьюерам, в первом европейском городе, она объявила, что "муж" уехал на Кавказ, в "бандиты"...

З. Гиппиус, с. 84—85.

Накануне своего отъезда она спросила меня, не знаю ли я, где стоит ее шляпный сундук, который она привезла из Лондона.

— Он так и стоит три с лишним года на шкафу в гардеробной.

— Я еду ненадолго, — сказала она, — и много вещей с собой брать не буду. А этот сундук такой легкий, и я уложила бы в него все, что нужно.

С сундука стерли пыль и отнесли его Айседоре. Немного спустя я зашел к ней и увидел ее сидящей на ковре на полу с туфлей в руке. Рядом стоял сундук с открытой крышкой. Айседора долго молча смотрела на меня какими-то невидящими глазами, потом заговорила:

— Я открыла крышку и вдруг увидела, как по стенкам сундука побежал огромный паук. Я так испугалась, сдернула туфлю и одним ударом убила его! Это было одно только мгновение! И вот я думаю... В этом сундуке, может, родился и годами жил паук. Это был его мир, черный и темный. Стихии света паук не знал. Его мир был ограничен углами и отвесными плоскостями. Но это была его Вселенная, за которой не было Ничего или было Неизвестное. Паук жил в этом мире, не зная, что весь он — только шляпный сундук какой-то Айседоры Дункан, которой взбрело в голову лететь в какой-то Берлин! И вдруг в этот его мир хлынуло что-то невиданное, непонятное и ослепляющее! И тут же наступила смерть! Этой высшей неведомой силой, принесшей ему внезапную смерть, была я. Тем неведомым в жизни, которое люди принимают за бога. Может, и мы живем в таком шляпном сундуке?

И. Шнейдер, с. 403.

На рассвете все поехали в аэропорт имени Троцкого, где аэроплан на Кенигсберг уже ждал пассажиров. Айседора обняла свою ученицу и друзей...

И. Дункан, А. Р. Макдугалл, с. 186.

Рано утром мы уехали на аэродром. Это была та же самая линия Москва — Кенигсберг "Дерулуфта", которой два с половиной года назад Айседора улетала с Есениным. Пилот-немец нервно ходил взад и вперед, размахивая московским тортом, который, как говорили, вез в Кенигс-

берг своей невесте, и что-то бормотал. Оказывается, он проклинал необходи-
мость лететь с "Isadora Dunkan, которая вечно попадает в катастрофы..."

И. Шнейдер, с. 403—404.

Через несколько минут большая машина умчалась, и вскоре звук ее про-
пеллера замер вдали...

И. Дункан, А. Р. Макдугалл, с. 186.

Это было ранним утром, а под вечер, в сумерках, я увидел Айседору,
медленно поднимающуюся по белой мраморной школьной лестнице.
— Айседора! Откуда вы?
— Вынужденная посадка под Можайском. Летим завтра утром. Прошу вас
приготовить мне пакет с двадцатью красными туниками. Я обещала сбро-
сить их завтра можайским комсомольцам. Я с ними провела несколько чу-
десных часов, пока чинили самолет. Учила их танцу и свободному движе-
нию в спиральном построении "Интернационала"! Все под гармонь. Вы уж
не пожалейте эти двадцать туник!
— Пилот ругался?
— Ужасно! Представляете? Он считал, что все произошло из-за того, что
я была его пассажиркой!
В этот день я видел Айседору последний раз в жизни...

И. Шнейдер, с. 404.

Спустя несколько часов, однако, в результате технических неполадок самолет вынужден был совершить посадку в поле. Механик сказал Айседоре,
что ремонт может продлиться довольно долго. Вскоре машину окружила группа крестьянских детей, которые увидели, как большая птица спустилась с
неба. В мгновение ока Айседора достала свой портативный граммофон и дала
пришедшим в восторг мальчикам и девочкам первый в их жизни урок танца.
Когда-то, когда поезд, доставивший ее в Россию, сломался, она дала крестъ-
янским детям незапланированный урок танца; и вот теперь, когда ее аэроплан тоже сломался, она, покидая Россию, быть может, навсегда, сделала то
же самое в сопровождении того же самого портативного граммофона. Когда
аэроплан вновь взлетел, она спросила себя, не был ли этот случай омегой, а
тот альфой; круг полностью замкнулся. Приедет ли она когда-нибудь снова в
Россию, распадется ли школа и наступит ли когда-нибудь конец ее скитани-
ям и разочарованиям?

И. Дункан, Р. А. Макдугалл, с. 185.

...улыбаясь, сказал:
— Тебе нравится мой шарф?
Он подкинул его на ладони, оттянул вперед и еще раз подкинул.
— Да, — говорю, — очень красивый у тебя шарф! — Действительно, шарф
очень шел к нему, гармонично как-то доканчивая белое и бледное лицо
поэта. Шарф кидался в глаза тончайшим соединением черного тона шелка

с красными маками, спрятавшимися в складках, будто выставлявшими отдельные лепестки на волнистой линии концов. Я потрогал его рукой. Продолжая радостно улыбаться, Есенин заметил:

— Это подарок Изадоры... Дункан. Она мне подарила.

Поэт скосил на меня глаза:

— Ты знаешь ее?

— Как же. Лет двенадцать назад я бывал на ее выступлениях здесь, в Москве.

— Эх, как эта старуха любила меня! — горько сказал Есенин. — Она мне и подарила шарф. Я вот ей напишу... позову... и она прискачет ко мне откуда угодно...

Он опять погладил шарф несколько раз.

И. Евдокимов, с. 300—301.

Во всяком случае, я верю в то, что эта глава из жизни Есенина совсем не так случайна и мелка, как многие об этом думали и еще думают...

Н. Никитин, с. 136.

Эта знаменитая женщина, прославленная тысячами эстетов Европы, тонких ценителей пластики, рядом с маленьким, как подросток, изумительным рязанским поэтом являлась совершеннейшим олицетворением всего, что ему было не нужно.

М. Горький, с. 6—7.

Вопреки распространенному мнению о "пагубном" влиянии Дункан на Есенина, я располагаю материалами, говорящими как раз об обратном, о том, как тонко и умно А. Дункан старалась приучить "рязанского дикаренка" и приобщить его к европейской и американской культуре".

С. Максимов.
"Новое русское слово". 1956, 29 апр.

ОГЛАВЛЕНИЕ

Евгений Николаевич Гусляров
Олег Иванович Карпухин

ЕСЕНИН В ЖИЗНИ

Систематизированный свод воспоминаний современников

Том I

Редактор *Т. Г. Тетенькина*
Художественный редактор *С. И. Соболев*
Технический редактор *И. М. Дубровина*
Корректоры: *Е. В. Таргонская, В. И. Козулова*

ЛР № 010276 от 02. 02. 1998 г. Сдано в набор 3.11.1999 г. Подписано
в печать 24.05.2000 г. Формат 70x100/16. Бумага офсетная. Печать офсетная.
Усл. печ. л. 29,35. Уч.-изд. л. 25,32. Тираж 5000 экз. Заказ 13538.

Отпечатано в типографии Калининградского издательско-полиграфического
предприятия "Янтарный сказ". 236000, Калининград, ул. К. Маркса, 18.

ПѢСНЯ О СОБАКѢ.

Утромъ въ ржаномъ закутѣ,
Гдѣ златятся рогожи въ рядъ,
Семерыхъ ощенила сука
Рыжихъ семерыхъ щенятъ.

До вечера она ихъ ласкала
Причесывая языкомъ,
И струился снѣжокъ подталый
Подъ теплымъ ея животомъ.

А вечеромъ, когда куры
Обсиживаютъ шестокъ,
Вышелъ хозяинъ хмурый
И всѣхъ ихъ поклалъ въ мѣшокъ.

По сугробамъ она бѣжала,
Поспѣвая за нимъ бѣжать...